LE CŒUR À VIF

DATE DE RETOUR

26-03	2008 oc.
03 SEP. 2008	/0
27 JAN. 2009	MM
24/03/09	S.R.
24/05/09	R.B 26 JR
06-09	DT. 63
30 mars	11

Bibliofiche 297B

JULIE GARWOOD

LE CŒUR À VIF

Traduit de l'américain
par Stéphane Carn

belfond
12, avenue d'Italie
75013 Paris

Titre original :
HEARTBREAKER
publié par Pocket Books, a division of Simon & Schuster Inc.,
New York.

Si vous souhaitez recevoir notre catalogue
et être tenu au courant de nos publications,
vous pouvez consulter notre site Internet :
www.belfond.fr
ou envoyer vos nom et adresse, en citant ce livre,
aux Éditions Belfond,
12, avenue d'Italie, 75013 Paris.
Et, pour le Canada,
à Interforum Canada Inc.
1050, bd René-Lévesque-Est,
Bureau 100,
Montréal, Québec, H2L 2L6.

ISBN : 2-7144-3805-9
© Julie Garwood 2000. Tous droits réservés.
© Belfond 2004 pour la traduction française.

À mon fils, Gerry

« Ce qui est derrière nous et ce qui est devant nous
sont peu de choses comparé à ce qui est en nous. »
Ralph WALDO EMERSON

Que ton enthousiasme sans borne t'apporte joie et bonheur ;
Que ta persévérance t'amène à lutter pour des causes justes ;
Que ton cœur généreux t'apporte en retour
tout l'amour que tu mérites.
Gerry, je suis si fière de toi !

1

Il faisait une chaleur infernale, là-dedans. Le confessionnal était isolé du monde extérieur par un gros rideau noir, hors d'âge et roide de poussière, qui pendait depuis le plafond de la grande caisse de bois jusqu'à son plancher raboteux, ne laissant passer ni un souffle d'air ni un rayon de lumière.

Le père Thomas Madden avait le sentiment de s'être enfermé dans un cercueil que quelqu'un de particulièrement négligent aurait oublié là, contre le mur. Il n'était pas claustrophobe, Dieu merci, mais il n'en souffrait pas moins le martyre. Chaque souffle était une véritable épreuve, dans cette atmosphère saturée d'humidité et de moisi. Il se sentait à deux doigts de suffoquer, comme autrefois, lorsqu'il franchissait à fond de train les derniers mètres qui le séparaient des poteaux de but, le ballon bien calé sous le bras, sur le terrain de la Penn State University. Mais il n'y prêtait guère attention, à l'époque – pas plus qu'à présent. Il avait dû apprendre à faire avec ses difficultés respiratoires, l'un des inconvénients du métier.

Ses aînés dans la congrégation lui auraient sans doute recommandé d'offrir sa souffrance au Seigneur pour les âmes du purgatoire, et le père Madden ne demandait pas mieux que de contribuer à leur rachat. Mais en quoi ses propres petites misères pouvaient-elles alléger celles d'autrui... ?

Il se dandina sur son inconfortable siège de chêne, comme un enfant de chœur à l'office du dimanche. Son visage et sa nuque ruisselaient. Sa grande soutane de drap noir était déjà trempée et le parfum frais du savon dont il s'était servi pour sa douche matinale n'était plus qu'un souvenir.

Lorsqu'il avait jeté un coup d'œil au thermomètre du presbytère, pourtant fixé à l'ombre du porche, dans une relative fraîcheur, le mercure frôlait les trente-cinq degrés. Par une telle canicule, l'humidité ambiante devenait si accablante que seuls les infortunés qui ne pouvaient pas faire autrement se risquaient à s'éloigner de leur climatiseur. Les rares passants que l'on croisait dans les rues étaient tous d'une humeur massacrante.

La climatisation avait mal choisi son jour pour tomber en panne. Les hautes murailles de l'église étaient percées de grandes verrières, bien sûr, mais les quelques panneaux qui pouvaient s'entrouvrir avaient été depuis longtemps condamnés dans le futile espoir d'arrêter pillards et vandales. Quant à celles qui ornaient la coupole dorée du plafond, elles étaient garnies de magnifiques vitraux multicolores, à l'effigie des saints archanges. Là-haut, Michel et Gabriel brandissaient leurs glaives ardents, l'un levant aux cieux des yeux extasiés, l'autre foudroyant du regard les serpents qui se tordaient sous ses pieds. Ces chefs-d'œuvre de l'art sacré faisaient l'orgueil de la paroisse, mais, contre cette chaleur, un bon ventilateur eût été plus efficace que l'épée flamboyante de saint Michel !

Tom était un solide gaillard. Malgré ses quarante centimètres de tour de cou – souvenir de son époque héroïque –, il était affligé d'une peau de bébé et d'une redoutable allergie à la chaleur. Il releva sa soutane sur ses cuisses, dévoilant un caleçon imprimé de petits motifs humoristiques rouges et jaunes que lui avait offert sa sœur Laurant, et envoya balader ses claquettes de plastique constellées de peinture. Puis il se cala entre les gencives une plaquette de chewing-gum.

C'était une intention charitable qui l'avait fait échouer dans cette étuve. Il était depuis quelques jours l'hôte de l'abbé McKindy, curé de la paroisse Notre-Dame-de-la-Compassion où il résidait chaque mois, le temps de passer ses examens médicaux. Cette fois, il attendait des résultats qui détermineraient la date de sa prochaine chimiothérapie au CHU de Kansas City, à plusieurs centaines de kilomètres au sud de sa propre paroisse d'Holy Oaks, en Iowa. Notre-Dame-de-la-Compassion se trouvait dans l'un des secteurs les plus excentrés de la grande métropole, et la commission municipale chargée des problèmes de délinquance avait classé le quartier comme zone à risques : les gangs y faisaient la loi. D'habitude, le samedi après-midi, le père McKindy assurait la permanence de la confession, mais vu la chaleur, la panne du climatiseur et les problèmes d'emploi du temps qu'avait dû résoudre l'abbé cet après-midi-là, le père Madden s'était spontanément offert pour le remplacer. Il s'était d'abord figuré qu'il pourrait confesser les fidèles en tête-à-tête et à visage découvert, dans une pièce tranquille, confortablement ventilée, mais il avait vite déchanté. Car McKindy se conformait aux vieilles habitudes de ses paroissiens, obstinément cramponnés aux traditions. Hélas ! Tom ne s'en était rendu compte qu'après coup... Lorsque Lewis, l'homme à tout faire du presbytère, lui avait montré cet obscur cagibi où il devait à présent se résigner à mijoter quatre-vingt-dix minutes de plus, il était trop tard pour se rétracter.

Sans doute en guise de remerciement, le vieil abbé s'était fendu d'un ventilateur de poche à piles – un don de l'un de ses paroissiens, probablement. Mais ce n'était qu'un minuscule gadget, dont la taille n'excédait pas celle de sa main. Tom l'alluma tout de même et l'orienta vers son visage, avant de se rencogner contre le mur. Il avait pensé à emporter la *Gazette de Holy Oaks*, qu'il déplia sur ses genoux.

À son habitude, il commença par la dernière page, celle des potins. Survolant l'actualité des diverses associations caritatives locales et les faire-part – deux naissances, deux mariages et trois publications de bans –, il se plongea dans la rubrique « Société », dont les sous-titres ne variaient guère au fil des

11

semaines… « Les nouvelles du bingo » – l'article donnait une estimation du nombre de participants à la soirée du bingo avec la liste des heureux gagnants dont les interviews suivaient, chacun citant ce qu'il projetait de s'offrir avec les vingt-cinq dollars qu'il venait de toucher. La journaliste concluait sur un fin commentaire du rabbin David Spears, l'organisateur de l'événement. Depuis un certain temps, Tom soupçonnait la rédactrice, Lorna Hamburg, d'avoir des vues sur le rabbin, un veuf encore sémillant – ce qui expliquait l'espace médiatique qu'elle consacrait si généreusement au club de bingo dans l'hebdomadaire local. De semaine en semaine, David ressassait les mêmes banalités et Tom ne se privait pas de l'asticoter lorsqu'ils se retrouvaient, le mercredi après-midi, pour jouer au golf. Comme le rabbin le battait à plate couture sur le green, il encaissait d'assez bonne grâce ses railleries, tout en l'accusant de ne le chambrer que pour mieux détourner l'attention de sa propre incompétence en matière de golf.

Pour le reste, la rubrique « Société » se contentait de dresser la liste des particuliers fortunés dont les réceptions avaient égayé la vie mondaine locale, description détaillée des buffets à l'appui. Quand la rédactrice venait à manquer de matière ou d'inspiration, elle allongeait sa sauce de quelques bonnes vieilles recettes de cuisine.

Car, à Holy Oaks, il n'y avait guère de secrets fracassants à dévoiler. À la une du journal, à côté des dernières nouvelles du projet d'aménagement du centre-ville, Tom repéra un article sur la préparation du centenaire de l'abbaye de l'Assomption. Il y lut une sympathique allusion à sa propre sœur à qui l'article rendait un vibrant hommage. « Cette infatigable bénévole, dont l'énergie et l'entrain forcent l'admiration… » Suivait une énumération quasi exhaustive des innombrables projets que Laurant avait menés à bien : le grand vide-grenier, organisé à partir de tout un bric-à-brac collecté dans les caves et les garages du voisinage ; la saisie des vieux registres de la paroisse, qui s'était récemment équipée d'un ordinateur – sans oublier la traduction du journal du fondateur de l'abbaye, un prêtre francophone récemment décédé : le père Henri VanKirk. Laurant avait la ferme intention de s'atteler à cette œuvre de longue haleine en plus de tout le reste. Tom eut un petit gloussement de satisfaction en achevant sa lecture. En toute rigueur, sa sœur ne s'était portée volontaire pour aucune de ces tâches. Elle s'était juste trouvée dans les parages au moment où il en avait lancé l'idée et, entraînée par son incorrigible générosité, n'avait pas su dire non.

Lorsqu'il eut achevé sa lecture, il était en nage et son col l'étranglait. S'essuyant les sourcils d'un revers de main, il songea à devancer la fermeture d'un petit quart d'heure... mais il repoussa aussitôt cette idée. Quitter le confessionnal plus tôt que prévu, c'était s'exposer aux foudres de l'abbé et, après la journée qu'il venait d'essuyer, ç'aurait été au-dessus de ses forces. Le vieil Irlandais, dont il était l'hôte le premier mercredi de chaque mois – le « mercredi des Cendres », comme Tom le surnommait à part soi –, sautait sur la moindre occasion de mettre ses invités à contribution. Sous ses dehors de vieil ours, avec son nez d'ancien boxeur et son visage sillonné de rides, McKindy avait un cœur d'or. Il était de ces natures allergiques à toute sentimentalité, mais dont la rudesse n'exclut pas la générosité, la vraie. Persuadé que la paresse est la mère de tous les vices, l'abbé lui avait fait remarquer que la façade du presbytère avait cruellement besoin d'être badigeonnée de frais. Le travail était à ses yeux une sorte de remède universel. « Ça guérit de tout, même du cancer », répétait-il à qui voulait l'entendre.

Tom avait parfois quelque peine à se rappeler l'origine de l'affection profonde qu'il avait pour McKindy. Peut-être fallait-il en chercher la source du côté de leurs racines celtiques communes... Ou alors de l'indéfectible courage du vieil abbé, qui avait stoïquement surmonté plus d'épreuves que Job lui-même, au cours de sa vie tumultueuse. À côté, son propre combat contre le cancer n'était rien.

Tom faisait donc de son mieux pour lui faciliter la vie. Ce jour-là, McKindy avait prévu de retrouver d'anciens camarades – le prieur James Rockhill, qui était son propre supérieur à l'abbaye de l'Assomption, et le père Vincent Moreno, que Tom ne connaissait pas encore. Ni l'un ni l'autre n'étaient descendus au presbytère. Ils avaient préféré se faire inviter à la paroisse de la Sainte-Trinité où ils bénéficiaient de luxes inconnus dans celle-ci – de l'eau chaude pendant plus de cinq minutes d'affilée, par exemple, ou d'un système de climatisation opérationnel. La paroisse de la Trinité était située dans une banlieue cossue, au-delà de la frontière séparant le Kansas du Missouri. « Notre-Dame des Lexus », comme l'appelait McKindy, avec un clin d'œil. Elle n'avait pas volé son nom, à en juger par le nombre et le confort des voitures qui s'alignaient le dimanche matin sur le parking de l'église. Les fidèles de la Compassion, eux, venaient à la messe à pied.

L'estomac de Tom émit une suite de gargouillements. Il était en nage. Il mourait de soif et se serait presque damné pour une douche et une Bud bien fraîche – sans compter qu'il n'avait pas vu âme qui vive depuis qu'il s'était enfermé dans ce four, où il ne lui manquait plus que de tourner sur une broche pour être parfait dans le rôle de la dinde rôtie...

L'église était déserte, à la possible exception de Lewis qui se glissait de temps à autre dans le cagibi attenant à la sacristie, pour s'offrir en douce une gorgée de mauvais whisky – il en avait toujours une bouteille dans sa caisse à outils. Tom consulta sa montre. Plus que deux minutes. Il en avait fait plus qu'assez, décida-t-il. Il éteignit le plafonnier du confessionnal. Sa main s'avançait vers le rideau noir lorsqu'il entendit grincer le prie-Dieu. Des genoux venaient de s'y poser. Un toussotement discret lui parvint du box voisin, à quelques centimètres de son visage.

Se redressant immédiatement sur son siège, Tom cracha son chewing-gum dans son papier, puis il inclina la tête dans une attitude de prière et fit glisser le petit volet de bois.

Quelques secondes s'écoulèrent dans le plus profond silence. La personne devait rassembler ses esprits ou son courage avant de confesser ses fautes. Tom ajusta l'étole autour de son cou et, débordant de patience, attendit.

Une bouffée d'*Obsession*, de chez Calvin Klein, lui parvint à travers le lacis de bois qui le séparait du pénitent. Un parfum lourd et sucré, reconnaissable entre tous – la gouvernante de Tom lui en avait offert une bouteille, à Rome, à l'occasion de son dernier anniversaire. Une goutte suffisait amplement, mais son pénitent avait dû s'en asperger. Le confessionnal en était littéralement envahi. Combinée aux relents de vieille sueur et de moisi, l'odeur ne fit que renforcer son impression de respirer dans un sac plastique. Son estomac menaçait de se retourner. Il dut faire un violent effort pour réprimer un haut-le-cœur.

« Vous êtes là, mon père ?

— Je vous écoute, répondit Tom dans un murmure. Dès que vous serez prêt à me confesser vos péchés…

— C'est que, euh… ça n'est pas si facile. Ma dernière confession remonte à l'an dernier et le prêtre m'avait refusé l'absolution, à l'époque. Vous croyez que vous m'accorderez la vôtre ? »

Quelque chose lui fit dresser l'oreille. Les inflexions modulées de cette voix, un je-ne-sais-quoi dans l'intonation… une pointe de sarcasme ? Une provocation délibérée… ?

Peut-être ne fallait-il y voir qu'un signe de l'anxiété de cet inconnu qui ne s'était pas confessé depuis si longtemps.

« On vous a refusé l'absolution ?

— Exact, mon père. Je me suis attiré la colère de mon confesseur, comme je vais probablement m'attirer la vôtre. Ce que j'ai à vous dire risque fort de vous… choquer. Vous aussi, ça va vous faire grincer des dents !

— Je vous écouterai en toute sérénité, sans me mettre en colère, affirma Tom.

— Vous en avez entendu d'autres – n'est-ce pas, mon père ? » Et sans lui laisser le temps de répondre, l'inconnu ajouta, dans un souffle : « C'est le péché qu'il faut haïr, et non le pécheur. »

Le ton s'était fait plus ouvertement ironique. Tom se raidit. « Eh bien, je vous écoute.

— Bon, répliqua l'homme. Bénissez-moi, mon père, car je vais pécher. »

Avait-il mal entendu ? Se penchant vers la grille de bois, Tom demanda à son interlocuteur de se répéter.

« Bénissez-moi, mon père, car je vais pécher.

« — Vous voulez confesser un péché que vous vous apprêtez à commettre ?

— Exact.

— À quoi jouez-vous... ? C'est une plaisanterie... ?

— Absolument pas. Je suis on ne peut plus sérieux. Comment... Déjà sur vos grands chevaux, mon père ! »

Un éclat de rire qui claqua comme un coup de feu dans le silence lui parvint à travers la grille de bois.

« Je ne suis pas en colère, répondit Tom, d'une voix qui se voulait aussi neutre que possible. Mais vous comprendrez que je ne peux vous absoudre d'un péché que vous envisagez de commettre. Le pardon n'est accordé qu'à ceux qui assument la gravité de leur faute et qui s'en repentent sincèrement. Il faut avoir la ferme résolution de faire pénitence.

— Bien. Mais je ne vous ai pas encore dit en quoi consistait mon péché. Comment pouvez-vous me refuser d'emblée l'absolution ?

— Nommer ses péchés ne fait aucune différence.

— Ça en fait une, et de taille. L'an dernier, j'ai décrit par le menu à un prêtre ce que je me proposais de faire, mais il a attendu pour me croire qu'il soit trop tard. Ne commettez pas la même erreur !

— Comment pouvez-vous affirmer qu'il ne vous avait pas cru ?

— Il n'a rien fait pour m'arrêter – à mes yeux, c'est la meilleure preuve.

— Depuis quand êtes-vous catholique ?

— Depuis toujours.

— Vous savez donc qu'un prêtre ne peut parler de ce qu'il entend en confession. Le sceau du silence est sacré. Comment ce prêtre aurait-il pu vous arrêter ?

— Il aurait pu. Je n'en étais qu'à mes premiers pas, à l'époque. J'étais encore timide. Il lui aurait été simple de m'arrêter. C'est donc sa faute, non la mienne. Cette fois, ce sera moins facile. »

Tom s'efforçait désespérément d'y voir clair. Ses premiers pas

– dans quoi ? Et quel était ce péché qu'un autre prêtre aurait pu l'empêcher de commettre ?

« Je pense que j'ai assez de métier, maintenant. J'ai le contrôle, dit l'homme.

— Le contrôle sur quoi ?

— Sur ce désir. Ce besoin.

— Quel était le péché que vous avez confessé ?

— Elle s'appelait Millicent. Joli nom, hein ? Charmant, désuet... ses amis l'appelaient Millie, mais pas moi. Personnellement, j'ai toujours préféré Millicent. Et de loin. Mais, bien sûr... je n'étais pas exactement ce qu'on appelle un ami, pour elle ! »

Un autre éclat de rire fusa. Malgré la touffeur de l'air ambiant, Tom sentit un frisson glacé lui remonter la nuque. Il n'avait pas affaire à un plaisantin. Redoutant ce qu'il allait entendre, il ne put s'empêcher de poser la question.

« Qu'est-il arrivé à Millicent ?

— Je lui ai brisé le cœur.

— Je ne comprends pas.

— Que voulez-vous qu'il lui soit arrivé ! s'exclama l'homme, sans prendre la peine de masquer davantage son impatience. Je l'ai tuée. Une vraie boucherie. Du sang partout. J'en étais couvert. J'étais terriblement inexpérimenté. Depuis, j'ai perfectionné mes méthodes. Je n'en étais qu'au stade des préliminaires, quand je suis allé me confesser. Ce prêtre aurait pu m'arrêter, mais il n'a rien fait. Je lui avais pourtant expliqué mes intentions.

— Mais, dites-moi... Comment aurait-il pu vous arrêter ?

— Par la prière, répondit-il, et Tom perçut dans sa façon de le dire une sorte de haussement d'épaules. Je lui ai dit de prier pour moi, mais il n'a pas dû le faire, ou du moins pas assez, puisque je l'ai butée. Et que voulez-vous, c'était dommage. Un si joli petit bout de femme... Elle était plus jolie que toutes les autres réunies ! »

Seigneur... parce qu'il y en a eu d'autres ! Combien ?

« Combien de crimes avez-vous donc... ?

— De péchés, reprit l'inconnu. Des péchés, mon père ! Car

17

j'ai péché..., mais j'aurais pu résister à la tentation, si ce prêtre m'avait aidé. S'il ne m'avait pas refusé l'aide que je lui demandais.

— Que lui avez-vous demandé, au juste ?

— L'absolution. L'acceptation de mes fautes. Il m'a refusé l'une et l'autre. » Le poing de l'inconnu s'abattit tout à coup sur la grille de bois. Sa rage, qui couvait jusque-là sous la cendre, parut soudain entrer en éruption et, sans lui faire grâce d'un seul détail, il entreprit de lui décrire ce qu'il avait fait subir à la malheureuse Millicent.

Tom était abasourdi d'horreur. Bon Dieu, que faire ? Il s'était avancé en déclarant que rien de ce qu'il entendrait ne pourrait le choquer. Qu'est-ce qui aurait pu le préparer aux atrocités que ce type lui dépeignait à présent avec une aussi abominable délectation... ?

Haïr le péché, non le pécheur.

« Et j'y ai vraiment pris goût ! ajouta le dément dans un murmure.

— Combien d'autres femmes avez-vous tuées ?

— Millicent a été la première. Bien sûr, j'avais eu d'autres flirts avant elle, et toutes m'avaient déçu. Il fallait que je les fasse souffrir, d'une manière ou d'une autre, mais je n'avais jamais tué. Du jour où j'ai rencontré Millicent, tout a changé. Je l'ai long-temps observée, et je ne voyais en elle que de la perfection. » Sa voix se mua en un grondement hargneux. « Mais elle m'a trahi, comme les autres. Elle pensait pouvoir papillonner avec d'autres hommes à mon insu, impunément. Mais je n'allais pas tolérer l'intolérable – je ne devais pas le tolérer, rectifia-t-il. J'ai dû sévir ! »

Il poussa un long soupir, exagérément appuyé, puis un glous-sement ironique. « Oui, je l'ai tuée, la garce. Voilà un an. Et je l'ai enterrée, très profond. Là où personne ne la retrouvera jamais. Impossible de revenir en arrière. Ça non ! Mais ce que je ne soupçonnais pas, c'est le plaisir que j'y ai pris. Je l'ai obligée à se traîner à mes genoux et elle l'a fait – ça, Dieu m'en est témoin ! Elle m'a supplié, ricana-t-il. Elle couinait comme une truie qu'on égorge... Ce que j'ai pu aimer ça ! Jamais je n'avais connu un tel sommet d'excitation. Alors, il a bien fallu que je la fasse crier plus fort – vous imaginez... ? Et quand j'en ai eu terminé avec elle, j'ai explosé, littéralement. Alors là... l'extase ! Eh bien, mon père..., vous ne me demandez pas si je me repens ? fanfaronna-t-il.

— Inutile. Vous n'avez aucun regret. »

Une chape de silence s'appesantit sur le confessionnal. Et la voix revint, insinuante, reptilienne :

« Le désir, mon père. Ça me reprend... »

Tom sentit se hérisser les poils de ses bras. « Il existe des personnes qui...

— Qui quoi ? Vous vous dites que je suis fou à lier ? Mais je ne fais que punir ceux qui m'ont offensé. Vous voyez... qu'est-ce que j'ai à me reprocher ? Vous me croyez malade, mon père, n'est-ce pas ? N'oubliez pas que nous sommes en confession ; vous devez me dire la vérité.

— Effectivement. C'est ce que je crois.

— Eh bien, pas moi. Pointilleux, tout au plus.

— Je connais des gens qui pourraient vous aider.

— M'aider ? Mais je n'ai besoin de personne ! Je suis un esprit des plus brillants, vous savez... Il ne sera pas simple de m'arrêter. Je commence par étudier scrupuleusement mes clients. Je sais tout d'eux. Leur famille, leur entourage, leurs habitudes. Il sera bien plus difficile de me damer le pion, à présent ; mais je sais aussi me montrer beau joueur. Je suis même prêt à m'imposer un petit handicap – comprenez-vous... J'essaie sincèrement de ne pas succomber au péché. Sincèrement. » La voix avait repris ce ton lancinant.

« Écoutez..., plaida Tom. Sortons ensemble de ce confessionnal. Nous allons discuter de tout cela à visage découvert. Si vous me faites confiance, je ne demande qu'à vous aider.

— Non. J'ai déjà sollicité l'aide de l'un des vôtres, et il me l'a refusée. Vous vous rappelez ? Ce que je veux, c'est votre absolution.

— Je ne vous l'accorderai pas. »

L'inconnu poussa un long soupir. « Bien. Très bien, fit-il. En ce cas, les règles vont sensiblement changer. Je vous autorise à raconter ce que vous voudrez à qui vous voudrez. Vous voyez, je suis plutôt arrangeant… !

— Je n'ai que faire de votre autorisation. Pas un mot de cette conversation ne sortira d'ici. Ne comptez pas sur moi pour rompre le secret de la confession.

— Quoi que je vous dise ?

— Exactement.

— Et si j'exige que vous le répétiez ?

— Que vous l'exigiez ne change rien à rien. Je ne répéterai à personne ce que vous venez de me dire. Voudrais-je le faire que je ne le pourrais pas. »

Un silence pesant s'installa. Puis l'inconnu s'esclaffa : « Un prêtre intègre. On aura tout vu ! Hmm… Là, j'avoue que vous me prenez au dépourvu – mais ne vous en faites pas, mon père. J'ai plusieurs mesures d'avance sur vous…

— C'est-à-dire ?

— C'est-à-dire que j'ai déjà choisi mon prochain client.

— Votre prochain… »

Le dément lui coupa la parole. « Et j'en ai déjà avisé les autorités. Elles ne devraient pas tarder à recevoir ma lettre. Bien sûr, c'était avant de savoir à quel point vous étiez à cheval sur le règlement… mais avouez que c'était une délicate attention de ma part. Un mot des plus urbains, leur expliquant mes intentions. Dommage que j'aie oublié de le signer !

— Et vous leur avez donné le nom de… de la personne à qui vous projetez de… de vous en prendre ?

— Oui. J'ai cité son nom. *M'en prendre à elle…* bel euphémisme pour "la tuer" !

— C'est donc une femme ? » La voix de Tom s'était brisée sur ces derniers mots.

« Exact, mon père. Mes clients sont tous des clientes.

— Avez-vous expliqué vos raisons à la police ?

— Non.

— En avez-vous seulement une ?

— Oui.

— Je peux la connaître ?

— L'entraînement, mon père.

— Comment ça ?

— Pour ne pas perdre la main…, fit-il. L'entraînement est un gage de perfection, et celle-ci m'est encore plus chère que Millicent. Je m'enveloppe de son parfum, et j'adore la regarder dormir… Elle est si belle ! Demandez-moi juste de vous la nommer… Et dès que je vous aurai dit son nom, je vous garantis que vous m'accorderez votre pardon.

— N'y comptez pas !

— Comment se passe votre traitement, mon père ? Vous sentez-vous encore un peu faible ? Et les résultats de ces analyses, rassurants ? »

Tom releva vivement la tête. « Comment ? » tonna-t-il.

Le dément poussa un grand éclat de rire. « Je vous ai dit que je me livrais à une étude détaillée de mes clients, avant de les prendre en charge. Je les suis pratiquement à la trace, acheva-t-il dans un murmure.

— Comment savez-vous… ?

— Ce que vous pouvez être naïf, mon brave Tommy ! Vous ne vous demandez même pas pourquoi j'ai fait tout ce chemin sur vos traces pour venir vous parler dans ce confessionnal ? J'ai particulièrement soigné la phase préliminaire, pas vrai ? Réfléchissez-y, sur le chemin du retour.

— Qui êtes-vous ?

— Je suis un vrai tombeur, mon père, et j'aime relever des défis. J'espère que vous ne me simplifierez pas la tâche. La police ne va pas tarder à venir vous interroger et vous pourrez vous expliquer auprès de qui vous plaira. Je sais déjà qui vous allez appeler à la rescousse… Votre ami, le héros du FBI. Ce vieux Nick… et il va accourir – c'est en tout cas ce que j'espère. À votre place, je lui demanderais de l'emmener et de la cacher très loin de moi. Peut-être cela suffira-t-il à me convaincre de renoncer à elle, pour me rabattre sur une autre cliente. Enfin… d'essayer, disons…

« — Comment savez-vous que... ?

— Allez-y... demandez...

— Vous demander quoi ?

— Son nom, souffla le dément. Demandez-moi qui est la prochaine sur ma liste.

— Ce que je vous demande instamment, c'est de vous faire aider, insista Tom. Ce que vous faites...

— Allez-y... Demandez. Demandez. Demandez... »

Tom ferma les yeux. « Bien. Qui est-ce ?

— Elle est ravissante, murmura l'inconnu. Des seins ronds, parfaits... De longs cheveux bruns. Pas trace de la moindre cicatrice sur sa peau immaculée. Son visage est celui d'un ange. Elle est incomparable, à tout point de vue. À tomber à genoux, littéralement... et c'est elle que le Tombeur s'apprête à culbuter !

— Son nom ! Dites-le-moi, l'exhorta Tom, en priant qu'il ne soit pas trop tard pour assurer la sécurité de la malheureuse.

— Une certaine Laurant. Vous connaissez ? »

La terreur lui coupa le souffle, comme un coup de poing. « Laurant ? La mienne... ?

— Voilà, mon père. Vous savez tout. Je vais tuer votre jeune sœur. »

2

Nicholas Benjamin Buchanan, agent fédéral de son état, s'apprêtait à rattraper plusieurs semaines de congé qu'il aurait dû prendre depuis des lustres. Depuis trois ans, c'était tout juste s'il se souvenait encore du sens du mot « week-end », et à en croire son supérieur direct, le Dr Peter Morganstern, cela commençait à retentir fâcheusement sur son comportement. Pete lui avait intimé l'ordre de partir en vacances, en lui faisant remarquer qu'il s'enfermait dans une attitude de détachement de plus en plus cynique. Et, certains jours, Nick en venait à se demander s'il n'y avait pas un atome de vérité dans ce diagnostic.

Morganstern n'avait pas l'habitude de prendre des gants. Nick admirait sa rigueur et sa franchise ; le respectant comme un père, il ne se risquait que rarement à prendre le contre-pied de ses verdicts. Morganstern avait la solidité d'un roc – d'ailleurs, il n'aurait pas tenu plus de quinze jours au Bureau s'il n'avait eu un contrôle total de ses émotions. Non, si Pete avait un défaut, c'était précisément cette exaspérante capacité à rester de marbre. Rien ne semblait pouvoir le faire vaciller.

Les douze agents d'élite qui composaient sa garde rapprochée l'avaient baptisé « monsieur Prozac » – dans son dos,

23

évidemment. Mais il avait eu vent du sobriquet et, loin de s'en offusquer, avait salué la trouvaille d'un éclat de rire, réaction qui n'avait fait qu'ajouter à son prestige aux yeux de ses hommes. Pete ne se départait jamais de son humour, ce qui était en soi un petit exploit, vu la nature des dossiers que traitait son équipe. Le seul signe de nervosité qu'il laissât jamais échapper était de répéter certaines de ses directives – bien qu'en toute honnêteté, nul n'eût jamais entendu sa voix rocailleuse de fumeur de havanes s'élever d'un seul décibel. Diable... ! Peut-être ses hommes n'étaient-ils pas si loin de la vérité ; peut-être coulait-il effectivement dans les veines de « monsieur Prozac » une adrénaline d'une composition un peu particulière...

Une chose de sûre, les sommités du Bureau savaient repérer le talent lorsqu'il passait à leur portée, puisque au cours des quatorze années durant lesquelles Pete avait travaillé au FBI il avait été promu six fois. Mais il ne s'était pas pour autant endormi sur ses lauriers. À peine nommé à la tête de la section des disparus, il s'était attaché à rassembler autour de lui un groupe d'agents spécialisés dans ce genre de recherche. Cela fait, il avait investi ses efforts dans un objectif encore plus pointu et plus épineux : la création d'une unité particulière pour traiter les disparitions et kidnappings d'enfants. Il avait rédigé un rapport de deux cent trente-trois pages pour étayer ce projet et avait passé des semaines à le « vendre » auprès de l'état-major de la police fédérale, ne laissant échapper aucune occasion de venir l'agiter sous le nez du directeur.

Sa ténacité avait fini par payer, puisqu'il se retrouvait à présent à la tête de cette section, dont il avait sélectionné chacun des membres. Les agents composant cette équipe pour le moins bigarrée provenaient tous d'horizons très divers. Ils avaient d'abord suivi un entraînement intensif à Quantico et parachevé leur formation sous la direction de Morganstern en personne. Seule une infime fraction du contingent initial avait réussi à passer cet ultime filtre, mais les hommes finalement retenus étaient tous des éléments d'exception. Le bruit courait que Pete avait déclaré au Big Boss lui-même qu'il était désormais persuadé d'avoir rassemblé autour de lui l'élite absolue de la police fédérale. Il lui avait fallu moins d'une année pour en apporter la preuve à tous les saints Thomas du Bureau. Il avait alors confié à son assistant Frank O'Leary les rênes de la section des disparus, pour se consacrer à cette nouvelle section, unique en son genre.

Chacun de ses membres présentait des aptitudes hors du commun, toutes orientées vers la recherche des enfants disparus. Les douze agents étaient en permanence engagés dans une course contre la montre pour retrouver et protéger de jeunes victimes en danger avant qu'il ne soit trop tard. Ils étaient le dernier recours de ces innocents, leur dernier bastion contre les croque-mitaines de tout poil qui les guettaient dans l'ombre.

Le niveau de stress qu'impliquait leur travail aurait mené n'importe qui droit à la crise cardiaque – mais les hommes de Morganstern n'étaient pas n'importe qui. Aucun d'eux ne correspondait vraiment au profil type d'un agent du FBI, pas plus que leur patron à celui du chef standard. Et celui-ci avait prouvé qu'il était plus que digne d'être à leur tête. Les autres services les surnommaient « les Saints Apôtres » à cause de leur nombre, à l'évidence, mais Morganstern appréciait moyennement l'image messianique qu'impliquait ce surnom quant au leader du groupe. Sa modestie naturelle était une autre de ses qualités, et une explication supplémentaire à la vénération que lui portaient ses hommes. Morganstern était, de surcroît, un maître de l'improvisation. Il ne se contentait pas d'appliquer le règlement comme tant d'autres. Lorsqu'il confiait une mission à ses « disciples », il leur laissait toujours carte blanche, et, en retour, ils pouvaient compter à cent pour cent sur son soutien. En un sens, il était lui aussi leur dernier recours.

Nul n'était plus attentif ni plus qualifié que Morganstern pour assumer ce poste, au Bureau, car à toutes ces compétences il ajoutait celles d'un psychiatre expérimenté – ce qui expliquait peut-être cette habitude de convoquer régulièrement ses hommes pour des entretiens particuliers. C'était pour lui l'occasion de renforcer et d'approfondir ses liens avec ses subordonnés. Il les bombardait de questions et s'attachait à les observer de l'intérieur ; il fallait bien faire fructifier toutes ces années qu'il avait consacrées à décrocher son doctorat à Harvard. C'était là son moindre défaut, et le seul dont ses « disciples » avaient à s'accommoder.

Ce jour-là, Pete devait être d'humeur communicative, car il avait pris l'avion de Washington à Cincinnati et avait demandé à Nick, qui s'en revenait d'un séminaire à San Francisco, de venir discuter avec lui d'une affaire qui datait à présent de plus d'un mois : le dossier Stark. Nick aurait largement préféré le laisser sombrer dans les brumes de l'histoire – pour lui, c'était désormais le précambrien –, mais peine perdue. Bon gré mal gré, il allait devoir repasser les faits en revue en compagnie du Boss.

Il avait retrouvé Pete dans les locaux de l'agence de Cincinnati. Il s'était assis face à lui à une table de conférence, et Morganstern avait commencé par lui assener un exposé détaillé des tenants et aboutissants de cet étrange dossier. Nick écouta sans mot dire, même lorsque son chef lui annonça qu'il avait fait une demande de citation en sa faveur. À plusieurs reprises, il fut pourtant sur le point d'intervenir, mais il avait appris à contenir son impatience, fût-ce sous l'œil de lynx du docteur, si habile à détecter le moindre signe de stress ou d'épuisement. Pour autant qu'il pût en juger, son chef dut croire qu'une fois de plus, tout cela glissait sur lui comme de l'eau sur un canard.

Son exposé achevé, Morganstern regarda son subordonné dans le blanc de l'œil, et laissa s'égrener une minute, qui parut s'éterniser, avant de rompre le silence : « Qu'avez-vous ressenti, quand vous l'avez abattue ?

— Est-il vraiment indispensable de revenir là-dessus, monsieur ? Les faits remontent à plus d'un mois. Pourquoi ne pas classer tout ça ?

— Cet entretien n'a rien d'officiel, Nick. Simple échange de vues entre nous. Ne vous sentez surtout pas tenu de me donner du "monsieur"... Pour répondre à votre question, oui, c'est indispensable. Venons-en à la mienne, à présent : qu'avez-vous ressenti ? »

Nick tenta une fois de plus d'esquiver. « Comment ça, ce que j'ai ressenti ? » fit-il, en s'agitant sur sa chaise comme un gamin que l'on veut forcer à reconnaître qu'il a fait une bêtise.

Morganstern choisit d'ignorer la nuance de colère qui avait vibré dans la question et répéta, pour la troisième fois : « Vous savez ce que je vous demande. Quels ont été vos sentiments, en cet instant précis ? Vous en souvenez-vous ? »

Nick aurait pu saisir cette perche. Il lui suffisait de répondre que non, il ne s'en souvenait pas. Qu'il avait été trop submergé par l'urgence du moment pour examiner ses propres sentiments. Mais ses relations avec son chef avaient toujours été empreintes de la plus grande franchise, et pour rien au monde il n'aurait voulu lui mentir – à supposer qu'il ait pu le faire sans éveiller les soupçons de Pete. Il capitula donc et cessa d'esquiver. Autant appeler un chat un chat : « Oui, je m'en souviens…, murmura-t-il. Ça m'a fait plaisir. Pour ne pas dire grand plaisir. Punaise, Pete ! j'étais dans un état second. Imaginez que je ne sois pas revenu sur mes pas, que je n'aie pas à nouveau poussé la porte de cette maison… Si j'avais hésité une seconde de plus, si je n'avais pas déjà eu la main sur la crosse… je serais arrivé trop tard ! J'aurais trouvé le gamin mort. Ça s'est joué à un cheveu.

— Vous êtes arrivé à temps.

— Oui. Mais j'aurais dû m'en douter plus tôt. »

Morganstern poussa un soupir. De tous ses hommes, Nick était le plus critique quant à ses propres performances. « Ne faites pas dans l'excès de modestie, Buchanan ! De toute l'équipe, vous êtes le seul à vous en être douté. Un peu d'indulgence envers vous-même, bon sang !

— Vous avez lu les journaux ? Les journalistes ont prétendu qu'elle était psychologiquement perturbée. Mais moi, je revois encore ce regard de défi qu'elle m'a lancé et je peux vous certifier qu'elle n'était pas plus folle que vous et moi !

— Effectivement. Ils l'ont présentée comme une malade, ce qui, en soi, n'a rien de surprenant. C'était pour eux la seule façon d'expliquer au public un acte perpétré sous l'effet d'une haine aussi absurde. Nous préférons tous croire que seul un dément peut commettre de telles atrocités sur un autre être

27

humain. Trouver du plaisir dans la souffrance d'un innocent... Et la plupart de ces criminels sont effectivement des cas pathologiques, mais pas tous. Car le mal existe bel et bien. Nous le rencontrons tous les jours, vous et moi. À un moment ou à un autre, cette abominable Mme Stark a délibérément choisi de franchir la limite.

— Les gens craignent par-dessus tout ce qui leur échappe.

— Certes, admit Morganstern. Et bon nombre de mes confrères refusent d'admettre que le mal existe. Puisqu'ils ne peuvent ni le concevoir ni l'expliquer, dans le cadre étroit de leurs petits dogmes, ils préfèrent conclure à sa non-existence. À mon sens, c'est précisément l'un des facteurs qui ont rendu notre civilisation si fertile en dépravations de toutes sortes – tous ces psys qui ont la conviction de pouvoir tout soigner avec de belles phrases et le cocktail de neuroleptiques adéquat !

— Certains experts ont avancé l'hypothèse que Mme Stark n'avait agi que par crainte de son mari qui la contrôlait totalement et la terrifiait au point de lui avoir fait perdre la raison. Bref, à les entendre, elle n'aurait elle-même été qu'une victime.

— Absurde ! Elle était aussi dépravée que lui. On a retrouvé leurs empreintes, à l'un comme à l'autre, sur les cassettes pornographiques. Elle était consentante, indiscutablement. Mais l'idée m'a tout de même effleuré qu'elle frôlait le point de rupture. Ils ne s'étaient jamais attaqués à des enfants, jusque-là.

— En toute honnêteté, Pete, elle m'a regardé en souriant. Elle tenait l'enfant évanoui au creux de son bras, et elle a brandi cet énorme couteau de cuisine. Il respirait encore, ça, je l'ai vu au premier coup d'œil. Mais elle m'attendait. Elle savait que j'avais compris. Elle tenait à me faire assister à cette scène. À me mettre dans la position du voyeur. » Il marqua une pause. « Oui, fit-il en hochant la tête. Ça m'a fait du bien, de la supprimer. Mon seul regret, c'est de n'avoir pu mettre son mari hors d'état de nuire, par la même occasion. Toujours aucune piste ? Vous devriez mettre l'ami Noah sur l'affaire.

— J'ai longtemps hésité à le faire mais, en haut lieu, on tient à capturer Donald Stark vivant pour pouvoir l'interroger. Or, ils savent qu'au moindre pépin, Noah fera mouche...

— Difficile de lui donner tort, Pete. Les cloportes, on les extermine – inutile d'essayer de les apprivoiser ! » Il fit rouler ses épaules pour étirer ses muscles ankylosés, tout en se massant la nuque. « Je crois que j'ai effectivement besoin de me mettre sur la touche pendant quelques semaines.

— Ah ! Vous en convenez ?

— Je me sens à deux doigts de craquer. À votre avis ? »

Morganstern secoua la tête. « Un peu de fatigue, tout au plus. N'ayez crainte. Rien de ce que nous venons de dire n'apparaîtra dans mon rapport. Tout cela restera entre nous. De toute façon, vous aviez plusieurs semaines de congés à rattraper, mais c'est ma faute, et non la vôtre. Prenez un bon mois, le temps de vous ressourcer un peu. »

Un pâle sourire courut sur les lèvres de Nick.

« Me ressourcer ?

— Oui. Essayez de vous détendre un peu, que diable ! Si vous alliez à Nathan's Bay, voir votre tribu ? À quand remonte votre dernière visite ?

— Ça fait un bail, admit Nick. Mais je leur parle régulièrement, par messages électroniques interposés. Ils sont tous aussi occupés que moi.

— Allez donc les retrouver ! ça vous fera un bien fou, et ils seront ravis de vous revoir. Comment se porte le juge Buchanan ?

— Comme un charme, répliqua Nick.

— Et votre vieux copain curé, le père Madden... ?

— J'ai de ses nouvelles pratiquement chaque jour.

— Par Internet ?

— Eh oui.

— Bien. Voilà qui va vous laisser le temps d'aller lui parler de vive voix et d'avoir avec lui un de ces tête-à-tête qui vous font tant de bien.

— Parce qu'à votre avis, c'est d'un guide spirituel que j'ai besoin ? s'enquit Nick avec un sourire en coin.

29

— De quelques bonnes parties de rigolade en compagnie d'un vieux copain, disons.

— Vous devez avoir raison, reconnut Nick – mais il retrouva aussitôt son sérieux. Pete... ne craignez-vous pas que mon flair soit en train de s'émousser ? »

Morganstern repoussa aussitôt cette idée. « Votre flair me semble au sommet de sa forme, mon vieux ! s'esclaffa-t-il. Mme Stark avait réussi à berner tout le monde : sa famille, ses proches, ses camarades de la paroisse. Bref, tout le monde, sauf vous. Bien sûr, la police locale aurait fatalement fini par y voir clair, mais le gamin aurait été mort et enterré. Et elle en aurait peut-être enlevé un autre. Vous savez comme moi qu'une fois qu'ils commencent... »

Pete tapota de ses phalanges repliées une grosse enveloppe de papier kraft. « J'ai épluché toutes les dépositions. Tous les témoins s'accordent à décrire le dévouement dont elle a entouré la pauvre mère, jour après jour. Elle passait des heures entières près d'elle, à la consoler. Elle avait même tenu à rejoindre le groupe de prière de la paroisse... » ajouta-t-il, avec un hochement de tête écœuré. Pete avait beau en avoir vu et entendu de toutes sortes, la duplicité et l'audace de Mme Stark semblaient le laisser à court d'épithètes.

« La police a longuement interrogé les membres de son groupe de prière sans rien trouver d'intéressant. Mais c'était un bled minuscule. Les forces de l'ordre locales n'avaient aucune expérience de ce genre d'affaire. Les flics du cru ne savaient pas au juste où chercher.

— Le shérif a bien fait de nous appeler à la rescousse, fit Morganstern. Vous avez immédiatement pris l'enquête en main. Qu'est-ce qui vous a mis sur la piste ?

— Un ensemble de petits détails. Je ne sais pas au juste ce qui m'a fait tiquer, en elle. Je ne pourrais pas expliquer pourquoi j'ai tout à coup décidé de la prendre en filature.

— Je vais vous le dire, moi, et il me suffira d'un mot : l'instinct.

— Ce doit être ça, convint Nick. J'ai senti qu'une enquête

approfondie s'imposait. Quelque chose me chiffonnait. Je ne parvenais pas à mettre le doigt dessus, mais, en sa présence, je sentais cette espèce de petit pincement – et le malaise n'a fait que s'aggraver, lorsque je suis entré chez elle – vous voyez...

— Précisez un peu. À quoi ressemblait-elle, cette maison ?

— Un bloc opératoire. Pas une tache, pas un grain de poussière. Un petit living des plus ordinaires. Deux fauteuils, un canapé, une télé... mais vous savez ce qui m'a paru étrange, Pete ? Pas un cadre aux murs. Pas un tableau, pas une photo de famille, et ça m'a paru... bizarre. Il y avait des housses de plastique sur tous les meubles. Pas mal de gens en mettent, je sais bien, mais... tout était immaculé, et j'ai immédiatement repéré cette odeur particulière qui flottait dans toute la maison.

— Quel genre d'odeur ?

— Un mélange de vinaigre et d'ammoniaque. Une odeur forte qui m'a fait monter les larmes aux yeux. Je me suis dit qu'elle devait être du genre maniaque pour ce qui était du ménage, et quand je l'ai suivie dans sa cuisine, mon impression s'est trouvée confirmée. Tout reluisait. Pas une cuiller sur l'évier, pas un torchon au dossier d'une chaise. Elle m'a fait asseoir pendant qu'elle me préparait une tasse de café et mon regard est tombé sur quelques objets, sur la table. Un moulin à poivre, une salière, mais aussi un gros bocal plein de tablettes d'antiacide roses, à proximité d'une grande bouteille de sauce piquante. J'ai trouvé ce cocktail plutôt détonant et c'est alors que j'ai remarqué la présence du chien. Un cocker noir, tremblotant, couché près de la porte de l'arrière-cour, qui ne la quittait jamais de l'œil. Elle a posé devant moi une assiette de biscuits au chocolat, et quand elle s'est retournée pour servir le café j'ai pris un gâteau et l'ai discrètement tendu au chien sous la table, pour voir s'il allait le prendre. Mais le cabot n'a rien vu. Il avait si peur qu'il s'interdisait de bouger une paupière. Il semblait fasciné par ses moindres faits et gestes. Si le shérif l'avait vue en compagnie de ce chien, lui aussi aurait subodoré quelque chose. Mais je suppose que le cocker était dehors, dans sa niche, quand il est venu l'interroger...

31

— Il est entré plusieurs fois dans la maison, sans rien noter d'inhabituel.

— J'ai eu de la chance. Elle était trop sûre d'elle. Elle a pris des risques inconsidérés.

— Qu'est-ce qui vous a convaincu de revenir sur vos pas ?

— Je m'apprêtais à aller chercher du renfort. Ensuite, je voulais me mettre en planque près de la maison, pour surveiller ses allées et venues, mais à peine ai-je eu mis le pied dehors que j'ai senti qu'il n'y avait pas une seconde à perdre. J'ai fait demi-tour. Elle savait que je l'avais repérée. Quelque chose me disait soudain que le gamin était là, quelque part.

— Votre instinct, toujours lui, fit Morganstern avec un sourire. Vous savez qu'en dernière analyse, c'est ce qui m'a persuadé de vous engager. »

Les deux hommes se levèrent. Nick surplombait son chef d'une bonne tête. Pete était d'une constitution plutôt frêle. Ses cheveux blonds commençaient à s'éclaircir sur les tempes et à se strier de fils blancs. Ses lunettes de myope lui descendaient constamment sur le nez. Il arborait en toute occasion un complet anthracite, avec une chemise blanche à col empesé et une cravate rayée. On aurait pu le prendre pour un petit prof de fac casanier, mais pour ses hommes, c'était un stratège de tout premier ordre, capable d'orchestrer les missions les plus éprouvantes avec une maestria hors du commun.

« Nous nous reverrons dans un mois, Nick – pas un jour de moins. Vu ?

— Bien, chef ! »

Morganstern mit le cap sur la porte, mais il se retourna, la main sur la poignée. « À propos, Buchanan... êtes-vous toujours malade à la seule idée de mettre les pieds dans un avion ?

— Reste-t-il un détail que vous ignoriez, concernant ma vie privée ?

— Ça, je me demande...

— Vraiment ? Sauriez-vous par hasard à quand remonte ma dernière nuit d'amour ? »

Morganstern ouvrit de grands yeux et feignit la pudeur

32

outragée. « En tout cas, à vue de nez, ça ne doit pas dater d'hier soir, agent Buchanan ! Vous m'avez l'air en pleine traversée du désert, de ce côté-là. »

Nick s'esclaffa. « Sans blague ?

— Mais votre cas n'a rien de désespéré. Avec un peu de chance, vous allez bien finir par rencontrer la femme de vos rêves.

— Je ne cherche pas à rencontrer la femme de mes rêves. »

Morganstern eut un sourire paternel : « C'est la meilleure stratégie, fit-il. Vous passerez par là, le nez au vent, pensant à tout autre chose, et elle vous apparaîtra soudain et vous éblouira, comme l'a fait ma chère Katie. Je lui suis tombé tout cuit dans le bec. Elle ne m'a pas laissé l'ombre d'une chance ! Vous verrez... La vôtre aussi est là, quelque part, à l'affût, n'attendant que de vous voir passer.

— Elle risque d'attendre longtemps. Dans notre branche, boulot et vie privée ne font pas bon ménage.

— Voilà tout de même vingt ans que nous nous en accommodons, Katie et moi.

— Mais votre femme est une sainte.

— Il me semble vous avoir posé une question, Nick. Alors, ces avions ?

— S'ils me rendent toujours malade ? Seigneur... c'est peu de le dire !

— Je n'aurai donc pas la cruauté de vous souhaiter bon voyage... Tâchez quand même de rejoindre Boston le plus confortablement possible, ajouta Pete avec un petit sourire.

— La plupart des psys de ma connaissance essaieraient de me purger de mes phobies, mais vous, pas le moins du monde ! On dirait même que ça vous amuse ! »

Pete étouffa un gloussement. « Bonnes vacances, et à dans un mois ! » répéta-t-il en quittant le bureau.

Nick rassembla ses dossiers, passa une série de coups de fil urgents à son bureau de Boston et à Frank O'Leary, resté à Quantico. Puis il se fit accompagner à l'aéroport par l'un des agents du cru et se mit en demeure d'échafauder un semblant de projet de vacances, puisqu'il était bien parti pour ne pouvoir y couper. Il allait vraiment devoir rester quelque temps sur la touche. Se dorer la pilule au soleil, par exemple – pourquoi pas en compagnie de son frère Théo ? Il pourrait l'emmener faire de la voile, s'il parvenait à l'arracher à son boulot l'espace d'un week-end prolongé... Puis il plongerait dans l'Amérique profonde, direction l'Iowa, et irait rendre visite à son vieil ami Tom, avec qui il pourrait reprendre la mémorable partie de pêche qu'ils avaient laissée en suspens. Morganstern ne lui avait pas touché mot de la promotion proposée pour lui par O'Leary, quinze jours plus tôt. Pendant ces quelques semaines de vacances, il aurait tout le temps de réfléchir aux avantages et aux inconvénients de ce nouveau poste, et d'en discuter avec Tom qui l'aiderait à prendre une décision. Il se sentait plus proche de son vieux copain qu'il ne l'avait jamais été d'aucun de ses cinq frères. Il avait toute confiance en lui et savait déjà qu'à son habitude Tom se ferait l'avocat du diable, et que lorsqu'il rentrerait de vacances ses idées se seraient considérablement éclaircies.

Nick savait que son ami se faisait du souci pour lui. Il y avait six mois qu'il le bombardait de messages électroniques pour le convaincre de venir à Holy Oaks. Tout comme Morganstern, Tom n'ignorait rien du stress et des angoisses auxquels l'exposait son travail, et il l'exhortait à lever le pied ne fût-ce que quelques semaines.

Non qu'il n'eût pas son propre combat à livrer, de son côté, ce vieux Tommy... Il devait se rendre chaque mois à l'hôpital général de Kansas City pour ses tests de contrôle. C'était alors au tour de Nick de se faire du souci. Son inquiétude ne se dissipait qu'à réception de l'e-mail libérateur où Tom lui annonçait que ses résultats étaient satisfaisants. Jusqu'à présent, la chance avait souri à son ami ; le spectre du cancer semblait s'éloigner. Mais il n'avait pas disparu. Il restait tapi dans l'ombre, prêt à se réveiller. Tommy avait simplement appris à vivre avec. Nick, lui, n'avait jamais pu se faire à cette idée. Il aurait volontiers donné son bras droit pour soustraire son ami à ce danger, mais, comme disait Tom, cela ne changeait rien à rien. C'était une bataille qu'il devait livrer seul. Tout ce que pouvait faire Nick pour l'y aider, c'était de répondre présent quand il avait besoin de lui.

Nick éprouva une soudaine impatience de revoir son ami. Peut-être parviendrait-il à le convaincre de laisser sa soutane au placard l'espace d'une soirée, histoire de s'offrir une petite tournée des grands-ducs bien arrosée, comme du temps où ils étaient copains de chambrée à la Penn State University...

Et il allait enfin faire la connaissance de cette fameuse Laurant, la sœur cadette de Tom, l'unique rescapée de sa famille.

Elle avait huit ans de moins que son frère et avait grandi en Suisse, dans un pensionnat pour jeunes filles de bonne famille. Tommy avait maintes fois essayé de la faire revenir aux États-Unis, mais les circonstances qui avaient entouré la succession et les pressions qu'exerçait le cabinet juridique chargé de la gestion de leur héritage avaient convaincu le juge de tutelle de laisser la jeune fille dans sa prison dorée jusqu'à sa majorité. Tommy avait expliqué à Nick que cette décision était loin d'être aussi dure qu'il n'y paraissait et que, ce faisant, leurs avocats protégeaient avant tout leurs intérêts à long terme, à lui et à sa sœur.

Laurant avait atteint et dépassé sa majorité depuis quelque temps déjà, et elle était venue s'installer à Holy Oaks l'année précédente, pour se rapprocher de son frère. Nick ne l'avait jamais rencontrée, mais il se souvenait parfaitement des photos que Tommy avait scotchées tout autour de leur miroir. C'était une gamine efflanquée, au nez crotté et aux genoux perpétuellement écorchés, dont le visage espiègle disparaissait sous une tignasse de boucles rebelles qui lui retombaient dans les yeux. Il revoyait cette silhouette frêle, cette jupe plissée bleu marine dont émergeait un pan de chemisier, et ces chaussettes qui semblaient prendre un malin plaisir à tirebouchonner sur ses chaussures. Tommy et lui avaient eu une crise de fou rire, le jour où était arrivée cette photo. Elle ne devait pas avoir plus de huit ou neuf ans, et Nick avait été frappé par l'énergie qui émanait

35

de cette petite canaille et l'étincelle de gaieté dans son regard. À vue de nez, les zéros de conduite que les sœurs faisaient régulièrement pleuvoir sur elle n'étaient pas totalement volés ! On sentait scintiller en elle une vitalité et une désinvolture qui, tôt ou tard, ne manqueraient pas de lui attirer des ennuis.

Finalement, ces vacances semblaient tomber à point nommé, se félicita-t-il. Mais il lui fallait commencer par revenir à Boston, sa ville d'origine... ce qui exigeait de prendre un avion. Or, personne au monde n'abominait autant que lui ce genre d'engin : il en avait une peur bleue.

Dès le hall de l'aéroport, il sentit une sueur glacée se répandre dans son dos, et il ne se faisait pas d'illusions quant à la suite... Au moment de pénétrer dans la cabine, il aurait la mine défaite et verdâtre d'un noyé. Le 777 était un long-courrier à destination de Londres via Boston. Là, avec l'aide de Dieu, Nick retrouverait la terre ferme et ferait une courte escale dans sa maison de Beacon Hill, un immeuble hors d'âge qu'il avait acheté à son oncle trois ans plus tôt. Il n'avait toujours pas trouvé le temps de déballer la plupart des cartons qu'y avaient déposés les déménageurs, ni même de brancher la stéréo que Zacharie, le plus jeune de ses frères, avait tenu à lui offrir.

Comme il se dirigeait vers l'enregistrement, il sentit son estomac se nouer de plus belle. Il n'en était pourtant pas à son premier vol. Il déclina son identité, présentant son badge et son laissez-passer à l'officier de la sécurité, un certain Johnson, un type entre deux âges, pointilleux à l'extrême. Johnson se mordilla nerveusement la lèvre, l'œil fixé sur son terminal d'ordinateur, qui finit par lui confirmer le nom et le code d'identité de Nick. Ensuite, il l'escorta pour lui faire contourner le détecteur de métaux, lui tendit sa carte d'embarquement et, d'un geste, l'invita à emprunter la passerelle.

Le capitaine Sorensky, commandant de bord de l'appareil, l'attendait à l'entrée de la cabine. Nick le connaissait de vue pour avoir maintes fois voyagé en sa compagnie durant ces trois dernières années. C'était un pilote émérite, bardé de tous les diplômes imaginables, et qui ne plaisantait pas avec les règles de sécurité. La compétence même.

Nick avait fait sa petite enquête, histoire de s'assurer que rien dans ses antécédents ne pouvait laisser soupçonner la possibilité d'une crise de nerfs en plein vol. L'ordinateur du bureau lui avait livré jusqu'à la marque de dentifrice favorite de Sorensky – sorti major de l'école de l'Air Force, il entamait la dix-huitième année d'une brillante carrière chez Delta Airlines. Un parcours sans faute. États de service excellents, palmarès immaculé. Mais cela restait sans effet sur les spasmes douloureux qui lui tenaillaient l'estomac. Nick avait horreur de s'éloigner du sol. Tout cela n'était bien sûr qu'une question de confiance et, bien qu'il n'eût pas l'ombre d'une raison de se méfier du pilote, il détestait se sentir forcé de s'en remettre aveuglément à la capacité d'un seul homme à maintenir cent cinquante-neuf tonnes d'acier à onze mille mètres d'altitude.

Avec ses tempes discrètement argentées, sa silhouette avantageuse et son uniforme impeccable, le commandant aurait fait une publicité parfaite pour la société qui l'employait. Le pli de son pantalon semblait aussi affûté que le fil d'un rasoir. Il resplendissait d'élégance virile et de confiance en soi. Près de lui, Nick se serait presque senti un peu godiche. Bien que muni de toutes les autorisations requises pour emporter son Sig Sauer chargé dans la cabine, il savait que l'idée chiffonnait le capitaine. Cela risquait même de lui porter sur les nerfs – et ça, c'était bien la dernière chose que souhaitait Nick ! Comme Sorensky l'accueillait à bord, Nick lui glissa dans la main le contenu de son chargeur.

« De retour parmi nous, M. Buchanan ?

— Bonjour, capitaine. Comment vous sentez-vous, aujourd'hui ? »

Il avait dû le dire d'un air un tantinet soupçonneux, car le capitaine éclata de rire : « Mais le mieux du monde ! Toujours votre vieille phobie du pilote terrassé en plein vol par une crise cardiaque… ?

— Eh ! fit Nick, avec un haussement d'épaules qui se voulait désinvolte. Un cas de figure qui ne peut être totalement exclu !

— C'est un fait, mais rassurez-vous ! Je ne suis pas le seul à pouvoir manœuvrer ce coucou, dans le poste de pilotage.

— Je sais, je sais. Mais l'argument ne me convainc qu'à moitié.

— Allez... Vu la fréquence de vos déplacements, vous allez tout de même finir par vous y faire !

— C'est ce qu'on dit... Jusqu'à présent, ça n'en prend pas le chemin. »

Sorensky éclata de rire. « Faites-moi confiance. Aujourd'hui, je vais piloter sur du velours, c'est promis ! Vous ne venez pas à Londres avec nous, si j'ai bonne mémoire ?

— Vous plaisantez ! J'aimerais mieux traverser l'océan à la nage – la seule idée lui retournait l'estomac. Non, je rentre à Boston.

— Vous n'êtes jamais allé en Europe ?

— Oh, rien ne presse... j'attends qu'ils me construisent un pont, ou un tunnel ! »

Arrivé à Boston, il fit un saut à son bureau, le temps de déposer des dossiers, de régler quelques détails urgents et d'essuyer quelques plaisanteries sur sa légendaire phobie, que tous les membres du service s'accordaient à trouver d'un comique irrésistible. Après quoi, il regagna ses pénates. Comme toujours à cette heure-là, les embouteillages battaient leur plein. L'idée lui vint de prendre l'autoroute avec sa Porsche de 1984 et de pousser une petite pointe pour voir comment tournait le moteur nouvellement révisé, mais il se ravisa. Il était claqué et préféra se glisser dans le dédale familier des petites rues qui le mèneraient chez lui. Un bijou, cette voiture... elle se conduisait toute seule. Il fit mentalement un pied de nez à ses sœurs, Sidney et Jordan, qui la surnommaient son « lot de consolation » – sous-entendu, aux carences de sa vie affective.

Enfin chez soi ! Il gravit les marches de l'escalier principal et laissa son sac dans l'entrée de derrière, devant la porte de la lingerie. Rosie, sa femme de ménage, l'avait bien dressé. Il se débarrassa de sa veste et de sa cravate avant d'arriver dans la cuisine. Là, il déposa sa mallette et ses lunettes noires sur le plan de granit poli et attrapa une bière dans le frigo, dont la porte se referma avec son habituel petit bruit de succion, puis mit le cap sur sa tanière en slalomant entre les piles de cartons, toujours pas déballés, que Rosie laissait délibérément en plan au milieu du living, constellés de Post-it rageurs.

La bibliothèque était sa pièce favorite, la seule qu'il eût pris la peine d'aménager. Elle se trouvait au premier, tout au fond. En ouvrant la porte, il reconnut le mélange d'odeurs qui y régnait : citron, vieux cuir, bois ciré, livres anciens. La pièce était vaste et haute de plafond, mais il s'y sentait toujours accueilli comme dans un cocon, même pendant les nuits de blizzard, lorsque la tempête hurlait derrière les vitres et qu'un bon feu crépitait dans la cheminée.

Les murs étaient lambrissés de noyer sombre jusqu'aux moulures du plafond XVIIIᵉ incurvé, et deux d'entre eux disparaissaient sous des rayonnages de livres. Une tige de laiton, sur laquelle coulissait une échelle, permettait d'accéder aux étagères supérieures. Son bureau d'acajou, un monument que lui avait offert son oncle, faisait face à la cheminée. Sa mère et ses sœurs y avaient semé toute une collection de photos de famille, depuis qu'il avait emménagé. Côté jardin s'ouvrait une vaste porte-fenêtre. En écartant les tentures, on apercevait un charmant petit jardin intérieur, aménagé à flanc de colline, qui s'enorgueillissait d'une fontaine à angelots et d'un dallage datant de la nuit des temps. Dès qu'on ouvrait la porte, le soleil et le parfum des fleurs entraient à flots dans la bibliothèque : les effluves du lilas, aux premiers beaux jours, puis, plus tard dans la saison, ceux du chèvrefeuille. À présent, l'héliotrope dominait.

Il laissa s'écouler un long moment, planté au milieu du jardin, promenant son regard sur ce petit havre de paix, jusqu'à ce que la chaleur devînt intenable. Dans son dos, il entendit le déclic de l'air conditionné qui s'enclenchait et battit en retraite vers la pénombre fraîche de son bureau. Il referma la porte, bâilla tout son soûl et, portant sa bière à ses lèvres, but longuement. Puis il se débarrassa de son holster et sortit le chargeur de son arme, avant de remiser le tout dans un petit coffre-fort dissimulé dans le mur. Cela fait, il alla s'asseoir à son bureau dans son fauteuil de cuir pivotant et, après avoir roulé ses manches de chemise, alluma son ordinateur. Les muscles de ses épaules s'étaient sensiblement détendus, mais il poussa un grognement en voyant s'afficher à l'écran une interminable liste d'e-mails, ainsi que les vingt-huit messages qu'annonçait son répondeur. Il envoya promener ses chaussures, et, bien calé contre son dossier, il entreprit de parcourir son courrier électronique tout en écoutant les messages.

Cinq d'entre eux étaient signés de son frère Zacharie : le cadet de la famille tenait à lui emprunter sa Porsche pour le week-end du 4 Juillet, et lui jurait ses grands dieux de la lui rendre sans une égratignure. Le septième message, de sa mère cette fois, le conjurait de ne prêter sa voiture à Zacharie sous aucun prétexte. Sa sœur Jordan – une jeune femme des plus avisées – l'avait appelé, elle aussi, pour lui annoncer que leur portefeuille d'actions venait de gagner encore quelques points, ce qui signifiait que, s'il en avait eu l'intention, Nick aurait pu dès à présent se retirer et vivre confortablement de ses rentes. L'idée lui arracha un sourire. Son père, si respectueux de l'éthique du travail, aurait été frappé d'apoplexie en apprenant que l'un ou l'autre de ses enfants envisageait de vivre dans l'oisiveté. Selon le juge, le but de l'existence humaine était de faire de ce monde un endroit un peu plus agréable – même si Nick risquait de trouver la mort, un jour ou l'autre, en tâchant d'apporter sa pierre à cette noble mission.

Quand il en fut au vingt-quatrième message, il resta cloué sur place.

« Nick, c'est moi… J'ai comme un problème, vieux… nous sommes samedi, cinq heures trente, heure locale. Rappelle-moi d'urgence dès que tu auras ce message. Je suis à Kansas City,

40

au presbytère de la Compassion. J'appelle immédiatement Morganstern. Peut-être pourra-t-il te joindre de son côté. J'ai déjà alerté la police, mais ils ne savent pas quoi faire... et Laurant qui reste introuvable... ! Enfin... excuse-moi si je radote un peu, mais... bon, merci de me rappeler vite, et quelle que soit l'heure ! »

3

Papounet avait été assassiné, et Bessie Jean Vanderman était bien décidée à démasquer le coupable. Tout le monde lui avait assuré que c'était son grand âge qui avait eu raison de lui, et non une main malveillante, mais Bessie Jean n'en croyait pas un mot. Papounet avait une santé de fer, jusqu'au jour où il était tombé raide mort. Ça ne pouvait être qu'un empoisonnement... et elle allait en apporter la preuve.

D'une façon ou d'une autre, elle obtiendrait que justice soit faite. Ce pauvre chéri... elle le lui devait bien ! Il fallait confondre son assassin et le mettre hors d'état de nuire. Elle arriverait bien à dénicher des indices quelque part dans la cour, où elle l'attachait pour lui faire prendre le frais les jours de beau temps, par exemple. C'était sur elle et sur elle seule que reposait désormais la responsabilité de l'enquête. Sa sœur avait écourté ses vacances à Des Moines et était rentrée précipitamment dès qu'elle avait eu vent de la nouvelle. Elle faisait son possible pour se rendre utile, cette chère Viola, mais elle ne lui était pas d'un grand secours, myope comme elle était. Sans compter que cette vieille coquette refusait mordicus de chausser ses lunettes à double foyer... Bessie Jean regrettait amèrement de lui avoir dit que ça lui donnait l'air d'une vieille libellule. Bref, elle ne

42

pouvait compter sur personne pour la seconder dans ses investigations. D'ailleurs, tout le monde s'en contrefichait, y compris et en premier lieu le shérif.

Ce gros plein de soupe de MacGovern n'avait jamais eu la moindre sympathie pour Papounet – surtout depuis le jour où il avait échappé à sa surveillance pour aller planter ses dents dans le postérieur du shérif ! Enfin, il aurait au moins pu avoir la politesse de passer les voir pour leur présenter ses condoléances ! Elles habitaient à deux pas du centre-ville, et donc de son bureau.

« Quel grossier personnage ! s'était-elle exclamée, en présence de sa sœur. Indépendamment des sentiments que pouvait lui inspirer notre chien, il aurait tout de même pu s'en tenir strictement à son devoir, et tâcher au moins de démasquer le coupable ! »

Sa sœur lui avait fait remarquer que certains de leurs voisins s'étaient néanmoins conduits avec compassion. Et quelques-uns avaient même fait preuve de prévenance. L'importance qu'avait Papounet aux yeux de Bessie Jean n'était un secret pour personne. Laurant, la petite de la maison d'à côté, qu'elles avaient jusque-là prise pour une pimbêche de la ville, avec son nom à la française – si distingué, ma chère ! –, avait révélé des trésors de délicatesse. Qu'auraient-elles fait, si cette chère enfant n'était pas aussitôt accourue en entendant les sanglots de Bessie Jean ? La vieille dame était agenouillée près du pauvre Papounet et Laurant lui était spontanément venue en aide. Elle l'avait gentiment relevée, puis l'avait installée dans sa voiture, ainsi que Viola. Après quoi, elle était revenue chercher Papounet, lui avait ôté sa chaîne et, avec mille précautions, l'avait déposé dans le coffre de sa vieille guimbarde. Il était déjà raide et froid comme la mort, mais la petite avait démarré sur les chapeaux de roue et avait roulé à tombeau ouvert jusqu'au cabinet du Dr Basham, à qui elle avait apporté Papounet sans perdre une seconde, dans l'espoir que le bon docteur pourrait accomplir un miracle.

Hélas ! pour les miracles, ce n'était apparemment pas le jour ! Le docteur n'avait pu qu'entreposer Papounet dans la chambre froide de la clinique vétérinaire, en attendant de pratiquer l'autopsie que lui avait réclamée Bessie Jean. Laurant les avait ensuite conduites, elle et sa sœur, chez le Dr Sweeney, qui avait pris leur tension, parce que Bessie Jean était à la fois éplorée, accablée et au bord de la crise de nerfs. Quant à Viola, elle sentait venir ses vapeurs.

Finalement, c'était une brave petite que cette Laurant, et elle n'avait rien d'une pimbêche de la ville. Du haut de ses quatre-vingt-deux ans, Bessie Jean n'avait jamais été du genre girouette. Une fois son opinion faite, il lui en fallait beaucoup pour l'en faire changer. Mais là, elle n'avait pas hésité. Le premier choc passé, elle s'était rendu compte que leur jeune voisine avait vraiment le cœur sur la main. Restait qu'évidemment elle ne serait jamais vraiment une personne *d'ici*... Elle arrivait de Chicago, cet antre du péché, mais ça ne l'empêchait pas d'avoir un cœur d'or. La ville et ses turpitudes n'avaient pas déteint sur elle. Les bonnes sœurs qui l'avaient élevée dans cette pension, en Suisse, avaient dû lui inculquer les vraies valeurs. Bessie Jean décida qu'elle pouvait à la rigueur composer avec ses grands principes au point de frayer avec une, voire deux personnes nouvellement installées à Holy Oaks. Oui, à la réflexion, pourquoi pas ? C'était tout à fait envisageable...

Viola lui avait suggéré de cesser de pleurer Papounet, au moins le temps de préparer une bonne petite tarte aux pommes pour Laurant. Échange de bons procédés entre voisines..., lui expliqua-t-elle. Mais Bessie Jean l'avait aussitôt houspillée : où avait-elle la tête ? Leur voisine avait pris la route pour Kansas City la veille au soir, laissant son futur magasin à la garde des frères Winston. Avant de partir, elle lui avait confié qu'elle allait voir son frère, ce prêtre qui était si bien de sa personne, avec ses beaux cheveux bruns, et devant lequel s'extasiaient toutes les gamines du lycée... Laurant avait expliqué qu'elle tenait à faire la surprise à son frère, et qu'elle ne serait pas de retour avant le lundi matin. Il faudrait donc patienter jusque-là, pour la tarte.

Et maintenant que les sœurs Vanderman avaient décidé d'adopter Laurant comme une personne *d'ici*, elles se sentaient tout naturellement portées à ne laisser passer aucune occasion de mettre le nez dans ses affaires, poussant le zèle jusqu'à s'inquiéter pour elle, comme si elles n'étaient pas restées demoiselles et qu'elles avaient eu une fille bien à elles, au sujet de qui se faire du mauvais sang. Bessie Jean espérait surtout que la petite n'oublierait pas de verrouiller ses portières à double tour. Elle était si jeune, si candide... Vu leur âge et leur grande expérience de la vie, les deux sœurs avaient beaucoup à lui apprendre sur la méchanceté des gens. Évidemment, elles n'avaient quitté Holy Oaks que pour aller à Des Moines, où habitaient leurs cousins, Ida et James Perkins, mais elles n'étaient certes pas ignorantes : elles lisaient dans les journaux toutes ces choses affreuses qui adviennent chaque jour. Elles savaient, en particulier, que le monde grouille de psychopathes – des tueurs fous qui se postent sur les aires de repos, au bord de l'autoroute, et s'en prennent aux jeunes femmes assez naïves pour s'arrêter – quand elles ne sont pas victimes d'une fâcheuse panne de voiture qui leur est fatale... Ravissante comme elle l'était, Laurant ne pouvait manquer de s'attirer les regards. Ça, il n'était que de voir cette bande de vauriens, qui traînaient toute la journée autour de son magasin, alors qu'il était encore en chantier, dans l'espoir de l'apercevoir, et de bavarder un moment avec elle...

« Mais tu sais, Viola..., fit remarquer Bessie Jean à sa sœur. Elle n'est pas tombée de la dernière pluie, notre Laurant ! Elle est aussi avisée que charmante ! »

Ayant résolu de faire taire en elle l'inquiétude légitime que lui inspirait le bien-être de leur jeune voisine, Bessie Jean alla s'installer à la table de la salle à manger et ouvrit le coffret à courrier que lui avait offert sa mère dans sa prime jeunesse. Elle en sortit une feuille de papier parfumé à la rose et frappé de ses initiales, et se munit de sa plus belle plume.

Puisque cet imbécile de shérif avait décidé de faire la sourde oreille pour le meurtre de Papounet, elle allait prendre l'affaire en main. Elle avait déjà écrit au FBI pour demander d'envoyer quelqu'un enquêter sur place à Holy Oaks, mais sa première lettre avait dû s'égarer, car elle avait patienté huit jours révolus sans voir arriver la moindre réponse. Cette fois, elle prendrait ses précautions. Elle s'adresserait au directeur lui-même, et par lettre recommandée encore – au diable l'avarice !

Viola avait entrepris de tout faire reluire dans la maison. Bonne idée, car elles n'allaient pas tarder à avoir de la visite. D'un jour à l'autre, les limiers du Bureau viendraient frapper à leur porte.

4

Attendre... attendre ! Mais la patience avait toujours été pour elle la plus cruelle des vertus – et particulièrement lorsqu'il s'agissait de la santé de son frère. Rester à rôder près du téléphone en croisant les doigts pour qu'il se mette enfin à sonner et qu'elle ait Tom au bout du fil, avec les résultats de ses numérations sanguines..., c'était au-dessus de ses forces. D'habitude, il appelait toujours le vendredi soir, entre sept et neuf. Or, on était samedi et il n'avait toujours pas donné signe de vie. Au fil des heures, son inquiétude n'avait cessé de croître.

Au cours de l'après-midi, elle en était venue à se dire que c'était mauvais signe. Les résultats des tests devaient être défavorables... et à six heures, comme le téléphone restait désespérément silencieux, elle avait sauté dans sa voiture. Son frère serait furieux en découvrant qu'elle l'avait suivi à Kansas City, mais comme elle arrivait en vue de Des Moines, elle trouva la parade idéale. Elle était passionnée par l'histoire de l'art... Comment résister à l'envie d'aller faire un saut à l'expo Degas qui se tenait au musée Nelson-Atkins ? La presse locale avait publié un article sur le sujet et Tommy était un fidèle lecteur de la *Gazette de Holy Oaks*. Incidemment, elle avait déjà vu l'exposition, et plus d'une fois, à l'époque où elle travaillait dans une galerie d'art de

47

Chicago. Mais c'était le genre de détail auquel Tommy ne penserait pas. D'ailleurs, où était-il écrit qu'on ne pouvait les voir qu'une fois dans une vie, ces célèbres ballerines ?

Quant à dire la vérité à son frère, c'était tout bonnement exclu, même s'ils savaient tous deux de quoi il retournait. Tous les mois, il devait se rendre à l'hôpital général de Kansas City pour ses analyses, et elle vivait dans la terreur de recevoir de mauvaises nouvelles. D'apprendre que le cancer de son frère, tel un fauve assoupi dans sa tanière, s'était tout à coup réveillé. Bon sang ! Les résultats des premières numérations sanguines tombaient toujours le vendredi soir, d'habitude. Toujours ! Pourquoi n'avait-il pas rappelé ? Cette terrible incertitude la rongeait. Avant de quitter Holy Oaks, elle avait appelé le presbytère et, sans se soucier de l'image de mère poule névrotique qu'elle risquait de donner d'elle, avait longuement interrogé le père McKindy. Le vieil abbé avait aimablement répondu à ses questions, mais les informations qu'il lui avait communiquées n'avaient rien de rassurant : Tommy était retourné à l'hôpital le matin même et ses médecins n'étaient apparemment pas satisfaits des résultats des tests préliminaires... Laurant ne savait que trop bien ce que cela signifiait : un nouveau cycle d'une chimiothérapie dévastatrice !

Mais elle s'insurgeait à l'idée de le laisser affronter seul une telle épreuve. N'était-elle pas toute sa famille ? À la mort de leurs parents, Tommy et elle avaient été séparés. Dès leur plus jeune âge, ils avaient vécu chacun de son côté de l'Atlantique et elle regrettait amèrement ces années d'enfance qui leur avaient été dérobées. À présent, ils étaient adultes et pouvaient enfin mener leur vie comme bon leur semblait, sans rien demander à personne. Face à une telle épreuve, c'était bien le moins que de se soutenir l'un l'autre.

À la sortie de Haverton, le voyant lumineux de son réservoir se mit à clignoter et, comme la station-service la plus proche était fermée, elle se rabattit sur le premier motel qui se présenta. Le lendemain matin, elle passa à la réception et s'acheta une carte de Kansas City. Le réceptionniste lui indiqua le chemin de son hôtel, le Fairmont, situé à deux pas du musée.

Ce qui ne l'empêcha nullement de se perdre... Elle manqua la sortie de la I-435 et se retrouva sur la rocade qui contournait la grande métropole. Munie de sa carte routière, qu'elle avait malencontreusement aspergée de coca et qui ruisselait, elle s'arrêta à une station pour demander son chemin.

Dès qu'elle eut retrouvé ses marques, elle n'eut aucun mal à rejoindre son hôtel. Il suffisait d'emprunter la grande artère qui longeait la limite de l'État et de continuer plein nord.

Tommy lui avait présenté Kansas City comme une ville particulièrement attrayante, mais sa description était en dessous de la vérité. Elle traversait des quartiers charmants dont les rues étaient bordées de pelouses entretenues avec amour et de jolies demeures anciennes aux fenêtres fleuries. Suivant à la lettre les indications du pompiste, elle coupa en direction de Ward Parkway, dont il lui avait dit qu'elle l'amènerait jusqu'à la porte du Fairmont. L'avenue se séparait en deux branches, longeant un vaste terre-plein central où des groupes d'adolescents jouaient au ballon sur l'herbe sans paraître le moins du monde incommodés par l'accablante moiteur ambiante.

Elle s'engagea dans la grande courbe que décrivait la rue pour franchir une petite côte, et elle commençait à se demander si elle n'avait pas loupé son hôtel lorsqu'elle aperçut, droit devant elle, un groupe de boutiques de style latino qui devaient être ce que le réceptionniste du motel lui avait décrit comme le Plaza Country Club. Elle poussa un soupir de soulagement. Deux pâtés de maisons plus loin, à sa droite, se dressait le Fairmont.

Il n'était pas encore tout à fait midi, mais le concierge de l'hôtel, compatissant, lui remit les clés de sa chambre sans attendre l'heure réglementaire. Une demi-heure plus tard, après une bonne douche, elle eut l'impression de renaître. Tommy n'aurait sans doute vu aucun inconvénient à la voir débarquer en jean, voire en short, mais elle jugea préférable de passer la tenue « décente » qu'elle avait emportée dans son petit sac. C'était dimanche, et elle avait toutes les chances d'arriver à la sortie de la messe. Pour rien au monde elle n'aurait voulu froisser le père McKindy, que Tommy lui avait décrit comme un curé à l'ancienne, très attaché aux traditions. Il prétendait même, avec un petit sourire en coin, que si McKindy avait pu continuer impunément à dire la messe en latin, il ne se serait pas fait prier.

Elle passa donc une longue robe de lin rose pâle, sans manches et à col officier – un peu fendue sur le côté, certes... Ses cheveux étaient encore humides sur la nuque, mais elle décida de s'en accommoder et, après avoir chaussé et bouclé ses sandales, elle attrapa ses lunettes, les glissa dans son sac et descendit.

Lorsqu'elle franchit le seuil de la grande entrée, l'air extérieur lui fit l'effet d'une gifle brûlante. Elle eut un petit pincement de cœur en voyant le portier, un homme d'un certain âge, suer à grosses gouttes dans son uniforme de drap gris. Dès que le chasseur eut amené sa voiture, le vieil homme s'avança en souriant pour lui ouvrir sa portière. Mais son sourire ne tarda pas à s'évanouir lorsqu'elle lui demanda le chemin de Notre-Dame-de-la-Compassion.

« Je peux vous indiquer plusieurs paroisses bien plus proches, lui répondit-il. Vous en avez une à deux rues d'ici, sur Main Street. Vous pourriez même y aller à pied, s'il ne faisait pas si chaud. C'est une très belle église, très ancienne. Et le quartier est des plus sûrs !

— C'est à Notre-Dame-de-la-Compassion que je dois me rendre », fit-elle.

Il parut sur le point de lui opposer un autre argument, mais finit par renoncer et lui indiqua le chemin. Comme elle s'installait au volant, il se pencha vers elle et lui recommanda de verrouiller ses portières et de ne s'arrêter sous aucun prétexte tant qu'elle ne serait pas sur le parking de l'église.

Une demi-heure plus tard, elle traversait un quartier misérable et dévasté, semé d'immeubles abandonnés aux fenêtres borgnes et aux portes sommairement condamnées par des planches. Les murs disparaissaient sous les graffitis agressifs qui bombardaient les passants d'injures ou de mots d'ordre cryptiques. Elle longea un grand terrain vague qui devait tenir lieu de décharge à certains des habitants du quartier car, en dépit de ses vitres closes et de la climatisation poussée au maximum, l'odeur de pourriture la prit à la gorge.

Au coin de la rue, elle croisa quatre fillettes endimanchées qui sautaient à la corde en scandant l'une de ces comptines idiotes et poétiques qu'affectionnent les enfants. Elles s'esclaffaient et chahutaient comme toutes les gamines du monde, insouciantes. Dans ce paysage sinistré, leur grâce et leur innocence avaient quelque chose de poignant. Elles lui rappelaient une toile qu'elle avait vue à Paris, à l'époque où elle y faisait ses études. Un paysage d'apocalypse – des buttes de détritus, grises et désolées, semées de barbelés, sous un ciel bas et lourd. L'atmosphère en était sombre et menaçante, mais dans le coin gauche, parmi l'enchevêtrement des épines métalliques, on discernait les frêles rameaux d'un rosier, rabougri mais bien vivant, qui s'y faufilait et pointait vers le ciel une petite rose rouge prête à s'épanouir. L'œuvre s'intitulait *Espoir* et le message de l'artiste lui était revenu à la vue des quatre fillettes. Même au sein de la pire détresse, la vie continue... Photographiant mentalement les petites, elle se promit de fixer la scène sur la toile dès qu'elle pourrait installer son matériel dans son atelier.

Comme elle les dépassait, l'une des gamines lui tira la langue pour rire, puis agita la main dans sa direction. Laurant lui renvoya son signe amical, avec un sourire.

Notre-Dame-de-la-Compassion se trouvait à quatre pâtés de maisons de là, au beau milieu d'un champ de ruines. L'église avait connu des jours meilleurs et avait un besoin urgent de réparations : la peinture des piliers s'écaillait, ainsi que celle des murs latéraux ; des planches vermoulues ondulaient à la base des murs. Pourtant, à en juger par les sculptures du toit, et les jolies pierres maçonnées de sa façade, elle avait dû être magnifique, autrefois. Sans doute aurait-il suffi d'un peu d'argent et de bonne volonté pour lui rendre sa splendeur passée, mais qui prendrait la peine de la rénover avant qu'il ne soit trop tard ?

Une haute grille de fer forgé délimitait le périmètre de

l'enceinte. De l'autre côté du portail s'étendaient un parking nouvellement goudronné, et ce que Laurant supposa être le presbytère – un bâtiment badigeonné de blanc, adjacent à l'église. Elle engagea sa voiture sur le parking et la gara près d'une berline noire.

Elle avait déjà mis pied à terre et verrouillait sa portière quand elle remarqua une voiture de police, garée dans l'allée menant au presbytère et à demi masquée par les branches d'un vieux sycomore. La police... pourquoi ? Une affaire en cours avec les gosses du quartier, probablement. Tommy lui avait parlé des problèmes de la paroisse. On avait récemment enregistré une recrudescence du vandalisme dans le secteur. Tommy interprétait cela comme une conséquence du désœuvrement des jeunes qui, en sortant de l'école, n'avaient ni devoirs ni activités organisées où dépenser leur énergie. L'abbé McKindy, lui, y voyait avant tout le résultat de la prolifération des gangs et du désintérêt des jeunes pour la religion.

Laurant prit le chemin de l'église. Des grandes portes restées ouvertes lui parvenaient des accords d'orgue et des voix réunies dans un chant. Elle était arrivée au bout du parking lorsque la musique se tut et, quelques instants plus tard, la foule des fidèles se déversa sur le perron. Quelques femmes s'éventaient avec le bulletin paroissial. Les hommes sortaient leur mouchoir pour s'éponger le front. Elle repéra tout à coup McKindy qui émergeait de la foule, frais comme un gardon malgré la lourde soutane noire qui lui battait les mollets. Elle le voyait pour la première fois mais n'avait eu aucun mal à le distinguer d'après les descriptions de Tommy. Cette crinière de cheveux blancs, ce visage buriné, cette haute silhouette osseuse... À en croire son frère, l'abbé mangeait pourtant comme quatre et se portait comme un charme, en dépit de son grand âge.

En tout cas, ses ouailles semblaient l'adorer. Il échangeait quelques mots avec chacun, et distribuait sourires et poignées de main en appelant tous ses fidèles par leur prénom – un tour de force, vu l'affluence ! Les enfants venaient s'agglutiner autour de lui et tiraient sur sa soutane pour attirer son attention.

52

Laurant alla se poster sur le côté du perron, à l'ombre, pour attendre que McKindy se soit libéré. Avec un peu de chance, après s'être changé, il reviendrait avec elle au presbytère, ce qui lui laisserait le temps de l'interroger sur l'état de santé de Tommy. Non qu'elle mît en doute la parole de son frère, mais, comme il avait l'habitude de filtrer les mauvaises nouvelles pour la ménager, elle savait qu'elle ne pouvait se fier à lui pour savoir la vérité au sujet de sa santé. En revanche, le vieil abbé, avec sa franchise quasi proverbiale, lui parlerait sans détour. Et si par malheur la rémission de Tommy avait pris fin, il y avait de bonnes chances pour qu'il le lui dise.

Son frère craignait d'apporter de l'eau au moulin de ses inquiétudes. C'en devenait ridicule, leur petit jeu de chassé-croisé. Sous prétexte qu'il était l'aîné et la seule famille qui lui restât, Tommy s'obstinait à vouloir porter le monde sur ses épaules. Bien sûr, ses conseils lui avaient été précieux lorsqu'elle était gamine, mais ce n'était plus le cas, à présent. Tôt ou tard, il faudrait bien qu'il se fasse une raison !

Comme son regard se portait vers le presbytère, la porte s'ouvrit sur le passage d'un policier en uniforme, un rondouillard précédé d'une imposante brioche et suivi d'un homme nettement plus jeune et plus svelte. Ils échangèrent une poignée de main, et le flic rejoignit sa voiture.

Elle reporta son attention vers l'inconnu du perron, qu'elle se surprit à détailler de la tête aux pieds sans la moindre retenue. Il lui sembla d'une surprenante élégance, dans son blazer marine et son pantalon kaki. Il n'aurait certes pas déshonoré une couverture de magazine – sans être vraiment beau, à proprement parler... du moins pas dans le sens commun. C'était sans doute ce qui l'attirait en lui. Elle avait travaillé quelque temps comme mannequin pour un couturier italien (jusqu'à ce que Tommy y mette le holà, bien sûr...), et pendant deux ou trois mois, elle avait côtoyé quelques spécimens de la beauté masculine triés sur le volet. Mais l'homme du perron ne relevait pas de cette catégorie. Son élégance avait quelque chose de trop viril, de trop carré, de trop solidement enraciné dans le sol... et il émanait de lui une sensualité dévastatrice.

Il irradiait un rayonnement d'autorité, comme quelqu'un qui a l'habitude de se faire obéir. Le regard de Laurant s'attarda sur la ligne ferme de sa mâchoire, puis de sa bouche. Sans savoir au juste ce qui lui inspirait un tel sentiment, elle eut soudain l'impression qu'il pouvait être dangereux.

Intéressant... ce visage hâlé, dont le charme n'avait rien de commun avec celui des minets de luxe abonnés aux ultraviolets...

L'une des mises en garde préférées de la mère supérieure lui revint en mémoire : « Méfiez-vous des loups déguisés en bergers, qui ne pensent qu'à vous dérober votre vertu ! » Mais l'inconnu ne devait pas avoir à se donner cette peine ! Il devait être constamment entouré d'une nuée de jeunes et jolies personnes consentantes. Il lui suffisait d'accepter ce qu'on lui offrait... Il n'avait cependant rien du banal coureur de jupons pommadé... Elle poussa un petit soupir. Se bercer de pensées aussi troubles, à quelques mètres d'un lieu consacré ! La mère Marie-Madeleine devait avoir raison : elle finirait dans les flammes de l'enfer, si elle continuait à laisser son imagination battre la campagne...

L'inconnu avait dû sentir son regard fixé sur lui, car il se retourna vivement et planta aussitôt ses yeux dans les siens. Elle allait se détourner, quand la porte d'entrée s'ouvrit sur Tommy. Elle faillit s'exclamer de joie en le reconnaissant. Il n'était donc pas à l'hôpital, coincé au fond de son lit, comme elle l'avait tant craint !

Il lui parut pourtant pâle et inquiet, dans sa grande soutane noire. Elle entreprit de se frayer un chemin à travers la foule qui s'était rassemblée devant le presbytère.

Tommy et l'inconnu, avec qui il parlait à présent, composaient un étrange tandem. Ils étaient tous deux bruns et puissamment charpentés, mais Tommy, avec son teint d'Irlandais – joues rubicondes, nez constellé de taches de rousseur –, n'avait pas la chance de brunir comme elle. Dès qu'il s'exposait au soleil, il grillait et virait au rouge pivoine. Il avait toujours sur la joue droite cette fossette qu'elle trouvait irrésistible, et, au fil des années, il n'avait rien perdu de son charme juvénile qui lui valait une popularité sans faille dans les rangs des lycéennes et des étudiantes de Holy Oaks.

L'homme près de lui, en revanche, n'avait rien d'un gamin. Son regard la retrouva dans la foule et la suivit, tandis qu'elle slalomait en direction du bâtiment. Il écoutait ce que lui disait Tommy tout en hochant la tête de temps à autre en signe d'approbation.

Il finit cependant par l'interrompre d'un signe de tête qu'il fit dans sa direction. Se retournant, Tommy la reconnut aussitôt et poussa un cri de joie. Il descendit quatre à quatre les marches du perron et, en dépit de sa longue soutane, courut se précipiter dans ses bras avec un sourire soulagé.

L'ami de Tom, lui, n'avait pas bougé d'un cheveu, remarqua-t-elle ; mais il ne les regardait plus. Il semblait s'être plongé dans un examen minutieux de la foule, qu'il scrutait avec attention.

La réaction de son frère la prit au dépourvu. Elle aurait vainement cherché en lui un signe d'irritation ou de colère. Il agissait comme s'il la retrouvait après une longue période d'absence – alors qu'ils s'étaient quittés trois jours auparavant, à Holy Oaks.

Il l'enveloppa de ses grands bras. « Dieu merci, Laurant... tu vas bien ! Tu sais que je me faisais un sang d'encre ! Pourquoi ne m'avoir pas prévenu de ton arrivée ? Quel bonheur de te voir... et quel soulagement ! »

L'émotion avait fait vibrer sa voix. Désorientée par cette explosion de joie, elle se dégagea un peu de l'étreinte fraternelle. « Quel bonheur ? Je craignais plutôt que tu ne me reproches de t'avoir suivi ! J'ai attendu longtemps ton coup de fil, figure-toi ! Tu avais promis d'appeler vendredi soir. »

Il consentit enfin à la libérer. « Ah... c'est vrai. Excuse-moi, tu as dû craindre le pire... »

Elle le regarda bien en face et décida d'attaquer de front. « Le pire, c'est le mot ! Tu devais appeler dès que tu aurais tes résultats, et en l'absence de nouvelles, je me suis dit que les tests n'étaient pas bons.

— C'était tout simplement une erreur du labo. Ils ont dû tout recommencer, ce qui fait que je n'ai pas jugé utile de te déranger, puisque je n'avais pas les résultats définitifs. Je sais bien que j'aurais dû appeler quand même... Mais, Seigneur, Laurant ! C'est toi qui aurais dû me dire que tu venais ! J'ai envoyé le shérif MacGovern fouiller toute la ville. Viens, je vais l'appeler pour lui annoncer que je t'ai retrouvée saine et sauve.

— Tu as envoyé le shérif à ma recherche ? En quel honneur ? »

Il lui prit le bras et l'entraîna vers le perron. « Viens. Je vais tout t'expliquer... dès que nous serons en sécurité, à l'intérieur.

— En sécurité, à l'intérieur ? Qu'est-ce qui se passe, Tommy ? Je ne t'ai jamais vu dans un état pareil. Qui est ce type avec qui tu parlais, sur le perron ? »

La question parut le prendre de court. « C'est vrai, oui... effectivement. Tu ne l'as jamais rencontré, je crois...

— Rencontré qui ? fit-elle, avec une pointe d'agacement.

— Nick. C'est Nick Buchanan. »

Elle s'arrêta net et se tourna vers son frère. « Tu es à nouveau malade, Tom ! C'est pour ça qu'il est là. Tu l'as appelé à la rescousse, comme la dernière fois, quand tu étais si bas et que tu ne m'en as rien dit, jusqu'au jour où...

— Non, l'interrompit-il. Non, rassure-toi : je n'ai rien. Tu sais bien que je t'ai promis, insista-t-il devant sa moue sceptique. Si je dois subir une autre chimio, je t'ai juré de ne rien te cacher – tu n'as pas oublié ?

— Non, murmura-t-elle, et ses craintes s'apaisèrent.

— Pardonne-moi de n'avoir pas appelé. C'est vrai que ça n'était pas gentil de ma part. J'aurais dû t'avertir que les tests devaient être refaits.

— En ce cas, pourquoi Nick est-il ici ? demanda-t-elle en glissant un œil en direction du perron.

— Eh bien, parce que, parce que... Mais ça n'a rien à voir

avec ma santé. Allez, viens, Laurant ! Je n'ai que trop tardé à faire les présentations ! »

Elle eut un sourire. « Voilà donc ce fameux Nick Buchanan ! s'exclama-t-elle. Tu t'étais bien gardé de me dire qu'il était si... » Elle se mordit la langue in extremis. Elle avait toujours eu le sentiment de pouvoir tout confier à son frère, mais sur le moment, il lui parut délicat de lui décrire la nature exacte de l'impression que produisait sur elle son meilleur ami. Ce n'était décidément pas une sinécure que d'être la sœur d'un prêtre ! Comment Tommy aurait-il pu comprendre et admettre les idées qui lui trottaient dans la tête...

L'affection qui liait Nick et Tommy était presque fraternelle. Ils s'étaient connus à l'occasion d'une mémorable bagarre, sur le terrain de foot de l'école St. Matthew, du temps où ils étaient en cours élémentaire. Tous deux s'étaient relevés avec le nez en sang et ne s'étaient plus quittés depuis. Les circonstances avaient fait que Tommy avait été pratiquement adopté par la famille Buchanan, déjà riche de huit enfants et qu'il avait pris pension chez eux durant ses années de collège et de lycée, avant de s'inscrire à la Penn State University, toujours flanqué de son inséparable Nick.

« Si quoi... ? s'enquit-il en gravissant avec elle les marches du perron.

— Pardon ?

— Oui, tu disais que Nick était si... quoi ?

— Eh bien... si grand ! finit-elle par lâcher, retrouvant le fil de ses pensées.

— Je ne t'avais jamais montré de photo de lui ?

— Jamais ! »

Elle lui décocha une grimace réprobatrice. Quelle impardonnable omission ! Soudain plus nerveuse, elle respira profondément, lissa sa robe et suivit son frère en direction de l'inconnu.

Waouh ! Ces yeux qu'il avait... Ce bleu profond et brillant... Ce type devait avoir plus d'un tour dans son sac, songea-t-elle tandis que Tommy se chargeait des présentations. Elle lui tendit une main hésitante, mais d'autorité il la prit dans ses bras et la serra contre lui, en une accolade amicale. Quand elle s'écarta, il garda ses mains sur ses épaules, le temps de la détailler de la tête aux pieds.

« Quelle joie de vous découvrir enfin ! Voilà tellement d'années que j'entends parler de vous, fit-elle.

— C'est incroyable !... Comment avons-nous fait pour ne pas nous rencontrer, depuis le temps ! répondit-il. J'ai dû voir toutes les photos qui ont été prises de vous depuis que vous étiez haute comme ça – Tommy en faisait une exposition permanente sur le mur de notre chambre ! Mais ça fait déjà une éternité et... nom d'une pipe, Laurant, vous avez sacrément changé, entre-temps ! »

Elle éclata de rire. « J'espère bien ! Les sœurs du pensionnat envoyaient régulièrement des photos de moi à mon frère, mais personnellement, je n'en ai jamais reçu une seule de lui.

— Je n'avais pas d'appareil !

— Disons plutôt que tu n'as jamais eu le courage d'en emprunter un...

— Il faut croire que j'avais autre chose en tête, ronchonna-t-il. Je crois que nous ferions mieux de rentrer, n'est-ce pas, Nick ?

— Je préférerais », approuva l'interpellé.

Tommy ouvrit la contre-porte grillagée et poussa Laurant sans ménagement dans la maison.

« Pour l'amour du ciel, Tommy, qu'est-ce qui te prend ? s'écria-t-elle.

— Entre..., fit-il. Je vais tout t'expliquer. »

Il flottait d'imperceptibles relents de renfermé dans le grand salon, plongé dans l'ombre. Tommy la précéda dans l'office, qui se trouvait à l'arrière du bâtiment. Le coin-repas, installé devant l'une des fenêtres, donnait sur le potager de l'abbé, qui occupait la majeure partie du petit jardin, entouré d'une palissade. Une vieille table de chêne, dont un pied avait été calé à l'aide d'un dessous-de-bouteille, et quatre chaises de bois trônaient en face des trois autres fenêtres. Les murs avaient été fraîchement repeints d'un jaune lumineux et chaud, mais les vieux stores, démantibulés et jaunis sur les bords, demandaient des remplaçants. Laurant savait que l'argent était une denrée rare, à la Compassion.

Elle vint se planter au beau milieu de la pièce sans quitter son frère des yeux. Il semblait pris d'une incoercible bougeotte et faisait la navette d'une fenêtre à l'autre, relevant et abaissant les stores au travers desquels filtraient des stries de soleil.

« Quelle mouche le pique ? glissa-t-elle à Nick.

— Il va tout vous expliquer », répéta le jeune homme.

Patience, patience…, s'exhorta-t-elle.

Nick lui présenta une chaise et s'installa sur celle d'à côté. Tommy s'agitait toujours. Il vint s'asseoir sur un siège dont il bondit presque aussitôt, sous prétexte d'aller prendre son calepin et son crayon qu'il avait laissés sur le plan de travail. Une sauterelle dans un champ de luzerne…

Nick aussi s'était levé. Son visage reflétait la même gravité que celui de son frère. Elle le regarda desserrer sa cravate et défaire son col de chemise. Une vraie bombe sexuelle, songea-t-elle. Avait-il quelqu'un qui l'attendait à Boston ? Elle savait qu'il était célibataire, mais il pouvait avoir une liaison. Sérieuse, qui sait ? Oui, c'était sans doute le cas…

Puis Nick ôta sa veste, et elle revint brusquement à la réalité.

Il était en train d'enfiler sa veste sur le dossier de la chaise qu'il venait de quitter, tout près d'elle, lorsqu'il nota le changement brutal qui s'était opéré en la jeune femme. Elle avait les yeux rivés à son revolver. Jusque-là, son sourire dénotait une amabilité amicale et détendue, à peine nuancée de coquetterie, mais tout cela s'était subitement effacé pour faire place à une réserve glacée, frôlant le malaise. Elle s'était rencognée contre le dossier de sa chaise, comme pour mettre la plus grande distance possible entre elle et lui.

« C'est mon arme qui vous fait cet effet ? »

Elle se garda bien de répondre directement à sa question : « Je pensais que vous étiez simplement enquêteur…

— C'est exact.

— Pourquoi porter une arme, alors ?

59

— Parce que ça fait partie de son boulot. » Tommy avait répondu à la place de son ami. La tête rentrée dans les épaules, il fouillait dans un tas de papiers en tentant de faire le tri dans ses idées.

Mais la patience de Laurant atteignait ses limites : « Combien de temps comptes-tu me laisser mijoter ainsi, Tommy ? Je ne t'ai jamais vu dans un tel état ! Dis-moi carrément ce qui ne va pas !

— J'ai une information grave à te communiquer, commença-t-il. Et je ne sais tout simplement pas par où commencer... » Du regard il avait interrogé Nick, qui hocha la tête.

« Je sais très bien ce qu'il y a, moi ! fit-elle. Tu as reçu tes résultats, n'est-ce pas ? Et tu n'oses pas m'en parler. Tu as peur que je fonde en larmes, ou Dieu sait quoi... C'est pour ça que tu me fais patienter. Les résultats sont mauvais – c'est bien ça ? »

Il poussa un soupir exténué. « Mais non, Laurant. Je les ai eus hier soir et je comptais t'en faire part plus tard, dès que je t'aurais raconté les événements d'hier...

— Eh bien, si tu me le disais tout de suite ! répliqua-t-elle plus posément.

— Le Dr Cowan était vraiment désolé de cette erreur du labo. Il leur a aussitôt ordonné de refaire les tests. Il m'a appelé depuis un cocktail où il se trouvait, pour m'annoncer qu'il avait enfin les résultats et que tout était en ordre. Voilà... Ça devrait te rassurer.

— Alors c'est bien sûr ? Pas de chimio, cette fois-ci ? » Sa voix avait grimpé comme celle d'une toute jeune fille. Elle s'était pourtant promis d'adopter l'attitude posée et pondérée d'une adulte – qu'elle était ! Mais que ferait-elle, s'il arrivait malheur à son frère ? À peine l'avait-elle retrouvé que sa maladie menaçait déjà de le lui reprendre. « Bon. Alors, si tout va bien, explique-moi donc ce qui te met dans un tel état – parce que ça saute aux yeux, Tommy... tu es au bord de la crise de nerfs !

— Et si tu lui passais la bande ? suggéra Nick.

— Je préfère attendre. Le choc risque d'être trop brutal.

— Montre-lui la transcription qu'en a faite la police...

— Non. Je préfère le lui raconter de vive voix. » Il prit son souffle et s'élança. « Hier, à l'instant où j'allais quitter le confessionnal, un type est venu me voir... » Il marqua une pause, le temps de rassembler ses esprits : « Après avoir téléphoné à la police, j'ai pris quelques notes et, pendant que je consignais par écrit ce que m'avait dit cet homme... »

Elle ouvrit de grands yeux et ne put s'empêcher de s'exclamer : « Par écrit, une confession ? Impossible ! Tu n'as pas fait une chose pareille, n'est-ce pas ? »

Il leva les mains pour lui imposer silence. « Je sais parfaitement ce qu'il m'est possible ou impossible de faire, voyons ! C'est qui le prêtre, ici !

— Pas la peine de hausser le ton !

— Excuse-moi, marmonna-t-il. Écoute... c'est vrai, je suis à cran, et j'ai la migraine du siècle... voilà tout. Bon — ce type, tout en me parlant... il a enregistré l'entretien sur cassette.

— Enregistré sa propre confession ?..., fit-elle, ébahie. Et pour quoi faire ?

— Pour garder une trace de la conversation, sans doute », suggéra Nick.

Tommy approuva d'un signe de tête. « Quoi qu'il en soit, il a dû aller dupliquer immédiatement cette cassette. Nous avons la certitude que celle que nous avons n'est pas l'original à cause du ronronnement qu'on entend en arrière-plan, expliqua-t-il. Il en a déposé une copie au poste de police. Ce culot, tu te rends compte... Pousser la porte du poste, entrer, laisser la cassette sur un bureau !

— Jusque-là, je ne vois toujours pas à quoi ça rime.

— Il voulait s'assurer que je puisse en parler sans qu'on me rie au nez, fit-il. Cela fait partie de sa mise en scène — de son délire.

— Mais qu'y avait-il, sur cette bande ? » s'enquit-elle et, comme la réponse tardait à venir, ce fut elle qui haussa le ton : « Tommy, vide ton sac ! Que t'a dit ce type, pour te mettre dans un état pareil ? »

Son frère amena sa chaise en face de la sienne avant de s'y rasseoir, et il prit ses mains dans les siennes. « Eh bien, en un mot comme en cent, Laurant… il m'a dit qu'il voulait… enfin, qu'il projetait de…

— De quoi ? explosa-t-elle.

— … de te tuer. »

5

Elle refusa d'abord de le croire. Tommy lui rapporta les propos que lui avait tenus l'homme du confessionnal et elle l'écouta sans mot dire, mais chaque nouveau détail la faisait grimacer un peu plus. L'espace d'un instant, elle eut une bouffée de soulagement : c'était donc elle, la cible, et non son frère... Tommy en avait déjà suffisamment sur les épaules !

« Je trouve que tu prends ça un peu trop bien ! » lui dit-il, d'un ton où perçait une pointe de reproche.

Ils la considéraient, Nick et lui, avec ce regard d'extrême attention que l'on pose sur un papillon pris sous une vitre. Comme s'ils observaient la progression de cette nouvelle, qui achevait d'infuser en elle.

« Je ne sais trop qu'en penser, fit-elle. Je ne peux pas croire ce que dit cet homme. Je ne *veux* pas y croire !

— Il n'est pas question une seconde de prendre cette menace à la légère, lui fit remarquer Nick, avec une nuance de mise en garde.

— Et cette Millicent dont il parle... Il prétend l'avoir tuée voilà un an ?...

— C'est ce qu'il dit, oui. »

Un frisson la parcourut. « Mais a-t-on retrouvé le corps ?

— Il prétend l'avoir enseveli profondément, quelque part où personne ne la retrouvera, répondit Tommy.

— Nous avons transmis le prénom aux fichiers nationaux, précisa Nick. Le système informatique de la police gère une base de données concernant les homicides non élucidés et les personnes portées disparues. Nous recherchons une éventuelle coïncidence. On n'est jamais à l'abri d'une bonne surprise, dans ce genre d'affaire.

— Moi, je le crois sur parole. Il a vraiment tué cette malheureuse. Il ne jouait pas la comédie, Laurant !

— Et tu as pu voir son visage ?

— Non. J'ai mis fin à la conversation au moment où il m'a annoncé que tu serais sa prochaine victime. J'ai bondi de mon banc et je me suis précipité hors du confessionnal – il s'interrompit et secoua la tête. Je ne sais pas ce qui m'a pris... J'étais complètement déboussolé.

— Et tu ne l'as pas vu ? Il était déjà parti ? Comment a-t-il pu disparaître si vite ?

— Il n'avait pas disparu, fit Nick. Il l'a tout simplement étendu pour le compte...

— Pardon ?

— Il m'a assommé, expliqua Tommy. Sans doute s'attendait-il à ma réaction. Il a surgi derrière moi et m'a frappé. J'ignore avec quel genre d'objet, mais j'ai eu de la chance de m'en tirer avec une bosse et une bonne migraine. Je me suis affalé par terre et, quand j'ai repris connaissance, j'ai vu le père McKindy qui se penchait sur moi. Il a pensé que j'avais eu un étourdissement à cause de la chaleur.

— Il aurait pu te tuer !

— Ne t'inquiète pas... J'en ai vu d'autres sur les terrains de foot ! »

Elle exigea de voir les traces du coup. Quand elle effleura la bosse, Tommy réprima une grimace. « C'est encore un peu douloureux, dit-il.

— Tu vas devoir montrer ça à un médecin.

« — Ça va, ça va… Nom d'une pipe, quel dommage que je n'aie pu le voir !

— Et sa voix, tu l'as reconnue ? Fais-moi écouter cette bande… Peut-être que je la reconnaîtrai, moi ?

— Il a parlé dans un souffle pendant pratiquement tout l'entretien. »

Tommy était terrorisé. Elle pouvait le lire dans ses yeux, et elle entendit clairement la peur vibrer dans sa voix quand il reprit la parole.

« Il ne t'arrivera rien, Laurant. Nous allons faire en sorte de te mettre en lieu sûr, Nick et moi. » Il adressa un signe de tête à son ami.

Elle garda le silence. Son regard restait rivé au robinet de l'évier qui gouttait, à l'autre bout de la pièce. Elle se sentit prise d'un léger tournis.

« Ne sous-estime surtout pas la gravité de l'incident, reprit Tommy.

— Qu'est-ce qui te fait croire que c'est le cas ?

— Tu me sembles un peu trop calme… »

Les coudes appuyés sur la table, elle inclina la tête pour se masser les tempes. Calme ? Au pensionnat, on lui avait inculqué l'art de dissimuler ses sentiments, et elle avait eu le temps et l'occasion de s'y exercer, mais comment son propre frère pouvait-il se méprendre sur elle à ce point ? Sa tête l'élançait comme si une grenade lui avait explosé dans le crâne. Son petit univers si paisible et si bien rodé volait en éclats sous ses yeux… Comment aurait-elle pu garder son calme !

« Que veux-tu que je fasse, Tommy ?

— Ce que je sais, c'est ce que tu ne dois pas faire : pas question de te laisser prendre le moindre risque. Tu ne peux pas rester à Holy Oaks… Pas tant que ce dément ne sera pas sous les verrous.

— Ne pas rester à Holy Oaks ? Alors que ma meilleure amie se marie la semaine prochaine, et que je suis sa demoiselle d'honneur ! Je ne raterai ça pour rien au monde ! Et mon magasin… Je dois ouvrir dans deux semaines, et rien n'est prêt !

Et la réunion du conseil municipal pour l'avenir du square du centre-ville, tu y penses ? Tout le monde compte sur moi ! Je ne vais pas tout laisser en plan et partir sans laisser d'adresse !

— Ça ne sera que temporaire. Le temps de le mettre hors d'état de nuire. »

Elle repoussa sa chaise et se leva. Elle ne tenait plus en place.

« Où vas-tu ? s'enquit Tom.

— Me faire une tasse de thé.

— Du thé, par cette chaleur ? » Et comme elle lui lançait un regard noir, il capitula : « D'accord, d'accord... Eh bien, je vais t'indiquer où se trouve le matériel. »

Ils la regardèrent remplir la bouilloire et la mettre sur le feu. Elle sortit d'une boîte un sachet de thé qu'elle mit dans une tasse, puis, la hanche calée contre le plan de travail, elle se retourna vers son frère : « Il faut que j'y réfléchisse sérieusement, fit-elle.

— C'est tout réfléchi, Laurant ! Nous n'avons pas d'autre solution : tu vas partir. Je ne supporterai pas une seconde de... »

Nick s'éclaircit la gorge pour l'interrompre : « Tommy... tu ne devais pas avertir le shérif ?

— Ah oui, c'est vrai. Essaie de lui faire entendre raison, toi ! ajouta-t-il, avec un froncement de sourcils en direction de sa sœur. Nous n'avons pas de temps à perdre ! Face à une menace aussi grave, il faut agir, et vite ! »

Il finit par se lever et quitter la pièce, tandis que Nick sortait son portable pour informer ses collègues de l'arrivée de Laurant. Puis, tandis qu'elle versait l'eau de son thé et déposait sa tasse devant lui sur la table, il passa un rapide coup de fil à son chef. Elle s'était rassise.

« Vous devriez vous offrir un portable, lui fit-il, en rangeant le sien dans sa poche de poitrine. Si seulement nous avions pu vous joindre, pendant que vous étiez sur la route...

— À Holy Oaks, personne n'a de portable. Tout le monde est au courant de ce que fait tout le monde. C'est comme d'habiter le même aquarium !

— Le shérif ignorait où vous étiez passée.

— Ce gros débile ! s'esclaffa-t-elle. Il lui suffisait pourtant de demander à mes voisines. Elles le savaient, elles – tout comme les ouvriers qui travaillent sur le chantier du magasin. »

Elle prit la transcription faite par la police et la feuilleta en lisant en diagonale, avant de la reposer sur la table.

« Si vous me faisiez écouter cette cassette, à présent... ? »

À la différence de son frère, Nick ne se fit pas prier. Il sortit un instant et revint avec un lecteur de cassettes qu'il plaça au centre de la table.

« Prête ? »

Elle déposa sa cuiller dans sa soucoupe, prit son souffle et répondit d'un signe de tête.

Il enfonça la touche « play » et se carra contre le dossier de sa chaise. Les yeux rivés à la cassette qui défilait, Laurant écouta de bout en bout la conversation du confessionnal. Tout à coup, la voix de l'inconnu donnait à toute cette horreur une réalité palpable. Quand ce fut fini, elle se rendit compte que ses mains s'étaient instinctivement cramponnées à sa chaise. Elle se sentait en proie à une sorte de mal de mer.

« Mon Dieu...

— Alors... cette voix vous dit-elle quelque chose ? »

Elle secoua la tête. « On n'entend qu'un murmure... D'ailleurs, je suis loin d'avoir tout saisi. Mais non, je ne crois pas l'avoir déjà entendue. Je vais devoir réécouter cette bande – mais pas tout de suite... Pour l'instant, je m'en sens incapable.

— Une partie de ce qu'il raconte n'est qu'une sorte de mise en scène. Il dose et contrôle ses effets – c'est du moins ce que je crois. Son objectif est avant tout d'effrayer Tommy.

— Ce en quoi il a parfaitement réussi... Seigneur ! comment protéger mon frère de tout ce stress ? Il se fait trop de souci. C'est très mauvais pour lui, pour son cancer...

— Ne nous voilons pas la face, Laurant. Un type lui annonce son intention de vous tuer avec des raffinements de cruauté, vous ne voudriez tout de même pas qu'il encaisse ça avec le sourire ? »

Elle passa une main tremblante dans ses cheveux. « Non, non... bien sûr. C'est seulement que...

— Que quoi ?

— ... que je crains pour sa santé. »

Il avait remarqué quelques inflexions françaises dans sa voix dès qu'elle lui avait adressé la parole. Mais, à présent, son accent transparaissait plus franchement. Sa façade d'amabilité souriante et détendue se craquelait comme un vernis.

« Mais pourquoi moi ? s'exclama-t-elle, sincèrement étonnée. Moi qui mène une vie si calme et si ordinaire. C'est absurde !

— C'est ainsi que procèdent la plupart des désaxés. Je me souviens d'un cas sur lequel j'ai travaillé, voilà deux ans. Un maniaque qui avait tué six femmes avant qu'on le mette hors d'état de nuire. Vous n'imagineriez pas ce qu'il nous a dit, quand nous lui avons demandé où il trouvait ses victimes... » Elle fit non de la tête. « *Au supermarché*, nous a-t-il répondu. Il se postait à l'entrée du premier magasin venu et dévisageait en souriant les femmes qui passaient. La première qui lui rendait son sourire était la bonne... Des femmes aussi ordinaires que vous, Laurant. Elles menaient toutes des vies on ne peut plus normales. Inutile de chercher un semblant de rationalité dans la conduite de ces malades, ni d'essayer de comprendre leur fonctionnement mental. Laissons ça aux psychiatres.

— Vous croyez que ce type pourrait être un véritable tueur en série ?

— Possible, admit-il. Mais je n'en jurerais pas. Peut-être n'en est-il encore qu'à ses tout premiers pas. Les experts nous éclaireront sur ce point, quand ils auront entendu la bande. Ça leur donnera un petit aperçu...

— Mais vous, personnellement, qu'en pensez-vous ?

— Que son histoire présente certaines incohérences.

— C'est-à-dire ? »

Il eut un haussement d'épaules. « Primo, il prétend avoir tué cette autre femme il y a un an. Et ça, ça m'étonnerait.

— Pourquoi ?

68

— Parce qu'il précise d'autre part qu'il y a pris goût, lui rappela-t-il. Or, ces deux assertions s'excluent mutuellement.

— Tiens, fit-elle. En quoi ?

— S'il est vraiment passé à l'acte – torture, viol, meurtre... il n'a pu le faire qu'assez récemment. Il n'aurait pas pu attendre si longtemps avant de récidiver.

— Et cette lettre qu'il affirme avoir envoyée à la police ?

— S'il l'a vraiment écrite et s'il l'a postée, ils devraient la recevoir demain ou après-demain. Ils l'attendent de pied ferme, évidemment, ajouta-t-il. Dans l'espoir d'y trouver d'éventuels indices – mais je doute fort qu'il nous en ait laissé.

— Et la cassette ?

— Ils y ont relevé une empreinte, mais elle n'appartenait pas au suspect. Le caissier de chez Super Sid, qui la lui a vendue, avait un petit casier. Nous avons retrouvé ses empreintes dans nos fichiers et nous n'avons eu aucun mal à remonter jusqu'au magasin – c'était son conseiller de probation qui lui avait trouvé ce boulot.

— Et il se souvient de l'homme qui lui a acheté la bande ?

— Malheureusement pas. Je ne sais pas si vous connaissez ce genre d'endroit. C'est une cohue ininterrompue, du matin au soir. Et, comme il s'agissait d'une caisse réservée aux règlements en liquide, nous ne pouvons compter sur l'éventuelle piste d'un chèque ou d'une carte de crédit.

— Et dans le confessionnal ? Aucune empreinte ?

— Des centaines.

— Mais aucune d'exploitable... ?

— Je le crains.

— Il est malin, n'est-ce pas ?

— Ils ne le sont jamais autant qu'ils croient, Dieu merci ! Sans compter que...

— Oui, quoi ?

— Que nous allons l'être plus que lui ! »

6

Il dégageait une confiance communicative et l'idée effleura soudain Laurant qu'il avait dû longtemps s'exercer à se composer cette façade calme et posée, pour rassurer témoins et victimes.

« Dites-moi, Nick…, lui demanda-t-elle. Rien ne vous fait jamais douter ?

— Oh, que si.

— Vous êtes sûr que ce type ne plaisante pas, n'est-ce pas ?

— Inutile de me poser dix fois la question, Laurant, vous obtiendrez toujours la même réponse. Oui, répéta-t-il, avec une patience angélique. À mes yeux, c'est sérieux. L'homme s'est donné un mal de chien pour fouiller dans votre passé, à vous et à Tommy – ainsi que dans le mien. Comme je vous l'ai dit, il voulait effrayer votre frère et il y a réussi. Tommy pense que nous avons affaire à un pur givré, mais moi, quelque chose me dit que la plupart de ses propos ont été minutieusement préparés. Reste à connaître ses véritables intentions… »

Elle se sentit gagner par la panique et se tordit les mains. « C'est étrange, mais j'ai encore peine à le croire…, murmura-t-elle d'une voix qui se brisa. Vous avez entendu, comme moi… ce qu'il a fait à sa victime… ces tortures… Vous n'avez pas… »

Il prit sa main dans les siennes. « Calmez-vous, Laurant. Respirez... plus calmement. Voilà. Ça va aller ? »

Elle tâcha de suivre ses conseils, mais cela ne l'avançait guère. Une vague glacée la pénétrait jusqu'à la moelle. Elle retira sa main et entreprit de se frictionner vigoureusement les bras.

Elle frissonnait des pieds à la tête. Il lui passa sa veste sur les épaules. « Ça ira ?

— Oui. Merci... »

Il fut soudain pris d'une envie de la serrer dans ses bras pour la rassurer, comme il l'aurait fait pour l'une de ses sœurs cadettes. Mais comment aurait-elle interprété son geste ? Il jugea donc préférable de garder ses distances et d'attendre un signal d'elle, quel qu'il soit.

Elle ramena la veste sur elle.

« Depuis combien de temps étiez-vous arrivé ?

— Une heure, environ. »

Ils laissèrent s'écouler un long moment sans mot dire. On n'entendait plus que le tic-tac de l'horloge au-dessus de l'évier, et la voix atténuée de Tommy qui parlait dans le living. Elle n'avait toujours pas touché à son thé, et quand elle leva les yeux vers lui, il y vit briller des larmes.

« Vous vous sentez perdue... ? » demanda-t-il.

Elle s'essuya la joue d'un revers de main. « Non. Je pensais à elle. À cette malheureuse et à ce qu'elle a dû subir. »

Son thé avait refroidi. Elle décida d'en préparer une autre tasse, et une troisième pour Nick. Ces préparatifs offraient l'avantage de l'occuper tout en lui ménageant un moment de répit, dont elle profita pour se ressaisir.

Il la regarda s'agiter en silence et la remercia lorsqu'elle posa devant lui cette tasse de thé dont il n'avait que faire. Il attendit qu'elle ait repris place près de lui pour lui dire : « Je me demandais comment vous alliez tenir le coup...

— Vous espériez que je serais un peu moins fragile que je n'en ai l'air ?

— Quelque chose comme ça, oui.

— Qu'est-ce que vous faites, au juste, dans la police fédérale ?

— Je travaille au service des objets trouvés...

— Et plus précisément, vous retrouvez quoi ?

— Quand la chance est avec moi, vous voulez dire ?

— Oui. Quand elle est avec vous... »

Il se pencha pour rembobiner la cassette et soutint son regard. « Des enfants. Je retrouve des gosses. »

Il avait des yeux d'un bleu profond et, lorsqu'elle laissa son regard y plonger, elle eut le sentiment qu'il tentait de lire jusqu'au fond de ses pensées. Peut-être essayait-il de prévoir ses réactions, tel un joueur d'échecs calculant la trajectoire d'une pièce ? À moins qu'il n'ait cherché la faille dans sa cuirasse ?

« C'est un boulot très pointu, fit-il. Un travail de spécialistes, disons..., précisa-t-il, dans l'espoir que cela suffirait à clore ce chapitre.

— Je regrette que nous nous soyons rencontrés dans des circonstances aussi...

— Oui. Eh bien...

— Regardez un peu... Je tremble comme une feuille, fit-elle en avançant la main. Et je suis tellement hors de moi que, si je m'écoutais, je me mettrais à hurler.

— Alors ne vous gênez pas ! »

L'invitation la prit de court. « Comment cela ?

— Hurlez ! »

Elle ne put réprimer un sourire. L'idée paraissait si absurde... « Vous plaisantez ! L'abbé en tomberait raide mort, ainsi que Tom !

— Eh bien, faites le vide pendant quelques minutes, le temps de récupérer.

— Comment vous figurez-vous que je vais réussir un tel tour de force ?

— Parlons d'autre chose... jusqu'au retour de Tommy, par exemple.

— Je serais bien incapable de me concentrer sur quoi que ce soit d'autre.

— Mais si. Essayez, ça va vous détendre.

— Très bien, admit-elle à contrecœur. De quoi voulez-vous que nous parlions ?

— De vous ! »

Elle secoua la tête, mais il poursuivit : « Bizarre que nous ayons dû attendre toutes ces années pour nous rencontrer, vous ne trouvez pas ?

— Effectivement. Vous êtes le meilleur ami de mon frère, depuis notre plus tendre enfance. Il a vécu si longtemps dans votre famille, et je ne sais pratiquement rien de vous... Tommy revenait à la maison chaque été pour les vacances, et vous étiez toujours invité, mais vous n'êtes jamais venu. Vous aviez toujours un empêchement à la dernière minute.

— Mes parents ont tout de même fait le voyage, fit-il.

— Une fois, oui. Votre mère avait apporté des photos et j'en revois une sur laquelle vous figuriez. Une photo de groupe, en fait. On y voyait la famille au grand complet, avec Tommy, posant devant la cheminée le soir de Noël. Ça vous amuserait de la revoir ?

— Ne me dites pas que vous l'avez sur vous ! »

Elle n'avait pas la moindre idée de la manière dont elle aurait pu le lui expliquer, mais cette photo ne l'avait jamais quittée. Il ouvrit de grands yeux et la regarda fouiller dans son sac à main. Elle la retrouva dans l'une des pochettes transparentes de son portefeuille et la lui tendit d'une main qui ne tremblait plus.

Il examina la photo en souriant. Les huit petits Buchanan, autour de leurs parents débordants d'orgueil. Il repéra Tommy, coincé entre Alec et Mike... quant à Dylan, son troisième frère, il arborait un splendide coquard, souvenir d'une de ces épiques parties de foot qui se déroulaient devant la maison.

« Votre mère m'avait appris tous vos prénoms, fit-elle, mais votre visage est un peu flou, sur cette photo – sans compter que vous êtes à moitié masqué par l'épaule de Théo, ce qui explique sans doute que je ne vous aie pas reconnu en arrivant. »

Il lui rendit la photo et, comme elle rangeait son portefeuille dans son sac, il lui dit : « Moi, j'en sais très long sur vous.

73

Tommy affichait dans notre chambre toutes les photos que lui envoyaient les sœurs. Nos murs en étaient couverts.

— Je n'étais pourtant pas très photogénique !

— Non, pas très..., railla-t-il. Maigrichonne et tout en jambes... Tommy me lisait certaines de vos lettres. Ça lui brisait le cœur de devoir vivre si loin de vous. Il aurait tant voulu vous faire venir. Il se sentait favorisé. Il avait une famille, lui...

— Mais je n'étais nullement à plaindre. Je passais mes vacances au grand air et je m'y plaisais beaucoup, dans cette pension.

— Parce que vous n'aviez jamais rien connu d'autre.

— Je m'y plaisais, répéta-t-elle.

— Mais vous deviez sans doute vous sentir parfois un peu seule...

— Parfois, admit-elle avec un haussement d'épaules. Surtout après la mort de bon-papa.

— Êtes-vous à l'aise en ma présence ? »

La question la fit sursauter.

« Mais oui, pourquoi ?

— Parce que nous allons devoir passer beaucoup de temps ensemble et qu'il sera essentiel que vous puissiez vous détendre en ma présence.

— Beaucoup de temps ensemble... C'est-à-dire ?

— C'est-à-dire chaque minute de chaque jour, et ce vingt-quatre heures sur vingt-quatre, jusqu'à ce que tout ça ne soit plus qu'un mauvais souvenir. Il n'y a pas d'autre solution, Laurant... Je me souviens encore de la crise qu'a piquée Tommy, le jour où il a découvert que vous posiez pour des photos de mode ! » ajouta-t-il, sans lui laisser le temps de commenter la nouvelle.

Elle retrouva son sourire. « Oui. Il est un peu sorti de ses gonds. Il n'a pas hésité à téléphoner en Suisse pour me moucharder auprès de la mère supérieure ! Je n'en croyais pas mes oreilles... Dénoncée par mon propre frère !

— La mère supérieure... mère Marie-Madeleine, si mes souvenirs sont exacts ? »

74

Ils l'étaient. « Oui, fit-elle, impressionnée. Après le coup de fil de Tommy, elle a appelé les gens chez qui je devais passer une partie de mes vacances. Des gens très fortunés... C'était eux qui m'avaient présenté ce couturier italien.

— Et évidemment, au premier coup d'œil, il a vu que vous étiez celle qu'il lui fallait !

— N'exagérons rien, il m'avait simplement demandé de présenter sa collection de printemps..., rectifia-t-elle. Je devais participer à plusieurs défilés.

— Mais Dieu merci, mère Marie-Madeleine y a mis bon ordre et vous a ramenée au bercail.

— J'étais catastrophée ! pouffa-t-elle. Je me suis carrément retrouvée au purgatoire du jour au lendemain : six mois de corvée de vaisselle ! La chute a été rude, des feux de la rampe à l'évier de la cuisine ! Vingt-quatre heures sur vingt-quatre, disiez-vous ?

— Ouaip ! C'est moi qui vous apporterai votre tube de dentifrice quand vous vous brosserez les dents, répliqua-t-il du tac au tac. Et onze mois plus tard, poursuivit-il sans sourciller, votre photo s'étalait en couverture d'un magazine de mode. Quand Tommy m'a montré ça, j'ai eu du mal à reconnaître la petite Laurant et ses genoux écorchés... ! »

Il avait parlé d'un ton admiratif, comme un compliment, mais elle ne sut que répondre et préféra garder le silence.

« Désormais, nous serons inséparables, vous et moi, enchaîna-t-il.

— Ce qui signifie que vous serez devant ma porte chaque matin, avant même que je sois habillée ?

— Je m'habillerai carrément en même temps que vous. Quel est votre côté préféré, dans un lit ?

— Pardon ? »

Il répéta sa question.

« Le droit.

— Parfait. Le gauche m'ira tout à fait.

— C'est une blague ?

— L'histoire du lit ? Oui. Mais pour ce qui est d'assurer votre sécurité, vous pouvez compter sur moi. Je m'apprête à commettre ingérence sur ingérence dans votre vie privée – avec votre permission, bien sûr.

— Pendant combien de temps ?

— Le temps qu'il faudra.

— Et quand je prendrai ma douche ?

— Je vous passerai le savon !

— Vous plaisantez, là ?

— Je ne vous lâcherai pas d'une semelle, Laurant. Vous m'aurez toujours à portée de main – suffisamment pour que je puisse vous frotter le dos sous la douche ! Il faut que vous compreniez : nous n'avons pas le choix... Le matin, je serai la première personne que vous verrez en ouvrant les yeux, et le soir, quand vous les refermerez, je serai toujours là. Nous allons faire équipe !

— Et comment comptez-vous arrêter le suspect, si vous passez tout votre temps dans mes jupes ?

— N'oubliez pas que je fais partie d'une puissante organisation, ma chère. L'enquête a commencé. Pour ce qui est de l'épingler, faites-nous confiance. Nous sommes spécialement entraînés pour ce genre de boulot. »

Posant son menton dans sa paume, elle observa une longue minute de silence, puis elle se redressa et le regarda bien en face.

« Je ne vais pas me laisser effrayer si facilement, déclara-t-elle. Je tiens à me rendre utile. Bien sûr, je vous promets de ne plus faire de bêtises..., s'empressa-t-elle d'ajouter. Non, je n'ai pas peur, là – je suis tout simplement hors de moi. Furieuse, mais absolument pas effrayée.

— Vous feriez mieux de l'être. La peur vous tiendrait sur vos gardes. Concentrée.

— Mais elle pourrait aussi me paralyser et ça, pas question ! Je ne me laisserai pas faire. Ce sale type... ce monstre qui vient raconter à mon frère le plaisir qu'il a pris à martyriser une innocente. Quelle horreur ! Et attention ! ça le reprend et il se trouve que c'est moi qu'il vise, pour sa prochaine partie de plaisir !... Cet homme a été assez calculateur pour prévoir que Tommy sortirait, qu'il tenterait de voir son visage. Il l'a guetté pour mieux l'assommer d'un coup sur la nuque ! Il aurait pu le tuer...

— S'il l'avait vraiment voulu, il l'aurait fait, répliqua froidement Nick. Mais il a besoin de Tommy pour nous transmettre ses messages. Ne vous inquiétez pas pour votre frère, ajouta-t-il aussitôt, en voyant une ombre passer dans son regard. Nous assurerons sa sécurité, à lui aussi.

— Vingt-quatre heures sur vingt-quatre ?

— Bien sûr. »

Elle hocha la tête. « N'avez-vous pas l'impression que ce type nous fait tous marcher ? Il ordonna à Tommy de vous prévenir, pour que vous me mettiez en lieu sûr – en laissant entendre qu'ainsi il ne me poursuivra *peut-être* pas. Et mon frère n'a désormais plus que cette idée en tête : me cacher.

— Bien sûr, qu'il veut vous cacher. Parce qu'il vous aime. »

Elle se pétrit les tempes du bout des doigts. « Je sais, fit-elle. J'en ferais sans doute tout autant, à sa place.

— Mais... ?

— Je connais mon frère, et il y a autre chose. Autre chose qui l'angoisse, en ce moment même. Autre chose que lui a dit cet homme, et que ni vous ni lui n'osez aborder en ma présence.

— Quoi donc ?

— Il a dit à Tommy qu'il attendrait son heure, et qu'il se trouverait quelqu'un d'autre pour... s'amuser un peu, entre-temps – sa voix avait tremblé. Pour une raison que j'ignore, il m'avertit et me laisse la possibilité de me mettre en lieu sûr. Mais cette autre femme, elle, n'aura pas cette chance... n'est-ce pas !

— Sans doute pas, confirma-t-il. Mais vous, vous devez..

— À mes yeux, la fuite n'a jamais été une solution, l'interrompit-elle. Pas question de laisser ce salaud prendre un tel pouvoir sur moi. Je n'ai pas peur.

— Si nous poursuivions cette discussion un peu plus tard... Laissons à Pete le temps d'examiner la bande avec un spécialiste des profils psychologiques. »

Il se leva. Il s'apprêtait à quitter la table quand elle le retint par la manche. Elle était à bout. « Je sais que vous avez au moins une hypothèse, Nick, et je veux la connaître. J'ai besoin de savoir. J'en ai assez de cette situation de totale impuissance, car en cet instant, c'est exactement ce que j'éprouve. »

Ses yeux percèrent ceux de Nick pendant plusieurs secondes avant qu'il se décide à répliquer, puis il hocha la tête : « D'accord, fit-il. Je vais vous dire ce que nous savons. Et pour commencer, je vous confirme que Peter Morganstern, mon propre chef, a déjà écouté une copie de cette bande. C'est le psychiatre qui dirige mon service, un éminent professionnel. Si quelqu'un a des chances d'y voir clair dans l'esprit de ce dingue, c'est bien lui. Cela dit, Pete n'a pas encore eu le temps d'éplucher et d'analyser chaque mot.

— Je vois.

— Bien. Venons-en au fait. Le point le plus important, c'est que vous n'avez pas été choisie au hasard. C'est un choix mûrement délibéré. Nous savons qu'il vous a choisie parce qu'il vous est très dévoué, fit-il en pesant soigneusement chaque mot.

— Que voulez-vous dire ? s'impatienta-t-elle.

— Que vous avez en lui une sorte de fan – c'est le mot qui convient.

— Un fan ! Ça n'a pas de sens... Je n'ai rien d'une star ni d'une célébrité. Je suis une simple provinciale.

— Eh ! Regardez-vous dans un miroir, Laurant. Vous n'avez pas grand-chose de la provinciale moyenne ! Vous êtes une femme superbe – à ses yeux, du moins..., s'empressa-t-il d'ajouter. D'ailleurs, la plupart des victimes que visent ces maniaques n'ont rien qui les distingue. »

Elle respira profondément et l'engagea à continuer : « Allez-y. Je veux savoir qui j'ai en face de moi. N'ayez crainte, je n'ai pas peur... Je veux avoir le plus de détails possible, pour pouvoir riposter – et Dieu sait que je vais le faire !

— OK. Alors voici ce que nous savons... Il vous traque depuis déjà un certain temps. Il sait tout de vous : le nom de votre parfum, ce que vous aimez manger, votre marque de lessive favorite, les titres des livres que vous lisez, vos habitudes sexuelles, ce que vous faites chaque jour à la minute près ou presque. Et il tient à ce que nous le sachions. Il est entré chez vous au moins deux ou trois fois, et sans doute plus. Il s'est assis dans vos fauteuils, s'est servi dans votre frigo, a passé vos tiroirs en revue. Sa façon à lui de faire votre connaissance... Sans doute a-t-il emporté une pièce de lingerie, quelque chose dont vous n'avez sans doute pas remarqué la disparition – une vieille chemise de nuit ou un tee-shirt sur lesquels vous n'avez pu remettre la main, ces derniers temps : ça vous évoque quelque chose ? Un vêtement que vous avez porté à même la peau...

— Pourquoi ? » fit-elle, ébranlée par cette idée. Elle refusait tout bonnement d'y croire. Comment un tel individu aurait-il pu s'introduire chez elle, et fouiller dans ses affaires à son insu ? La seule idée d'avoir vécu sous sa surveillance lui donnait la chair de poule.

« Il doit être imprégné de votre odeur, expliqua-t-il. Cela le rapproche de vous et, quoi que cela puisse être, il dort avec..., précisa-t-il, se remémorant les propos du suspect.

— Et c'est tout ? demanda-t-elle, surprise par le calme de sa propre voix.

— Non. Il vous a observée pendant votre sommeil.

— Non ! s'écria-t-elle. Ça, je l'aurais su !

— Tout est là, fit-il en tapotant le magnétophone.

— Et si j'avais ouvert les yeux ? Si je m'étais réveillée et que je l'aie surpris ?

— C'est ce qu'il veut, mais pas tout de suite. Il serait ivre de frustration si vous le forciez à brûler les étapes.

— Pourquoi ?

— Vous perturberiez son planning.

— Continuez, continuez... Je n'ai pas peur.

— Voilà pour le message qu'il veut nous faire passer. Je vais à présent vous résumer ce que nous avons pu en déduire. Il vit à Holy Oaks. C'est quelqu'un avec qui vous avez de fréquentes relations, que vous côtoyez, quotidiennement peut-être. Vous avez avec lui une attitude amicale mais, comme je vous l'expliquais, il pourrait lire en vous toutes sortes d'autres messages. D'après Pete, il n'en serait encore qu'au stade de l'adoration. C'est-à-dire qu'il vous considère comme une image de perfection, une icône qu'il veut protéger. Mais ce type est un dangereux obsessionnel. Il est constamment en conflit avec lui-même – ou du moins il veut nous le faire croire. Sans doute vous aime-t-il en toute sincérité, Laurant. Auquel cas, il ne veut certes pas vous faire de mal, mais il sait aussi que, tôt ou tard, vous finirez par le décevoir. Pour lui, il est totalement exclu que vous puissiez correspondre éternellement à son attente, quitte à faire ce qu'il faut pour vous faire trébucher. Il ne vous laissera pas vous en sortir à si bon compte.

— Vous disiez qu'il en était toujours au stade de l'adoration. Ça ne va donc pas durer. Quand cela basculera-t-il, à votre avis ?

— Aucune idée. Mais à vue de nez, ça ne devrait guère tarder. Peut-être avez-vous déjà commencé à baisser dans son estime. Voyez-vous, il attend de découvrir une chose qui vous déprécie et qui lui donne le sentiment d'avoir été trahi. Il suffi-rait d'un infime détail. Un regard, un sourire, par exemple. Quelque chose qui lui donne l'impression que vous vous moquez de lui, ou que vous vous intéressez d'un peu trop près à un autre. C'est typiquement le genre de chose qui le mettrait hors de lui. Il est sur les charbons ardents, ou il aimerait nous le faire croire. N'oubliez pas qu'il a promis à Tommy que, si vous preniez la fuite, il vous laisserait peut-être une chance. Mais il se vante aussi d'être un esprit supérieur, exalté par le défi.

— Peut-être va-t-il finir par s'en lasser lui-même, de son... obsession.

— N'y comptez pas trop. » Quelque chose dans la voix de Nick avait sonné comme un couperet. « Il est prisonnier de ses fantasmes. Il ne s'arrêtera pas. Pour lui, c'est le jeu du chat et de la souris – avec vous dans le rôle de la proie, bien sûr. C'est un prédateur. Plus le défi est corsé, plus le jeu le passionne. Ça ne s'arrêtera pas tant que vous n'aurez pas demandé grâce. »

Il se pencha et la regarda de plus près. « Alors, Laurant... ? Toujours pas effrayée ? »

7

Quelle partie de rigolade, avec le curé ! Un plaisir de gourmet... Il ne s'attendait pas à tant s'amuser. Il savait d'expérience que les préliminaires – le stade de préparation de son « plan opératoire », comme il se plaisait à l'appeler – se révélaient toujours plus gratifiants que l'action elle-même. Comme du temps où, encore tout gamin, il se construisait des châteaux forts dans son arrière-cour. Le vrai bonheur, c'était de se représenter ce qu'il ferait à l'abri de ce cocon bien clos où personne ne viendrait l'épier. Il passait des heures et des heures à s'y préparer, industrieux petit castor, aiguisant les ciseaux et les couteaux qu'il subtilisait dans les tiroirs de sa mère. Il préparait méticuleusement les funérailles des animaux qu'il avait piégés et qu'il gardait en cage. Mais la mise à mort ne tenait que rarement ses promesses. Les animaux ne couinaient jamais assez à son gré. Pourtant, cette fois, ce bon Tommy ne l'avait pas déçu. Plutôt à la hauteur, le cureton !

Il ne se lassait pas de se repasser mentalement la bande-son de leur conversation, en s'esclaffant jusqu'à en pleurer de joie. Pendant qu'il roulait sur l'autoroute, il pouvait hurler, s'égosiller de rire, si ça lui chantait – personne ne l'entendait. D'ailleurs, tant qu'il resterait vigilant, il pourrait continuer à faire ce qui lui plaisait, quand et où il voulait. Demandez donc à cette charmante petite Millicent... Ah, mais, non ! Ça, c'était hors de question ! C'était formellement défendu... Ouais, mon pote !

Il entendait encore le gargouillement sourd qu'avait lâché le père Madden en découvrant le nom de sa prochaine victime : sa précieuse petite sœur. « Laurant – la mienne ? »

« La mienne ? » répéta-t-il en le parodiant. Impayable, le curé ! Proprement impayable !

Quel dommage d'avoir dû décamper si vite. Il se serait volontiers amusé avec Tommy quelques minutes de plus, mais il avait été pris de court par le temps. Ils avaient trop longtemps pinaillé sur des questions idiotes, telles que le secret de la confession. Même avec son autorisation, le curé refusait de rapporter ce qu'il venait de lui dire. Il lui avait alors enjoint de briser le secret, mais ce brave Tom n'avait rien voulu entendre. Non, mon pote – rien de rien ! Bien sûr, il était au courant de ces règles qu'appliquait l'Église concernant ce sacrement – il avait soigneusement préparé son terrain, comme toujours –, mais il avait sous-estimé le petit curé. Jamais il ne se serait attendu à une telle rectitude de sa part. Qui aurait cru que ce cher Tom pouvait être si coriace, alors qu'il lui suffisait d'aller bavarder un peu pour sauver la précieuse peau de sa propre sœur... Qui ? Un prêtre qui voulait à tout prix tenir parole ! Diable, quel intéressant dilemme !

Eût-il été lui-même un esprit ordinaire que cela aurait suffi à tout faire capoter. Il aurait dû tout reprendre à zéro... Mais il n'avait pas grand-chose en commun avec l'individu moyen. Son intelligence lui avait permis de tout prévoir.

Il avait failli laisser échapper qu'il venait d'enregistrer le dialogue, là, dans le confessionnal, mais il avait préféré ménager ses effets. Il avait espéré n'avoir pas à la faire écouter de sitôt, cette nouvelle cassette – pas tout de suite, non... Elle serait venue s'ajouter à son impressionnante et ô combien éclectique collection. La bande de Millie commençait d'ailleurs à donner des signes de fatigue. Certains insomniaques aiment se coucher en écoutant le bruit des vagues ou de la pluie. Lui, il s'endormait au son de la voix mélodieuse de Millie.

Le prêtre lui avait forcé la main, avec ses interdits stupides. Pour contourner l'obstacle, il avait dû enfreindre la règle lui-même, en livrant à la police une copie de l'entretien. Toujours une mesure d'avance, c'était sa devise. Un petit aller-retour chez Super Sid, le temps de s'acheter un pack vierge et quelques enveloppes, et le tour avait été joué.

Il ne laisserait rien ni personne l'entraver dans son planning et il gardait toujours en tête une solution de rechange, au cas où. Anticiper, avoir réponse à tout, c'était la clé.

Il bâilla bruyamment. Il avait tant à faire. Et comme en tout il apportait un soin extrême, il n'aurait pas une minute de trop durant la semaine à venir pour se préparer. Le 4 Juillet, jour de la fête nationale, promettait d'être spécialement éblouissant, cette année...

Un 4 Juillet fracassant !

Il avait donc mis le cap sur Saint Louis, guidé par son fidèle complice Internet. Une vraie providence. L'allié idéal. Jamais un murmure, une jérémiade, ni un caprice. Avec lui, inutile de gaspiller son temps en vaines explications. C'était comme une putain de haut vol, rompue à toutes les ficelles de son métier, qui lui aurait fait exactement ce qu'il voulait quand il voulait, sans poser la moindre question.

Il n'aurait jamais cru qu'il était si simple de fabriquer soi-même sa propre petite bombe en suivant une recette enfantine en trois étapes. Enfantine, c'était le mot. Car un bambin aurait pu l'appliquer. Elle était même accompagnée d'illustrations en couleurs destinées aux plus godiches... La seule condition était bien sûr d'avoir les moyens de sa politique – et il les avait. Il s'était commandé un ou deux gadgets plus sophistiqués pour le détonateur et quelques petits kits d'amélioration des performances qui vous transformaient le moindre pétard en une machine infernale ! Les explosions nucléaires ne le tentaient pas particulièrement, mais il aurait juré qu'en passant le temps nécessaire dans les dédales souterrains du net et en faisant ami-ami avec ces anarchistes si bêtes et si zélés, il aurait pu acheter pratiquement tous les ingrédients nécessaires – à l'exception du plutonium. Quant aux armes, il suffisait de savoir où cliquer. Et lui, il savait.

Il avait donc commandé une foule de petits gadgets via le net, mais pas les explosifs eux-mêmes. Les mulets auraient pu croiser dans les parages. Il avait établi la connexion qu'il lui fallait grâce à un de ses vieux copains qui l'avait branché sur un dealer opérant depuis le Midwest – ce qui expliquait sa présence sur la I-70, sa liste de courses en poche.

Il repéra une aire de repos, à quelques centaines de mètres. Il aurait pu y faire halte pour prendre sa copie de la cassette, à l'arrière du van ; il lui tardait d'entendre à nouveau la voix du curé… Mais, apercevant une voiture de flics garée sur le parking, il se ravisa.

À l'heure qu'il était, les mulets devaient passer la bande au crible, en noircissant des kilomètres de notes. Grand bien leur fasse ! Sa perspicacité les laissait loin derrière lui. Sa voix ne leur apprendrait rien, si ce n'est, à la rigueur, sa région d'origine, mais ça ne les mènerait pas bien loin. Ils n'y verraient que du feu, jusqu'à l'ultime dénouement. L'apothéose finale.

Les mulets devaient lui avoir trouvé un joli surnom, tel que « Suspect Non Identifié ». Suspect, il adorait. C'était le plus beau nom qu'il lui avait jamais été donné de porter. Cette assonance flatteuse, ce raccourci magistral ! En le qualifiant de « non identifié », les mulets (l'étiquette générique qu'il attribuait aux flics en général, et aux agents du FBI en particulier) ne faisaient qu'admettre leur propre impuissance. La candeur qu'impliquait cet aveu avait même quelque chose de désarmant. Ces mulets avaient bien conscience d'être des ânes… Délectable !

« Alors ! exulta-t-il en avalant les kilomètres sur l'autoroute. La fête est déjà commencée, on dirait ! » Il ajouta, dans un grand éclat de rire : « Et pour se marrer, on se marre ! »

8

Maria Rodriguez et Frances McCann, inspectrices de la police municipale de Kansas City, débarquèrent au presbytère peu après quatorze heures. Pendant qu'elles interrogeaient Laurant, Nick resta à ses côtés sans souffler mot, mais sans en perdre un seul. Il laissa les inspectrices mener l'interrogatoire à leur guise et se garda bien de les interrompre pour leur donner son point de vue ou pour les influencer. Quand il se leva pour quitter la pièce, Laurant dut faire un effort surhumain pour ne pas le retenir par la manche. Elle aurait préféré qu'il reste près d'elle, ne fût-ce qu'à titre de soutien moral, mais on le demandait au téléphone... Un certain George Walker, l'expert affecté au dossier, un spécialiste des profils psychologiques.

Tommy les rejoignit alors, et les premières minutes en sa présence furent passablement prévisibles. Comme toutes les femmes qui voyaient Tom pour la première fois, les deux inspectrices parurent avoir le plus grand mal à détacher les yeux de son visage.

« Êtes-vous prêtre de façon, euh... définitive ? s'enquit McCann. Enfin, je veux dire, avez-vous prononcé vos vœux, et tout et tout ? »

Avec l'un de ces sourires que leur innocence même rend

imparables, Tommy répliqua : « Oui, inspecteur, j'ai reçu l'ordination en bonne et due forme.

— Si nous nous en tenions strictement à ce qui nous amène… ? » lui rappela sa collègue.

McCann ouvrit son calepin et se tourna vers Laurant : « Votre frère vous a-t-il informée de la façon dont nous avons reçu cette cassette ? – et elle poursuivit, sans attendre la réponse : Il est passé au poste, hier soir, ce fils de pute, et il a déposé son paquet, avant de repartir comme il était venu. À croire qu'il avait choisi son moment parce que hier soir, chez nous, c'était la corrida. On venait de faire une descente chez des dealers de crack et, pendant une heure, on se serait cru dans un zoo, avec tous ces camés qui se bousculaient dans le poste. L'agent de service à la réception n'a même pas remarqué la présence de ce paquet. On ne l'a découvert que lorsque les choses ont retrouvé leur cours normal. L'homme avait dû s'habiller en bleu marine, comme un agent. Ou alors style costard cravate, pour se faire passer pour un avocat venu repêcher un de ses clients. Toujours est-il que personne n'a le moindre souvenir d'avoir vu un type avec une enveloppe de papier kraft. Mais pour tout vous dire, on était tellement débordés qu'on n'aurait même pas remarqué l'enveloppe, si ce fumier n'avait pas téléphoné.

— Il a appelé le 911 depuis une cabine située à proximité du City Center Square, précisa Rodriguez. C'est à deux pas d'ici.

— Ce qu'on peut dire, c'est qu'il a vraiment les couilles gonflées à l'hélium, ce mec ! lança McCann, avant de se reprendre, les joues en feu : Euh… excusez, mon père ! Depuis le temps que nous traînons nos guêtres dans les bas-fonds, avec Rodriguez… !

— Alors que pouvez-vous nous en dire ? » demanda cette dernière à Laurant, qui leva les mains en signe d'impuissance. Elle n'avait aucune idée de la manière dont elle aurait pu les aider. Elle ne parvenait même pas à s'expliquer ce qui avait pu pousser le suspect à la choisir pour cible.

Les inspectrices n'avaient toujours pas la moindre piste, en dépit des efforts qu'elles avaient déployés. Elles avaient déjà quadrillé le quartier à la recherche d'éventuels témoins qui auraient pu noter la présence d'un promeneur suspect ou d'un véhicule inconnu dans le voisinage, dans l'après-midi du samedi. Mais personne n'avait rien vu ni entendu d'inhabituel – ce qui n'était pas pour les surprendre.

« Dans le coin, les gens se méfient de la police, expliqua Rodriguez. Reste à espérer que, si quelqu'un a vu quelque chose, il viendra se confier à l'abbé ou à vous-même, père Madden. Vos paroissiens doivent avoir toute confiance en vous. »

Mais ni elle ni sa collègue n'espéraient pouvoir remonter rapidement la piste du suspect. Il faudrait s'armer de patience, attendre de voir le tour que prendraient les événements. Peut-être la lettre que l'homme avait promis de poster apporterait-elle des éléments nouveaux ? Mais, là encore, rien n'était moins sûr.

« D'ailleurs, exception faite de l'agression dont a été victime le père Thomas Madden, ici présent, aucun crime n'a été commis, pour l'instant..., fit McCann.

— Vous voulez dire que vous attendez qu'il m'ait tuée pour prendre l'affaire en main ? » s'enquit Laurant, d'un ton un peu plus vif qu'elle ne l'aurait voulu.

McCann, qui avait visiblement la langue bien pendue, riposta : « Vous voulez que je vous dise la vérité, ma petite dame, ou vous préférez que je vous dore la pilule ?

— Je veux la vérité.

— Bien. En fait, chez nous, ça marche par territoire – comme chez les chats... Tout dépendrait de l'endroit où on retrouverait le corps. Si c'était dans les limites du territoire municipal, ce serait à nous de nous en occuper.

— Vous oubliez qu'il y a déjà eu un crime, leur rappela Tommy.

— Bien sûr, il vous a assommé, mais...

— Je ne parle pas de ça. Il a confessé avoir tué une femme.

— Qu'il dit, répliqua Rodriguez. Mais qu'est-ce qui nous le prouve ? »

McCann leur livra sa conviction profonde : pour elle, l'incident du confessionnal n'était qu'une mauvaise plaisanterie, imaginée par un type un peu soupe au lait qui devait nourrir une vieille rancune contre le père Madden et essayait de se venger de lui. Ce qui expliquait qu'elles l'aient si longuement questionné sur ses éventuels ennemis, lors de leur première visite.

« Quoi qu'il en soit, on peut vous promettre qu'on ne va pas rester à se tourner les pouces, fit Rodriguez. Mais, pour l'instant, nous n'avons pas grand-chose à nous mettre sous la dent.

— Sans compter que c'est même pas notre secteur !

— Comment en êtes-vous arrivée à cette conclusion, inspecteur ? » La question venait de Nick. Il était posté sur le seuil, appuyé au montant de la porte, les yeux vissés sur les deux femmes flics.

L'interpellée répondit d'un ton plutôt revêche : « C'est bien ici que le suspect a rapporté son crime. Ici, à Kansas City, mais sur la bande, il affirme sans ambiguïté, enfin, selon nous... qu'il habite Holy Oaks ou ses environs. En Iowa. Nous allons donc transmettre les éléments que nous avons collectés à nos collègues de Holy Oaks, tout en gardant le dossier sous le coude, au cas où.

— D'ailleurs, on dirait que le FBI est déjà à pied d'œuvre, pas vrai ? enchaîna Rodriguez. Vous finirez sûrement par tomber sur quelque chose d'intéressant. »

McCann approuva d'un signe de tête. « Et nous ne voudrions surtout pas interférer avec votre enquête, les gars, ajouta-t-elle.

— Tiens ! Depuis quand ? » lança Nick.

Elle eut un sourire angélique. « Eh ! On essaie juste de ne pas vous mettre de bâtons dans les roues. Je ne vois pas pourquoi nous ne pourrions pas coopérer sur cette affaire. Vous nous transmettez les informations dont vous disposez, et nous, si on déniche quelque chose, on se fera un plaisir de vous en faire profiter. »

La conversation s'embourbait. Après avoir laissé leur carte à Laurant, les deux flics s'éclipsèrent. Verte de frustration devant leur manque d'initiative, Laurant comprit soudain qu'elle s'était bercée d'illusions. Elle attendait des réponses et des résultats instantanés, voire un miracle qui eût conjuré le cauchemar. Mais, lorsque la porte se referma sur les deux inspectrices, tout espoir l'avait abandonnée.

Elle préféra ne pas s'en ouvrir à son frère qui semblait, lui, soulagé d'un grand poids : enfin ! la cavalerie arrivait à la rescousse... D'ailleurs, jusqu'au soir, elle n'eut pas une seule occasion de lui parler en tête à tête et son attention fut très vite happée par tout autre chose...

Dans le tourbillon des événements, Tommy avait oublié que l'on était dimanche après-midi. Lorsque son regard s'échappa vers la fenêtre, il vit les enfants qui l'attendaient. C'était devenu une véritable tradition, à Notre-Dame-de-la-Compassion, lorsque Tommy était de passage. Rien ni personne n'aurait pu empêcher le jeune prêtre de célébrer un rituel si cher au cœur des gosses du voisinage. À trois heures moins le quart tapantes, il dut laisser en suspens tous ses autres problèmes. Plusieurs dizaines d'enfants s'étaient rassemblés sur le parking de l'église, et ils se mirent à l'appeler de leurs piaillements jusqu'à ce qu'il se décide à les rejoindre. Il passa un short et un tee-shirt, ôta ses tennis et ses chaussettes et, muni d'une serviette de bain, prit congé de sa sœur en lui suggérant de rester en lieu sûr, dans le presbytère. Laurant vint se poster devant une fenêtre pour ne rien perdre de la scène.

Conformément à la coutume, l'autopompe arrivait sur le parking à quinze heures tapantes, lorsqu'un incident imprévu ne l'appelait pas ailleurs. Ce jour-là, il en descendit deux braves pompiers qui refermèrent les grilles derrière eux et ouvrirent les vannes d'incendie. Les enfants, dont les âges s'échelonnaient de la maternelle au collège, piaffaient d'impatience tandis que les pompiers passaient l'extrémité de la grosse lance entre les grilles d'acier et la fixaient au rail de sécurité. Puis on ouvrit la vanne. Les enfants étaient eux aussi en short ou en jeans coupés. Les maillots de bain étaient un luxe que la plupart des parents du quartier ne pouvaient pas s'offrir. Ils laissèrent leurs chaussures et leurs serviettes à l'abri sur le perron du presbytère et se précipitèrent sous la cascade qui jaillissait du tuyau, en poussant des cris de joie. À Notre-Dame-de-la-Compassion, nul besoin de pataugeoire sophistiquée, de plongeoirs ni de toboggans à eau – on faisait avec les moyens du bord ! Une heure durant, un joyeux chaos régnait sur le parking.

Tommy s'ébattait avec les enfants, retenant les plus petits pour qu'ils ne soient pas balayés par la déferlante, dispensant les premiers soins aux coudes et aux genoux écorchés. Lorsque les pompiers coupèrent le jet et se préparèrent à prendre congé, l'abbé sortit sa boîte de sucettes. Même si la fin de mois était difficile ou la quête trop maigre au presbytère, le vieux prêtre gardait toujours de quoi offrir aux enfants du quartier ces quelques friandises.

Lorsque le calme fut revenu sur le parking et que le dernier gamin s'en fut retourné chez lui, le père McKindy invita Nick et Laurant à partager leur dîner. Tommy et Nick se chargèrent des préparatifs. Nick fit rôtir un poulet tandis que Tommy rinçait la salade et écossait des haricots verts, fraîchement cueillis dans le potager. Par une sorte de convention tacite, chacun évita d'évoquer les récents événements au cours du dîner, mais, un peu plus tard, comme le vieux prêtre essuyait la vaisselle en compagnie de Laurant, il y fit discrètement allusion, et lui demanda comment elle encaissait le choc. Elle admit qu'elle avait peur, mais ajouta que le sentiment qui l'emportait en elle était la colère. Elle se sentait l'envie d'envoyer voler les objets à travers la pièce ! L'abbé lui arracha aussitôt des mains l'assiette qu'elle s'apprêtait à essuyer.

« Quand votre frère a appris la nouvelle pour son cancer, sa première réaction à lui aussi a été la peur, et surtout la colère. Une terrible frustration devant son impuissance. Mais, depuis, il a tranché. Et décidé de prendre en charge son propre traitement. Il s'est documenté, il a dévoré tout ce qui lui est tombé sous les yeux sur le type de cancer particulier dont il est atteint, ce qui était en soi un véritable tour de force, vu la rareté de son mal. Il a dû éplucher toutes les publications médicales. Il est allé voir des dizaines de spécialistes, jusqu'à ce qu'il ait trouvé celui qui avait mis au point le protocole de son traitement.

— Le Dr Cowan.

90

— Lui-même, opina le prêtre. Il pensait que ce médecin pourrait l'aider. Il n'exigeait certes pas de miracles, mais il avait une totale confiance en lui, et le docteur savait manifestement ce qu'il faisait. Depuis, votre frère se bat pied à pied avec un grand courage, ajouta-t-il. Et quand le Dr Cowan a été muté au centre de cancérologie de Kansas City, Tom l'a suivi. Voilà ce que je vous conseille de faire, à vous aussi, Laurant : prenez les choses en main. Battez-vous et vous aurez une chance de faire reculer votre peur et votre sentiment d'impuissance. »

Lorsqu'ils eurent remis un peu d'ordre dans la cuisine, l'abbé lui confectionna l'une de ses spécialités : un breuvage irlandais garanti souverain contre le stress et les insomnies. Puis il lui souhaita bonne nuit et monta se coucher. La potion magique était plutôt amère, mais elle vida son verre jusqu'à la dernière goutte, avec une pensée reconnaissante pour le mal que s'était donné McKindy.

La journée avait été longue. Il était bientôt dix heures et elle se sentait laminée. Elle alla rejoindre Nick et Tommy sur le sofa du living où ils s'étaient installés pour discuter d'un plan d'action. Elle s'efforça de concentrer son attention sur la conversation, mais elle avait toutes les peines du monde à canaliser ses pensées. Le vieux climatiseur installé sous la fenêtre émettait un bourdonnement évoquant celui d'un essaim furieux, sans pour autant rafraîchir d'un iota l'atmosphère de la pièce. De temps à autre, l'appareil semblait agité d'une sorte de spasme avant de reprendre son ronron lancinant. L'eau de condensation gouttait dans un pot à spaghettis judicieusement placé là par Tommy pour protéger le sol – un beau plancher ancien que son frère se promettait de poncer et de vitrifier un jour ou l'autre… Laurant avait l'oreille accaparée par cet irritant fond sonore qui lui interdisait toute concentration.

Nick, lui, semblait en pleine forme. Il arpentait la pièce tête baissée en écoutant Tommy, qui avait ôté ses tennis et s'était installé en travers de l'ottomane, les pieds sur l'accoudoir. Un énorme trou ornait l'une de ses chaussettes, livrant passage à son gros orteil, mais il ne semblait pas se soucier de ce détail. De temps à autre, il réprimait un bâillement.

Elle se sentait aussi vive et alerte qu'une poupée de chiffon. Posant sa tasse sur la table, elle se laissa aller dans les coussins du canapé, prit deux ou trois profondes inspirations et ferma les yeux. Ce qu'il lui fallait avant toute chose, c'était une bonne nuit de sommeil. Le lendemain matin, tout serait plus clair.

Elle était tellement perdue dans ses songes qu'elle sursauta lorsque Tom lui tapota le genou pour attirer son attention.

« Alors, petite sœur... tu nous faussais compagnie ?

— Oui.

— Le mieux serait que vous passiez la nuit ici, toi et Nick. Nous avons deux chambres d'amis plutôt spartiates, mais qui devraient faire l'affaire.

— Vous n'avez plus qu'une seule chambre, rectifia Nick. Noah va arriver d'un instant à l'autre.

— Qui donc ? demanda-t-elle.

— Noah. Un ami de Washington, répliqua-t-il.

— Nick est persuadé que j'ai besoin d'un baby-sitter moi aussi, expliqua Tommy.

— Un garde du corps, rectifia Nick. Noah connaît parfaitement son métier. Il ne te lâchera pas d'une semelle. Un vrai chewing-gum ! Comme je n'ai pas le don d'ubiquité, si tu veux que je m'occupe de ta sœur, je dois te confier à l'ami Noah.

— Vous pensez que Tom court un réel danger ? s'alarma-t-elle.

— Disons que je préfère éliminer tous les risques.

— Et d'où il sort, ce Noah ? du FBI ?

— Pas tout à fait. »

Nick aurait visiblement préféré ne pas s'étendre sur le sujet. « Comment se fait-il que vous soyez en relation, en ce cas ? insista-t-elle.

— Nous avons longtemps été collègues. Noah est un genre de... spécialiste... et Pete fait appel à certaines de ses compétences, de temps à autre. J'ai dû lui rappeler une faveur que je lui ai faite, pour le décider à venir. Il est littéralement débordé.

— Comme garde du corps ?

— On peut dire ça comme ça.

— Vous ne nous direz pas en quoi consiste cette fameuse "spécialité", n'est-ce pas ? »

Nick lui décocha un grand sourire. « Eh non ! »

Tommy bâilla sans retenue. « Alors... nous sommes bien d'accord ?

— D'accord sur quoi ? demanda-t-elle.

— Tu n'as vraiment pas écouté ! Voilà plus d'un quart d'heure que nous en discutons.

— Non. Je rêvassais... », fit-elle. Elle n'allait tout de même pas s'excuser devant son frère, non ? « Qu'avez-vous manigancé, tous les deux ?

— Tu vas rentrer avec Nick. » Tom jeta un coup d'œil vers son ami avant de poursuivre. « Enfin... c'est moi qui en ai décidé ainsi. Nick est d'un avis nettement plus mitigé.

— Ah ? Et où irons-nous, comme ça ?

— À Nathan's Bay, répondit Nick. Dans ma famille. Ils seront ravis de vous rencontrer enfin et c'est un endroit superbe, totalement isolé. Il n'y a qu'une voie d'accès, et elle passe par un pont. Je vous assure que vous allez vous y plaire. Notre cour est aussi vaste qu'un terrain de foot et il suffit de la franchir pour avoir les pieds dans l'eau. Avec un peu de chance, mon frère Théo vous emmènera faire un tour en mer.

— Tu te souviens du frère de Nick ?

— Bien sûr. Il était venu passer une semaine chez nous du temps de grand-père, après avoir décroché sa licence en droit. Je ne suis pas près d'oublier ça !

— D'ailleurs, il me semble que tu corresponds toujours avec Jordan – l'une des sœurs de Nick, voulait-il dire.

— Oui, et j'aurais grand plaisir à la revoir. De même que le juge Buchanan et sa femme, mais... »

Tommy coupa court à ses protestations. « Eh bien, tu vas enfin pouvoir rencontrer toute la bande. Car ils vont sûrement revenir au bercail pour te voir.

— Ça serait formidable, Tommy... mais ça n'est pas le moment !

— Au contraire ! C'est l'occasion rêvée. Tu seras en lieu sûr, et ça devrait être ton principal souci, par les temps qui courent.

— Qu'est-ce qui te dit que ce fou ne va pas me suivre ? As-tu seulement pensé à la famille de Nick ? Je pourrais les mettre tous en danger !

— Nous veillerons à la sécurité de tous », fit Nick en venant s'asseoir sur le fauteuil de l'autre côté du canapé. Il se pencha en avant et noua ses bras autour de ses genoux. « Mais je pense que nous devrons rester ici un jour de plus, sinon deux.

— Pour attendre cette lettre que le suspect prétend avoir envoyée à la police ?

— Non. Inutile de l'attendre.

— Je tiens à ce que Laurant s'éloigne immédiatement, répéta Tommy.

— Je sais. J'ai parfaitement compris ce que tu veux.

— Alors pourquoi temporiser ? C'est dangereux.

— Je doute que notre suspect soit encore à Kansas City. Il a fait ce qu'il était venu y faire et doit être rentré chez lui, à l'heure qu'il est. Non, nous restons pour attendre l'arrivée de Pete. C'est lui qui dirigera personnellement l'enquête et il veut te parler.

— De quoi ? demanda Laurant. Que pourrait lui apprendre Tom qu'il ne sache déjà ? »

Nick eut un sourire. « Une foule de choses, fit-il.

— Quand arrive-t-il ?

— Demain.

— J'avais la tête à l'envers, le jour où je l'ai eu au téléphone, dit Tommy. Je te cherchais partout, Nick. Je savais que toi, tu saurais quoi faire.

— Et tu le penses toujours ?

— Bien sûr.

— Alors, laisse-moi faire mon boulot. Nous allons attendre l'arrivée de Pete, Laurant et moi, pour qu'elle le voie avant notre départ. Je me porte garant de sa sécurité. Et toi, vieux, contente-toi de me faire confiance. »

Le jeune prêtre hocha lentement la tête. « Bien. Je tâcherai donc de ne pas rester dans tes jambes – ça t'ira ? »

La sonnerie de la porte d'entrée mit fin à leur conversation. Nick enjoignit à Tom de ne pas bouger pendant qu'il allait ouvrir. Laurant eut juste le temps d'entrevoir le geste qu'il fit en direction de son holster, en sortant de la pièce.

« Ce doit être l'ami de Nick. Le fameux Noah…

— Tu crois qu'il couche avec ? glissa-t-elle à l'oreille de son frère.

— Pardon, avec qui ?

— Avec son arme.

— Mais non, voyons ! Pourquoi ? Ça te tracasse vraiment ?

— J'ai toujours eu horreur de ça.

— Et Nick… j'espère qu'il te plaît, lui ? »

Elle eut un haussement d'épaules. « Il me plaisait avant même de l'avoir rencontré : il a été si sympa avec toi. Et il m'a l'air d'un très brave garçon.

— Tu crois ? fit Tom en riant. Il aimerait sûrement te l'entendre dire ! Sur le terrain, quand le temps se gâte, je peux t'assurer qu'il n'a rien d'un "brave garçon" ! C'est précisément ce qui fait de lui un bon flic. »

Elle n'eut pas le temps de lui soutirer d'autres détails. Nick revenait, son visiteur sur les talons.

Le garde du corps de Tommy leur fit grosse impression. C'était le genre de type à sortir invariablement vainqueur d'une bagarre dans un bar, et à vous décrire avec un luxe de détails la joie qu'il a eue à en découdre.

Il portait un tee-shirt gris clair sur un jean délavé et ses cheveux blond sable n'avaient pas dû voir de peigne depuis un certain temps. On aurait vainement cherché sur lui le moindre gramme de graisse. Ses biceps avantageux semblaient à l'étroit dans les manches de son tee-shirt. Son sourire gouailleur et son regard, que soulignait une balafre lui entamant l'arcade sourcilière, renforçaient l'impression de désinvolture qu'il dégageait.

95

Avant même qu'il ait ouvert la bouche, Laurant avait détecté en lui le dragueur impénitent. Le temps de traverser la pièce pour aller échanger une poignée de main avec Tommy, il l'avait toisée de la tête aux pieds, s'attardant sur ses jambes un rien plus longtemps que nécessaire.

« Merci d'avoir trouvé le temps de venir nous aider, fit Tommy.

— Eh bien, pour tout vous dire, Nick ne m'a pas laissé le choix... Il m'a dit que c'était une urgence absolue...

— Et que tu me le devais bien !

— Exact, convint Noah, dont les yeux restaient rivés sur Laurant. Ce genre de truc, je peux compter sur lui pour me le rappeler ! »

Lorsque Tommy lui présenta sa sœur, il lui prit la main et la garda longuement dans la sienne. « Je vous trouve nettement plus accorte que votre frère », roucoula-t-il, puis, jetant un coup d'œil vers Nick, il lui glissa : « Dis donc, toi... je pense à un truc, tout à coup !

— Laisse tomber », répliqua Nick.

Noah fit la sourde oreille et poursuivit : « Et si je m'occupais plutôt de la demoiselle ?... Toi, tu pourrais rester avec ton vieux pote.

— Laisse tomber, Noah. Elle est hors de portée.

— Tiens, pourquoi ! Déjà mariée ?

— Pas du tout, fit-elle, sans pouvoir réprimer un sourire devant cette belle spontanéité.

— Eh bien, alors... où est le problème ? Je préférerais nettement m'occuper de la demoiselle, Nick.

— Pas question, oublie ça ! » aboya Nick, ce qui eut pour effet de faire s'élargir encore le sourire de Noah. Il venait manifestement d'obtenir la réaction qu'il souhaitait provoquer, car il décocha un grand clin d'œil en direction de Laurant, comme si elle avait été sa complice dans ce petit numéro destiné à asticoter Nick. Il finit cependant par lui libérer la main et, se tournant vers Tommy : « Eh bien, mon cher curé, comment dois-je vous appeler ? Thomas, Tom, ou simplement père Madden ?

— Pour toi, ce sera "mon père" ! lança Nick.

— Moi, tu sais... je n'ai jamais été très catholique !

— Vous pouvez dire Tom, ou Tommy, ça m'ira parfaitement, trancha l'intéressé.

— Pete m'a dit que vous aviez une copie de la bande, fit Noah, retrouvant instantanément son sérieux. J'aimerais l'écouter, avant toute chose.

— Elle est dans la cuisine, répondit Tom.

— Parfait ! J'avais justement un petit creux.

— Voulez-vous que je vous prépare quelque chose ? » proposa Laurant.

Quand son regard revint se poser sur elle, son sourire s'épanouit plus largement que jamais. « Formidable ! Ça, c'est une idée ! »

Mais l'idée en question n'était visiblement pas du goût de Nick. Il secoua la tête. « Tu auras tout le temps de faire ta tambouille tout seul. Maintenant que tu es à pied d'œuvre, nous allons rentrer à l'hôtel, Laurant et moi. Elle est éreintée.

— Quel est le programme, pour demain ? s'enquit Noah.

— Je dois aller à l'hôpital faire des analyses, dit Tommy. Rien de bien méchant. Des examens de routine...

— Mince ! Moi qui n'ai jamais pu encadrer les hôpitaux...

— Ils vous doivent pourtant une fière chandelle ! s'esclaffa Tommy. D'après ce que m'a raconté Nick, vous leur envoyez chaque mois un certain nombre de bons clients.

— Moi ? Je préfère les envoyer direct à la morgue – économie de temps et d'argent. Je suis pour la suppression des intermédiaires ! Mais dis donc, toi..., fit-il avec un coup d'œil en direction de son ami. Qu'est-ce que tu es allé lui raconter sur mon compte, à ton copain curé ?

— Que tu ne tirais pas dans les jambes. »

Noah eut un haussement d'épaules fataliste. « On peut le dire comme ça, mais pas plus que toi, il me semble... c'est seulement que j'ai la main plus sûre !

— Ça m'étonnerait », riposta Nick.

Laurant n'en perdait pas une miette, mais elle n'aurait su dire si Noah était sérieux. « Vous avez donc tué beaucoup de monde, comme ça ?

— Ah, désolé, Laurant, mais c'est exactement le genre de question à ne pas me poser. La vantardise est un vilain péché, n'est-ce pas, Tommy ?

— Dans ton cas, ce serait vraiment une paille ! s'esclaffa Nick.

— Quelle injustice ! Y a pas plus brave que moi ! Et je ne fais qu'apporter mon humble contribution à la défense de l'environnement...

— Sans blague ? ricana Nick.

— Eh oui. J'essaie de faire de ce monde un endroit plus propre et hospitalier. » Il se tourna à nouveau vers Tom : « Vous comptez y passer toute la journée, à l'hosto ?

— Non. J'ai rendez-vous très tôt en radiologie. Nous devrions être de retour pour huit ou neuf heures.

— C'est déjà la date de ton scanner ? demanda Nick avec une lueur espiègle dans le regard. Dans ce cas, je tiens absolument à venir avec toi – pour te soutenir le moral, j'entends !

— Qu'est-ce que ça a de si réjouissant, les scanners ? » s'étonna Noah.

Nick secoua la tête, tandis que Tommy piquait un fard. « En fait, c'est exactement ça, répondit-il. J'ai rendez-vous pour un scanner... mais Nick ne peut m'accompagner. Il est interdit de séjour en radiologie ! »

Noah essaya d'avoir de plus amples détails, Laurant eut tôt fait de comprendre que les deux compères ne diraient rien en sa présence. Ils échangeaient des clins d'œil et des signes complices, comme deux galopins convoqués dans le bureau du principal.

« Vous m'excuserez, fit-elle. Je vais prendre mon sac. »

Sa main ne s'était pas posée sur la poignée de la cuisine qu'elle entendit derrière elle une explosion d'éclats de rire. C'était Tommy qui racontait l'anecdote, et à voix si basse qu'elle ne put en saisir un mot. Manifestement, les aventures de Nick en radiologie étaient palpitantes !

Son sac était resté à terre, près de sa chaise. Elle se passa la bride à l'épaule et, penchée sur la table, s'arc-bouta sur ses deux bras tendus, en attendant que la tempête se calme.

Nick vint la chercher. « Vous y êtes ? »

Elle fit oui de la tête et lui emboîta le pas jusqu'à la porte d'entrée. Là, Tommy se pencha vers elle et lui tendit la joue pour recevoir un baiser, aussitôt imité par Noah, qu'elle repoussa en riant : « Vous alors... quel don Juan ! s'esclaffa-t-elle.

— Eh oui..., soupira-t-il. On ne se refait pas ; mais vous, n'essayez surtout pas de vous refaire ! Telle quelle, vous êtes parfaite ! »

Elle ignora délibérément le compliment. « Veillez bien sur mon frère.

— Ça, ne vous bilez pas. J'ai été dressé pour et je suis issu d'une vieille lignée de professionnels du maintien de l'ordre. Un protecteur-né, autant dire. Depuis le temps, ça a dû passer dans mes gènes ! Bonne nuit, Laurant ! »

Elle hocha la tête. Nick lui ouvrit la porte, mais elle s'attarda un instant sur le seuil. « Noah... Il ne me semble pas avoir entendu votre nom de famille ?

— Clayborne, répliqua-t-il. Noah Clayborne. »

9

Sa voiture était bonne pour la casse. Le carburateur était encrassé, les bougies agonisaient et il y avait du jeu dans la transmission. En arrivant à l'hôtel, Nick avait peine à croire que ce tas de ferraille ait réussi à traverser une bonne partie de la ville...

Il avait réservé une chambre plus spacieuse par téléphone depuis le presbytère, au nom de M. et Mme Hudson. Ils passèrent à la réception prendre leur clé et, tandis qu'ils montaient en ascenseur, il lui annonça qu'il avait demandé au service d'étage de faire transférer ses bagages.

« Vous pensez à tout ! s'exclama-t-elle.

— Vous n'avez encore rien vu : je suis l'efficacité même ! »

Il sortit le premier de l'ascenseur pour s'assurer que le couloir était libre, puis il lui emboîta le pas le long de l'interminable tapis rouge. Elle se serait crue dans un mausolée. Leur suite se trouvait tout au bout du couloir. Nick glissa la carte magnétique dans la serrure et ouvrit toute grande la porte.

« Ne sursautez pas, Laurant, mais nous avons la suite nuptiale. Il ne restait rien de plus... discret. Allez, quoi !... n'allez pas vous mettre martel en tête, s'empressa-t-il d'ajouter, en voyant son expression changer tout à coup. On dirait que vous vous préparez à prendre la fuite en appelant au secours ! »

Elle parvint à esquisser un sourire. La situation était des plus scabreuses, mais elle résolut de s'en accommoder. « De toute façon, je n'irais pas plus loin que ce couloir, fit-elle. Je tombe de sommeil !

— Vous voulez peut-être que je vous fasse franchir le seuil dans mes bras ? »

Elle garda un silence prudent et il dut lui pousser gentiment l'épaule pour l'engager à entrer. La suite ne comportait qu'une seule chambre. La porte ne s'était pas plus tôt refermée derrière elle qu'elle se sentit gagnée par la nervosité. Mais le moment était mal choisi, se morigéna-t-elle.

Nick était resté derrière elle. Elle pouvait sentir dans son dos la tiédeur qui émanait de lui. S'éloignant vivement, elle inspecta le salon, élégamment décoré dans des tons gris-beige très apaisants – deux sofas de velours brun chocolat encadraient une table basse de marbre noir, avec un grand bouquet de fleurs aux couleurs tendres dans un vase de cristal. Sur une desserte disposée devant la baie vitrée qui surplombait la plaza, on leur avait préparé un plateau de fruits, de fromages et de crackers, avec une bouteille de champagne dans un luxueux seau à glace en onyx.

Nick s'affairait du côté de la porte. Il avait sorti de sa poche un mince fil métallique qu'il entortilla autour du verrou. À l'extrémité du fil était fixée une petite boîte carrée de la taille d'une pile. Il passa le fil autour de la poignée et enclencha une sorte d'interrupteur : un petit voyant rouge se mit aussitôt à clignoter.

« Qu'est-ce que c'est ?

— Un système de sécurité personnalisé, répondit-il. C'est ma sœur Jordan qui m'a bricolé ça. Si quelqu'un essaie d'entrer pendant que je dors ou que je suis sous la douche, il ne passera pas inaperçu. »

Se relevant, il fit rouler ses épaules pour se relaxer et lui suggéra d'aller se préparer pour la nuit. « Je me servirai de cette salle de bains, prenez l'autre, celle qui donne dans la chambre. »

Elle s'exécuta et s'avança jusqu'au seuil de la chambre. Là, elle resta pétrifiée : il n'y avait qu'un lit, quoique monumental, dont les draps et la courtepointe blanche avaient été soigneusement débordés et repliés, comme une invite à s'y glisser pour la nuit. Les oreillers étaient parsemés de chocolats qui scintillaient dans leurs papiers dorés, et dans le mitan du lit reposait une magnifique rose rouge.

« Un problème ? demanda-t-il en la voyant vissée au seuil.

— Il y a une rose dans le lit ! »

Il la rejoignit pour y regarder de plus près. « Délicate attention, non ? » fit-il, s'appuyant au chambranle. Ils n'étaient plus séparés que d'une dizaine de centimètres.

Elle eut le plus grand mal à soutenir son regard lorsqu'elle répondit : « Ça, pas d'erreur... c'est bien la suite nuptiale !

— Eh oui ! Qu'est-ce qu'on y peut, hein ? Vous y voyez un inconvénient ?

— Moi ? Pas le moins du monde, mentit-elle.

— Vous prendrez le lit. Moi, je dormirai sur le sofa. »

Elle entendit un grand *crunch*. Il venait de mordre à belles dents dans une pomme dont le jus lui dégoulinait le long du menton. Il s'essuya d'un revers de main désinvolte avant de lui tendre le fruit. Elle se pencha et y préleva à son tour une bouchée, nettement plus modeste.

Le malaise se dissipa comme il était venu. Nick était redevenu le vieux copain de son grand frère. Elle se retira dans sa salle de bains et, tout en farfouillant dans son sac en quête de sa chemise de nuit, elle l'aperçut du coin de l'œil par la porte entrouverte. Nick avait plongé sur le lit et s'était emparé de la télécommande.

Elle s'attarda un peu sous la douche, laissant cascader sur sa nuque et ses épaules le flot bienfaisant qui emportait les fatigues de la journée. Lorsqu'elle acheva de faire sécher ses longs cheveux, elle était prête. Elle enfila un grand tee-shirt à l'effigie de Penn State, se passa une crème hydratante sur la figure et

102

revint dans la chambre avec à la main un tube de lotion corporelle.

Pendant ce temps, Nick avait fait comme chez lui. Confortablement calé sur les oreillers, il avait étendu devant lui ses longues jambes musclées, croisées aux chevilles. Il avait passé un vieux short effrangé et une chemise blanche. Ses cheveux étaient encore mouillés. Il avait sur les genoux un petit calepin et un stylo-bille, et n'avait toujours pas lâché la télécommande. Il ne semblait pas avoir l'ombre d'un souci.

Elle avait oublié d'emporter dans la salle de bains l'un des peignoirs qu'elle avait vus dans le placard de la chambre. Mais, comme il ne lui avait jeté qu'un coup d'œil avant de ramener les yeux sur l'écran télé, elle renonça à s'encombrer de problèmes d'étiquette. Après tout, ce grand tee-shirt n'avait rien d'un déshabillé vaporeux : il l'empaquetait on ne pouvait plus décemment du menton aux genoux.

Le regard de Nick resta rivé à la télé. On aurait pu le croire totalement absorbé par ce qui se passait sur l'écran, mais ses pensées se bousculaient. Quand Laurant était sortie de la salle de bains, un bref coup d'œil lui avait suffi pour tout enregistrer. Ses jambes sensationnelles, le doux renflement de ses seins sous le tissu léger du tee-shirt, la ligne émouvante de sa nuque, ses joues légèrement rosies, et sa bouche, qu'elle avait parfaite. Il n'aurait pas été plus émoustillé si elle avait surgi dans une de ces nuisettes transparentes que proposent les catalogues spécialisés.

Il lui avait suffi de deux secondes pour tout photographier. Une chance qu'elle ne lui eût pas demandé ce qu'il regardait à la télé, il aurait été incapable de répondre quoi que ce soit. D'ailleurs, il était le premier choqué, voire scandalisé, par la véhémence de la réaction que lui inspirait la sœur de son vieil ami.

« Vous êtes vraiment comme mon frère ! » fit-elle en s'installant à son côté. Elle étendit ses jambes, tira sur son tee-shirt, se cala deux gros oreillers sous les reins et, dévissant son tube de lotion, croisa les chevilles tout comme lui.

Évidemment, l'espace qui les séparait restait décent, dans cette couche princière – mais tout de même... c'était un lit ! Pense à autre chose, se dit-il. C'est la sœur de Tommy...

« Vous disiez ? demanda-t-il.

— Que vous étiez bien comme mon frère, fit-elle, en se tartinant les bras de lotion rose. Il faut toujours qu'il monopolise la télécommande. »

Nick se fendit d'un grand sourire. « Eh... c'est qu'il est au parfum, lui aussi...

— Au parfum ?

— Il connaît le secret universel : celui qui tient la télécommande contrôle l'univers. »

Elle éclata de rire, ce qui ne fit que l'encourager : « Vous n'aviez jamais remarqué que notre Président garde toujours la main dans sa poche – c'est pour être sûr de l'avoir toujours à sa portée ! »

Elle leva les yeux au ciel. « Et moi qui me figurais que ce n'était qu'un tic nerveux !

— Eh non. »

Elle posa son tube sur la table de nuit et se glissa sous les couvertures. Elle tenta de jeter un coup d'œil à la télé, mais ses pensées tourbillonnaient trop vite.

« Noah est un garde du corps chevronné, n'est-ce pas ? Je sais bien que vous me l'avez maintes fois répété... maintenant que j'ai pu en juger, je me dis que je n'ai plus à m'inquiéter pour la sécurité de mon frère – Noah s'en charge. Et bien sûr, c'était pour me chambrer qu'il a sorti son numéro de grand exécuteur ombrageux. C'était une blague, n'est-ce pas ? »

Il éclata de rire. « C'est ça, oui. Une blague.

— Vous m'avez dit que Pete le faisait travailler de temps à autre, mais qu'il ne faisait pas vraiment partie du FBI... ?

— Oui et non. Disons que c'est un peu comme d'être à moitié enceinte...

— Ça, ça me paraît exclu.

— Exact, répliqua-t-il. Mais Noah aime à se voir comme une sorte de spécialiste en free-lance.

— Et ce n'est pas le cas ?

— Pas tout à fait. Il travaille sous les ordres de Pete. »

Elle n'était pas sûre d'avoir bien saisi le sens de cette remarque. « Donc, comme Pete travaille pour le Bureau...

— Noah aussi. Nous évitons simplement de le lui faire remarquer. »

Elle eut un petit sourire. « On ne sait jamais quand vous parlez sérieusement, Nick... Mes yeux se ferment tout seuls. Demain matin, avec un peu de chance, j'y verrai plus clair... »

Au matin, lorsque ses idées auraient cessé de s'entrechoquer dans sa tête comme des billes de flipper, elle prendrait les décisions adéquates. Mais pour l'instant, elle renonçait à penser.

Elle s'endormit en regardant Nick, qui n'avait d'yeux que pour son match de hockey.

10

À son réveil, elle entendit un bruit de pas. Nick s'affairait dans le living. Elle attrapa son sac et courut s'habiller dans la salle de bains. Elle n'avait guère le choix : elle avait quitté Holy Oaks en coup de vent et n'avait pas pris le temps de songer sérieusement à sa garde-robe. Elle s'était contentée de jeter dans son sac une jupe noire et un chemisier blanc, au cas où Tommy aurait été hospitalisé. Au bout d'une demi-heure, sa petite jupe de lin aurait l'air d'un chiffon, mais il allait falloir faire avec.

Elle s'apprêtait à enfiler sa seconde chaussure quand Nick frappa à la porte.

« Le petit déjeuner est servi ! C'est quand vous voulez... et ensuite, nous avons du pain sur la planche ! »

Elle émergea de la salle de bains la chaussure à la main. « Du pain sur la planche ? s'enquit-elle. Quel genre ? »

D'un geste il lui désigna son calepin, ouvert sur la table. « Nous allons commencer par établir une liste, qui nous servira de base de départ. Mais je dois vous avertir que nous allons devoir faire et refaire tout cela un certain nombre de fois.

— Pas de problème. Qu'est-ce que vous voulez savoir, au juste ? »

Il l'invita à s'asseoir. « Deux ou trois petites choses. Nous commencerons par une liste de tous les gens qui pourraient vous en vouloir. Vous savez... des ennemis, des gens qui ne seraient pas fâchés de vous voir disparaître.

— Il doit bien y avoir certaines personnes qui ne m'apprécient guère, mais je doute que cela puisse aller jusqu'au désir de me supprimer. Je vous semble naïve ? » Elle se pencha pour enfiler sa chaussure. Quand elle se redressa, Nick déposait un croissant sur son plateau.

« Un peu, oui, répliqua-t-il. Qu'est-ce que je vous sers ? demanda-t-il, la main sur la poignée de la cafetière. Un café ?

— Non, merci. Je n'en prends jamais.

— Moi non plus... Étrange coïncidence ! Nous devons être les deux seules personnes au monde à boycotter l'empire Starbucks ! » Il vint s'asseoir en face d'elle, à califourchon sur sa chaise, et décapuchonna son stylo.

« Une liste de mes ennemis. Entendu. Et ensuite ? demanda-t-elle.

— J'aimerais que vous me signaliez tous les amis qui ont pu vous sembler un poil trop assidus, ces derniers temps. Mais commençons par le commencement... Depuis quand êtes-vous installée à Holy Oaks ?

— Bientôt un an.

— Vous êtes venue y vivre pour vous rapprocher de Tommy, et vous allez bientôt ouvrir un magasin, c'est bien ça ?

— Oui. J'ai racheté un vieil immeuble dans le centre-ville. Les travaux de rénovation ont déjà commencé.

— Quel genre, votre magasin ?

— Pour l'instant, les gens l'appellent "le Drugstore", parce que ça a été la pharmacie locale pendant des décennies. Mais je n'y vendrai aucun médicament, pas même un tube d'aspirine. Ce sera plutôt une sorte de snack-bar pour les lycéens et les familles du quartier. Sandwichs et glaces. J'ai prévu un juke-box et un magnifique distributeur de boissons fraîches.

— Je vois, dit-il. Façon années 50 ?

— Si vous voulez. J'ai pas mal de travail comme graphiste. Je dessine des logos pour les associations d'étudiants, des

107

illustrations pour tee-shirts... J'espère continuer dans cette branche. Il y a un grand atelier, juste au-dessus, avec une belle verrière. Un espace très lumineux... C'est là que je compte m'installer pour travailler. Le magasin n'est pas immense, mais il s'ouvre sur une grande véranda en façade. J'y installerai des tables à la belle saison.

— Je ne sais pas si vous ferez fortune en vendant vos boissons et vos tee-shirts, mais j'ai cru comprendre qu'avec la fortune que vous a léguée votre aïeul vous n'aviez pas de souci à vous faire pour l'avenir. »

Elle se garda de se prononcer sur le bien-fondé de cette présomption, se contentant de préciser : « J'ai aussi quelques contrats de design pour le commerce local, et à la rentrée, je compte organiser un cours d'arts appliqués.

— Tom m'a dit que vous aviez fait les Arts déco, à Paris. Vous peignez un peu, il me semble ?

— Oui. Un violon d'Ingres.

— Il m'a raconté que vous ne lui aviez encore jamais rien montré...

— J'attends d'avoir fait quelques progrès, répliqua-t-elle – à supposer que j'en fasse un jour.

— Y aurait-il quelqu'un qui voudrait nuire à votre projet de magasin ?

— Steve Brenner serait assez heureux de le voir capoter. Mais il n'irait sûrement pas jusqu'à s'en prendre physiquement à moi ou à mon frère pour me dissuader, au contraire : il me fait les yeux doux. Il m'a même invitée à sortir avec lui, un soir. Mais c'est un vrai pot de colle – le genre qui ne conçoit pas qu'on puisse lui résister.

— J'en conclus que vous avez décliné son invitation ?

— Oui. Il ne m'est pas très sympathique. Il ne pense qu'à l'argent. Il a fondé l'Association pour le développement économique de Holy Oaks. Ce n'est pas une plaisanterie, c'est l'intitulé exact... bien que ce groupement ne compte pour l'instant qu'une poignée de membres. Dans le civil, Brenner est agent immobilier.

— Et qui sont les autres ?

— Oh, d'autres petits magouilleurs du même acabit. Et notamment notre shérif : Lloyd MacGovern.

— Qu'est-ce qu'ils envisagent de faire pour le développement économique de Holy Oaks ?

— Ils ont entrepris d'acheter tous les immeubles qui bordent le square du centre, et de les revendre à des promoteurs. Brenner est le cerveau de l'affaire, évidemment. Même au cas où un propriétaire déciderait de vendre directement aux promoteurs, Steve et son grand ami le shérif toucheraient une commission. C'est du moins le plan concocté par Brenner...

— Qu'est-ce qu'ils veulent en faire, de ces immeubles ?

— Ce sont de belles maisons anciennes. Les promoteurs projettent de les démolir pour les remplacer par du béton. Une extension du campus, je crois. Des logements pour étudiants mariés.

— Et ils ne peuvent pas les construire ailleurs ?

— Bien sûr que si. Mais ils veulent aussi créer un centre commercial aux environs de la ville – s'ils parviennent à se débarrasser des boutiques du square –, de façon à monopoliser le marché.

— Qui sont-ils au juste, ces promoteurs ?

— Il s'agit du cabinet Griffen Inc. d'Atlanta, répondit-elle. Je n'ai jamais eu affaire à eux. Brenner n'est que leur porte-parole. Comme vous imaginez, ils offrent de petits pactoles aux actuels propriétaires.

— Êtes-vous seule à leur tenir tête ?

— Le projet de Brenner fait la quasi-unanimité contre lui. Toute la ville est pour la rénovation des vieux immeubles du centre.

— Oui, mais parmi les riverains du square ? »

Elle poussa un soupir. « Vendredi dernier, nous étions encore quatre à résister. Mais tous les autres ont accepté de vendre.

— J'aimerais que vous me dessiniez un plan du quartier, avec le nom de tous les propriétaires, à l'occasion, précisa-t-il.

— Le square dont je vous parle est bâti sur trois côtés. Le

quatrième donne sur un petit parc avec une ravissante fontaine qui doit dater du début du siècle, mais qui fonctionne toujours. Il y a aussi un kiosque à musique où les musiciens du quartier se donnent rendez-vous tous les samedis soir pour donner l'aubade aux passants. C'est un quartier charmant, vous savez... ! »

Paupières closes, elle entreprit de passer mentalement en revue tous ceux qui refusaient de pactiser avec Griffen, à commencer par le propriétaire de la quincaillerie...

« Il y a aussi Margaret Stamp, la boulangère, et Conrad Kellogg, l'actuel pharmacien. Son officine est située juste en face de ma boutique. Il est capital qu'ils tiennent bon : il suffirait que l'un d'eux cède pour que Griffen puisse démolir leur pâté de maisons. Et dès qu'ils auront réussi à construire un seul de leurs immeubles, c'en sera fait du centre-ville...

— Que feriez-vous si Tommy était un jour envoyé dans une autre paroisse ? Vous vendriez votre magasin pour le suivre ?

— Non. Je resterais à Holy Oaks. Je m'y sens chez moi. C'est un endroit chargé d'histoire. J'ai des voisins adorables. On sent une telle solidarité, dans le quartier !

— Personnellement, je ne tiendrais pas quinze jours dans ce genre de bled, ça me rendrait dingue !

— Moi, ça me convient, fit-elle. Et jusqu'ici, je m'y sentais parfaitement en sécurité. Je me figurais que dans une si petite ville vous aviez au moins l'occasion de mieux connaître vos ennemis. Il faut croire que je me berçais d'illusions...

— Tommy m'a dit que vous aviez emménagé à l'époque où il a été si malade ?

— Il a failli mourir.

— Mais il s'est rétabli. Vous auriez pu vous contenter de demander un congé à cette galerie d'art où vous travailliez, à Chicago, et revenir quand votre frère aurait été sorti d'affaire, mais vous avez carrément donné votre démission. Pourquoi ? »

Elle se plongea dans la contemplation de sa tartine et, d'une main nerveuse, aligna devant elle les éléments de son couvert d'argent. « Je suis accourue au chevet de mon frère, bien sûr, mais je fuyais avant tout une situation qui devenait intenable pour des raisons, euh… personnelles.

— Laurant… Vous vous souvenez ? Je vous ai prévenue : je vais devoir m'immiscer dans votre vie privée. Désolé de vous mettre dans l'embarras en vous forçant à me faire des confidences, mais je n'ai pas le choix. *Vous* n'avez pas le choix, plus exactement. Mais ne vous inquiétez pas ; tout cela restera entre nous.

— Ce n'est pas le problème. C'était tellement… stupide, fit-elle en glissant un œil vers lui.

— Qu'est-ce qui était stupide ?

— J'avais rencontré ce type à Chicago. En fait, c'était l'un de mes employeurs. Nous nous sommes vus quelque temps et, vous voyez… J'ai bien cru que j'allais tomber amoureuse de lui. C'est ça qui était si bête, parce que j'ai fini par m'apercevoir que c'était un vrai… »

Les mots lui manquaient pour décrire cet homme qui avait trahi sa confiance. Nick lui vint en aide :

« Un fumier ? Un mufle ? Un imbécile ?

— Un sale type, disons, trancha-t-elle. Oui, en un mot comme en cent ! »

Il tourna la page de son calepin. « Son nom ?

— Joel Patterson. C'était mon chef de service.

— Et alors ? Que s'est-il passé ?

— Un jour, je l'ai trouvé au lit avec une autre femme – une de mes amies, qui plus est.

— Aïe, aïe, aïe !

— Sur le moment, ça ne m'a pas fait rire du tout.

— Je comprends… Pardonnez-moi de l'avoir pris à la légère. Et elle, qui c'était ?

— Une collègue ; mais avec elle non plus, ça n'a pas duré. J'ai appris qu'elle l'avait plaqué pour quelqu'un d'autre.

— Son nom ?

— Vous allez vraiment enquêter sur elle ?

— Pour ça, faites-moi confiance.

— Christine Winters. »

Il prit note du nom et la regarda bien en face. « Si nous revenions un peu à ce Patterson ?

— C'est indispensable ?

— Une blessure mal cicatrisée, on dirait ?

— Non, répliqua-t-elle. Mais je me sens toujours si bête ! Figurez-vous qu'il a eu le culot de m'en rendre responsable – vous imaginez ça ! »

Nick lui glissa un coup d'œil surpris. « Non ? Vous plaisantez ! »

Sa mine atterrée lui arracha un sourire. « Il m'a expliqué sans sourciller que le problème était de mon côté, parce que, m'a-t-il déclaré, "un homme, ça n'est pas de bois"...

— Vous vous refusiez à lui, si je comprends bien ?

— On ne peut rien vous cacher.

— Et pourquoi ?

— Pardon ?

— Vous disiez que vous étiez amoureuse, ou du moins que vous pensiez l'être... Pourquoi vous être refusée à lui ?

— Mais vous l'excuseriez, ma parole !

— Pas du tout ! Non. J'essaie juste de comprendre. Puisque vous pensiez l'aimer...

— Non. Je vous ai dit qu'il m'avait semblé que j'allais tomber amoureuse de lui », rectifia-t-elle. Ouvrant son croissant, elle tendit la main vers la confiture. « Eh bien, jusque-là, j'avais envisagé le problème d'un point de vue strictement pratique, expliqua-t-elle. Nous avions une foule d'intérêts communs, Joel et moi... Et je croyais que nous avions aussi les mêmes valeurs – en quoi je me trompais, de toute évidence.

— Vous ne m'avez toujours pas répondu. Pourquoi vous être refusée à lui ?

— Eh bien..., commença-t-elle, mais elle ne pouvait plus temporiser. Sans doute parce que j'attendais encore. J'espérais.

— Quoi ?

— Le déclic. L'étincelle. Un peu de magie. Ça me paraît nécessaire, non ? En tout cas, ça devrait l'être.

— Fichtre oui, ça devrait !

— J'ai essayé, sincèrement. Mais je ne le ressentais pas.

— Eh ! Ça marche ou pas. Ça ne se commande pas ! »

Elle posa son couteau au bord de son assiette et, les mains sur les genoux, se rencogna contre le dossier de sa chaise. « Je crains de ne pas être très douée pour les relations humaines, fit-elle.

— Qui vous a dit ça, cet imbécile de Patterson ? » Il n'attendit pas la réponse. « Il vous a vraiment embrouillé les idées, ce minable ! Que vous a-t-il raconté d'autre, ce brave vieux Joel, quand il n'était pas occupé à batifoler avec d'autres femmes, ou à vous reprocher de l'y avoir poussé ? »

Une note de colère avait percé dans sa voix, et elle lui sut gré de prendre si spontanément fait et cause pour elle. « Il disait, par exemple, que j'avais un cœur de pierre.

— Vous ne l'avez tout de même pas cru ?

— Non, évidemment... mais... C'est vrai que je me retranche toujours derrière une certaine réserve. Peut-être suis-je effectivement un peu... froide.

— C'est totalement faux ! »

Il l'avait affirmé avec une conviction passionnée, comme s'il avait su des choses qu'elle-même ignorait. Elle allait lui demander de s'expliquer quand le téléphone sonna. Il alla décrocher.

« C'était Noah, lui annonça-t-il un instant après. L'avion de Pete vient d'atterrir. Allons-y... »

11

Un quart d'heure plus tard, ils étaient en route pour le presbytère.

« Votre transmission va rendre l'âme, lui fit-il remarquer comme ils s'engageaient dans la côte de Southwest Trafficway. Je m'en étais aperçu hier soir, mais j'espérais m'être trompé.

— Je vais devoir une fois de plus laisser ma voiture chez un garagiste. »

La matinée promettait d'être chaude et humide à souhait, et la climatisation n'était pas à la hauteur de la situation. Elle abaissa sa vitre.

« Votre voiture n'en a plus pour bien longtemps. Elle affiche cent cinquante mille kilomètres au compteur, cette petite... Vous devriez songer à la revendre.

— *Cette petite* ! répéta-t-elle, avec un sourire narquois. Vous oubliez que ce n'est pas une femme, Nick. C'est une voiture, un être inanimé !

— Mais comme vous le savez, les hommes, les vrais, s'identifient à leurs machines ! Et les plus soigneux d'entre nous mettent un point d'honneur à les dorloter.

— Sans doute un autre de ces secrets initiatiques que vous partagez avec vos petits copains !

— Mes *petits copains* ? s'insurgea-t-il. Je vous parle d'une affaire d'homme, là. On ne badine pas avec les problèmes mécaniques ! »

Elle éclata de rire. « Le bon Dr Morganstern sait-il seulement qu'il a sous ses ordres un dangereux fétichiste ?

— Qu'est-ce qui vous dit qu'il n'en est pas lui-même un, et de la pire espèce ?

— Sans blague ! » Retrouvant son sérieux, elle ajouta : « Pete doit voir et entendre des choses terribles, je suppose.

— Ça, plus que son compte !

— Tout comme vous.

— Oui. C'est le job qui veut ça.

— Tommy se fait du souci pour vous. »

Ils gravissaient une autre côte. Nick dressait l'oreille à chaque changement de vitesse. La transmission donnait des signes de fatigue de plus en plus inquiétants. Il fit la grimace et se promit de la confier à un mécanicien avant de laisser Laurant la conduire à nouveau. Elle avait déjà eu une satanée chance d'arriver à Kansas City au volant d'une telle épave ! Il s'en était fallu d'un cheveu qu'elle se retrouve en panne au bord de l'autoroute.

Il lui jeta un coup d'œil par-dessus ses lunettes de soleil. « Tommy aimerait me voir marié, fit-il. Établi. Casé. Il pense que la vie de famille serait le contrepoids idéal à toutes mes tribulations. Mais ça n'est pas très réaliste, vu la branche où j'opère. Je me vois mal mener une vie de couple bien rangée. Quant à avoir des enfants... ça, c'est tout bonnement exclu !

— Pourquoi ? Vous ne les aimez pas ?

— Si, bien sûr. Mais je leur rendrais la vie impossible. Si j'avais des enfants à moi, je refuserais de les quitter de l'œil une seconde. Je leur empoisonnerais l'existence.

— Évidemment, après tout ce que vous avez vu, vous craindriez qu'il leur arrive malheur...

— Quelque chose comme ça, oui, convint-il. Et vous ? Vous espérez vous marier, un jour, avoir un enfant ?

115

— Un enfant, vous plaisantez... ! J'en veux toute une maisonnée ! Et je me moque bien que ce soit passé de mode !

— Et ça fait combien, pour vous, une maisonnée ?

— Quatre ou cinq. Voire six... Et votre patron, il a des enfants ?

— Non. Lui et sa femme Kathy n'ont jamais pu en avoir, mais ils ont une foule de nièces et de neveux qui viennent régulièrement camper chez eux. »

Elle garda un moment le silence, observant Nick du coin de l'œil. « Pourquoi surveillez-vous le rétroviseur ? Vous craignez qu'on nous suive ?

— Je suis un conducteur modèle.

— Où avez-vous laissé votre arme ? »

De la main gauche, il souleva son holster qu'il avait calé entre son siège et la portière.

« Ne sortez pas sans elle ! plaisanta-t-il. Je devrai le passer à mon épaule dès que nous arriverons au presbytère. Le règlement. »

Elle laissa pendre son bras par la vitre en regardant les vieux immeubles qui défilaient sous ses yeux. Mais elle pensait à tout autre chose. Au Dr Morganstern, et à la réaction qu'il aurait quand elle lui exposerait son plan. Car elle avait décidé de se passer de l'entremise de Nick et de son frère. Ils étaient l'un et l'autre bien trop impliqués pour considérer la situation d'un œil impartial. Quant au docteur, elle espérait qu'il la comprendrait et accepterait de l'aider, avec ou sans bénédiction de son frère.

« Nous allons devoir terminer cette liste sans tarder, Laurant. Le mieux aurait été de commencer dès hier soir, mais j'ai vu que vous étiez vraiment lessivée.

— Pour la nuit dernière... je pensais à une chose...

— Oui. Quoi ?

— Je me suis endormie en vous laissant devant un match.

— Un match ? Non ! *Le* match. La finale de la Stanley Cup ! rectifia-t-il.

— Et vous l'avez regardé jusqu'au bout ?

— Jusqu'à la dernière seconde.

— Et puis… qu'avez-vous fait ? »

Il voyait parfaitement où elle voulait en venir, mais, en lui, certain diablotin prit un malin plaisir à lui laisser préciser sa pensée.

« Eh bien… j'ai dormi ! » répondit-il.

Une minute s'égrena.

« Où ça ?

— Mais à vos côtés », fit-il, tout sourire.

Il l'avait dit d'une voix assurée, sans l'ombre d'une hésitation. Son but, de toute évidence, était de la faire rougir. Elle décida qu'il était grand temps de remettre les pendules à l'heure. Elle était en général plutôt discrète et réservée, mais une fois n'est pas coutume… « Et… ça vous a plu ? » fit-elle.

Il étouffa un petit rire. « Beaucoup. J'ai dormi comme un bébé. Mais évidemment, là… je me sens un peu gêné : que dira Tommy, en apprenant que j'ai couché avec sa sœur ?

— Si vous ne dites rien, je garderai le secret.

— Marché conclu ! »

Ils arrivaient à la Compassion. Nick se gara en face de l'église pour ne pas interrompre le match de basket qui se déroulait dans la cour. Ils repérèrent aussitôt Noah et Tommy qui se tenaient au milieu d'une bande d'adolescents. Tommy portait un tee-shirt et un short kaki, et Noah un jean et un polo noir. Il avait à l'épaule son holster de cuir brun et son visage affichait une expression furibonde, presque menaçante, que Laurant ne tarda pas à s'expliquer. Tommy avait un sifflet entre les dents. Noah discutait une décision de l'arbitre. Son frère n'avait jamais eu l'art du compromis et il résistait pied à pied face à la contestation. Il avait les joues en feu et semblait tout aussi prêt à en venir aux mains que Noah. Les gamins se serraient autour d'eux comme une bande de petits guerriers belliqueux, n'attendant qu'un signal pour passer à l'action.

Laurant sauta à terre sans laisser à Nick le temps de lui tenir la portière. Elle le vit glisser son arme dans son holster, et s'efforça de ne pas se laisser perturber par cette image.

« J'avais cru comprendre que mon frère serait à l'hôpital, ce matin.

— Il est dix heures passées... Ils sont revenus depuis longtemps.

— Vous ne croyez pas que vous devriez vous en mêler ? » lui demanda-t-elle, avec un coup de menton en direction de Noah – lequel venait d'appuyer sans ménagement sur le sternum de l'arbitre. Tommy riposta par un véhément coup de sifflet au nez du contestataire.

Nick éclata de rire. « Vous avez vu la mine des gamins ?

— Ils n'apprécient pas de voir votre ami s'en prendre à leur curé préféré !

— Noah s'amuse...

— Mais je me demande si les garçons l'entendent de cette oreille. Votre ami croulerait sous le nombre.

— Ah ! Vous croyez ? »

Elle lui lança un regard perplexe. « Pas vous ?

— Oh ! Il serait de taille à leur tenir tête !

— Je vais au presbytère », dit-elle, et elle entreprit de traverser le parking, en faisant signe à son frère. Elle se hâta de rejoindre McKindy, qui l'attendait devant la porte ouverte.

Noah l'avait reconnue. Il s'interrompit au milieu d'un juron et, présentant son large dos à Tommy, se retourna pour mieux la suivre des yeux.

« Hé ! Qu'est-ce qui vous arrive ? s'écria Tommy, toujours essoufflé par leur duo de vociférations.

— Un super-canon – voilà ce qui nous arrive... et je vous prie de croire que ça vaut le coup d'œil !

— Eh, doucement ! lui lança Nick, en ponctuant son exclamation d'une bourrade. C'est de sa sœur que tu parles !

— J'ai du mal à m'y faire, vieux ! Une fille si sensationnelle, avoir pour frère un tel pignouf – parce qu'en plus, il est miro, le curé ! Même à un mètre de la ligne, il est pas foutu de voir quand une balle est hors jeu ! » Et le concert de reprendre de plus belle.

Dix minutes plus tard, ils regagnaient tous trois le presbytère, ruisselants et radieux. Tommy s'essuyait le front avec un pan de son tee-shirt. Titubant de rire, ils mirent le cap sur la cuisine pour aller se rafraîchir.

Laurant s'effaça sur leur passage et battit en retraite dans le living, chargée d'un gros panier de linge sale.

« Vous êtes incroyables, vous ! râla Tommy. Proposer des bières à ces gamins !

— Eh ! s'exclama Noah. Je me suis dit que ça leur ferait plaisir. Fait chaud, sur ce terrain !

— Ils sont beaucoup trop jeunes ! lui fit remarquer Tommy, exaspéré. Et il n'est même pas midi ! »

Nick lui décocha un clin d'œil comme il passait devant elle, chargé d'un pack de coca. Noah enjoignit à Tommy de l'attendre pendant que Nick et lui iraient s'expliquer avec les garçons sous le porche.

« Bon ! Qu'est-ce qui se passe encore ? demanda-t-elle à son frère.

— L'un des gamins a dit à l'abbé qu'il avait remarqué une voiture suspecte, samedi dernier. Peut-être celle de notre homme. Nick va lui parler.

— Le gamin a-t-il signalé le fait à la police ?

— Non. Aucun d'eux n'irait leur dire quoi que ce soit. Mais ils sont tous au courant de ce qui est arrivé et, comme l'a si bien dit Frankie, leur chef de bande : "Yo, mec ! On va pas laisser un *enc.* qu'on connaît même pas venir *emm.* nos *p. de prêtres* dans notre *p. de paroisse* !" » Laurant ouvrit de grands yeux, mais Tommy poursuivit, hochant la tête avec un sourire attendri : « Un brave petit, ce Frankie. C'est juste qu'il doit soigner son image auprès de ses camarades. Pour eux, c'est incontournable. Il faut rouler des mécaniques... Ils ont donné le mot dans tout le quartier. Ils ont toujours un ou deux copains qui traînent dans le coin, à toute heure du jour ou de la nuit. Samedi, l'un d'eux a vu un minibus inconnu dans les parages, garé sur la 13e rue, près de ce terrain vague. Nick espère qu'ils pourront lui fournir une description du conducteur. Croisons les doigts. Et toi… ? fit-il, tout à trac. Qu'est-ce que tu fabriques, avec ce panier de linge sale ?

— Je ne supporte pas l'inactivité. J'ai demandé au père McKindy ce que je pouvais faire pour me rendre utile. »

Tommy lui ouvrit la porte du sous-sol, alluma dans l'escalier et la regarda descendre les marches de bois.

Le Dr Morganstern arriva cinq minutes plus tard. Laurant les entendit parler en remontant de la cave. Les quatre hommes s'étaient retrouvés dans le hall d'entrée. Nick et Noah surplombaient leur supérieur d'une bonne tête, tout comme Tommy, mais ils lui donnaient tous trois du « Dr Morganstern » long comme le bras.

Laurant se sentait sur des charbons ardents, et elle espéra que cela ne se voyait pas lorsque Nick la poussa vers son supérieur pour faire les présentations.

Morganstern lui serra la main et insista pour qu'elle l'appelle par son prénom. « Allons nous installer au calme, pour réfléchir à notre plan d'action », lui suggéra-t-il.

Instinctivement, elle jeta un bref coup d'œil à Nick, qui hocha la tête. Elle suivit son frère dans le living, tandis que le docteur s'attardait dans le hall pour se concerter avec ses hommes. Il s'adressa d'abord à Nick, mais à voix si basse qu'elle ne put saisir un mot. Puis il se tourna vers Noah et lui murmura quelque chose qui le fit d'abord sursauter puis éclater de rire.

« Ça ! Que le grand cric me croque ! s'exclama-t-il.

— Pas question, j'ai encore besoin de vous ! répondit Pete en précédant les deux agents dans le living. D'ailleurs, je me demande s'il ne s'y casserait pas les dents ! »

Posant sa mallette sur la table, il en actionna le fermoir. Nick s'était laissé choir sur le sofa au côté de Laurant, tandis que Noah, les bras croisés, venait se poster derrière Morganstern comme une sentinelle.

« Je me demandais si le profileur que vous avez mis sur l'affaire vous avait ramené des informations intéressantes, demanda Noah. Tu peux me rappeler son nom, Nick ? »

Ce fut Morganstern qui répondit : « George. George Walker.

Oui, il m'a donné quelques idées qui pourraient nous être utiles – mais rien de bien concret, jusqu'à présent.

— Je croyais que ce genre de psychologue procédait à partir du théâtre du crime, fit Tommy. J'ai dû lire ça quelque part... C'est sur les lieux qu'ils trouvent des informations.

— Généralement, oui, répondit Pete. Mais pas uniquement. Ils peuvent travailler sur d'autres sources.

— Telles que la bande.

— Oui.

— Tommy, ça t'ennuierait de cesser de tourner comme un lion en cage, et de venir t'asseoir ? » fit Laurant.

D'un geste, il lui fit signe de se rapprocher de Nick pour lui faire place et s'installa à sa droite. Il hésita un instant sur la manière de formuler la question qui lui brûlait les lèvres, avant d'opter pour la voie la plus directe :

« Qu'est-ce qui vous amène ici au juste, Pete ?

— Nous sommes ravis de vous avoir parmi nous, évidemment..., glissa Laurant, dans l'espoir d'arrondir un peu les angles des manières fraternelles. N'est-ce pas, Tommy ? insista-t-elle, ponctuant sa question d'un bon coup de coude.

— Mais bien sûr, confirma-t-il. Pete sait à quel point j'apprécie sa présence et sa contribution. Entre nous, ça ne date pas d'hier, n'est-ce pas, Pete ? »

Le psychologue confirma d'un signe de tête.

« Nous avons déjà eu maintes fois l'occasion de collaborer, il y a deux ans, expliqua Tommy à sa sœur. Un gamin un peu perturbé que j'essayais de sortir de l'ornière, et le problème m'a dépassé. Pete m'a donc aidé à lui trouver un centre de thérapie. C'était la première fois que je faisais appel aux relations professionnelles de Nick, par son intermédiaire. Mais depuis, j'y ai eu recours à trois reprises. Je sais que je peux compter sur Pete. Il répond toujours présent !

— Je m'y efforce, en tout cas, répliqua l'intéressé avec un sourire. Eh bien, pour répondre à votre question, si je suis ici, c'est pour discuter de tout ça, Tom. Je voulais en particulier examiner à nouveau avec vous ce qui s'est passé dans le confessionnal.

— Vous avez écouté la bande, non ? lui rappela Tommy.

— Bien sûr, et ça nous a fait avancer. Mais tout cela ne me dit pas ce qui se passait dans votre tête pendant que notre suspect vous parlait. J'aimerais que nous la réécoutions ensemble.

— J'ai fait part à Nick de tous mes souvenirs. J'ai déjà dû l'écouter une bonne dizaine de fois...

— Oui. Mais Pete doit avoir d'autres questions à te poser, fit Nick.

— Bien. Si je peux vous être utile en quoi que ce soit... »

Pete eut un sourire. « Noah... si vous alliez nous attendre dans la pièce d'à côté, avec mademoiselle ? Non, pas vous, Nick. Je préfère que vous restiez. »

Elle emboîta le pas à Noah, mais se retourna sur le seuil à l'instant où Pete entrouvrait son attaché-case. « Pete ? l'interpella-t-elle. Dès que vous aurez terminé... j'aimerais pouvoir vous dire un mot, en tête à tête.

— Mais bien volontiers. »

Noah referma derrière eux la porte à double battant. L'abbé descendait de l'étage avec un autre panier de draps sales que Laurant lui prit des mains sans souffler mot, pour l'emporter au sous-sol. Elle reconnut en passant le rire de Tommy, qui lui parut un peu contraint. L'interrogatoire n'avait pas encore commencé...

Pete se comportait vraiment comme s'ils avaient eu toute la vie devant eux. Il commença par demander à Tommy si le football lui manquait. Tommy s'était assis au bord du canapé, tendu et inquiet. Pete l'amena insensiblement à parler de la scène du confessionnal et, quelques dizaines de minutes plus tard, à la fin de l'entretien, ils avaient mis au jour deux éléments qui pouvaient avoir leur utilité. Le suspect s'était aspergé d'*Obsession*, le parfum de Calvin Klein. Tommy avait oublié ce détail, tout comme le déclic, qu'il avait pourtant entendu très clairement. Sur le moment, il l'avait interprété comme un claquement de doigts destiné à attirer son attention. Mais Pete, lui, était d'un autre avis : ce devait être le bruit du magnétophone qui s'enclenchait.

Pete se leva, mettant fin à la conversation. « J'aimerais que vous ne preniez plus de confession pendant quelque temps, à votre retour à Holy Oaks.

— Qu'entendez-vous par "pendant quelque temps" ?

— Jusqu'à ce que nous ayons tendu notre piège. »

Tommy consulta Nick du regard et ramena les yeux vers Pete : « Vous ne pensez tout de même pas qu'il prendrait le risque de revenir se confesser ?

— Au contraire. Il est plus que probable qu'il va essayer. »

Tommy secoua la tête. « Ça m'étonnerait. C'est trop dangereux pour lui. »

Nick, qui avait jusque-là écouté, intervint alors : « Il y verra un défi à relever, une occasion de nous prouver sa supériorité. Il se juge très au-dessus du commun des mortels, tu te souviens... et il tient à nous le démontrer.

— Que ça vous plaise ou non, mon père, fit Pete, il est entré en relation avec vous et il va sans doute tâcher de vous tenir informé du déroulement de ses projets. S'il est une chose dont je suis sûr, c'est que ce type va faire l'impossible pour rétablir le contact avec vous. Il veut certes s'attirer votre admiration, mais aussi vous choquer – et, surtout, vous faire peur.

— Et il se trouve que tu es pour lui le partenaire idéal, à plus d'un titre, dit Nick.

— Qu'est-ce qui te fait dire ça ?

— Il recherche une sorte de témoin capable d'apprécier son intelligence.

— Au risque de te paraître buté, Nick, je crois sincèrement que tu fais fausse route sur ce point. Pourquoi voudrait-il me contacter à nouveau ? Pour moi, ça ne tient pas debout. J'ai attentivement écouté vos arguments et je sais bien que vous êtes des experts...

— Mais ? l'encouragea Nick.

— Mais vous perdez de vue la raison initiale de sa visite :

cette absolution qu'il avait demandée et n'avait pas obtenue. Vous vous rappelez ? »

Pete lui glissa un coup d'œil attendri. « Non, Tom... S'il est venu vers vous, c'est parce que vous êtes le frère de Laurant. Quant au pardon de ses fautes, vous pensez s'il s'en moque, ajouta-t-il, un ton plus bas. Tout comme de l'Église, de ses sacrements, et de vous, Tom, sans vouloir vous froisser. »

Tommy eut une moue de dépit. « Vous rendez-vous compte qu'il aurait pu trouver le père McKindy dans ce confessionnal ? Je l'ai remplacé à la dernière minute !

— Il n'aurait sûrement pas parlé à l'abbé, fit Pete. Avant même d'entrer dans l'église, il savait que c'était vous qui étiez dans le confessionnal.

— Il a dû te voir traverser le parking et entrer dans l'église, ajouta Nick. Si ç'avait été le père McKindy, il se serait contenté d'attendre une meilleure occasion.

— Exact, approuva Pete. Ce type est la patience même. Il a pris tout son temps pour remonter votre piste, à vous et à votre sœur.

— Je pense à une chose que vous m'avez dite l'autre jour, Pete : qu'il nous envoyait des messages contradictoires. Qu'est-ce que vous entendiez par là ?

— Qu'il essayait de nous lancer sur cinq pistes différentes. Sur cette bande, il se présente comme un chasseur à l'affût, traquant ses proies – un tueur expérimenté. Mais il nous dit d'autre part qu'il n'en est qu'à ses débuts, puis il sous-entend à nouveau qu'il a une longue expérience de la chose. Il affirme avoir tué une femme, mais en nous laissant supposer qu'il pourrait y en avoir eu bien d'autres. Souvenez-vous de son éclat de rire, quand il vous a dit que celles d'avant Millicent, il s'était contenté de "les faire souffrir". Notre travail consiste à présent à trier vérité et mensonge.

— En d'autres termes, tout ce qu'il dit pourrait être vrai, comme tout pourrait n'être que pur fantasme.

— Essaie de comprendre, Tom..., intervint Nick. Ces cinglés vivent de plain-pied dans leurs fantasmes. C'est leur combustible, et c'est ce qui fait courir notre homme. Tout ça n'a peut-être jamais eu lieu ailleurs que dans sa tête. Mais, pour l'instant, nous devons prévoir le pire. Partir de l'hypothèse que Millicent a bel et bien existé et qu'il l'a tuée, comme il le prétend.

— Et comme il prétend vouloir le faire pour Laurant ? »

Pete confirma d'un signe de tête. « Exact. Nous sommes confrontés à une urgence. Il a besoin d'un prétexte pour reprendre contact avec vous.

— Qu'essayez-vous de me dire ? »

Le regard de Pete s'était voilé de tristesse. « Que s'il vous a dit la vérité dans ce confessionnal, nous pouvons supposer qu'il est déjà en quête d'une autre victime.

— Il l'a dit : il va se chercher un substitut pour remplacer Laurant... temporairement du moins », fit Nick.

Tommy baissa la tête. « Bon Dieu..., fit-il. Après quoi il reviendra me confesser ses péchés, je suppose ?

— Non, Tom. S'en vanter. »

12

Tiffany Tara Tyler était une fille facile et fière de l'être. Ce n'était pas en refusant de composer avec le code moral qu'on arrivait dans le monde, voilà belle lurette qu'elle l'avait compris, et elle avait bien raison de n'être pas bégueule. Ça lui avait déjà permis de faire un sacré bout de chemin, depuis le terrain vague où était garée la caravane de sa mère. Elle en était la preuve vivante ! Rien ne pourrait l'arrêter dans sa course au succès... pas même le pneu à plat de sa vieille Chevy Caprice. Car, désormais, sa vie allait changer, et radicalement. Bien sûr, aux yeux de sa mère, elle ne serait jamais qu'une vulgaire salope. La vieille carne avait voué sa fille aux flammes éternelles le jour où elle l'avait surprise avec Kenny Martin dans les toilettes. Mais Tiffany avait décidé de ne plus se soucier de sa mère. Elle avait enfin pris conscience de son vrai potentiel, et avait désormais l'intime conviction qu'il lui suffisait de le développer pour réussir. Qui sait ? Peut-être que, quand elle atteindrait la trentaine (dans douze longues années, si tout se passait bien), elle serait millionnaire, comme la « flamboyante Heidi Fleiss » qui côtoyait tant de stars ! Et forcément... toutes ces célébrités avaient fini par la considérer comme l'une des leurs. Après les parties fines qu'ils faisaient avec elle, ils devaient l'emmener chaque soir dîner en ville, dans ces restos hors de prix...

Tiffany n'était pas près d'oublier ce moment crucial, l'instant où sa vie avait basculé. Une épiphanie, comme qui dirait – elle avait cherché le mot dans le dictionnaire, après avoir lu l'article dans *Mademoiselle*. Elle se trouvait chez Suzie, au salon de coiffure, où elle était allée se faire faire une permanente qui avait achevé de cuire ses longs cheveux crêpelés, d'un blond platine plutôt artificiel. Pour oublier le supplice des rouleaux qui lui arrachaient la peau du crâne, elle avait ouvert un magazine et s'était mise à le feuilleter. « Prenez conscience de votre potentiel ! » proclamait l'article. Et le message lui avait sauté aux yeux. Il s'agissait tout simplement de faire ce pour quoi on était faite. Améliorer ce qui pouvait l'être, et se servir de ses atouts personnels pour décrocher ce qu'on voulait. Et, par-dessus tout, oser se lancer dans la bagarre !

Elle l'avait carrément appris par cœur, cet article. Elle avait fauché le journal et l'avait trimballé partout où elle allait, dans son faux Vuitton (fauché, lui aussi), près de son portable – un truc super, qui lui avait coûté deux cents dollars, mais avec trois mois d'abonnement gratuit et un système qui enregistrait les messages sur l'ensemble du territoire national.

Elle s'était toujours flattée d'avoir un sixième sens, et la lecture de cet article n'avait fait que le confirmer : elle était destinée à un avenir brillant. Pour elle, tout allait commencer dans maintenant moins de deux jours, quand elle arriverait au Holidome. Le tarif des chambres lui avait semblé plutôt raide, mais ça valait le coup puisque le motel était situé juste en face du cabinet du docteur. Après l'opération, elle n'aurait qu'à traverser la route. Depuis qu'elle avait déboursé ces deux cents dollars pour le téléphone, la somme lui manquait sur les deux mille quatre cents dollars qu'elle avait économisés pour se faire refaire les seins. Elle gardait toujours son pactole sur elle. Pour rien au monde elle n'aurait pris le risque de le planquer quelque part dans la caravane, où son beau-père les aurait détectés à la trace avec son gros pif rouge de buveur de bière. Il serait allé s'offrir une de ces tournées des bars de la ville qu'il terminait invariablement au poste. Ou alors, ç'aurait été sa mère. La vieille passait son temps à fouiller dans ses affaires, à la recherche de preuves concernant les activités extraprofessionnelles de sa fille. Et puis elle se serait sentie obligée de refiler son bas de laine à cet empaffé de prédicateur qu'elle regardait toute la journée à la télé. Ça non ! Pas question de prendre le moindre risque avec son magot. Cet argent si durement gagné était pour elle la promesse d'un avenir meilleur. Elle l'avait toujours sur elle, en espèces. Elle en avait fait deux liasses bien serrées, qu'elle avait glissées dans les bonnets de son Wonderbra – un 85A qui avait quelque peine à la transformer en Wonderwoman, vu qu'à la base elle était plate comme une limande. Mais avec la nouvelle paire que lui promettait le bon docteur, tout irait bien mieux pour elle. Aussi sûr que la nuit suit le jour !

Se bagarrer, cultiver ses atouts, améliorer son potentiel, c'était vraiment la recette du succès. Comme toutes les gamines de son âge, Tiffany avait des rêves. Les grandes ambitions, ç'avait toujours été son truc. Et cette paire de doudounes, c'était autant dire la mise de départ, pour ses projets d'avenir. Elle n'en avait parlé à personne, pas même à sa meilleure copine, mais son souhait le plus cher aurait été de faire la page centrale de *Playboy*. À la rigueur, elle aurait transigé pour *Penthouse* ou *Hustler* – nettement moins classe, mais tant pis. Tous les mecs de Sugar Creek les lisaient, ces canards. Enfin... Disons qu'ils s'enfermaient avec dans les W-C pour pouvoir se rincer l'œil peinard. Ils allaient grimper aux murs en la reconnaissant, elle, en tenue d'Ève, avec son sourire prometteur et sa nouvelle paire 95C !

Elle n'avait pas la moindre idée de ce que ça pouvait rapporter, de poser pour ce genre de photo, mais, forcément, ça devait être nettement plus lucratif que de faire la go-go girl dans le bar où elle bossait. Parce qu'elle n'était jamais le premier choix des clients – tout ça à cause de cette planche à pain qui lui tenait lieu de poitrine. La grosse Vera, elle, se faisait trois fois plus de pourboires avec ses gros nibards où les mecs adoraient fourrer le nez. Mais Tiffany n'avait pas baissé les bras. Elle avait fait des heures sup' derrière les poubelles pour arrondir ses fins de mois, et sur ce terrain elle était imbattable. Une virtuose de la turlute ! Ça, à Sugar Creek, personne n'aurait dit le contraire, surtout pas le toubib qui allait s'occuper d'elle. Il avait été tellement ébloui par ses talents qu'il lui avait consenti un confortable rabais pour les implants. Elle allait sans doute devoir l'éblouir à nouveau, pour lui faire oublier les deux cents dollars qui manquaient à sa cagnotte. S'il râlait, elle pourrait toujours menacer d'aller bavarder un peu avec sa charmante épouse, si comme il faut, qui répondait au téléphone à la réception du cabinet. Bref, d'une façon ou d'une autre, elle finirait par l'avoir, sa nouvelle paire ! Dans deux jours, maximum.

Ce pneu à plat, vraiment, quelle barbe... mais ce n'était qu'un simple contretemps. Elle s'était garée sur la bande d'arrêt d'urgence et avait mis pied à terre, mâchonnant son chewing-gum d'une mandibule impatiente, lorsqu'elle aperçut un minibus qui arrivait dans sa direction. Parfait ! Elle n'aurait même pas à décrocher son portable pour appeler la dépanneuse... Elle tira sur sa minijupe rose en se tortillant et, la main à la hanche, se dressa crânement sur ses talons aiguilles qui lui martyrisaient les pieds mais lui faisaient la jambe avantageuse. Elle leva le pouce en souriant, façon jolie demoiselle en quête d'un galant sauveteur.

Elle croisa mentalement les doigts pour que le conducteur ne soit pas une conductrice – aucun homme au monde ne pouvait résister à une petite démonstration de ses talents. La main levée en visière contre le soleil d'après-midi, elle poussa un soupir de soulagement en voyant le véhicule s'arrêter juste après sa voiture. Derrière le volant, un beau mec lui rendit son sourire.

Tiffany Tara Tyler se composa le sourire le plus avenant de sa panoplie et rappliqua en ondulant du croupion.

Elle avait vu juste. Sa vie allait changer.

D'une façon aussi radicale que définitive.

13

Cette conversation serait sans doute la seule qu'il lui serait donné d'avoir avec un « psy », car il n'y avait jamais eu de disciples de Freud à Holy Oaks. Il n'y aurait pas manqué de clients, car, incidemment, un certain nombre de ses concitoyens auraient pu mettre à profit quelques séances sur le divan. Et tout particulièrement cette bonne Emma May Brie – oui, Brie... comme le fromage – qui, entre autres excentricités, arborait un bonnet de bain en caoutchouc bleu orné de grosses pâquerettes blanches. Elle ne l'ôtait que le mardi matin, le temps d'aller se faire faire une mise en plis chez Madge's Magic, le salon de coiffure local qui garantissait à toutes ses clientes un traitement « super-volumateur ». Et quand Emma May sortait de l'échoppe de Madge, le volume de ses cheveux gris-mauve avait doublé, effectivement... jusqu'à ce qu'elle les écrase à nouveau sous son bonnet.

En dépit de ce marché potentiel, si le Dr Morganstern avait décidé d'ouvrir un cabinet sur Main Street, il aurait attendu longtemps son premier client. À Holy Oaks ça ne se faisait pas, de consulter le psy. Le linge sale se lavait en famille, et il ne serait venu à l'idée de personne d'aller parler de ses problèmes hors de chez lui. Quiconque s'écartait un tant soit peu de la norme, en matière de comportement, était tout simplement étiqueté comme « zinzin », et toute latitude lui était laissée pour exprimer ses singularités.

Pourquoi Morganstern tardait-il tant ? Il lui avait demandé de l'attendre quelques minutes dans la salle à manger, voilà un bon quart d'heure, et elle se sentait comme une puce dans un four. Elle allait se résoudre à descendre trier le linge, pour s'occuper un peu quand le docteur la rejoignit enfin.

« Désolé de vous avoir fait attendre. Mais j'étais en grande conversation avec le prieur. Il s'était lancé dans une longue histoire, et je n'ai pas osé l'interrompre… »

Il referma soigneusement la porte qui donnait sur le couloir.

Elle fut soudain prise d'une terrible appréhension, au seuil de cet entretien qu'elle avait pourtant sollicité – à cause de la nature même de ce qu'elle projetait de demander à Morganstern, bien sûr, mais surtout parce qu'il y avait toutes les chances qu'il accepte.

« Alors ? » s'enquit-il en prenant une chaise.

Elle ne parvenait décidément pas à tenir en place. Son pied tambourinait malgré elle contre le plancher, si fort qu'il en faisait vibrer la table. Elle prit soudain conscience de ce que trahissait ce signe de nervosité et se contraignit à l'immobilité extérieure, à défaut d'une réelle détente. Elle se redressa donc sur sa chaise et se figea, raide comme un I, au bord de son inconfortable siège qui couinait au moindre de ses mouvements.

Filtré par les rideaux de dentelle, le soleil projetait sur le sol des taches de lumière et dans l'air flottait un parfum de pommes sures. Au centre de la table trônait un grand saladier oriental chargé de fruits…

Pete ne donnait aucun signe de hâte ni d'impatience. Il engagea la conversation et lui demanda comment elle encaissait le choc.

« Plutôt bien… », mentit-elle.

Un ange passa, en prenant tout son temps. Pete devait attendre qu'elle ait suffisamment rassemblé ses esprits pour parvenir à s'expliquer. Elle se sentit tout à coup immensément godiche. Ce qui, une demi-heure plus tôt, lui apparaissait comme un plan logique et judicieux prenait à présent des allures de canular totalement déplacé.

« Avez-vous déjà fait du ski, Pete ? »

La question dut le surprendre, mais il n'en laissa rien paraître. « Non. En fait, je n'en ai jamais eu l'occasion. Mais j'aurais aimé. Et vous ?

— J'en ai fait pendant toute mon enfance. Mon école était entourée de montagnes.

— Une pension en Suisse, si j'ai bien compris...

— Oui. Et je ne laissais jamais passer une occasion de partir en montagne. J'adore le ski, je ne me défends pas mal, d'ailleurs. Je suis allée skier dans le Colorado une fois ou deux, depuis mon arrivée aux États-Unis. Mais je n'oublierai jamais cette sensation que j'ai eue, la première fois que je me suis lancée sur une piste noire. Vous savez... en Europe, les pistes sont classées selon leur degré de difficulté. Les noires sont les plus épineuses, elles sont en principe réservées aux skieurs expérimentés... Enfin, bref, la première fois que je me suis trouvée au bord de ce qui m'avait tout l'air d'être un ravin enneigé, il m'a fallu un bon moment pour rassembler mon courage et m'élancer. Je n'aurais pas été plus impressionnée si j'avais dû me jeter des falaises de Douvres. C'était tout aussi vertigineux, et j'étais morte de trac... mais résolue.

— Et c'est l'effet que vous fait cette conversation avec moi ? »

Elle hocha la tête. « Exactement. Tout comme au sommet de cette piste, je sais qu'une fois lancée il ne sera plus question de faire demi-tour. »

Un silence de plomb s'abattit sur la pièce, jusqu'à ce qu'elle le rompe : « Le mieux serait peut-être de tout vous expliquer, en toute franchise, poursuivit-elle. N'est-ce pas ? Sinon, à quoi bon vous faire perdre votre temps ? Je vous ai dit tout à l'heure que je tenais bien le coup, mais ce n'était qu'à moitié vrai. Au fond de moi, je suis complètement sens dessus dessous. Un vrai sac de nœuds.

— On le serait à moins.

« — Peut-être... Mais je ne parviens plus à penser à autre chose. Je suis incapable de la moindre concentration. Tenez... tout à l'heure, en chargeant la machine à laver du presbytère, j'étais si préoccupée par ce que je m'apprêtais à vous dire que j'ai flanqué toute la bouteille d'eau de Javel dans la machine, avant de m'apercevoir de ce que je faisais. Un bidon d'un litre et demi ! » précisa-t-elle.

Pete eut un sourire philosophe. « Voyons le côté positif de la chose : les draps de l'abbé vont être plus blancs que blanc !

— Si ce n'est qu'à l'origine ils étaient rayés bleu et vert...

— Vous parlez d'une catastrophe ! s'esclaffa-t-il.

— Eh oui... Je vais devoir lui en racheter une paire. Mais, comme vous le voyez, j'ai quelque peine à garder...

— Votre clarté d'esprit ?

— Oui. À canaliser mes pensées. Tout se bouscule. Je me sens tellement coupable... »

Un coup discret fut frappé à la porte et la tête du père McKindy apparut dans l'entrebâillement.

« Laurant ? Je dois passer à l'hôpital faire mes visites aux malades. Je n'en ai pas pour bien longtemps et Mme Krowski ne devrait pas tarder à arriver. Auriez-vous la gentillesse de prendre les messages au téléphone, entre-temps ? En cas d'urgence, le père Tom est là...

— Entendu, mon père. »

Pete s'était levé. « Puis-je vous parler une seconde, monsieur l'abbé ? »

S'excusant auprès de Laurant, il rejoignit McKindy dans le couloir et appela Noah, dont elle entendit résonner les pas dans l'escalier. Puis à nouveau la voix de Pete : « Vous demanderez à l'agent Seaton de conduire le père McKindy à l'hôpital, et de l'escorter pendant ses visites... »

Le vieux prêtre protesta, soulignant qu'il était encore capable de conduire sa voiture, mais Pete fut inflexible : il insista fermement pour que l'agent l'accompagne. De guerre lasse, l'abbé finit par céder et accepta la présence de son ange gardien.

Comme Pete revenait s'asseoir près de Laurant, Nick

s'engouffra dans son sillage et, refermant derrière lui la porte de la salle à manger, il s'y adossa, les bras croisés sur la poitrine, en lui décochant un clin d'œil entendu. Il ne donnait aucun signe de vouloir décamper dans l'immédiat.

« Vous vouliez parler au docteur, vous aussi, Nick ? s'enquit-elle.

— Nick m'a demandé de se joindre à notre conversation, dit Morganstern. Je lui ai répondu que c'était de vous que cela dépendait.

— Eh bien... », fit-elle. Après un moment d'hésitation, elle plongea les yeux dans les siens : « À une condition, toutefois, Nick. Je vous demanderai de ne pas m'interrompre, et d'attendre que j'aie fini de parler pour me contredire. J'ai votre parole ?

— Non.

— Pardon ?

— J'ai dit non. »

Pete s'empressa de recentrer le débat. « Vous disiez que vous vous sentiez coupable. Pourquoi ? »

Résolue à faire abstraction de la présence de Nick, elle fixa les yeux sur l'élégant motif floral de la coupe à fruits et répondit : « Eh bien... j'aimerais pouvoir disparaître jusqu'à ce que vous ayez mis le suspect hors d'état de nuire, et je suis morte de honte de me découvrir de tels sentiments.

— Vous n'avez pas à en avoir honte. Ce genre de réaction est tout à fait naturel. J'aurais certainement la même, à votre place.

— Permettez-moi d'en douter. C'est un sentiment lâche et égoïste. »

Elle se sentit des fourmis dans les jambes et, bondissant de sa chaise, elle alla se poster près de la fenêtre. Elle souleva le rideau de dentelle pour jeter un coup d'œil à la cour du presbytère, où elle aperçut le prieur qui montait dans une grosse voiture noire.

« Ne soyez pas aussi sévère envers vous-même, lui dit Pete. La peur n'est pas un péché. Juste un mécanisme de défense des plus élémentaires.

— Cet... individu est là, quelque part, à l'heure où je vous

134

parle. Il guette sa prochaine victime... il se tient à l'affût, n'est-ce pas ? »

Pete et Nick se gardèrent de répondre à cette question. « Éloignez-vous de cette fenêtre », lui enjoignit ce dernier.

Elle recula, lâchant le rideau auquel sa main s'était cramponnée.

« Vous pensez qu'il pourrait surveiller le bâtiment, en cet instant même ? – elle fit un pas vers Nick. Vous disiez pourtant qu'il avait atteint les objectifs qu'il s'était fixés en venant ici et qu'il avait dû regagner ses pénates.

— Pas tout à fait, rectifia Nick. Je vous ai dit qu'il était *probablement* reparti, mais mieux vaut éviter tout risque inutile.

— Ce qui explique l'escorte musclée du père McKindy. Bien sûr, je vois...

— Nous ne laisserons pas l'abbé sortir non accompagné tant que vous serez dans cette maison, vous et votre frère, précisa Pete.

— Notre seule présence suffit à le mettre en danger ?

— Simple précaution.

— Cet individu... il va bientôt s'en prendre à une autre femme, n'est-ce pas ? »

Pete prit tout son temps, et répondit en choisissant ses mots. « Tant que nous n'en aurons pas le cœur net, nous devrons supposer qu'il a dit la vérité à votre frère. La réponse à votre question est donc oui. Il s'apprête à faire une autre victime.

— Qu'il va torturer, elle aussi, et tuer. » Les murs de la pièce semblèrent se rapprocher dangereusement autour d'elle. Elle prit une profonde inspiration. « Il ne va sûrement pas s'arrêter en si bon chemin. Il recommencera, encore et encore.

— Rasseyez-vous, Laurant... », fit Pete.

Elle vint s'installer sur la chaise voisine de la sienne, les jambes de côté, pour lui faire face. Ses mains s'étaient crispées sur ses genoux. « J'ai un plan, docteur Morganstern. »

Il hocha la tête. « Nous voilà donc au départ de la piste noire, dit-il, avec un petit sourire.

— Si vous voulez, opina-t-elle. Je donnerais n'importe quoi

pour pouvoir fuir et me mettre à l'abri, mais je n'en ferai rien. » Du coin de l'œil, elle aperçut le soubresaut qui agita Nick. « Je veux le coincer.

— Ne vous inquiétez pas. Nous finirons par l'avoir, lui promit Pete.

— Vous ne comprenez pas. Je veux vous y aider. Ce n'est pas seulement que je le veuille, mais je dois le faire ! Et ce pour plus d'une raison, enchaîna-t-elle sans lui laisser le temps de protester. Avant tout, pour toutes les futures victimes qui n'ont pas la moindre idée de ce qui les attend. Voilà déjà une excellente raison de ne pas me cacher – la meilleure ! »

Pete avait froncé les sourcils. Lorsqu'il se mit à secouer la tête, elle comprit qu'il avait vu où elle voulait en venir, et s'empressa de préciser sa pensée, avant qu'il n'ait pu riposter ou mettre fin à la conversation.

« Je peux être têtue, quand je veux, et quand je prends une décision, je m'y tiens. Toute ma vie, je me suis vu imposer des décrets que l'on prenait pour moi. À la mort de ma mère, les avocats qui géraient les affaires familiales m'ont dicté leurs directives. Ils décidaient de tout à ma place : l'école que je devais fréquenter, le pays où je devais vivre, les sommes qui m'étaient allouées... » Elle avait débité sa tirade à toute vitesse, presque d'un seul souffle. « Il m'a fallu du temps pour échapper à leur toute-puissance, mais j'y suis arrivée. J'ai enfin réussi à construire ma vie. À trouver un endroit où je me sente vraiment chez moi – vraiment ! Et vous croyez que je vais laisser le premier cinglé venu me déposséder de tout cela ? Je ne l'accepterai pas. Pas une seconde !

— Qu'attendez-vous de nous, au juste ?

— Servez-vous de moi ! s'écria-t-elle. Tendez-lui un piège ; utilisez-moi pour l'y attirer !

— Vous avez complètement perdu la tête ! » explosa Nick.

La colère qui avait vibré dans sa voix lui fit l'effet d'un direct à l'estomac, mais elle s'efforça de l'ignorer et garda les yeux résolument fixés sur Pete. « Notre première étape sera de convaincre mon frère de me laisser retourner à Holy Oaks. Je suis morte de peur à cette seule idée, mais plus j'y réfléchis, plus je dois me rendre à l'évidence : je n'ai guère d'autre choix.

— Guère d'autre choix ! » protesta Nick.

Elle le regarda droit dans les yeux. « Exactement. C'est pour moi le seul moyen de sauvegarder tout ce à quoi je tiens et de reprendre le contrôle de ma vie.

— Vous n'y pensez pas ! se récria-t-il.

— Oh que si, j'y pense ! et très sérieusement, répliqua-t-elle, avec un sang-froid qui la surprit elle-même. Pete... supposez que je rentre chez moi, comme si de rien n'était, alors que cet homme a conseillé à Tom de me mettre en lieu sûr... Ne risque-t-il pas de prendre la chose comme une provocation ?

— Cela ne fait pas l'ombre d'un doute, admit Morganstern. Il considère la situation comme une sorte de jeu stratégique. Sinon, pourquoi aurait-il parlé de Nick à votre frère ? Il sait qu'il travaille au FBI. Il veut nous prouver qu'il est plus intelligent et mieux renseigné que nous tous réunis.

— Donc, le seul fait de me voir regagner Holy Oaks lui semblera un défi. C'est bien ça ?

— Oui.

— Minute ! s'interposa Nick. Je ne vous laisserai sûrement pas rentrer chez vous avant que nous ayons mis ce fumier derrière les barreaux ou à la morgue !

— Si vous me laissez terminer, vous pourrez argumenter ensuite autant qu'il vous plaira. »

Elle garda sur lui un œil méfiant. Elle s'attendait à le voir bondir sur elle d'un instant à l'autre, pour la soulever de sa chaise en la secouant comme un prunier dans l'espoir de la ramener à la raison.

« Vous pouvez anticiper ses faits et gestes, Pete. Vous savez quelles ficelles tirer pour le pousser à commettre une erreur. Peut-être suffirait-il de le provoquer un peu pour qu'il s'élance sur mes traces et renonce à faire d'autres victimes – c'est du moins ce que j'espère. Vous allez pouvoir lui tendre un piège, vous et Nick. Ce doit être l'enfance de l'art. Holy Oaks n'est qu'une minuscule bourgade. Il n'existe qu'une route pour y accéder et en repartir. En cas de besoin, vous n'auriez aucun problème à boucler tout le secteur.

— Est-ce que vous vous rendez bien compte... ? commença Pete.

— Oui. J'ai mûrement pesé les conséquences de cette proposition et je vous promets de ne jamais m'exposer inutilement. Je me conformerai à toutes vos prescriptions ; vous avez ma parole. Mais laissez-moi vous aider à le capturer, avant qu'il ne fasse davantage de dégâts.

— Vous utiliser comme appât !

— Oui... », répondit-elle dans un souffle, et elle répéta, d'un ton résolu : « Oui.

— Mais vous êtes complètement cinglée ! tonna Nick. Vous croyez au Père Noël, ma parole !

— Ce plan est on ne peut plus logique, lui fit-elle remarquer.

— Ce plan ? Quel plan ? Vous avez vu un plan, vous ?

— Calmez-vous, Nicholas !

— Pete... nous sommes en train d'envisager d'exposer la sœur de mon meilleur ami à des risques incontrôlables... !

— Et si vous cessiez un peu de me considérer comme la sœur de Tommy ? D'un point de vue strictement professionnel, c'est une occasion en or que je vous offre là.

— Vous utiliser comme appât ! » répéta-t-il, reprenant mot pour mot les termes de Pete mais, à la différence de son supérieur, d'un ton bien moins calme. Dans sa bouche, la petite phrase avait vibré comme une sorte de rugissement.

« Je vous serais reconnaissante de baisser un peu la voix, fit-elle. Pour l'instant, et tant que nous n'aurons pas pris de décision définitive, je préfère laisser Tommy en dehors de tout ceci. »

Il la fusilla du regard et se mit à arpenter la pièce. Tout dépendait de Pete à présent, se dit-elle, car si la réaction de Nick face à son plan n'était pas franchement positive, tout laissait prévoir que celle de son frère le serait encore moins.

Morganstern était donc l'homme à convaincre. « Je n'ai pas l'intention de passer le reste de ma vie à me cacher. Nous savons l'un et l'autre que vous ne seriez pas ici aujourd'hui, si je n'étais pas la sœur de Tommy. Votre emploi du temps ne vous laisse certainement pas le loisir d'accourir sur les lieux chaque fois qu'un énergumène profère des menaces – je fais erreur ?

— Hélas ! non..., admit-il. Nous sommes perpétuellement à court d'effectifs.

— Votre temps est donc précieux. Nous avons tout intérêt à faire en sorte que les événements s'accélèrent. »

Une lueur avait scintillé dans l'œil de Morganstern. Elle aurait pu entendre cliqueter les rouages de son cerveau.

« Que proposez-vous, au juste ?

— De le faire délibérément enrager. »

Nick en resta cloué sur place. Il lui décocha un regard incrédule. « Enragé ! mais il ne l'est que trop ! cracha-t-il. Quant à vous, si vous vous figurez que nous allons vous laisser batifoler entre les pattes d'un tel cinglé, c'est que vous avez une case de vide. Nom d'un chien, Laurant ! N'y pensez même pas... pas une seconde ! »

Elle se tourna vers Pete. « Qu'est-ce qui le mettrait hors de lui, selon vous ? Qu'est-ce qui pourrait le pousser à franchir les limites de la prudence, à se trahir ?

— D'après la bande, je peux vous dire que ce suspect souffre d'une hypertrophie massive de l'ego. À ses yeux, il est essentiel que le monde reconnaisse son intelligence. Ce qui le poussera à bout, ce sont les critiques. Si vous parliez de lui ouvertement dans toute la ville, en le présentant comme un débile et un malade mental, en disant à tout le monde que vous vous moquez de ses menaces... cela risque en effet d'accélérer les choses. Il s'en prendra à vous, ne serait-ce que pour vous faire taire. Vos moqueries ne pourront que l'exciter.

— Et puis ?

— Rendez-le jaloux, fit Pete. S'il pense que vous avez une relation amoureuse, euh... aboutie, avec un autre homme, il se sentira trahi. »

Elle hocha la tête. « Pas de problème. Je peux le rendre jaloux. Je m'en doutais un peu : rappelez-vous ce qu'il disait de

Millicent... Qu'elle l'avait trahi en flirtant avec d'autres hommes, et qu'il avait dû sévir. C'est facile : je peux papillonner avec la moitié de la ville...

— Ce serait plus efficace si vous vous en teniez à un seul élu, fit Pete en secouant la tête. Le suspect croira plus aisément que vous l'aimez, et... »

Elle attendit vainement la suite. Pete s'était mis à pianoter sur la table, en soupesant mentalement les différentes possibilités.

« Il a fait explicitement allusion à Nick. Il a défié Tom d'appeler le FBI à la rescousse. Ce qui pourrait signifier qu'il nous inclut dans son jeu. » Pete se gratta le menton. « Faisons semblant de marcher dans la combine, jusqu'à ce que nous sachions au juste où il veut en venir.

— C'est-à-dire ?

— Laissons-le croire qu'il reste seul maître de la situation, expliqua Pete. Je me demande comment il réagirait en apprenant que sa confession a eu pour effet de vous réunir, Nick et vous. Sentimentalement, j'entends. S'il découvre que sa stratégie si brillamment mise au point s'est retournée contre lui, il se sentira ridiculisé. Intéressant, non ? » Il hocha la tête. « Imaginez que vous vous affichiez comme deux tourtereaux, Nick et vous. Il y a de quoi le faire sortir de ses gonds ! » Il scella sa suggestion en ajoutant : « S'il est bien ce qu'il prétend être !

— Nick..., murmura-t-elle.

— Attendez... attendez ! objecta Nick. Comment pouvez-vous espérer qu'il tombera dans un panneau si grossier ! Il nous réunit et vlan... le miracle, le coup de foudre instantané, du jour au lendemain ! ça ne marchera pas, Pete. C'est cousu de fil blanc.

— Peu importe de savoir s'il mord vraiment à l'hameçon. Notre objectif est de le défier. Si vous jouez les amoureux avec Laurant, il pensera pour le moins que vous vous moquez de lui – et ça, je peux vous garantir qu'il ne le supportera pas une minute.

— Pas d'accord ! fit Nick en secouant la tête. Trop risqué.

— Vous n'êtes pas objectif, protesta Laurant.

— Pas objectif, moi ? Vous n'avez pas la moindre idée de ce dont sont capables ces cinglés. Pas la moindre !

— Mais vous, vous le savez… lui fit-elle remarquer. Et vous serez là pour veiller à ma sécurité. »

Croisant les mains sur la table, il se pencha en avant et secoua la tête. « Vous êtes incapable de prendre une décision en toute connaissance de cause. Il vous manque trop d'éléments essentiels. Vous ignorez à quoi vous vous exposez. Aucun plan n'est exempt de risque. N'est-ce pas, Pete ? Souvenez-vous de l'affaire Haynes… si vous décriviez un peu à cette demoiselle ce qu'il est advenu de ce plan prétendument à toute épreuve ? »

Pete commença par se demander ce qu'il fallait dire ou passer sous silence.

« Avant que je vienne travailler au Bureau, nous regroupions les malades tels que ce Haynes sous le terme générique de "psychopathes" – et Dieu sait que c'était le mot juste. Mais les experts en criminologie distinguent la sous-catégorie des tueurs "organisés", tels que ce Haynes, par opposition aux tueurs dits "non organisés". Haynes était d'une intelligence étonnante. Il préparait et programmait chacun de ses crimes avec soin, s'attaquant toujours à une inconnue qu'il suivait plusieurs mois d'affilée pour tout connaître de ses habitudes. Jamais il ne serait entré en contact avec sa victime ni n'aurait pris le risque de la mettre en garde, comme celui-ci. Quand il se jugeait fin prêt, il attirait la femme qu'il avait choisie dans un lieu retiré où personne ne risquait d'entendre ses cris. Comme bon nombre de tueurs organisés, il prenait plaisir à prolonger l'agonie de ses victimes. Cela décuplait son excitation. Après les avoir achevées, il cachait toujours les corps – il s'agit là d'un élément essentiel, qui nous permet de différencier tueurs organisés et tueurs non organisés. Ces derniers abandonnent généralement le corps au vu de tous, et souvent près de l'arme du crime.

» Haynes, lui, prélevait et collectionnait des "trophées" – ils le font presque tous – pour pouvoir revivre la scène fantasmatique, d'une part, mais aussi pour garder trace du bon tour qu'il avait joué à tout le monde, et particulièrement aux forces de l'ordre.

Si sa femme ne nous avait pas alertés, Clay Haynes aurait continué à tuer pendant des années et des années. Il était assez brillant pour nous tenir la dragée haute.

» Nous lui avons tendu un piège. Sa femme avait trouvé ses trophées dans une vieille malle métallique et elle nous a alertés. Elle avait peur de son mari, et à juste titre, mais elle avait décidé de nous aider à le mettre hors d'état de nuire. Haynes était représentant en produits pharmaceutiques. Il passait toute la semaine en déplacement et ne rentrait chez lui que le week-end, chaque vendredi après-midi. Nos agents ont pensé qu'ils avaient amplement le temps. Ils ont permis à Mme Haynes d'aller faire ses valises avant de la mettre en lieu sûr.

» Un de nos hommes l'accompagnait, tandis que deux autres s'étaient postés devant la maison. Mais ce vendredi-là, Haynes est rentré plus tôt que prévu. Il est passé par le garage, qui était au sous-sol, et a immédiatement remarqué que quelqu'un avait touché à ses trophées. Il a pris à revers l'agent qui attendait sa femme dans le living et l'a égorgé, avant de s'en prendre à sa propre épouse. Au bout d'un certain temps, les agents qui surveillaient la maison ont commencé à s'inquiéter. Le temps pour eux de téléphoner puis, n'obtenant pas de réponse, de se ruer dans la maison, il était trop tard. Et le moins qu'on puisse dire, c'est que Haynes n'y était pas allé de main morte…

— Une vraie boucherie, fit Nick. Je vous prie de croire qu'il avait fait durer le plaisir ! »

Laurant ferma les yeux. Elle ne voulait rien entendre de plus. « Vous avez personnellement travaillé sur cette affaire, Nick ? »

Pete répondit à sa place : « Buchanan était l'une de nos nouvelles recrues. Il venait de terminer sa formation et avait été affecté à la section des tueurs en série, sous les ordres d'un nommé Wolcott, un lieutenant chevronné. Son chef l'avait accompagné sur les lieux du crime. »

Elle vit passer une ombre dans le regard de Nick.

« J'ai eu tout loisir de constater de visu ce que ce fou avait fait à sa propre femme et à notre agent, Laurant, dit-il. Et j'ai eu tout le temps d'imaginer la scène. Pendant qu'il égorgeait notre collègue et massacrait cette pauvre femme, nos deux hommes montaient tranquillement la garde devant la maison sans rien soupçonner. Imaginez ce qui a pu passer par la tête de cette malheureuse, pendant son long martyre, sachant les secours si proches ! Cette idée revient souvent me hanter. Après cette affaire, Wolcott a donné sa démission. C'était plus qu'il ne pouvait assumer. Il est parti dès le lendemain.

— Haynes a réussi à s'en tirer de justesse, ce jour-là, mais nous l'avons épinglé une semaine plus tard, précisa Pete.

— Une semaine de trop pour la victime…, ajouta Nick. Le plan le plus sûr peut capoter à la dernière seconde, pour un détail idiot.

— Je comprends, fit-elle. Ne croyez pas que je sous-estime les risques. Notre homme est bien un tueur organisé, lui aussi ?

— Oui.

— S'il est si brillant et si prévoyant, il serait donc capable, en toute logique, de vous glisser entre les doigts pendant des mois, voire des années, en continuant à tuer… ?

— Certains y parviennent.

— Dans ce cas, comment refusez-vous de voir que nous n'avons pas le choix ! La malheureuse qu'il traque, à l'heure où je vous parle, est elle aussi la sœur, la mère ou la fille de quelqu'un ! Nous devons tenter le coup.

— Nom d'un chien…, marmonna Nick. Et Tom, dans tout ça ? Vous avez pensé à lui ? Comment va-t-il réagir, quand vous lui parlerez de ce plan tordu que vous nous sortez de votre chapeau ?

— En fait, l'idéal serait que vous le lui expliquiez vous-même. Vous le ferez bien mieux que moi.

— N'y comptez pas ! »

Pete avait posé sur son subordonné un regard scrutateur. « Intéressant… », laissa-t-il tomber.

Nick se méprit sur le sens de la remarque. « Comment pouvez-vous soutenir ce projet, Pete ? C'est une pure folie !

— Je parlais de votre réaction, mon vieux. Il me semble vous avoir déjà dit ce que je pensais de votre participation à cette affaire. Vous êtes trop impliqué pour pouvoir en juger en toute objectivité.

— Ouais ! Eh bien, je crois me souvenir que je suis en vacances. Je suis donc libre de mon temps. »

Pete leva les yeux au ciel et tenta de raisonner son agent. « Mlle Madden a raison sur au moins un point. Vous devriez tâcher de considérer les choses d'un œil plus professionnel. C'est une occasion en or. »

Elle avait trouvé un allié sûr en la personne du docteur. « Alors, vous acceptez d'en parler à mon frère ?

— À condition que vous parveniez à convaincre Nick de coopérer.

— Et ça, renoncez-y tout de suite ! » rétorqua l'intéressé.

La sonnerie du téléphone la fit sursauter. Ravie de pouvoir prendre ce prétexte pour s'esquiver, elle se précipita vers l'appareil.

« Trois sonneries, Laurant... Comptez bien jusqu'à trois, avant de décrocher ! » lui rappela Pete.

L'intérêt de cette précaution lui sembla obscur, mais elle fit « oui » de la tête en s'engageant dans le couloir. Là, en face de l'escalier, dans un recoin qui abritait une console, elle repéra un gros téléphone noir à l'ancienne, posé sur une pile d'annuaires.

Nick l'avait suivie tandis qu'elle décrochait.

« Notre-Dame-de-la-Compassion, fit-elle, en cherchant des yeux un crayon, qu'elle trouva sur la console près d'un bloc-notes. Puis-je vous aider ? »

Il y eut un gloussement à l'autre bout de la ligne, puis une voix enfantine s'esclaffa : « Bonjour m'dame ! Est-ce qu'il marche bien, votre frigo ? »

La blague lui avait déjà été servie, mais elle décida de s'y prêter : « Très bien, pourquoi ? »

Un autre éclat de rire juvénile vrilla dans le combiné, aussitôt noyé par une seconde voix qui s'écria : « En ce cas, grouillez-vous de le rattraper ! »

Tempête de fous rires à l'autre bout du fil. Elle raccrocha. Nick, toujours sur le seuil du living, l'observait.

« Des gamins qui font des blagues au téléphone... »,
expliqua-t-elle.

Elle n'avait pas refermé la bouche que l'appareil se remit à
sonner. Trois coups, se remémora-t-elle. « J'ai dû les encourager
un peu. Cette fois, je vais être plus sévère ! fit-elle pour Nick
avant de décrocher. Notre-Dame-de-la-Compassion – puis-je
vous renseigner ?

— Laurant. » Une voix masculine avait murmuré son nom,
dans un souffle rauque.

« Oui ? »

La voix se mit à fredonner une version améliorée d'une
chanson enfantine.

« *Nous n'irons plus au bois, les lauriers sont coupés... la belle
que voilà... Entrez dans ma danse...*

— Qui êtes-vous ? » dit-elle en pivotant sur elle-même pour
faire face à Nick.

« Le tombeur de ces dames, pour vous servir ! ricana la voix.
Et vous aussi, mon joli petit cœur, je vais devoir vous briser. Je
vous fais peur ?

— Pas le moins du monde », mentit-elle.

Il poussa un éclat de rire qui la fit grimacer, et qui se tarit
aussi abruptement qu'il avait commencé. « Vous préféreriez une
autre berceuse, peut-être ? » fit l'homme dans un souffle.

Elle garda le silence. Comme Nick accourait, elle entendit des
pas précipités à l'étage. Pete était sorti de la salle à manger et
l'observait, mais elle restait fascinée par cette voix à la fois métallique et rauque. Sa main s'était cramponnée au combiné avec
tant de force que Nick eut du mal à l'en décrocher pour pouvoir
écouter avec elle.

L'idée l'effleura que l'un des agents devait tenter de remonter
à l'origine de l'appel, ou de l'enregistrer, ce qui expliquait la
recommandation de Pete concernant les trois sonneries. Elle
devait à présent retenir son correspondant au bout du fil le plus
longtemps possible, mais le seul son de cette voix lui donnait la
nausée.

« Une autre chanson ? lança-t-elle. Aussi idiote que la première ?

— Oh que non ! Celle-ci, je vous garantis son effet. Un chant si pur, si spontané ! Écoutez bien... »

Il y eut un déclic, puis un cri. Des cris. Des hurlements de femme à vous glacer les sangs. Jamais elle n'avait rien entendu de tel. Si Nick ne l'avait pas soutenue, elle se serait effondrée, sidérée par ces cris inhumains qui lui écorchaient les oreilles et semblaient ne jamais devoir s'arrêter. Ils cessèrent pourtant, après un nouveau déclic.

« Vous vouliez me dire quelque chose, ma belle ? De la laisser en paix, peut-être ? Eh bien, c'est exactement ce que j'ai fait. Le Tombeur l'a couchée dans sa tombe, sous une jolie stèle que moi seul pourrais reconnaître, au cas où j'aurais envie de retrouver l'endroit pour lui rendre visite. Ça peut m'arriver, vous savez... J'aime bien aller voir ce qu'elles deviennent. Mais vous voyez, Laurant, celle-là n'était qu'une pâle doublure. Ça vous dirait de venir jouer avec moi ? »

Un goût de bile lui piquait l'arrière-gorge.

« Jouer avec vous, mais à quoi ? fit-elle, feignant la lassitude et le plus profond désintérêt.

— À cache-cache, ma belle. Vous vous cachez, et je me charge de vous retrouver. C'est la règle du jeu.

— Ne comptez pas sur moi pour m'y prêter !

— Mais si, mais si. Vous verrez !

— Je ne verrai rien du tout, riposta-t-elle avec agacement. J'ai l'intention de rentrer chez moi, pas plus tard que demain ! »

Il poussa un couinement dont elle n'aurait su dire s'il fallait y entendre la frustration ou l'exultation la plus extrême. Elle redressa les épaules et lança dans l'appareil un retentissant « Et je vous attends ! ».

14

Certaines occasions étaient vraiment trop belles... Un grand verre de limonade glacée, un jour de canicule... Une dame en détresse, au bord de l'autoroute – si ce n'est que celle-là, il aurait été difficile de l'honorer du titre de dame. Après coup, il en regrettait presque les précieuses minutes qu'il lui avait consacrées.

Enfin... il lui restait toujours la bande et il comptait en faire bon usage. Ce n'était donc pas tout à fait du temps perdu. Et ils avaient au moins capté son message cinq sur cinq · le Tombeur ne rigolait pas.

Combien de temps leur faudrait-il pour la retrouver ? À part semer derrière lui des poteaux indicateurs, il avait vraiment fait le maximum pour leur mâcher le travail. Tiffany, la pauvre petite ! Il ne put réprimer un éclat de rire. Jamais plus elle n'aurait l'occasion de glousser dans son joli portable, la garce..

Ce n'était pourtant pas faute de le lui avoir agité sous le nez en fanfaronnant ! Mais lui, il avait su en faire bon usage. Il avait appelé sa chère et tendre en prenant soin de rester assez long-temps en ligne pour permettre aux mulets de remonter à l'origine de l'appel.

Et il lui avait donné ce qu'il considérait comme une sépulture digne d'elle : un caniveau en bordure de l'autoroute, derrière des buissons qui dérobaient le fossé à la vue des automobilistes. Les mulets finiraient bien par la retrouver et ils verraient au premier coup d'œil à quel genre de fille ils avaient affaire.

Il lui avait brisé le cœur, comme aux autres, et le lui avait volé. L'impulsivité de son acte le laissait avec un arrière-goût de malaise, mais il avait veillé à ne pas répandre une goutte de sang dans le véhicule. Quel bienfaiteur de l'humanité que l'inventeur des sacs Ziploc ! Il remercia mentalement ce génie méconnu. *Des petites merveilles, pour tout emballer...*, comme le proclamait la pub. Un jour où il aurait le temps, il penserait à adresser un mot de remerciement au fabricant de ce judicieux produit.

De la fange, cette fille... de la fange à l'état brut. D'elle il n'avait rien gardé. Il n'avait vraiment pas envie de se la remémorer. Il avait tout balancé.

D'ordinaire, quand il tombait sur une recrue prometteuse, il se réjouissait à l'idée de pouvoir la conserver, pour la façonner à sa guise, mais celle-là, il l'avait jugée au premier regard ; elle n'avait déjà que trop servi, et il l'avait immédiatement écartée. La remplaçante devait être pure, innocente et, bien sûr, éperdue de dévotion. La dévotion, par-dessus tout. Sans elle, inutile d'espérer construire la moindre relation durable. Ça non !

Il l'avait déjà fait. Il pouvait le refaire.

Il fut soudain pris d'un accès de rage dont la violence le surprit lui-même. S'avisant que ses mains s'étaient inconsciemment crispées sur son volant, il s'exhorta au calme. Toute cette énergie et ce temps si précieux, dissipés en vain. Car il avait déjà réussi à modeler la partenaire idéale, mais elle était morte et sa disparition l'avait accablé. La perspective de devoir trouver et former une remplaçante ne le réjouissait pas, mais il ne pouvait plus temporiser. Non ! Il fallait s'y mettre, et sans tarder. Cela exigerait des heures et des heures de préparation d'une infinie minutie. Aucun détail, aucune faille, aussi minuscule fût-elle, ne devait lui échapper. D'abord, lancer des recherches approfondies. D'elle il devait tout savoir : le nom de ses parents, de ses amis. Qui la regretterait, et qui ne se soucierait pas d'elle.

Puis il faudrait l'isoler, la maintenir au secret et, quand il l'aurait enfin capturée, le vrai travail pourrait commencer. Il la garderait en lieu sûr et entreprendrait le long processus de remodelage, jour après jour, ce travail exténuant, cette interminable épreuve. Et cet océan de souffrance... Mais même cela, elle finirait par l'accepter et le lui pardonner, quand il l'aurait brisée puis coulée dans le moule de la Parfaite – parce qu'elle l'adorerait alors.

Sa rage ne donnait aucun signe d'apaisement. Au contraire, il sentait la colère lui ronger les entrailles de plus belle, avec voracité. Mais ce n'était pas le moment. Pas maintenant, non ! Se vidangeant les poumons, il se força à penser à quelque chose de plus gai.

Elle avait été aussi facile qu'elle l'avait proclamé, la salope ! Pas l'ombre d'un défi. Il n'avait même pas eu à se creuser la tête pour la convaincre de monter dans le van. Elle avait littéralement sauté sur la banquette, boudinée dans cette ridicule jupette qui ne cachait rien – et elle avait tenu à lui prouver qu'elle ne portait rien dessous. Sans la moindre pudeur. Dieu seul savait quelles saloperies elle pouvait colporter, cette traînée ! Il avait dû se récurer entièrement, des pieds à la tête et à trois reprises, pour se débarrasser de son odeur.

Ne pas oublier d'envoyer un mémo aux copains d'Internet, pour leur signaler que la chasse aux putes avait beaucoup perdu de son charme !

Elle avait eu beau lui sortir tout son répertoire d'obscénités et de jurons, rien n'aurait pu lui éviter le sort qu'il lui réservait. Non, mon pote ! La mise à mort avait été amusante, certes, mais sans plus. Rien à voir avec l'explosion à laquelle il aspirait ces derniers temps. Quoi d'étonnant, avec une telle ordure !

« *Nous n'irons plus au bois...* »

Quelle plaie que de devoir tout reprendre à zéro. Tout ce temps, tout ce travail !

« Patience... patience... ! murmura-t-il. Tu l'as déjà fait, tu peux le refaire. »

Il ne s'estimait pas encore prêt à se lancer dans ce projet. Si la vie lui avait appris un truc, c'était bien ca : chaque chose en son temps. Terminer un boulot avant d'en entreprendre un autre.

Il approchait de la sortie de l'I-35 en direction de Holy Oaks. En conducteur consciencieux, il mit son clignotant et respecta les limites de vitesse.

« *Entrez dans la danse...* »

Il avait secrètement rebaptisé la ville. Pour lui, elle s'appelait « affaire en souffrance ».

15

Le coup d'envoi était donné.

Une équipe du FBI avait débarqué à Holy Oaks pour tendre le piège. Jules Wesson, l'officier responsable de l'équipe, avait installé son quartier général dans un joli bungalow bien entretenu appartenant au père prieur de l'abbaye, et situé à quelques centaines de mètres au sud de la ville, sur les rives du lac Shadow. On murmurait que ce Wesson, diplômé de Princeton en psychopathologie, était le dauphin en titre de Morganstern et qu'il reprendrait son poste lorsqu'il aurait décroché son doctorat (s'il le décrochait, et si Pete prenait un jour sa retraite...) – toutes rumeurs qui passaient pour avoir été lancées par Wesson lui-même. Pour l'instant, c'était un chef d'équipe à la fois autoritaire et tatillon, plutôt imbu de lui-même et d'une surprenante arrogance avec ses hommes, dont l'expérience était pourtant bien supérieure à la sienne.

Joe Farley et Matt Feinberg, respectivement détachés d'Omaha et de Quantico, étaient arrivés en éclaireurs pour inspecter le voisinage de Laurant et s'assurer avant son retour que les lieux étaient sûrs. Ils avaient reçu l'ordre de passer la maison au peigne fin, comme ils l'auraient fait pour le théâtre d'un crime.

Ils s'attendaient à rencontrer quelques difficultés pour passer inaperçus, dans une ville où tout le monde connaissait tout le monde et où chacun savait ce qui se passait chez son voisin. Les deux agents préféraient tout de même ne pas détonner dans le paysage, telle une paire d'escarpins rouges dans un convoi funèbre. Ayant appris que des équipes d'ouvriers extérieurs à la ville travaillaient à la restauration de l'abbaye, ils s'étaient judicieusement équipés de bleus de travail. Farley portait un gros sac noir et une casquette style base-ball. Feinberg s'était muni d'une boîte à outils.

Et effectivement, personne ne leur prêta la moindre attention – à une exception près : Bessie Jean Vanderman.

Tandis que Feinberg inspectait les alentours de la maison de Laurant pour localiser les caches possibles, Farley gravit le perron chargé de son gros sac. Traversant en deux enjambées la galerie couverte, il s'arrêta devant la porte, le temps d'enfiler une paire de gants. C'était sa spécialité : il était capable d'entrer à peu près n'importe où en cinq secondes chrono, sans laisser de trace, et il n'avait besoin, pour ce faire, que de sa carte American Express. La porte de Laurant ne lui résista pas plus que les autres.

Cinq minutes plus tard, le shérif Lloyd MacGovern fit irruption dans la maison et leur tomba sur le râble. La voisine de Laurant, qui était aussi sa concierge à titre officieux depuis que le brave Papounet n'était plus de ce monde, avait téléphoné au poste de police en voyant cet intrus en combinaison bleue entrer dans la maison en l'absence de sa légitime occupante.

Farley se méfiait davantage des ravages que pouvait produire le débarquement de ce pachyderme sur son « théâtre du crime » que du pistolet qu'il lui brandissait sous le nez.

« Haut les mains, fiston… et plus vite que ça ! vociféra MacGovern en se grattant le crâne d'une main, tandis que de l'autre il agitait son arme dont il avait omis d'ôter le cran de sécurité. Ici, à Holy Oaks, la loi c'est moi ! et je te conseille d'obtempérer ! »

Entre-temps, Feinberg était entré à pas de loup par la porte de devant. Il arriva dans le dos du shérif et lui enfonça l'index dans les côtes, pour attirer son attention bien plus que pour le menacer. Mais MacGovern se méprit sur ses intentions et lâcha son arme en levant les mains.

« Tirez pas..., balbutia-t-il, d'une voix soudain radoucie. Je n'oppose aucune résistance ! Vous pouvez prendre tout ce que vous voulez, les gars, mais ne me touchez pas ! »

Feinberg leva les yeux au ciel et contourna le shérif pour venir agiter ses mains devant sa figure. Lloyd s'empressa aussitôt de récupérer son arme.

« Bien... assez rigolé ! Qu'est-ce que vous fabriquez dans cette maison, les p'tits gars ? Si vous espérez pouvoir faucher quelque chose, laissez-moi vous dire que vous vous fichez le doigt dans l'œil ! Regardez un peu autour de vous : Laurant n'a rien qui vaille le coup d'être volé. Vous trouverez pas l'ombre d'un magnétoscope et sa télé doit avoir plus de dix ans. Une vraie antiquité ! Vous n'en tirerez pas plus de quarante dollars. Ça me paraît un peu léger de risquer la taule pour si peu... À ma connaissance, la maîtresse des lieux est aussi pauvre qu'une punaise de bénitier. Elle n'a plus grand-chose sur son compte en banque, elle a même dû prendre un crédit pour payer son magasin.

— Comment savez-vous l'âge de sa télé ? s'enquit Farley, sincèrement intrigué.

— C'est Harry qui m'a raconté. Harry Evans... vous connaissez ? Un cousin à moi, quoique assez éloigné. Il a essayé de lui vendre une télé neuve, il y a quelques mois de ça. Vous savez, celles qui ont l'image à l'intérieur de l'image... Mais la Miss n'en a jamais voulu. Elle a tenu à lui faire réparer cette vieille saleté, récupérée allez savoir où. Si vous voulez mon avis, elle aurait aussi vite fait de balancer son argent direct par la fenêtre. Voilà comment je suis au courant de l'état de sa télé.

— Et vous avez un autre cousin qui travaille à la banque, fit Farley. Ce qui explique que vous soyez aussi au courant de l'histoire du prêt ?

— Un truc du genre. Oh ! au cas où vous l'auriez oublié, je

vous rappelle que de nous trois, c'est moi qui tiens le flingue, les p'tits gars. C'est donc à moi de poser les questions. Qu'est-ce que vous fichez ici ? Vous étiez venus cambrioler, pas vrai ?

— Pas du tout, répondit Feinberg.

— Qu'est-ce que vous fabriquez ici, alors ? Vous seriez pas français, des fois ? Parce que Laurant a de la famille en France... »

Ayant grandi dans le Bronx, Farley n'avait jamais totalement réussi à se débarrasser de son accent caractéristique. Dès qu'il ouvrait la bouche, on aurait cru entendre parler un gangster d'un film de série B.

« C'est bien ça, parvint-il à articuler sans perdre son sérieux. Justement, on débarque de France, là. »

Le shérif aimait par-dessus tout avoir raison. Rengainant son arme, il hocha vigoureusement la tête. « Je pensais bien ! Vu votre manière de causer, je me suis dit que j'avais sûrement affaire à des gens d'ailleurs.

— En fait, shérif, nous venons de la côte Est, et c'est ce qui explique notre accent. Mon ami rigolait quand il vous a dit que nous étions français. Nous sommes des amis du frère de Laurant, le père Madden. Nous sommes sur le chantier de l'abbaye et Tommy nous a demandé de passer chez sa sœur pour jeter un coup d'œil au siphon de l'évier.

— Il est bouché, ajouta Farley, sans sourciller.

— Et vous comptez passer la nuit sur place ? demanda MacGovern en remarquant le gros sac noir près de la porte.

— Possible, fit Farley. Tout dépend du boulot qu'on aura dans la cuisine.

— Comme je vous disais, Laurant n'est même pas propriétaire. Elle loue, ici. Où est-elle passée, ces jours-ci ?

— Elle devrait rentrer d'un moment à l'autre.

— Et vous comptez vraiment vous faire héberger cette nuit chez cette demoiselle, alors que vous n'êtes même pas de sa famille, mes p'tits gars ? »

La patience de Feinberg atteignait sa limite. « Je ne suis pas votre "p'tit gars" ! J'ai trente-deux ans !

— Trente-deux ans, sans blague ? Et on peut savoir ce que fait un grand gaillard comme vous avec un appareil dentaire ? C'est bien la première fois que je vois un truc pareil ! »

L'appareil en question était la dernière étape de la rééducation de sa mandibule, fracturée quatre ans plus tôt lors d'une opération coup de poing qui avait mal tourné. Mais Feinberg n'avait pas la moindre envie d'entrer dans les détails avec ce gros nanard qui n'avait visiblement pas inventé l'eau chaude. Sans compter qu'ils opéraient incognito, et que personne ne devait soupçonner qu'ils étaient de la police fédérale.

« Dans l'Est, ça se fait.

— Ça, peut-être, admit MacGovern, puisque vous faites rien comme nous autres… Mais vous n'espérez quand même pas que je vais vous laisser tout seuls ici !

— Pourquoi ? Vous craignez pour la réputation de Laurant ? suggéra Feinberg.

— Ça non. Sa réputation, elle est de taille à la défendre toute seule ! C'est une fille très bien, répliqua le shérif en déposant son gros derrière sur le canapé.

— Où est le problème, en ce cas ? Qu'est-ce que ça peut vous faire, qu'on dorme chez elle ou pas ?

— À moi, rien, mais j'en connais un qui n'apprécierait sûrement pas et vous feriez mieux de vous méfier, les p'tits gars. Je serais vous, je me trouverais illico un autre point de chute pour ce soir, parce que ça ne va pas lui plaire de savoir que Laurant héberge deux types, ne serait-ce que pour quarante-huit heures. Non, ça, c'est moi qui vous le dis… y va pas apprécier des masses !

— Qui donc ? demanda Farley en refermant la porte, bien décidé à lui faire cracher la réponse à sa question.

— C'est pas vos oignons ! Mais moi, va bien falloir que je le lui dise. Pourquoi vous prenez pas plutôt une chambre à l'abbaye, hein ? C'est pas ça qui manque, là-bas, et en plus, vous seriez hébergés à l'œil.

— Dites-nous d'abord qui notre présence chez Laurant risque

d'agacer, insista Farley. Et expliquez-nous pourquoi vous vous sentez tenu d'aller lui faire votre rapport.

— Parce que, s'il venait à savoir que je savais et que je ne lui ai rien dit...

— Oui, quoi ?

— Il peut devenir très méchant. Et je préfère pas le foutre en rogne.

— Foutre *qui* en rogne, shérif ? »

MacGovern tira de sa poche arrière un mouchoir douteux dont il s'épongea le front. « Fait chaud, pas vrai ? Je crois que Laurant s'est tout de même offert un climatiseur... je suis sûr qu'elle ne verrait aucun inconvénient à ce que vous l'utilisiez, les p'tits gars. Comme ça, il fera un peu plus frais dans son living quand elle arrivera. Parce qu'elle rentre aujourd'hui, si j'ai bien compris ?

— Simple supposition, dit Feinberg. Nous n'en savons rien. »

Farley ne capitulait pas : « Nous aimerions savoir qui surveille les faits et gestes de Laurant, shérif.

— Et moi, j'ai pas envie de vous le dire ! Je peux être têtu quand je veux ; or, là, il se trouve que j'ai décidé de faire ma tête de mule ! D'ailleurs, vous en faites pas, vous n'allez pas tarder à faire sa connaissance... ça, je vous le garantis. Dès qu'il saura que vous êtes là, il va rappliquer dare-dare. C'est un type qui a le bras long dans le coin. Alors, si j'étais vous, je lui montrerais patte blanche, et j'éviterais tout ce qui peut lui porter sur les nerfs. Ça, pour sûr... même la force de la loi a ses limites, vous savez...

— Ce qui veut dire que vous ne nous protégeriez pas ? s'enquit Farley.

— Grosso modo, fit le shérif en baissant les yeux. C'est comme ça que ça marche, ici, ajouta-t-il avec un haussement d'épaules fataliste. Le progrès a son prix, pas vrai ?

— C'est-à-dire ? demanda Farley.

— C'est-à-dire, occupez-vous de vos oignons.

— Tout à fait entre nous, vous pouvez lui dire qu'il n'a rien à

156

craindre de nous, votre copain, intervint Feinberg. On n'est pas sur les rangs pour Laurant, ni l'un ni l'autre.

— Exact ! s'empressa de confirmer Farley, qui voyait où son compère voulait en venir.

— Ah ! Bonne chose. Parce que figurez-vous qu'il envisage d'épouser la petite, ce pote à moi qui a le bras long. Et c'est comme si c'était fait, vu qu'il finit toujours par décrocher ce qu'il veut. Ça, je vous en fiche mon billet !

— Il a des vues sur Laurant, c'est ça ?

— Eh ! il ne va pas se contenter d'avoir des vues ! Ce n'est qu'une question de semaines, maintenant, et il va bien falloir qu'elle se fasse à cette idée.

— Votre pote se sent comme un droit de propriété sur elle, on dirait, fit Farley.

— Il se sent pas, il l'a. »

Feinberg éclata de rire.

« J'ai dit quelque chose de drôle ?

— C'est que votre copain, là... il risque fort de tomber sur un os !

— Comment ça ?

— La tête qu'il fera, quand il découvrira que... » Farley laissa sa phrase en suspens.

« Que quoi ?

— ... que Laurant a fait la rencontre de sa vie, à Kansas City...

— Un vrai coup de foudre, ajouta Feinberg.

— Enfin... ils se connaissaient déjà, et même depuis longtemps, à ce que j'ai cru comprendre, fit Farley, qui jouait le jeu pour faire passer l'information au shérif.

— Non. Elle avait entendu parler de lui, mais ils ne s'étaient jamais vraiment rencontrés, jusqu'à la semaine dernière.

— Quoi ? Qui ça ?

— Elle et Nick.

— Nick qui ? interrogea le shérif, visiblement sur les nerfs.

— Buchanan. Nick Buchanan. L'homme dont elle est tombée follement amoureuse, acheva Farley.

— Mais le plus drôle…, commença Feinberg.

— Oui ?

— C'est que ce Nick…

— Quoi ? Qu'est-ce qu'il a ?

— C'est le meilleur ami de Tom ! Un signe du destin, non ?

— Et il est de Kansas City ? Ça ne marchera pas, ça ! Loin des yeux, loin du cœur.

— Non, il n'habite pas Kansas City. Il est de la côte Est.

— Je crois pas que Brenner ait beaucoup de mouron à se faire, alors. Les relations à distance, c'est fichu d'avance ! »

Sans même s'en rendre compte, MacGovern avait lâché le nom qu'il refusait de leur dévoiler. Farley et Feinberg firent comme s'ils n'avaient rien entendu.

« C'est bien ce qu'il a dû se dire, ce Nick Buchanan, fit Feinberg.

— Oui, il a justement décidé de venir s'installer ici, pour vivre avec Laurant », acheva Farley.

Les yeux du shérif s'écarquillèrent. « Ici ? À Holy Oaks ? Il vient vivre avec elle ?

— Tout juste, fit Farley. Il est trop attaché à elle pour prendre le risque de la perdre.

— Amour, amour, quand tu nous tiens… ! souligna Feinberg.

— Et on peut savoir où il compte habiter, cet oiseau ?

— Ici même, chez Laurant. Du moins jusqu'au mariage. Après, mystère ! répliqua Farley.

— Jusqu'au mariage ? D'où vous tenez ça ?

— C'est elle qui nous l'a dit, répondit Feinberg.

— Alors ça… ça va faire jaser !

— C'est le contraire qui nous étonnerait !

— Bon, ben… va falloir que je vous laisse », dit le shérif. Il remisa précipitamment son mouchoir dans sa poche et mit le cap sur la porte.

Malgré son impressionnant gabarit, le représentant des forces de l'ordre de Holy Oaks pouvait faire preuve d'une certaine agilité, en cas d'urgence. Farley et Feinberg se ruèrent à la fenêtre pour le regarder galoper vers sa voiture.

158

« Tu parles d'un charlot ! s'esclaffa Farley. Il ne nous a pas demandé nos papiers, il n'a même pas pris note de nos noms.

— Tu rigoles ! Il ne peut pas être au four et au moulin, le pauvre homme !

— Et il doit transmettre le message à son cher Brenner... », conclut Farley en composant un numéro sur son portable.

La ligne répondit à la première sonnerie. « Vous l'avez ? » s'enquit Farley. Il écouta quelques instants sans mot dire, puis fit : « Bien, chef ! » et raccrocha.

Feinberg s'était accroupi près du sac noir. « Allons-y, dit-il en tendant une paire de gants à son collègue. On en a peut-être pour toute la nuit. »

Farley, lui, était un incorrigible optimiste : « Eh ! qui sait ? Peut-être la chance nous sourira-t-elle, ce soir... »

Et ce fut bien le cas. Une heure plus tard, ils découvrirent une caméra vidéo, dissimulée dans le coin supérieur d'un placard à linge attenant à la chambre de Laurant. Son objectif était abouché à un trou discret pratiqué dans le mur et pointait vers le lit de Laurant. Elle avait été surveillée pendant son sommeil.

16

Nick ne lui adressait plus la parole. Sans doute parce qu'il était toujours furieux, supposa-t-elle. Après le défi qu'elle avait lancé au dément, il avait littéralement piqué sa crise. Alertés par le vacarme, Tommy et Noah étaient immédiatement accourus. Et dès que Nick l'eut mis au courant des derniers exploits de sa sœur, Tom avait joint ses cris aux leurs, mais elle avait tenu bon et ne leur avait pas concédé un seul pouce de terrain.

Pete et Noah s'étaient rangés à ses côtés et, tels deux anges tutélaires, l'avaient soutenue dans la bagarre. Ils avaient vaillamment défendu son plan d'action. Au bout d'une heure d'une discussion qui lui parut s'éterniser, Tom finit par entendre raison. Le coup de fil du maniaque l'avait convaincu qu'il n'allait pas oublier Laurant et que, si le FBI ne lui tendait pas un piège, elle risquait de devoir se cacher de longues années.

Et, pendant que le suspect jouerait avec elle au chat et à la souris, rien ne l'empêcherait de faire d'autres victimes.

Ce qui ne leur laissait guère le choix.

Malheureusement, Nick ne s'était toujours pas rangé à cet avis et, jusque-là, elle n'avait pas réussi à venir à bout de son mutisme. Une fois de plus, Pete avait fait valoir l'ultime argument qu'il avait déjà opposé à Nick : il était trop impliqué dans

160

la situation pour pouvoir juger en toute impartialité. Il lui suggéra une fois de plus de renoncer à suivre l'affaire, mais Nick fit la sourde oreille. Pourtant, lorsque Morganstern le menaça de lui retirer le dossier, Tommy lui adressa une grimace si pathétique que son ami capitula.

Après quoi, Pete avait passé un coup de fil à Frank O'Leary pour lancer les opérations.

Et maintenant, elle était enfin sur le chemin du retour, assise près de Nick dans l'appareil de l'US Air Express qui les emportait de Kansas City à Des Moines. De là, ils rejoindraient Holy Oaks par la route. Une voiture les attendait à l'aéroport ; ils avaient laissé sa vieille guimbarde dans un garage de Kansas City. Dès qu'elle serait remise en état, Tommy et Noah la ramèneraient à Holy Oaks.

Quant à ce qui se passerait quand elle serait de retour chez elle, elle préférait ne pas y penser. Elle feuilleta *Time Magazine* d'un index impatient et poussa la bonne volonté jusqu'à se plonger dans un article sur l'inflation. Elle avait du mal à se concentrer plus de quelques secondes et, après avoir relu pour la troisième fois le même paragraphe, elle y renonça.

Combien de temps Nick comptait-il s'enfermer dans ce silence buté ? Il n'avait pas desserré les dents depuis qu'ils avaient franchi le hall de l'aéroport.

« Je vous en prie, Nick… cette conduite est d'un puéril… ! »

Pas de réponse. Se tournant vers lui, elle constata que son teint avait viré au gris terreux.

« Que se passe-t-il ? Vous êtes malade ? »

Pour toute réponse, il ne lui concéda qu'un bref signe de tête. Sa main restait crispée sur l'accoudoir.

« Nick… qu'est-ce qui ne va pas ?

— Laissez tomber… Tout va bien.

— Pourquoi refuser de me parler ?

— Nous en discuterons plus tard, lorsque nous aurons atterri – à supposer que…

— Que quoi ?

— Que cet appareil parvienne à se poser sans exploser ! »

161

« — Vous plaisantez, là ?

— Pas du tout. »

Elle n'en croyait pas ses oreilles. Monsieur Nerfs d'Acier avait peur en avion ! Et effectivement, ce n'était pas de la comédie. Il souffrait le martyre. Il était au bord du malaise. Elle s'efforça de contenir l'amusement que lui inspirait la situation.

« Vous n'aimez pas beaucoup les voyages en avion, on dirait, fit-elle, compatissante.

— Non, répondit-il platement – et de s'absorber dans la contemplation de son hublot.

— Voulez-vous que je vous tienne la main ?

— Vous n'êtes pas drôle, Laurant ! »

Décrochant à grand-peine sa main cramponnée à l'accoudoir, elle glissa ses doigts dans les siens.

« Je n'avais nullement l'intention de vous taquiner. Une foule de gens détestent monter en avion.

— C'est vrai ? »

Il avait une poigne d'acier. Elle sentait les cals de sa paume contre la sienne. Des mains de travailleur manuel. En dépit de ce blazer marine qu'il portait avec tant d'élégance. Une surprise de plus... Une autre facette de cette personnalité qui ne laissait pas de l'intriguer ni de la fasciner. Il était si différent de son frère ! Ce qui expliquait peut-être qu'ils aient choisi des chemins aussi divergents. Tommy était toujours en quête d'un rayon de lumière dans l'âme d'autrui. Il s'était fixé pour but le salut de son prochain.

Nick, lui, consacrait sa vie à combattre le mal. Une tâche laminante, dont elle se demandait si les rétributions contrebalançaient vraiment ce qu'il lui sacrifiait. Il pouvait faire preuve d'un tel cynisme... Il comptait toujours avec la part d'ombre en chacun, et jusque-là, hélas ! les événements n'avaient pas dû lui donner tort.

« Nous arrivons ! lui glissa-t-elle à l'oreille, surprise par ce besoin qu'elle éprouvait de le réconforter.

— Commençons déjà par atterrir... »

162

Il ne se laissait décidément pas réconforter si facilement ! « Rassurez-vous : les atterrissages ne sont pas dangereux !

— Oui, ricana-t-il. À condition d'avoir un pilote qui connaît son boulot !

— Je suis sûre que celui-ci connaît le sien. Ils s'entraînent des années, avant de pouvoir prendre les commandes d'un appareil.

— Possible.

— Plus que quelques minutes de patience. Nous avons entamé notre descente. »

La main de Nick se crispa sur la sienne. « À quoi vous voyez ça ?

— Le commandant de bord vient de demander à l'équipage de s'asseoir...

— Vous avez entendu le train d'atterrissage, vous ? Je n'ai rien entendu du tout !

— Mais si.

— Vous en êtes sûre ?

— Certaine ! »

Il prit une profonde inspiration et s'exhorta au calme. « Vous devriez savoir que c'est à l'atterrissage que se produisent la plupart des accidents. Le pilote peut se tromper dans son estimation des distances.

— Vous avez lu ça quelque part ?

— Non. Ça tombe sous le sens. L'erreur humaine est un élément purement statistique. Quelque chose finit fatalement par dérailler. Réfléchissez... Un seul homme aux commandes de cent cinquante tonnes de métal qu'il tâche de poser sur ces ridicules roulettes en caoutchouc ! Chaque fois qu'un avion se pose, cela tient du miracle ! »

L'expression de Laurant se fit plus soucieuse : « Je vois, dit-elle. Vous vous apprêtez à m'expliquer que si l'homme avait été conçu pour voler, il serait venu au monde avec des ailes !

— Y a de ça.

— Nick ?

— Quoi ? grogna-t-il.

— Professionnellement parlant, pourtant... il doit vous

arriver d'affronter bien pire. Des situations où vous frôlez vraiment la mort... où vous devez slalomer entre les balles ? Enfin ! Vous faites partie d'une section d'élite de la police fédérale, et un simple trajet en avion suffit pour vous faire trembler sur vos bases !

— Paradoxal, non ? »

Elle résolut d'ignorer la pointe de sarcasme qui avait percé dans sa voix. « Vous devriez en parler à quelqu'un. Votre chef lui-même pourrait vous aider, en tant que psychologue, il me semble. Il saurait sûrement quoi faire pour surmonter cette petite... phobie. »

Il préféra s'abstenir de lui expliquer que sa « petite phobie » inspirait à son chef un amusement au moins égal au sien. « Oui, peut-être », fit-il avec un haussement d'épaules philosophe.

Leur conversation avait du moins eu le mérite de lui faire oublier que le sol se rapprochait. L'appareil atterrit sans histoire et, lorsqu'il s'immobilisa, le visage de Nick avait retrouvé ses couleurs.

« Vous ne vous précipitez pas à terre pour embrasser le sol ? pouffa-t-elle.

— Un peu de compassion pour les problèmes d'autrui, Laurant !

— N'y voyez aucune raillerie de ma part...

— Mon œil ! » répliqua-t-il. Il se leva et, avançant dans l'allée, ouvrit le compartiment à bagages dont il sortit leurs sacs. « J'ai remarqué que vous pouviez avoir la dent assez dure.

— Vraiment ? » Il recula d'un pas pour lui laisser le passage.

« Mais ce n'est pas pour me déplaire. »

Elle éclata de rire. « Je vois... Maintenant que nous avons retrouvé la terre ferme, Monsieur Muscle est de retour !

— Il ne vous a pas quittée d'une semelle », fanfaronna-t-il en l'entraînant vers la sortie.

L'aéroport était bondé, ce jour-là. Comme ils se frayaient un chemin en direction de la zone de livraison des bagages, Nick fit la grimace en constatant qu'une tête sur deux se retournait sur le passage de Laurant. Un quidam eut même le culot de faire demi-tour pour leur emboîter le pas. À quoi Nick riposta en passant d'autorité le bras autour des épaules de Laurant et en l'attirant à lui.

« Eh bien, qu'est-ce qui vous prend ?

— Ça m'ennuierait de vous perdre de vue dans cette foule », dit-il, l'air de ne pas y toucher. Il fusilla le gêneur d'un regard noir et, en voyant le type s'éclipser, retrouva aussitôt le sourire. « Entre nous, votre jupe est un peu courte.

— Mais pas du tout !

— Ce doit être vos jambes qui sont trop longues, en ce cas... !

— Nick ! qu'est-ce qui vous prend ?

— Rien. Venez, ne nous arrêtons pas... »

Lorsqu'ils arrivèrent au pied de l'escalator, il dut la relâcher. Elle le gratifia à son tour d'un regard incendiaire. Il regretta ce commentaire quelque peu rétrograde sur la longueur de ses ourlets et aurait voulu pouvoir le retirer, mais... trop tard.

Un agent du FBI les attendait près de l'entrée, face à la zone des bagages. Une Explorer toute neuve était garée sur un emplacement réglementé. Outre les clés de cette voiture, l'agent remit à Nick un épais dossier, puis ils chargèrent les bagages dans le coffre tandis que sur le trottoir deux vigiles de l'aéroport, qui assistaient, impuissants, à cette flagrante infraction au code de stationnement, hochaient la tête en murmurant.

Laurant avait repéré une grosse mallette noire, calée à l'arrière du véhicule. Lorsque le collègue de Nick l'ouvrit, elle eut un haut-le-corps : elle contenait un véritable arsenal.

« Il est encore temps de changer d'avis, dit Nick.

— Non, fit-elle en relevant le menton. Les dés sont jetés. »

L'agent fédéral referma la portière sur elle, puis disparut dans la foule du terminal après lui avoir souhaité bonne chasse.

Nick balança sa veste sur le siège arrière et s'installa au volant en déboutonnant son col de chemise. Il dut repousser le siège au maximum pour pouvoir étendre ses longues jambes. Dans l'accoudoir de cuir qui séparait les sièges avant, Laurant trouva une carte de l'Iowa.

Elle connaissait la route, mais Nick repéra le trajet que quelqu'un avait préalablement surligné en jaune fluo.

« Vous avez entendu ce que m'a dit votre collègue, en guise d'adieu ?

— Non. Quoi ? fit-il en levant les yeux de la carte.

— Il m'a souhaité bonne chasse.

— Une vieille superstition…, expliqua-t-il, avec un hochement de tête. Une sorte de rituel entre initiés.

— Comme le mot de cinq lettres avant d'entrer en scène ?

— Exactement. »

Elle attendit qu'il eût pris connaissance des papiers que contenait le dossier et quand il l'eut remis à l'arrière elle lui demanda : « Des informations intéressantes ?

— Bof… simple remise à jour.

— Allez-y ! fit-elle. Démarrons…

— Tiens, vous seriez pressée ?

— Moi, non, mais je vois arriver le moment où ces deux malheureux gardiens vont trépigner de rage de ne pouvoir vous coller un PV ! »

Nick adressa un signe amical aux deux agents avant de rejoindre le flot de la circulation.

« Vous devez commencer à avoir faim ?

— Non, dit-elle. Et vous ?

— Ça peut attendre.

— Que dit votre dossier au sujet de la lettre prétendument envoyée par le suspect à la police de Kansas City ?

— Toujours rien de ce côté-là.

— Pourquoi avoir annoncé cette lettre à Tom, s'il n'avait pas l'intention de l'envoyer ?

— Mystère. Sans doute une autre de ses manigances… Laissons à Pete le soin de démêler ça. »

Elle garda le silence tandis que Nick slalomait dans le trafic. Lorsqu'ils atteignirent l'autoroute, il roula ses manches de chemise et se carra dans son siège. Il comptait mettre à profit les deux heures que durerait le trajet pour peaufiner la préparation psychologique de Laurant. Il lui déclina la liste exhaustive de tout ce qu'elle devait s'abstenir de faire, et conclut par l'ultime directive – un commandement qu'il avait dû lui répéter une bonne dizaine de fois : « Ne faites plus confiance à personne, désormais. À personne. Et plus un pas sans moi. Vu ?

— Vu.

— Pas même pour aller aux toilettes pour dames au restaurant !

— Pas même aux toilettes – c'est noté. »

Il hocha la tête, momentanément satisfait. Mais elle ne perdait rien pour attendre... la litanie reprendrait avant longtemps. « Bien... Revoyons un peu votre emploi du temps quotidien.

— Vous devez le connaître par cœur, depuis le temps !

— Je devrais, effectivement. Vérifions. Réveil aux alentours de sept heures. Exercices d'étirement...

— Ma mise en train quotidienne, précisa-t-elle.

— Tout juste. Puis cinq kilomètres de jogging, de votre porte à votre porte – pauvre de moi ! Nous prendrons le sentier au bord du lac, en commençant par le coin ouest, et nous tournerons toujours dans le même sens.

— Bien.

— Seigneur... de la course à pied ! J'ai toujours eu horreur de ça. On ne vous a jamais dit que c'était une catastrophe pour les articulations ?

— Personnellement, ça me convient. Ça me permet de recharger mes batteries. Ça vous fera du bien, à vous aussi, vous verrez. D'ailleurs, vous ne me paraissez pas en si mauvaise forme... Ce n'est tout de même pas cinq petits kilomètres qui vont faire peur à un grand gaillard comme vous !

— Non, mais préparez-vous à m'entendre râler !

— Mmmh ! Je m'en réjouis d'avance ! s'esclaffa-t-elle.

— Bon... ensuite, nous rentrons chez vous et...

— Nous prenons une douche, nous enfilons des vêtements de ville et nous partons à pied pour ma boutique, où je passerai le plus clair de la journée. Je dois aménager mon atelier et ranger de vieux cartons pendant que les ouvriers terminent le rez-de-chaussée. Avec un peu de chance, nous devrions bientôt en voir le bout. J'aimerais ouvrir aux environs du 4 Juillet.

— Vous n'avez pas une seconde à perdre.

— À cette date, vous serez probablement de retour à Boston.

— Vous êtes optimiste. Il n'est pas exclu que je me retrouve coincé dans votre patelin plusieurs semaines – si ce n'est plusieurs mois.

— Comment pouvez-vous vous offrir le luxe de me consacrer tout ce temps ?

— Une promesse est une promesse ; et votre frère compte sur moi. Je ne repartirai pas tant que nous n'aurons pas épinglé notre homme, ou que...

— Oui ?

— De toute façon, s'il adopte un profil bas et qu'une obligation ou une autre me force à rentrer, vous viendrez avec moi. Et ce n'est pas négociable, ajouta-t-il. Inutile de discuter.

— L'idée ne m'en viendrait même pas ! Mais si vous voulez mon sentiment, nous n'aurons pas à attendre si longtemps. Les événements vont se précipiter dès mon retour.

— C'est aussi mon impression, fit-il en hochant la tête. À en juger par son coup de fil, il ne devrait pas tarder à se manifester. Pete partage cet avis.

— Tant mieux. Je donnerais cher pour que tout ça soit derrière nous.

— Ne vous en faites pas. Si Dieu le veut, ce sera bientôt conclu. Vous en aurez vite assez de m'avoir dans les jambes...

— Mais non, mais non. Au contraire, c'est vous qui allez vous lasser !

— Ça m'étonnerait, mais je dois vous mettre en garde : j'ai vraiment l'intention de faire comme chez moi, et de prendre de grandes privautés avec vous... – il marqua une pause, le temps de lui lancer un coup d'œil appuyé. Notre but est bien de rendre le suspect fou de jalousie, n'est-ce pas ! Suffisamment en tout cas pour le pousser à commettre une erreur...

— ... Qui vous permettra de le démasquer.

— Exact. À ceci près que ce ne sera sans doute pas moi qui l'épinglerai, pas plus que Noah.

— Tiens. Pourquoi ?

— Parce que l'ami Noah aura bien assez à faire du côté de Tommy. Quant à moi, je vais être très occupé à vous... baby-sitter. Et, pour tout vous dire, il me tarde de commencer. À vous, maintenant. Dites-moi un peu... Comment embrassez-vous ?

— Eh bien... il semblerait que je ne m'en sorte pas si mal. Je serais même assez brillante dans cette, euh... discipline », fit-elle en s'efforçant de prendre l'accent d'une fille que rien n'étonne.

Il éclata de rire. « Sans blague... d'où vous tenez ça ?

— Andre Percelli *dixit*, répondit-elle.

— Andre qui ? Celui-là, c'est la première fois que j'en entends parler.

— Percelli. L'histoire remonte à l'école primaire. Nous faisions la queue au self de la cantine quand il est arrivé par surprise et m'a embrassée. Mais je l'ai vite remis à sa place !

— Ah oui ? fit-il sans se départir de son sourire. Comment ça ?

— Figurez-vous que pour moi, l'expérience n'avait pas été très agréable !

— Mais pour lui, apparemment, si ?

— Mmh-mh ! Avant de recevoir mon poing dans la figure, j'entends !

— Fichtre ! Valait mieux pas vous marcher sur les pieds, à l'époque...

— Pas plus qu'aujourd'hui. Essayez, pour voir ! fit-elle d'un air faraud.

— Et ensuite ? Qu'est-il devenu, cet Andre ?

— Rien de bien original. Aux dernières nouvelles, il serait marié et aurait deux jeunes enfants.

— Revenons à notre planning. Que faites-vous de vos soirées ?

— Nous en avons déjà parlé, répondit-elle en fouillant dans

169

son sac, en quête de sa barrette à cheveux. J'ai une sortie prévue chaque soir pendant les deux semaines à venir.

— À cause de ce mariage auquel vous participez ?

— En partie, mais aussi et surtout parce que j'ai promis au père prieur de l'aider à ranger ses greniers. Il a entrepris un grand nettoyage avant les festivités du centenaire.

— Prévues pour le 4 Juillet, elles aussi... Fâcheuse coïncidence.

— Mais non... Le mariage aura lieu la semaine précédente. » Elle avait enfin mis la main sur sa barrette.

« Un vrai cauchemar, ces fêtes du centenaire ! J'espère que l'affaire sera bouclée avant. D'après Tommy, on attend des visiteurs des quatre coins du pays.

— Il en viendra même d'Europe ! dit-elle en attachant ses cheveux. Le centenaire de l'abbaye, c'est un événement ! Nous aurons même un cardinal.

— Génial..., marmonna-t-il. Assurer votre sécurité va relever du tour de force. Si ce tordu court toujours à cette date, vous pouvez compter que je vous mettrai en lieu sûr pendant toute la durée des réjouissances !

— Entendu, se résigna-t-elle. Mais souvenez-vous... Pete nous a bien recommandé de ne pas tirer de plans sur la comète. Réglons les problèmes au jour le jour.

— Jusqu'au 4 Juillet. Après quoi, rideau ! Nous disparaissons. »

Elle leva la main. « Je ne discute pas, mais cela ne nous laisse guère de temps...

— Sauf s'il se manifeste rapidement. Écoutez, Laurant... l'essentiel est de ne jamais abaisser votre garde – nous sommes bien d'accord ? Un instant d'inattention de votre part peut suffire à tout faire basculer.

— J'en ai bien conscience. Je serai la vigilance même. Je peux vous poser une question ?

— Laquelle ?

— Si ce n'était pas moi... Enfin, je veux dire... si je n'étais

170

pas la sœur de Tommy, et si nous étions de parfaits inconnus, l'un pour l'autre… auriez-vous résisté avec autant d'énergie ?

— À l'idée de vous utiliser pour appâter le piège ?

— Oui.

— Votre question est de pure forme. Le problème est précisément que vous êtes la sœur de Tommy. Difficile d'en faire abstraction.

— Essayez ! »

Sa première réaction fut de répondre par l'affirmative. Il s'y serait opposé tout aussi vigoureusement ; il avait payé pour savoir que tout plan, y compris le mieux préparé, peut vous exploser à la figure. Mais, après un instant de réflexion, il dut s'avouer que l'occasion était trop belle. Il ne l'aurait probablement pas laissée passer.

« Ce serait du fifty-fifty.

— C'est-à-dire ?

— J'aurais comparé les risques et les chances que nous avions de mettre la main sur cet enfoiré avant qu'il ne fasse davantage de dégâts, et puis…

— Et puis ? »

Il poussa un soupir. « J'aurais opté pour le piège.

— Ça vous est déjà arrivé, d'avoir peur ?

— Plus d'une fois. Et je sais trop bien à quel point les choses peuvent mal tourner. Il ne faut pas croire tout ce que raconte la télé, Laurant : nous ne les mettons pas tous sur la touche, loin de là. Certains passent entre les mailles du filet pendant des années. L'un des exemples les plus fameux et les plus dangereux, c'est Emmett Haskell qui s'est évadé il y a un an d'un pavillon psychiatrique de haute sécurité, dans le Michigan. Il court toujours et nous n'avons pas la moindre piste.

— Qu'est-ce qu'il a fait ?

— Sept victimes à ce jour, et à notre connaissance… mais nous sommes probablement très loin du compte. Haskell avait expliqué à ses toubibs que le meurtre lui portait chance. Il jouait aux courses. Le dernier vendredi de chaque mois, avant de partir pour l'hippodrome, il tuait quelqu'un. N'importe qui. Homme, femme ou enfant, avec toutefois une certaine prédilection pour les femmes. Et évidemment, plus elles étaient jolies, plus elles lui portaient chance.

— Tommy m'a aussi parlé de...

— Oui... de quoi ?

— Vous n'avez pas dû le lui dire sous le sceau du secret, sinon je n'en aurais jamais rien su, mais je lui ai demandé... pourquoi il se faisait tant de souci pour vous. Et il m'a raconté. »

Il voyait où elle voulait en venir. L'affaire Stark. Il avait confié ses doutes à Tommy dans l'espoir qu'en parler aurait un effet libérateur. Mais il n'en avait rien été.

« Il vous a raconté que j'avais dû tuer une femme, c'est ça ?

— Oui.

— Je n'ai fait que mon devoir.

— Vous n'avez pas à vous justifier, Nick.

— Je n'ai vraiment pas eu le choix. Peut-être aurais-je pu lui passer les menottes, si j'avais fait preuve d'un peu plus de jugeote... mais je suis sorti trente secondes de la maison, et elle en a profité pour aller chercher le petit... elle s'apprêtait à...

— À quoi ? fit-elle en réprimant un frisson.

— À me recevoir. Elle attendait mon retour pour massacrer le gamin sous mes yeux. »

Elle vit une ombre passer dans son regard. « Comment parvenez-vous à vivre avec tout cela ? murmura-t-elle. Vous devez vous rendre imperméable à ces souvenirs épouvantables ?

— Impossible. Je dois faire avec.

— Mais comment ? »

Il eut un haussement d'épaules. « Disons que je m'arrange pour être toujours très occupé.

— Ce n'est pas une solution.

— N'allez surtout pas répéter ça à Noah, mais il m'arrive de l'envier sur ce point. C'est à croire que tout glisse sur lui comme de l'eau sur un canard. Il peut faire instantanément le vide dans son esprit, et tourner aussitôt la page.

— Ça, permettez-moi d'en douter, fit-elle. Il en paie le prix, tout comme vous. Sans doute a-t-il simplement le cuir plus épais...

— Peut-être. Mais aussi longtemps qu'il y aura des Haskell et des Stark lâchés dans la nature, je n'aurai pas l'esprit en paix. Je veux les mettre hors d'état de nuire.

— Il en réapparaîtra toujours de nouveaux, n'est-ce pas ? Nick, il est urgent que vous vous bâtissiez une vie normale en dehors de votre travail.

— Je croirais entendre mon chef ! Vous ne voyez rien de plus gai, comme sujet de conversation ? »

Il décrocha le téléphone et composa un numéro. « Nous allons prendre la prochaine sortie, dit-il dans le combiné, et nous tâcherons de nous trouver un endroit pour déjeuner. À propos, vous nous suivez d'un peu trop près. »

Lorsqu'il eut raccroché, elle se retourna pour jeter un coup d'œil à la vitre arrière.

« La voiture bleue, c'est elle ?

— Non. Derrière. La Honda grise.

— Depuis quand nous suivent-ils ?

— Depuis l'aéroport. Notre véhicule est équipé d'un mouchard avec un rayon d'action de quatre-vingts kilomètres. Quand nous serons à Holy Oaks, Wesson, notre chef d'équipe, pourra toujours savoir très exactement où nous serons.

— Cela ne servira pratiquement pas. La ville est si petite que nous n'aurons guère l'occasion de prendre la voiture.

— Mais vous serez équipée d'un joli petit émetteur, vous aussi. J'ignore encore sous quelle forme – un bracelet, sans doute, ou une broche. »

L'idée qu'elle pourrait aller et venir à sa guise sans que ses anges gardiens la perdent de vue lui semblait somme toute assez rassurante.

« Je suis sûre que ce Wesson connaît parfaitement son métier, mais je regrette que Pete n'ait pas pu venir à Holy Oaks.

— Sa présence ne nous aurait pas avancés à grand-chose. Morganstern n'a jamais été un homme de terrain. Nous le tiendrons au courant des événements au fur et à mesure, Wesson,

173

Noah et moi. Avec un peu de chance, Pete pourra nous conseiller utilement sur le comportement du suspect. Sweetwater, vous connaissez ? C'est la prochaine sortie. Vous savez s'il existe un restaurant potable dans le coin ?

— Mais oui : dans le centre. Je crois qu'on y mange très bien.

— Qu'est-ce qui vous ferait envie ?

— Un hamburger bien moelleux, avec des pickles et une grosse assiettée de frites.

— J'achète ! »

Elle n'eut pas à jouer les copilotes : Sweetwater ne comportait qu'une rue, très adéquatement baptisée Main Street, et le restaurant se trouvait juste à mi-chemin entre l'entrée et la sortie de la ville.

Laurant s'installa dans un box près de la vitrine, et Nick vint s'asseoir près d'elle sur l'étroite banquette.

« Vous ne préféreriez pas vous mettre en face de moi ?

— Non, fit-il en s'emparant du menu plastifié, glissé entre la salière et le poivrier. Nous allons illico commencer l'entraînement pour notre numéro de tourtereaux. »

Il se commanda deux doubles hamburgers, deux portions de frites et deux grands verres de lait. Comme elle s'esclaffait devant ce menu pantagruélique, il revint à Nick une anecdote : une de leurs aventures, à lui et à Tommy, dans la file d'attente du restaurant universitaire. Il n'en était pas encore à la chute que Laurant riait déjà aux larmes. Jamais elle n'aurait soupçonné que son frère ait pu être un tel boute-en-train dans sa jeunesse. « Et c'était vraiment lui qui avait donné le signal de la bagarre aux petits pois ?

— Eh… ! Tom n'est pas né avec une soutane ! »

Il lui en raconta une deuxième, puis une troisième. Les autres clients lorgnaient d'un œil amusé et attendri ce jeune couple si détendu et si guilleret.

À la fin du repas, lorsqu'ils regagnèrent la voiture et reprirent l'autoroute, Laurant avait presque retrouvé sa bonne humeur.

« Peut-être devriez-vous lever un peu le pied, suggéra-t-elle. Je ne vois plus la Honda grise.

— Normal. Leur but n'est pas de se faire repérer.

— Ils comptent nous suivre jusqu'à Holy Oaks ?

— Oui.

— Combien d'agents travailleront sur l'opération ?

— Assez.

— Mais cela va coûter une petite fortune.

— Nous voulons l'épingler, Laurant. L'argent est un problème annexe.

— Imaginez une seconde que cela vous prenne plus de temps que prévu...

— Nous sommes la patience même. »

Elle dénoua ses cheveux, inclina son siège et ferma les yeux.

« Reste un truc qui m'échappe, fit-il, comme elle commençait à s'assoupir.

— Ah ?

— Qu'est-ce que vous lui trouvez, à ce bled... ? Pourquoi être venue vous enterrer dans ce coin ? lui demanda-t-il.

— Je m'y sens chez moi.

— Pardonnez-moi, mais j'ai du mal à le croire. Vous êtes une citadine-née.

— Erreur, mon cher. J'ai grandi dans un village minuscule.

— À ce détail près que votre grand-père en était le propriétaire. Vous viviez dans une immense propriété – vous parlez d'un village !

— J'ai fait mes études dans une toute petite ville. J'étais cloîtrée, ou presque. Je suis vraiment tombée sous le charme de Holy Oaks, Nick. Mes concitoyens sont de braves gens, sincères et sympathiques. Le coin est charmant et très calme ; enfin, il l'était.

— Peut-être. Mais si vous aimez tant ce trou, pourquoi vous être contentée d'y louer une maison ? Vous auriez carrément dû en acheter une...

— Pour l'instant, je me consacre à mes projets professionnels. D'ailleurs, mon actuelle propriétaire ne souhaite pas vendre la maison que j'habite. Elle dit qu'elle y a élevé tous ses enfants. Elle vit dans une maison de retraite, et elle ne s'est pas encore

175

faite à l'idée de s'en séparer. Il y a pourtant un bungalow que j'adorerais acheter, au bord du lac. Vous verrez, le coin est sublime. Mais il faudrait prévoir des mois et des mois de travaux.

— Pourquoi l'affaire n'est-elle pas déjà faite ?

— Steve Brenner.

— Le président de l'Association pour le développement économique de Holy Oaks ?

— Eh oui... il est propriétaire du bungalow.

— Et je crois qu'il ne détesterait pas devenir le vôtre, par la même occasion...

— Pardon ?

— Eh bien, lorsque mes collègues Farley et Feinberg ont investi votre maison, votre charmante voisine a appelé le shérif qui est aussitôt accouru...

— MacGovern ? Il serait incapable ne serait-ce que de faire semblant de se dépêcher, ce gros plein de soupe ! Il n'est pas très apprécié à Holy Oaks.

— Ça ne m'étonne qu'à moitié...

— Mais je vous ai interrompu. Que s'est-il passé, à l'arrivée du shérif ? Il sait qu'ils travaillent au FBI ? Ils ont dû le lui dire ?

— Il n'était pas question de trahir leur couverture. Mais le plus curieux, c'est qu'il ne leur a rien demandé. Il était trop occupé à leur exposer les grands desseins que Brenner a formés pour vous. Ce type raconte à qui veut l'entendre qu'il va convoler avec vous.

— Il est complètement givré ! s'esclaffa-t-elle.

— C'est aussi mon impression. Bref, l'un de mes collègues a dit au shérif que nous étions en pleine idylle, vous et moi, et le brave homme est aussitôt reparti comme s'il avait le feu où je pense.

— Pour faire son rapport à Steve, je suppose. Steve est du genre à croire qu'il suffit de claquer des doigts pour obtenir ce qu'il veut.

« — Eh bien, je vais me charger personnellement de lui démontrer le contraire ! »

Elle se demanda un instant comment il comptait s'y prendre, mais son ton ne laissait planer aucun doute quant à sa détermination, ni à son impatience de ramener Brenner à la raison.

Le temps leur parut filer plus vite que les kilomètres qui les séparaient encore de Holy Oaks. Ils se sentaient si bien ensemble... Ils aimaient le même genre de musique – classique et folk. Ils discutèrent de politique. Laurant était une libérale convaincue et Nick se situait plutôt dans le camp conservateur. Elle était subjuguée et conquise par toutes ces histoires qu'il lui racontait sur son enfance et sa « tribu ». Elle n'avait pas vu le temps passer lorsqu'il ralentit pour s'engager sur la sortie de Holy Oaks.

« Nous serons à la maison avant la nuit », fit-elle.

Nick retrouva instantanément son sérieux : « Laurant... il me reste deux ou trois choses à vous dire.

— Oui ?

— Farley et Feinberg... les collègues dont je vous parlais tout à l'heure...

— Oui ?

— En fouillant votre maison, ils sont tombés sur une caméra vidéo.

— Où ça ?

— Au premier, dans votre placard. L'objectif était fixé derrière un trou bien net, grand comme un cachet d'aspirine, pratiqué dans le mur et orienté vers votre lit. Indécelable à l'œil nu. Le trou avait été perforé au centre d'une fleur, dans votre papier peint. »

L'espace d'un instant, elle eut le sentiment d'avoir encaissé un direct à l'estomac, un coup violent qui aurait brusquement chassé l'air de ses poumons. Elle se retourna vers lui et, presque malgré elle, sa main se cramponna à l'avant-bras de Nick.

« Et vous avez attendu tout ce temps pour m'en informer ?

— J'ai préféré vous laisser quelques heures de répit, avant de vous faire replonger dans ce cauchemar. Si je vous avais raconté

177

ça pendant le déjeuner, ça vous aurait coupé l'appétit. Vous n'auriez pensé à rien d'autre pendant tout le trajet – je me trompe ?

— Depuis quand suis-je sous surveillance ?

— Depuis un bon moment, sans doute. Un film de poussière a eu le temps de se former sur la caméra. Je ne pourrais pas vous donner de date précise, mais disons une semaine ou deux, minimum. Le numéro de série de l'appareil a été soigneusement limé.

— Promettez-moi de ne plus garder pour vous ce genre d'information – d'accord ? Dès que vous avez un nouvel élément, avisez-moi sans prendre de gants.

— Je vous dirai tout. N'oubliez pas que nous allons vivre sous le même toit, ma chère.

— Jusqu'à ce que la mort nous sépare…, fit-elle, avec dans la voix une pointe d'ironie, mais la plaisanterie tomba étrangement à plat.

— Jusqu'à ce que nous ayons mis le suspect sous les verrous, disons. »

Elle lui lâcha le bras. « Désolée d'avoir haussé le ton, fit-elle. Vous m'aviez prévenue. Vous me l'aviez dit, qu'il me surveillait et qu'il s'était introduit chez moi. Bordel ! Il a même dû me voir… »

Elle laissa la phrase en suspens et se tourna vers sa vitre pour lui cacher son émotion. Elle s'imagina matin et soir, pendant ses habillages et déshabillages quotidiens. Ces derniers temps, pendant les grandes chaleurs, quand l'atmosphère était particulièrement torride, elle dormait nue, et cela sous l'œil de cette caméra.

Elle ramena son regard vers ses mains, croisées sur ses genoux. Sa barrette s'était brisée entre ses doigts. « Je me sens salie, fit-elle. Comme si j'avais commis une faute ou un acte honteux. Certaines nuits, je dormais sans chemise de nuit – il faisait si chaud…

— Ce qui se passe dans votre chambre ne regarde que vous, Laurant, lui fit-il remarquer.

— Mais c'est tout ! s'écria-t-elle. Il ne s'est rien passé. Rien ! J'ai dormi. C'est tout. Je n'ai reçu aucune visite ! Et même si c'était le cas... Seigneur, c'est à vomir !

— Laurant...

— Taisez-vous ! Je vous interdis de me seriner votre laïus !

— Quel laïus ?

— Qu'il est encore temps de me rétracter. »

Il ralentit et rangea le véhicule sur le bas-côté. À leur droite, un panneau indiquait « HOLY OAKS ». Ils arrivaient en vue de la ville.

« Que faites-vous ? Vous me laissez une dernière chance de changer d'avis ? demanda-t-elle.

— Non.

— De quoi s'agit-il ?

— D'une chose que je voudrais vous demander. J'aimerais que vous cessiez de perdre votre sang-froid dès que vous avez vent d'une nouvelle... désagréable. Vous pouvez d'emblée vous attendre à d'autres mauvaises surprises. Je ferai l'impossible pour les anticiper... mais vous, vous allez devoir assumer. OK ? J'ai besoin de vous sentir solide. Je ne peux vivre dans la perpétuelle appréhension de votre prochaine crise de nerfs. Je ne peux pas me mettre à recoller vos propres morceaux chaque fois que... »

La main de Laurant se reposa sur son bras, amicalement cette fois. « Je comprends, et je vous le promets. Je garderai mon calme, désormais. Enfin... je vais tâcher. »

Il avait clairement entendu cette note résolue qui avait sonné dans sa voix, et que son regard lui confirmait. « Je sais. Je sais que vous en êtes tout à fait capable », dit-il en redémarrant.

Elle fut prise d'une sorte de frisson. Elle coupa l'air conditionné et se frictionna les bras.

« Est-ce qu'ils ont récupéré la bande ? Elle devait être dans la caméra... ça ne dure pas très longtemps, ce genre de bande. Une heure ou deux, grand maximum. Comment faisait-il pour la changer ? Il se promenait donc chez moi à sa guise... et jusque dans ma chambre ? Il prenait un sacré risque : j'aurais pu le voir.

— La caméra est actionnée à distance et fonctionne avec un

179

émetteur, ce qui signifie qu'il surveille votre chambre de loin, quelque part, sur un moniteur. Je vous montrerai ça, quand nous arriverons. C'est un système tout bête, équipé d'un détecteur de mouvements. Rien de bien sophistiqué. C'est d'ailleurs un détail qui me fait tiquer : celui qui a installé cette caméra n'était sûrement pas un pro. Il a bricolé ça à la va-vite.

— Et qu'est-ce qui vous chiffonne ?

— Ça me paraît un peu simplet, ce truc bidouillé tant bien que mal... Notre suspect serait plutôt du genre à peaufiner le moindre détail jusqu'à l'obsession. Un perfectionniste. Son objectif est avant tout de nous épater.

— Et là, ce n'est pas le cas ?

— Exact.

— Nous arrivons ! » annonça-t-elle, en jetant un coup d'œil à la vitre.

Nick prit à gauche dans Assumption Road, une artère à deux voies. Sur le panneau, une main facétieuse avait masqué au marqueur noir les dernières lettres du mot « Assumption », n'en laissant que les trois premières. Nick ne put réprimer un sourire.

« Les gamins du quartier s'amusent à ça chaque année, expliqua-t-elle. La blague leur paraît irrésistible...

— Elle l'est !

— Vous, vous devez regarder *Les Simpson* tous les dimanches à la télé !

— Je ne rate jamais un épisode !

— Moi non plus, avoua-t-elle. Mais ce genre de blague met le prieur dans tous ses états. Vous imaginez ! Par quoi voulez-vous commencer ? Passer à la maison ou aller voir Wesson ? Tom m'a dit qu'il avait réquisitionné le bungalow du prieur, au bord du lac, pour s'y installer avec son équipe.

— Allons le voir. Je dois prendre dans Oak Street, sauf erreur ?

— Oui... prenez à droite, en direction du lac. Ma rue est la seconde à gauche. »

Au loin s'élevaient les deux clochers de l'abbaye, une structure néogothique construite sur une éminence d'où elle surplombait

180

la petite ville, remarquablement préservée. Le coin valait le coup d'œil. De place en place, les taches multicolores de ses vitraux illuminaient la masse grise de l'édifice. Une longue allée sinueuse grimpait en direction du parvis.

Nick franchit au ralenti les grandes portes de fer forgé qui se dressaient à l'entrée de l'enceinte. Partout poussaient des chênes séculaires qui semblaient se concentrer le long des côtés sud et nord de la façade du bâtiment, tels d'imposants arcs-boutants naturels élevés pour renforcer les murailles.

« On dirait une cathédrale, fit-il en baissant la voix, comme s'ils s'étaient trouvés à l'intérieur de l'église.

— Voilà déjà longtemps que la rénovation a commencé. Toute la ville s'est mobilisée pour rassembler des fonds, expliqua-t-elle. C'est quasiment terminé, à présent... Enfin, pour l'extérieur du bâtiment principal. Mais l'intérieur exigera encore plusieurs jours de travail. J'espère que nous aurons bientôt l'occasion de revenir nous promener dans le coin. Vous verrez... les jardins sont magnifiques en cette saison.

— Lequel a précédé l'autre, l'œuf ou la poule ? »

Laurant saisit la métaphore à demi-mot : « L'abbaye a été créée au siècle dernier par une congrégation de prêtres belges, bien avant la fondation de notre ville. Notre population est très composite. Un grand nombre d'immigrants sont arrivés après la Seconde Guerre mondiale.

— Qu'est-ce qu'ils pouvaient bien venir faire ici, au fin fond de l'Iowa ?

— Tommy ne vous a pas raconté l'histoire de notre ville ?

— Non, je ne crois pas.

— Les immigrants venaient rejoindre le père Henri VanKirk, qui est mort l'an dernier, juste avant mon arrivée. Je regrette beaucoup de ne l'avoir pas connu. C'était un homme exceptionnel. Il a aidé d'innombrables familles à échapper à la Gestapo, pendant la guerre. Il a fini par être lui-même arrêté et torturé.

» À la Libération, il a émigré en Amérique. Ses supérieurs l'ont envoyé ici en convalescence. Bon nombre de ceux qu'il

181

avait sauvés sur le Vieux Continent avaient tout perdu pendant la guerre. Ils l'ont suivi ici et sont repartis de zéro. Holy Oaks est devenue leur seconde patrie.

» À la mort du père VanKirk, le père prieur a retrouvé son journal. Un texte admirable, qui pourrait devenir une source d'inspiration pour une foule de gens. Il a décidé de le traduire. Dernièrement, nous étions tous tellement occupés par le centenaire que personne n'a eu le temps de s'y atteler. Mais je compte bien m'y mettre après les festivités, dès que j'aurai une minute.

— Le père VanKirk est enterré ici, je suppose ?

— Bien sûr. Derrière l'abbaye, dans le cimetière. Il y pousse des chênes magnifiques, encore plus imposants que ceux de l'église.

— Auxquels la ville doit son nom...

— Oui, fit-elle avec un sourire. Holy Oaks – nos *Chênes sacrés*, qui veillent sur le sommeil des anges... »

Nick eut un hochement de tête pénétré. « Le sommeil des anges, comme vous dites, fit-il.

— Alors... comment trouvez-vous notre ville ? Jolie, non ? »

Les maisons blanches de style colonial s'alignaient le long des rues pavées de briques. Les lampadaires ressemblaient à s'y méprendre à des réverbères anciens ; ils avaient été électrifiés, bien sûr, mais leur présence ajoutait au pittoresque des rues.

« On se croirait en Nouvelle-Angleterre, dit-il. Votre cour doit être entourée d'une clôture de piquets blancs... ?

— La mienne, non... mais celle de mes voisines, évidemment ! »

Ils s'arrêtèrent au stop d'Oak Street, où ils tournèrent à droite. Au-dessus de la rue, les frondaisons formaient un dais de verdure. « J'ai l'impression d'être tombé dans une faille spatio-temporelle. D'une seconde à l'autre, je vais croiser James Dean dans une Chevy décapotable !

— Il habite à deux rues d'ici », plaisanta-t-elle.

Aux abords du lac, les maisons se firent à la fois plus modestes et plus modernes. Elles dataient pour la plupart des années 60 ou 70 mais, tout comme celles des quartiers plus cossus, elles étaient entretenues avec amour. On sentait que leurs habitants aimaient leur ville et en étaient fiers.

Ils longèrent un terrain de base-ball désert et continuèrent plein ouest, après la station-service, jusqu'au parc dont l'entrée était marquée par une paire de gros madriers de chêne sommairement taillés et plantés en terre.

« Au printemps et à l'automne, les lieux sont pris d'assaut par les étudiants, expliqua-t-elle. Mais pendant toutes les vacances d'été, c'est le royaume des collégiens... »

Nick abaissa sa vitre. La brise du soir leur apportait des parfums d'humus et d'aiguilles de pin. Ils arrivèrent à un embranchement. Au-delà s'étendait un lac limpide à la surface duquel le reflet des arbres de la berge frissonnait au moindre souffle. Le bungalow était niché dans la verdure. Nick s'arrêta dans l'allée de gravier et coupa le moteur.

« Il n'y a pas grand monde, on dirait... »

Elle n'avait pas refermé la bouche que la porte d'entrée s'ouvrit. Derrière la contre-porte grillagée, elle aperçut un homme qui les observait à travers de grosses lunettes cerclées de noir.

Nick lui demanda de ne pas bouger tandis qu'il contournait la voiture et venait lui ouvrir la portière, sans cesser de fouiller les environs du regard. Ses yeux glissèrent sur elle tandis qu'il l'aidait à descendre.

« C'est Wesson ? demanda-t-elle.

— Non. Celui-là, c'est Matt, Matt Feinberg, notre petit Mozart de l'électronique. Un type adorable, vous verrez. »

L'intéressé attendit patiemment qu'ils aient rejoint la véranda pour ouvrir la contre-porte. Il recula et s'effaça sur leur passage. Ç'aurait été le parfait monsieur Tout-Le-Monde – brun aux yeux noirs, taille et corpulence moyenne – sans cet encombrant appareil dentaire qui lui déformait légèrement la bouche, et sans ce sourire communicatif, d'une engageante sincérité. Il était chargé d'une brassée de fils électriques qu'il déposa sur une table dans l'entrée avant de leur serrer la main.

Après les présentations, Matt demanda à Laurant si Nick

l'avait mise au courant de l'existence de la caméra qu'ils avaient trouvée chez elle, lui et son collègue Farley.

« Oui, répondit-elle. C'est donc à vous que nous devons cette découverte ?

— Oui. Lorsque nous sommes entrés chez vous, votre voisine a alerté le shérif, qui est arrivé presque sur-le-champ. Un sacré numéro, ce MacGovern… » Et de lui raconter l'histoire qu'ils avaient servie au shérif pour expliquer leur présence chez elle. Puis il se tourna vers Nick : « Dès que Seaton aura installé une nouvelle ligne pour le téléphone, nous pourrons y aller. Il devrait avoir bientôt fini.

— Combien d'agents ont-ils mis sur l'opération ?

— Wesson n'en laisse rien filtrer, dit Feinberg, après avoir lancé un rapide coup d'œil à la fenêtre du balcon. Je n'ai aucune idée des effectifs sur ce coup. Je ne pourrais même pas te dire si nous attendons encore des renforts.

— Où est Wesson ?

— Dans le bureau. Il s'occupe des papiers. Génial, ce coin ! En d'autres circonstances, je serais ravi de venir planter ma tente dans les parages. Ce lac me rappelle celui de Walden Pound. »

Nick approuva d'un hochement de tête. « À votre place, Laurant, c'est ce bungalow-ci que je viserais », fit-il en l'entraînant à l'intérieur.

Et effectivement, la lumière du soir était magnifique. Les reflets du lac pénétraient dans la maison par les grandes baies vitrées. Le living et le coin-repas avaient été réunis en une seule pièce, décorée dans un style à la fois rustique et aéré. En temps ordinaire, car ce jour-là elle était plutôt encombrée : le sol disparaissait sous des cartons de matériel électronique ou informatique. Deux gros ordinateurs trônaient sur la table de la salle à manger, poussée contre le mur du fond. Il ne restait apparemment plus qu'à les brancher.

Elle entendit une porte qui s'ouvrait et jeta un œil vers la mezzanine. Wesson apparut là-haut, une pile de papiers sous le bras et le portable à l'oreille.

C'était un grand type, sec et nerveux, aux tempes déjà bien

dégarnies. Comme il descendait l'escalier, il les dévisagea, elle et Nick, d'un coup d'œil distrait et se replongea aussitôt dans sa conversation téléphonique. Elle le suivit du regard jusqu'à la table où il déposa son tas de paperasses, puis son attention revint à Feinberg. Il lui tendait une montre en or ressemblant à s'y méprendre à une de ces anciennes Timex avec un bracelet métallique.

« Nous aimerions que vous portiez ceci... Ne l'enlevez jamais, même sous la douche. Elle résiste à l'eau, bien sûr. Vous pouvez nager et plonger avec. Le système émetteur qu'elle contient nous permettra de vous suivre à la trace – vous voyez... sur cet écran, là-bas. Nous tenons à être au courant de toutes vos allées et venues. »

Elle ôta sa montre et la remplaça par la nouvelle. Ayant laissé son sac dans la voiture, elle remit sa propre montre à Nick qui la glissa dans sa poche de chemise.

Wesson avait enfin raccroché. Il salua Laurant d'un signe de tête tandis que Nick se chargeait des présentations, mais ne fit aucun effort supplémentaire.

« Je me tiens prêt à le recevoir, déclara-t-il d'un ton sec. Mais je me méfie des surprises. Ne quittez la ville sous aucun prétexte sans avoir reçu mon feu vert. Vu ?

— Oui », fit-elle.

Puis Wesson consentit à adresser la parole à Nick. C'était une sorte de rituel visant à manifester sa préséance hiérarchique. Une façon d'afficher sa supériorité aux yeux de tous. Même dans l'urgence, même face au danger, Wesson mettait un point d'honneur à appliquer ce genre d'étiquette. Quel cinéma, se dit Nick. Wesson l'avait toujours considéré comme un rival dangereux. Rien n'aurait pu le convaincre que l'objectif de Nick n'était nullement de jouer des coudes pour s'élever le plus vite et le plus haut possible vers les sommets.

Sur le plan personnel, Nick n'avait pas le moindre atome crochu avec le commandant, mais il n'avait pas le choix. Ils étaient dans la même équipe et il fallait donc faire avec, en tirant le meilleur parti de la situation. Ce Wesson était affligé d'un ego de la taille de l'Iowa, mais, tant qu'il s'acquittait convenablement de son boulot, il tâcherait de s'en accommoder...

« Morganstern vous demande de le rappeler, dit Wesson.

— Ont-ils du nouveau, pour le coup de fil au presbytère ?

— Oui, répondit Feinberg. Ils sont remontés à la source de l'appel. Il a été passé depuis un portable appartenant à une certaine Tiffany Tyler, dans la région de Saint Louis. »

Feinberg s'approcha. « Les flics de l'autoroute ont repéré la voiture de la fille, garée sur une aire de repos de la I-70, avec le pneu arrière gauche à plat. Il n'y avait pas de roue de secours. À première vue, elle serait montée de son plein gré dans le véhicule du suspect – mais ça n'est qu'une hypothèse. Il n'a probablement pas touché à la voiture. Les gars du labo ont tout de même entrepris de la passer au peigne fin, extérieur comme intérieur. C'est une vieille Chevy Caprice couverte d'empreintes, évidemment. On a lancé les recherches habituelles...

— Les chances sont infimes pour que certaines de ces empreintes puissent nous mener au suspect. L'homme est excessivement méticuleux », fit remarquer Wesson à Laurant.

Feinberg approuva d'un signe de tête. « Et méthodique, avec ça... » Ôtant ses grosses lunettes, il entreprit d'en nettoyer les verres avec son mouchoir. « On n'a retrouvé aucune empreinte ni sur la bande, ni sur l'enveloppe qu'il a livrées à la police. Pas l'ombre d'une !

— Vous allez pouvoir commencer à le provoquer, fit Wesson. Il finira bien par perdre les pédales ou par se couper, et nous nous tiendrons prêts.

— Cette Mlle Tyler est donc bien la femme dont j'ai entendu les hurlements au téléphone, n'est-ce pas ?

— Positif, fit Wesson. Il s'est servi de son portable pour vous appeler.

— L'avez-vous retrouvée ?

— Non, fit-il d'un ton pincé, comme s'il avait interprété sa question comme un reproche.

— C'est peut-être qu'elle est encore en vie. Ne croyez-vous pas... ?

— Absolument pas, l'interrompit Wesson d'un ton tranchant. Elle est morte, ça ne fait pas le moindre doute. »

La conduite glaciale du commandant la perturbait un peu. « Mais pourquoi aurait-il soudain jeté son dévolu sur elle, avant de passer à l'acte ? Pourquoi se mettre tout à coup à improviser, comme ça, puisqu'il se présente comme un génie du détail et qu'il prétend étudier à fond ses victimes ?

— Tout nous porte à croire qu'il l'a tuée pour attirer notre attention, répondit Feinberg. Et pour nous prouver qu'il tiendra parole. »

Nick prit la main de Laurant. « Il a dû voir en Tiffany Tyler une occasion, comment dire... commode. Elle était seule, sans défense... à sa portée. »

Feinberg remit ses lunettes. « J'ai oublié de vous signaler que nous avions parcouru votre courrier, Farley et moi. Nous avons laissé toute la pile dans votre entrée, sur la console. »

Laurant accepta avec philosophie cette intrusion dans sa vie privée. Jusque-là, elle n'avait jamais envisagé que le FBI puisse se permettre d'ouvrir son courrier ou ses tiroirs. Mais cela ne la tracassait pas. Au contraire : elle leur savait gré de ne rien laisser au hasard.

Wesson s'avança vers Nick : « Histoire de dissiper tout malentendu, Buchanan, fit-il d'un ton péremptoire, je vous rappelle que vous avez exclusivement pour mission d'assurer la sécurité de Mlle Madden. À chaque instant, et vingt-quatre heures sur vingt-quatre... »

En regard du ton de Wesson, celui de Nick lui parut presque courtois : « Je connais mon boulot ! cracha-t-il.

— Et comme nous voulons pousser le suspect dans ses retranchements, poursuivit Wesson, je veux vous voir vous afficher dans toute la ville, tous les deux, et de façon plus que convaincante... ! » Nick hocha la tête ; Wesson tint à enfoncer le clou : « ... Pendant ce temps, nous nous chargerons du vrai boulot, moi et mon équipe, et nous ferons en sorte de coffrer ce taré.

— Le vrai boulot ? ricana Nick. Il me semblait que nous étions censés travailler sur la même affaire, vous et moi !

187

— Sans l'intervention personnelle de Morganstern, vous ne seriez sûrement pas ici ! riposta Wesson.

— Peut-être, mais il se trouve que j'y suis, et vous allez devoir compter avec moi ! »

Le ton devenait franchement hostile. Les deux hommes se toisèrent comme deux taureaux prêts à attaquer, cornes en avant. La main de Laurant se posa sur celle de Nick.

« Venez. Nous avons encore beaucoup à faire... »

Nick ne desserra plus les dents. Le téléphone sonna à la seconde où il s'effaçait sur le seuil pour laisser passer Laurant. L'exclamation que poussa Wesson le fit se retourner. « Bon Dieu de bon Dieu ! »

Nick attendit la fin de la conversation pour demander : « Qu'est-ce qui se passe, nom d'un chien ? »

Wesson afficha un petit sourire suffisant : « C'est fait, nous tenons notre cadavre ! »

17

Wesson était un sombre con, doublé d'un insupportable arriviste. C'était un butor hypocrite, arrogant, totalement dénué de compassion, comme ne le démontrait que trop clairement sa réaction en apprenant la découverte du corps mutilé de la malheureuse petite Tyler. Wesson avait poussé une exclamation tout à fait déplacée – tout juste s'il n'avait pas sifflé un hymne à la victoire. Le tout sous le regard effaré d'un « civil » (Laurant, en l'occurrence), ce qui rendait sa joie d'autant plus choquante.

Résolu à revenir plus tard river son clou à Wesson, Nick s'efforça d'entraîner la jeune femme vers la porte avant qu'elle n'en entende davantage. Mais, quand il lui prit le bras pour l'engager à le suivre, elle se dégagea et, lorsqu'il fut revenu de sa surprise, la suite des événements augmenta d'encore un degré l'admiration qu'il lui portait.

Laurant fit volte-face et vint se planter sous le nez de Wesson – sous son nez, carrément, pour le forcer à l'écouter. Puis elle le foudroya du regard, lui rappelant qu'une toute jeune fille venait d'être tuée et que, s'il était incapable d'éprouver le moindre regret pour la victime d'un crime aussi odieux, il devait peut-être songer à changer de branche de toute urgence...

À quoi Wesson répliqua avec son arrogance coutumière, et ce fut Nick qui prit le relais – en des termes nettement plus crus.

« Tout cela sera consigné mot pour mot dans mon rapport ! menaça Wesson.

— Pour ça, je vous fais confiance ! » rétorqua Nick.

Wesson préféra alors mettre fin à leur joute verbale. Il encaissait mal qu'une personne extérieure se permette d'émettre une opinion sur sa conduite, mais il n'allait tout de même pas gaspiller ses précieuses minutes à tenter d'apaiser cette furie – ça, c'était du ressort de Nick !

« Vous, fit-il, contentez-vous de faire ce que je vous dis et de... ! »

Mais Laurant ne désarmait pas. « ... De garder mes opinions pour moi, vouliez-vous dire ? »

À court d'arguments, Wesson tourna les talons et mit le cap sur son siège, face à l'ordinateur. Laurant fit demi-tour. « Nick, puis-je utiliser votre téléphone ? » Il le lui tendit. « Voulez-vous m'indiquer le numéro du Dr Morganstern, je vous prie ? »

Wesson fit pivoter son siège et bondit sur ses pieds. « Si vous avez un problème, le plus simple est d'en discuter avec moi !

— Ça, permettez-moi d'en douter !

— Pardon ?

— Permettez-moi d'en douter, Wesson ! »

Le commandant jeta vers Nick un coup d'œil désemparé, comme pour implorer son aide face à une telle harpie, mais Nick soutint son regard. « Faites le 32, répondit-il à Laurant. Le numéro se compose automatiquement.

— Bon... écoutez, chère petite madame... j'ai dû vous sembler un peu... »

L'index de Laurant resta suspendu, prêt à composer le numéro. « Un peu grossier, Wesson, oui. Mais surtout cynique, inutilement brutal, et totalement dépourvu d'humanité ! »

Wesson serra les dents. Ses yeux s'étaient réduits à deux fentes. « Je ne vois pas à quoi cela m'avancerait de m'apitoyer ! Notre objectif est de mettre le suspect hors d'état de nuire, si nous voulons que ce cadavre soit le dernier.

— Ce "cadavre" avait un nom, lui rappela Nick.

— Tiffany, fit Laurant. J'aimerais vous l'entendre prononcer, Wesson. »

Il secoua la tête avec lassitude et, comme pour se débarrasser d'elle au plus vite, laissa tomber : « Tiffany, soit. Tiffany Tara Tyler. »

Elle rendit son téléphone à Nick, sortit en trombe du pavillon, et sauta sur le siège passager de l'Explorer avant même que Nick ait eu le temps de lui ouvrir la porte.

« Quel type odieux ! s'écria-t-elle.

— Une vraie plaie. Mais je crois que vous lui avez fait passer un sale quart d'heure. Chapeau ! Jusque-là, je n'aurais pas cru que c'était du domaine du possible !

— Je ne comprends pas pourquoi Morganstern lui a confié la direction de l'opération.

— Pete n'intervient qu'en tant que consultant sur cette affaire. C'est Frank O'Leary qui est responsable du dossier, et Wesson se trouve être son bras droit. »

Nick fit demi-tour pour reprendre la direction du centre-ville. Le soleil avait décliné sur l'horizon et disparaissait déjà derrière les arbres, jetant sur l'eau des reflets ambrés. Mais les pensées de Laurant demeuraient du côté de la victime. « Cet abominable crétin... ! À croire qu'il se retenait de sauter de joie, en apprenant la mort de cette pauvre fille !

— Pas tout à fait, lui fit remarquer Nick. Sa satisfaction était toute professionnelle : nous allons désormais pouvoir enquêter sur les lieux du crime et ça peut, effectivement, faire avancer les choses. Cela dit, je n'excuse pas sa conduite, j'essaie de vous l'expliquer... Wesson passe pour brillant. Ce n'est que la deuxième fois que nous travaillons ensemble, et sur notre première affaire nous étions aussi débutants l'un que l'autre. Selon Pete, c'est un bon élément ; moi je demande à voir.

— Vous disiez que l'enquête sur les lieux du crime pouvait faire avancer les choses ?

— Chaque psychopathe laisse dans son sillage ce qu'on appelle une "signature", dans le jargon de la profession :

191

l'expression de ses fantasmes les plus profonds et les plus pervers. Nous y relevons de précieuses informations.

— Mais vous disiez aussi qu'il était très minutieux. Êtes-vous sûr qu'il va laisser des traces sur les lieux de son crime ?

— C'est pratiquement certain. Il suffit qu'une personne entre en contact avec une autre pour laisser des traces, malgré toutes les précautions qu'elle a pu prendre. Un cheveu, une pellicule, une écaille de peau morte, une rognure d'ongle, l'empreinte de ses semelles, une fibre du tissu d'un vêtement. On laisse toujours quelque chose derrière soi. Le problème n'est pas de retrouver les indices, mais de les interpréter. Ça peut se révéler nettement plus long et plus délicat. Pendant que les criminologistes feront leur travail, nous enverrons les photos des lieux aux profileurs, qui nous expliqueront le genre de fantasme qui est à l'origine du comportement pathologique de notre suspect. »

Il marqua une pause et lui jeta un coup d'œil avant de poursuivre : « La signature d'un tueur est une sorte de carte de visite. Une empreinte psychologique. Il peut varier ses méthodes, ou ses habitudes relatives à l'heure et au lieu. Mais sa signature, jamais.

— Vous voulez dire qu'il y a toujours un schéma d'ensemble ?

— Oui. Les traces sur la victime. La position du corps. Cela nous permet de mieux cerner les motivations inconscientes du tueur. Et je peux d'emblée avancer qu'avec le nôtre, tout tourne autour du contrôle. »

Nick s'arrêta au coin d'Oak Street et de Main Street. Une jeune femme qui traversait devant eux avec une poussette s'arrêta une seconde pour lancer un regard appuyé en direction de Nick, puis elle adressa un signe amical à Laurant avant de poursuivre son chemin.

« Ma maison est à une rue d'ici. C'est la deuxième après le coin... Mais je n'ai plus très envie d'y aller. Si nous descendions plutôt dans un motel ?

— Notre plan est de nous installer tranquillement chez vous comme si de rien n'était, vous vous souvenez ?

— Je sais. Mais je n'ai plus la moindre envie de remettre les pieds dans cette maison.

— Je comprends. »

Ils descendirent la rue, le long de laquelle s'alignaient des arbres d'âge plus que vénérable. La lumière du crépuscule filtrait à travers les branches, nappant les jardins de nuances dorées, tandis qu'à l'horizon s'amoncelaient de gros nuages sombres. La maison de Laurant était un pavillon minuscule et plutôt délabré, mais elle l'adorait. Au premier coup d'œil, elle en était tombée amoureuse. Lorsqu'elle avait emménagé, elle s'était acheté une balancelle qu'elle avait installée sous la véranda. Elle y venait chaque matin pour lire son journal devant une tasse de thé. Le soir, elle sortait bavarder avec ses voisins qui prenaient le frais en tondant leur pelouse.

Mais cette douceur de vivre et ce train-train douillet avaient soudain fait place à un monde d'étrangeté absolue, et rien n'indiquait qu'elle retrouverait un jour la paix.

« La caméra est-elle restée en place ? s'enquit-elle.

— Bien sûr.

— Et elle tourne toujours ?

— Oui. Pas question d'indiquer au suspect que nous l'avons repérée.

— Et s'il a vu vos collègues pendant qu'ils fouillaient ma chambre ?

— Non. Ils l'ont trouvée dans votre placard et ont bien veillé à rester hors champ. »

Il engagea l'Explorer dans l'allée et coupa le moteur. Les yeux fixés sur la maison, elle lui demanda encore : « Où diable a-t-il pu se procurer ce genre de matériel ? Ils vendent des systèmes émetteurs, dans les supermarchés ? » Sans lui laisser le temps de répondre, elle s'exclama : « Dire qu'il peut me voir chaque fois que j'entre dans ma chambre !

— Justement. C'est l'occasion rêvée de le pousser à bout – et s'il regarde, tant mieux ! Nous allons lui faire un numéro de charme torride devant l'objectif !

— Je sais, oui... Le plan. »

Elle ne regrettait nullement de s'être lancée dans cette aventure, mais elle sentait sa détermination s'émousser d'heure en heure. Sa vie s'était transformée en un de ces films surréalistes où plus rien n'est ce qu'il a l'air d'être, où tout ce qui semblait jusque-là aimable et innocent se révèle dissimuler de sinistres réalités. Sa jolie petite maison, si accueillante... Dire qu'il s'y était introduit à son insu ! Qu'il y avait installé une caméra, braquée sur son lit...

« C'est quand vous voulez... », fit Nick.

Elle répondit d'un bref signe de tête, et Nick perçut le brusque changement de son humeur.

« Charmant, ce bled ! lança-t-il en sautant à terre. Mais je deviendrais cinglé si je devais y passer le restant de mes jours ! Où sont les embouteillages, la pollution et les décibels d'une ville digne de ce nom ? »

Elle comprit aussitôt son intention : il essayait de l'aider. Il avait senti son accablement devant l'ampleur de la tâche et tentait de détendre l'atmosphère...

« Vraiment ? Vous seriez en manque de concerts de klaxons et d'oxyde de carbone ?

— Bah ! Ça fait partie de mon environnement normal », répliqua-t-il. Ils se faisaient face au-dessus du capot de la voiture. « D'ailleurs, à quoi pourrais-je me rendre utile, dans cette charmante localité ? Il ne doit pas y avoir grand-chose qui puisse troubler l'ordre public !

— Détrompez-vous. Quand le fils du shérif, Lonnie de son prénom, part faire la bringue avec ses camarades, un certain nombre de mes concitoyens aimeraient voir sa voiture finir dans un fossé. Ce type est un vrai danger public, et il est évidemment impossible de compter sur son incapable de père pour y mettre bon ordre !

— Le petit hooligan local, si je comprends bien...

— Mmh-mmh. »

Elle plongea le buste dans la voiture pour récupérer son sac, tandis que Nick explorait les alentours du regard. Un gros chêne poussait dans sa cour, à peu près aussi gros que celui de la maison voisine qui faisait le coin. De l'autre côté de la maison de Laurant, une bâtisse blanche à un étage, s'étendait un terrain non bâti et, au bout d'une longue allée, Nick aperçut le garage. Quand Laurant allait y garer sa voiture, elle devait donc rejoindre la maison à pied et rentrer par la porte de derrière. Les deux bâtiments n'étaient séparés que d'une dizaine de mètres, mais ils étaient entourés d'arbres et d'un fouillis de buissons offrant d'innombrables cachettes. Il remarqua aussi que l'éclairage extérieur brillait par son absence, tant du côté de la maison que de celui du garage.

« C'est le paradis des monte-en-l'air ! fit-il. Ils n'ont que l'embarras du choix pour se planquer !

— J'ai une lanterne, sous la véranda.

— C'est très insuffisant.

— Vous savez, la plupart de mes concitoyens ne ferment jamais leur porte à clé, même pas pour la nuit, quand ils vont se coucher. Dans une petite ville comme la nôtre, tout le monde se sent en sécurité.

— La preuve... J'espère que vous, au moins, vous verrouillez votre porte. »

« You-ouh, Laurant... vous voilà de retour ? »

Se retournant, Nick aperçut la voisine, une vieille dame vêtue d'une robe mauve à col blanc. Elle avait ouvert sa contre-porte et s'avançait sous sa véranda, droite comme un I, un mouchoir de dentelle à la main. Elle pouvait avoir dans les quatre-vingts ans.

« Il s'est passé des événements inouïs en votre absence, très chère !

— Vraiment ? fit Laurant, en s'approchant de la barrière.

— Chht ! Ne m'obligez pas à hurler..., la gronda Bessie Jean. Rejoignez-moi de ce côté – et, surtout... amenez ce jeune homme !

— Bien, madame ! »

« Elle brûle de savoir à qui elle a l'honneur ! » glissa-t-elle à l'oreille de Nick, qui lui prit la main et déclara sur le même ton : « Tous en scène ! »

— Notre duo de tourtereaux...

— Tout juste, ma chérie ! » répliqua-t-il en lui posant un baiser sur la joue.

Bessie Jean Vanderman, qui les observait depuis sa véranda, n'en perdait pas une miette. Ses yeux s'étaient progressivement écarquillés.

La maison des sœurs Vanderman était ceinte d'une jolie clôture de bois peinte en blanc que fermait une barrière. Nick lâcha la main de Laurant pour l'ouvrir. Comme il lui emboîtait le pas dans l'allée de ciment, il aperçut une seconde vieille dame qui les observait à travers le grillage de la contre-porte et dont les traits demeuraient plongés dans l'ombre.

« Alors... ces événements ? demanda Laurant.

— Nous avons vu un voyou s'introduire chez vous. » Bessie Jean avait pris un ton de conspiratrice. Elle se pencha vers elle : « J'ai appelé le shérif, en exigeant qu'il vienne immédiatement et qu'il fasse une enquête, mais je doute qu'il ait réussi à l'arrêter. Il s'est apparemment contenté de le laisser chez vous avant de décamper ventre à terre – et ça, ma chère petite, je vous assure que ça valait le coup d'œil ! Vous pensez bien qu'il n'a même pas eu la politesse de venir m'expliquer ce qui s'était passé. À votre place, je vérifierais qu'il ne me manque rien. » Se redressant, elle fit un pas en arrière pour mieux détailler Nick. « Mais dites-moi... qui est donc ce charmant jeune homme qui semble bien décidé à ne pas vous lâcher d'une semelle ? Je ne crois pas l'avoir déjà vu dans le pays... »

Laurant fit rapidement les présentations, mais Bessie Jean prit tout son temps pour observer Nick. Elle n'a pas les yeux dans sa poche, se dit-il, en apercevant l'étincelle de curiosité qui scintillait dans le regard rusé de la vieille dame.

« Et on peut vous demander ce que vous faites dans la vie, monsieur Buchanan ?

— Je suis du FBI, m'dame. »

Bessie Jean sursauta et porta sa main à sa gorge. L'espace d'une seconde, elle parut quelque peu désemparée, mais elle retrouva très vite son calme : « Mais... pourquoi ne le disiez-vous pas ? Puis-je voir votre insigne, jeune homme ? »

Nick lui tendit son badge, auquel elle ne jeta qu'un rapide coup d'œil avant de le lui rendre.

« Vous y avez mis le temps, dites-moi !

— Pardon ?

— Notre patience a des limites », fit-elle sèchement.

Nick n'avait aucune idée de ce dont il s'agissait et, à voir la mine perplexe qu'affichait Laurant, il déduisit qu'elle aussi naviguait en plein brouillard.

Mais Bessie Jean avait ouvert la contre-porte. D'un geste, elle les invita à entrer. « Eh bien, puisque vous voilà enfin à pied d'œuvre, allons-y ! L'enquête peut commencer !

— Quel genre d'enquête, si je peux me permettre ? » demanda-t-il en franchissant le seuil dans le sillage de Laurant.

Viola les attendait au salon. C'était la réplique de sa sœur, en plus petite, plus grassouillette et un peu moins exubérante.

« Enfin ! gazouilla-t-elle. Nous vous avons tant attendu ! » Elle prit la main de Nick et la tapota affectueusement. « J'avais pratiquement perdu tout espoir, mais Bessie Jean, elle, n'a jamais baissé les bras. Elle était persuadée que sa lettre s'était égarée... ce qui explique qu'elle vous en ait envoyé une seconde.

— Ce n'est pas dans les habitudes du FBI de traîner les pieds ! fit Bessie Jean. Voilà ce qui m'a portée à croire que ma lettre s'était égarée.

— Elle en a donc envoyé une seconde et, cette fois, personnellement adressée à votre directeur », précisa Viola.

La maison était plongée dans une agréable pénombre, où flottaient des parfums de vanille et de cannelle. Les deux sœurs avaient dû passer une bonne partie de l'après-midi à leurs fourneaux. L'estomac de Nick se rappela à son bon souvenir. Il était affamé. Il allait pourtant devoir prendre son mal en patience...

Viola les fit entrer dans le salon et alluma les lampes. La pièce était un vrai bric-à-brac. Elle contenait une foule de meubles surchargés de bibelots anciens. Sur la cheminée s'alignaient plusieurs candélabres, et au-dessus trônait une toile monumentale représentant une espèce de grand schnauzer gris, bizarrement bigleux, assis sur un coussin de velours cramoisi.

Bessie Jean les fit asseoir sur le sofa victorien avant de venir elle-même s'installer dans le rocking-chair, dont elle ôta préalablement le coussin brodé, en croisant les chevilles comme le lui avait enseigné sa propre mère. Elle se tenait bien raide sur le siège à bascule.

« Sortez votre calepin, mon cher », fit-elle à Nick – lequel ne l'écoutait que d'une oreille, absorbé qu'il était dans la contemplation des multiples photos qui encombraient meubles et murs et dont le sujet était invariablement le grand chien gris.

Laurant, elle, avait enfin compris. Elle lui posa la main sur le bras pour attirer son attention. « Bessie Jean et Viola ont écrit au FBI pour leur demander de résoudre une énigme.

— Ça n'a rien d'une énigme, ma chère petite, persista Viola. Nous savons parfaitement ce qui s'est passé. » Elle s'était assise dans un grand fauteuil recouvert d'un tissu fleuri.

« C'est exact, confirma sa sœur avec un vigoureux hochement de tête. Nous le savons tous.

— Si tu commençais par le commencement…, lui suggéra Viola.

— Mais ce jeune homme n'a même pas de quoi prendre des notes ! »

Viola se leva et quitta la pièce tandis que Nick sondait ses poches, en quête de son calepin qu'il avait laissé dans la voiture avec ses dossiers. Mais Viola revint presque aussitôt, munie d'un petit carnet rose de la taille d'une calculatrice de poche et d'un stylo assorti, orné d'une plume mauve qui faisait panache à l'extrémité.

« Tenez. Voici de quoi écrire.

— Merci. Bien… je vous écoute.

— Votre directeur aurait tout de même pu vous indiquer l'objet de votre mission, il me semble ! râla Bessie Jean. Il vous a envoyé enquêter sur un meurtre.

— Je vous demande pardon ? »

Bessie Jean s'arma de patience et répéta son préambule.

Viola confirma d'un signe de tête. « Oui. Quelqu'un a tué ce pauvre Papounet !

— Papounet était le chien de la maison, expliqua Laurant, avec un signe en direction du portrait au-dessus de la cheminée.

— Nous lui avons donné ce nom en souvenir de notre propre père, qui était colonel », ajouta Viola.

Nick n'eut pas l'ombre d'un sourire. « Je vois, je vois…

— Inutile de préciser que nous demandons instamment que justice soit faite », fit Viola.

Bessie Jean, elle, considérait Nick, sourcils froncés. « N'allez surtout pas le prendre mal, jeune homme…

— Oui, m'dame ?

— Mais vous me voyez surprise de constater qu'un officier de police puisse se rendre sur les lieux d'un crime sans même se munir d'un calepin ! Et ce pistolet, que vous portez à la ceinture… il est tout de même chargé, j'ose espérer ?

— Oui, il l'est. »

Bessie Jean parut soulagée de l'apprendre. La présence de cette arme prête à l'usage, entre les mains d'un représentant compétent des forces de l'ordre, semblait être à ses yeux un surcroît de garantie.

« Avez-vous informé les autorités locales du problème ? s'enquit Nick.

— Un problème, dites-vous ? Mais il s'agit d'un meurtre ! rectifia Viola. D'un meurtre avéré !

— Bien sûr, nous avons aussitôt alerté le shérif, Lloyd CDP MacGovern », expliqua Bessie Jean.

Tenant à se rendre utile, Viola précisa : « Notez bien cet acronyme, mon cher : CDP, pour "Cul de Plomb". Vous voulez que je vous l'épelle ? »

Plongeant le nez dans son calepin, il se mit à écrire avec une application redoublée. Il n'aurait su dire ce qui lui semblait le plus cocasse – le nom du chien ou le surnom du shérif, qui détonnait dans la bouche de cette charmante vieille demoiselle.

« Bien. Racontez-moi très précisément ce qui est arrivé. »

Bessie Jean jeta un coup d'œil soulagé vers sa sœur et

s'éclaircit la gorge : « Sans en avoir la preuve absolue, bien sûr, commença-t-elle, nous sommes néanmoins persuadées que notre pauvre Papounet a été empoisonné. Nous l'attachions dans la cour, devant la maison, dans la journée et parfois en soirée, lorsque nous devions nous rendre au bingo. Pour lui faire prendre l'air...

— Nous avons une clôture parfaitement entretenue, comme vous avez pu le constater, intervint Viola. Mais, évidemment, Papounet la sautait ! C'est pourquoi nous avions pris l'habitude de l'attacher à notre arbre, à l'aide d'une chaîne d'une longueur convenable – vous prenez bien note de tout ceci, jeune homme ?

— Oui, m'dame.

— Papounet était en pleine forme, poursuivit Bessie Jean.

— Il avait à peine dix ans.

— Nous avons retrouvé son écuelle retournée, fit Bessie Jean, en s'éventant avec un mouchoir.

— Or, vous connaissez comme moi la forme des écuelles pour chiens : elles sont spécialement conçues pour que l'animal ne puisse les retourner...

— Exact, inspecteur ! fit Bessie Jean. Notre Papounet était un chien d'une intelligence exceptionnelle, mais, vu la forme de son écuelle, il est exclu qu'il ait pu la retourner avec ses pattes ou son museau !

— C'est donc une main malveillante qui l'a fait, forcément ! dit Viola avec emphase.

— Tout semble indiquer que le poison a été versé dans l'écuelle et que, lorsque ce pauvre Papounet en a eu absorbé suffisamment, le meurtrier a fait disparaître les traces de son forfait.

— Et nous pouvons même vous dire comment il s'y est pris, renchérit Viola. Du jour au lendemain, mon massif d'impatiens, qui était magnifique, s'est fané et flétri, comme s'il avait gelé pendant la nuit.

— En plein mois de juin ! »

Une sonnerie retentit dans les profondeurs de la maison. Viola bondit de son fauteuil. « Si vous voulez bien m'excuser... je dois sortir mes biscuits du four. Puis-je vous offrir quelque chose, par la même occasion ?

— Non merci... », fit Laurant.

Nick leva les yeux de ses notes.

« Un grand verre d'eau fraîche, s'il vous plaît.

— Nous avons un faible pour le gin-tonic, déclara Viola. Par ce temps chaud et humide, c'est le meilleur des rafraîchissements, n'est-ce pas ? Je vous en sers un ?

— Un verre d'eau me suffira.

— Il est en service, Viola. Il n'a pas le droit de prendre de l'alcool ! »

Nick se garda bien de la contredire. Il acheva d'écrire sa phrase et demanda : « Arrivait-il à votre chien d'aboyer après des inconnus ?

— Doux Jésus ! Bien sûr... c'était un excellent chien de garde ! Il ne laissait personne approcher de la maison. Il aboyait à tue-tête, et ne faisait aucune exception ! »

Le souvenir de son chien était visiblement un sujet sensible pour la vieille dame, qui en parlait avec émotion. Elle s'enflammait peu à peu, se balançant de plus en plus vivement dans le rocking-chair dont Nick s'attendait à la voir décoller d'une seconde à l'autre.

« En ce moment, la ville grouille d'ouvriers de l'extérieur, qui travaillent sur le chantier de l'abbaye. D'ailleurs, trois d'entre eux ont emménagé dans la maison d'en face, chez les Morrison. Ils l'ont louée pendant la durée du chantier. Et il y en a deux autres chez les Nicholson, à l'autre bout de la rue.

— Papounet aboyait systématiquement à leur passage, sans distinction ! » lança Viola depuis la cuisine.

Elle en revint chargée d'un plateau avec un verre d'eau et des glaçons. Elle le déposa sur la table basse, en face de Nick.

Nick commençait à soupçonner que ce satané cabot avait effectivement dû être d'une grande impartialité. Il devait aboyer sur tout ce qui bougeait !

« Ces catholiques ! Ils font toujours tout dans une telle hâte ! fit remarquer Bessie Jean, oubliant apparemment de qui Laurant était la sœur. Si vous voulez mon avis, ils voudraient que leur chantier soit terminé avant même de l'avoir commencé ! Ils ont décidé que les travaux devaient être finis pour l'opération portes ouvertes, le 4 Juillet prochain.

— Évidemment... C'est parce qu'ils fêteront le centenaire de l'abbaye par la même occasion ! » fit Viola.

Mais Bessie Jean, sentant que la conversation s'égarait, s'empressa de recentrer le débat : « Nous avons demandé au vétérinaire de conserver le corps de notre Papounet à basse température, pour que vous puissiez superviser l'autopsie. J'espère que vous notez bien tout...

— Bien sûr, m'dame – bien sûr. Je vous écoute...

— Et voilà que pas plus tard qu'hier, je reçois la note du docteur pour l'incinération. Vous pensez bien que j'en suis restée clouée sur place ! Je l'ai immédiatement appelé, pensant qu'il s'agissait d'une erreur... »

Bessie Jean se tamponna le coin de l'œil de son mouchoir.

« Et votre chien a été incinéré ?

— Hélas ! oui. Le vétérinaire m'a dit que notre neveu avait appelé pour lui dire que nous avions changé d'avis et qu'il pouvait procéder à l'incinération de Papounet... »

Le rocking-chair tanguait furieusement, malgré les protestations du plancher.

« Et le vétérinaire a obéi, sans même vous consulter ?

— Tout juste, fit Viola. Il ne lui est pas venu à l'idée de vérifier directement auprès de nous !

— Et votre neveu ?

— Précisément ! s'exclama Bessie Jean. Nous n'avons jamais eu de neveu !

— Tout indique donc que le coupable a voulu, là encore, effacer toute trace de son méfait, fit Viola. Qu'en pensez-vous ?

— Ça m'en a tout l'air, approuva Nick. Pourrais-je jeter un coup d'œil à vos impatiens ?

— Malheureusement pas, jeune homme ! fit Viola. Justin m'a aidée à les arracher et à en replanter de nouvelles. Un soir, en revenant de son travail – il est charpentier à l'abbaye –, il m'a vue m'escrimer à genoux et a eu la courtoisie de venir m'aider. Vous savez, à mon âge, le jardinage...

— Qui est ce Justin ?

— Justin Brady, reprit Bessie Jean. Je croyais vous en avoir déjà parlé ?

— Mais non, fit Viola. Tu as simplement dit à ce jeune homme que trois ouvriers avaient emménagé dans la maison d'en face, et deux autres dans celle du bout de la rue, mais tu ne lui as donné aucun nom. Je t'entends encore.

— Eh bien, telle était pourtant mon intention, fit Bessie Jean. Nous ne connaissons que les trois occupants de la maison d'en face. Et Justin Brady est de loin notre préféré.

— Justement parce qu'il nous aide pour le jardin, fit Viola. Mais il y a aussi Mark Hanover et Willie Lakeman... ces deux-là, ils sont restés bien tranquillement sous leur véranda à siroter leurs bières. Justin est le seul qui se soit donné la peine de venir m'aider. Les deux autres n'ont pas levé le petit doigt !

— Eh bien, jeune homme, qu'en pensez-vous ? Papounet a-t-il été assassiné, ou ne sommes-nous qu'une paire de vieilles cinglées qui se font des frayeurs ?

— Si ce que vous m'avez dit est exact, je serais moi aussi porté à croire qu'on a tué votre chien... », fit Nick.

Les yeux de Laurant s'étaient écarquillés. « Vraiment ?

— Oui. »

Bessie Jean était aux anges. « Je le savais ! s'exclama-t-elle, les mains sur le cœur. Je savais que nous pouvions compter sur la police de notre pays ! Alors, mon cher, dites voir... quelles mesures envisagez-vous de prendre ?

— Je vais m'en charger personnellement. J'aimerais prélever quelques échantillons de vos plates-bandes, et faire analyser l'écuelle... vous l'avez gardée, j'espère ?

— Bien sûr ! s'écria Viola. Elle est dans le garage avec les autres objets ayant appartenu à Papounet.

— J'espère que vous nous tiendrez au courant des suites de l'affaire..., fit Bessie Jean.

— Je n'y manquerai pas. Vous n'avez pas rincé l'écuelle ?

203

— Il ne me semble pas, dit Viola. Mais nous étions tellement bouleversées que nous nous sommes empressées de l'ôter de notre vue. Nous aurions eu le cœur brisé chaque fois que cette écuelle nous serait tombée sous les yeux...

— Viola voulait même cacher le portrait de Papounet et ranger ses photos dans un carton, mais j'y ai mis le holà. C'est tout de même un réconfort que de voir notre Papounet nous contempler, avec son bon sourire. »

Tout le monde observa un instant de silence, en considérant la toile d'un œil ému, Nick se demandant comment Bessie Jean pouvait qualifier de « bon » le sourire de son chien, tandis que Laurant s'émerveillait des débordements d'affection des deux sœurs pour cet animal qui passait le plus clair de son temps à montrer les dents. Il avait mordu tellement de visiteurs et de passants que, de guerre lasse, le vétérinaire avait fini par afficher son certificat de vaccinations dans sa salle d'attente.

« Nous espérons que le coupable n'est pas une personne originaire de notre chère petite ville. Nous refusons de croire que quelqu'un de par chez nous ait pu commettre un acte aussi cruel, dit Viola.

— À la possible exception du fils du shérif, qui a toujours eu un mauvais fond. Il doit tenir ça de son père...

— C'est un fieffé vaurien, ce Lonnie... Sa mère est morte voilà des années. Vous savez, je déteste dire du mal des défunts, mais ça n'a jamais été une femme de tête. Même jeune, elle n'avait pas la poigne qu'il aurait fallu pour en venir à bout, de ce galopin ! Aucune volonté... et pleurnicheuse, avec ça ! Pas vrai, Bessie Jean ?

— Doux Jésus ! Et comment !

— Vous disiez qu'il y avait de nombreux ouvriers étrangers à la ville..., fit Nick. En auriez-vous remarqué un rôdant près de chez Laurant ?

— Je passe pas mal de temps sous la véranda, et forcément... j'en profite pour jeter un œil aux maisons des alentours – pour m'assurer que tout va bien, j'entends. À l'exception des individus que j'ai vus entrer chez vous hier, je n'ai pas aperçu âme qui vive dans la cour ou dans les parages. Dans la journée, les ouvriers sont sur le chantier, et le soir, ils doivent être assez fatigués pour aller se coucher. Certains viennent de très loin, vous savez. Du Kansas et même du Nebraska ! »

Plantant fermement ses deux jambes sur le sol, elle mit fin aux oscillations de son fauteuil et se pencha vers ses deux jeunes visiteurs. « Vous resterez bien dîner avec nous ?

— Ce soir, c'est macaronis ! s'exclama Viola en s'extrayant de ses coussins pour prendre la direction de la cuisine. Macaronis, sauté de bœuf, salade, et, pour terminer, biscuits maison à la cannelle…

— Nous ne voudrions surtout pas vous déranger…, commença Laurant.

— … mais nous sommes ravis d'accepter votre invitation ! s'empressa d'achever Nick.

— Parfait. Si vous alliez aider Viola, ma chère petite ? suggéra Bessie Jean à Laurant. Je me chargerai de tenir compagnie à Nicholas…

— Oui, très chère… Venez donc m'aider à mettre la table. Nous dînerons dans la cuisine, mais je vais sortir notre plus joli service en votre honneur. »

Bessie Jean ne perdit pas une minute. Laurant n'avait pas plus tôt tourné les talons qu'elle se penchait vers Nick pour tâcher de savoir comment il avait fait la connaissance de sa jeune voisine, et pourquoi ils étaient déjà si bons amis.

Nick sauta sur l'occasion. Sans s'attarder sur les détails, il lui raconta l'origine de son amitié avec Tommy et lui expliqua qu'il était accouru à la rescousse après l'épisode du confessionnal.

« Ce type a menacé de s'en prendre à elle, conclut-il, et c'est ce fâcheux concours de circonstances qui nous a réunis. Les psychiatres de la police fédérale s'accordent sur ce point : c'est un déséquilibré en quête d'émotions fortes – vous voyez le genre… Il essaie par tous les moyens d'effrayer les gens, de faire des vagues et de semer la panique. Pour attirer l'attention. Selon nos spécialistes, ce doit être un pauvre d'esprit. Son QI ne doit pas être très élevé et tout nous porte à penser qu'il souffre d'une forme d'impuissance... »

Les joues de Bessie Jean s'empourprèrent. « D'impuissance ! Doux Jésus...

— Oui, m'dame. C'est ce qu'en ont conclu nos meilleurs spécialistes.

— Vous n'étiez donc pas venu enquêter sur l'empoisonnement de Papounet... ?

— Pas tout à fait, m'dame, mais je vous promets de m'en occuper, par la même occasion. »

Elle se rencogna contre le dossier de son fauteuil. « Parlez-moi un peu de vous, Nick. Qu'avez-vous fait de votre temps, jusqu'ici... ? »

Il aurait vainement tenté de se soustraire au feu nourri des questions dont elle l'assaillit. Elle voulait tout savoir de lui, de son passé et même de sa famille. Elle le cuisinait avec une poigne de professionnel.

Le retour de Laurant, venue leur annoncer que le dîner était prêt, le sauva in extremis.

Il suivit les dames dans la cuisine où la table était mise sur une ravissante nappe de lin. Sa galanterie naturelle – il se précipita pour tirer de sous la table les chaises des trois dames – charma toute l'assistance.

La « salade » annoncée se révéla être une poignée de feuilles de laitue plutôt pâlottes, agrémentées de cubes de gelée au citron synthétique et d'une noix de mayonnaise industrielle, mais Nick surmonta bravement son aversion pour les gélifiants et les parfums artificiels, pour ne pas froisser leurs hôtesses. Tandis qu'il ingurgitait le tout, Bessie Jean résuma pour sa sœur les événements de Kansas City.

« Seigneur ! De nos jours, les gens feraient n'importe quoi pour faire parler d'eux ! Le père Tom doit être sens dessus dessous.

— Littéralement, fit Laurant. C'est pourquoi il a appelé Nick.

— Et ma foi... à quelque chose malheur est bon, puisque ça

206

m'a permis de rencontrer sa charmante sœur..., déclara Nick, avec un affectueux clin d'œil en direction de Laurant.

— Et vous avez été aussitôt séduit, fit Bessie Jean, sur le ton de l'évidence.

— Comment ne l'aurait-il pas été ! s'exclama Viola. La plus jolie fille de tout Holy Oaks !

— Ç'a été un vrai coup de foudre, confirma-t-il en couvant Laurant d'un regard de braise. Jamais je n'aurais cru que ce genre de chose pouvait m'arriver, à moi !

— Et vous, Laurant ? s'enquit Viola. Le coup de foudre aussi, je suppose...

— Oui, bien sûr..., répondit-elle, le souffle soudain un peu court.

— Que c'est romantique ! s'extasia Viola. Tu ne trouves pas, Bessie Jean ?

— Oh si ! répondit cette dernière. Mais il arrive que ce qui démarre très vite et très fort ne soit en définitive qu'un feu de paille. Et je ne voudrais surtout pas que notre petite Laurant ait à s'en mordre les doigts. Vous voyez ce que je veux dire, Nick ?

— Oui, m'dame, et même très bien. Mais rassurez-vous, ce n'est pas notre cas.

— Alors dites-moi un peu... quelles sont vos intentions ?

— J'ai décidé de la demander en mariage. »

Viola et Bessie Jean échangèrent un clin d'œil et éclatèrent de rire.

« Tu penses à la même chose que moi ? gloussa Bessie Jean.

— Tu penses que j'y pense ! répliqua Viola avec un sourire entendu.

— En voilà un scoop sensationnel ! s'exclama Bessie Jean. Et vous avez d'ores et déjà la bénédiction du père Tom, je suppose ?

— Bien sûr, fit Laurant. Il est ravi pour nous. »

Laurant et Nick échangèrent un regard perplexe, intrigués qu'ils étaient par le fou rire des vieilles demoiselles.

« Rassurez-vous, Nicholas, ce n'est pas à vos dépens que nous rions. C'est tout bonnement à cause de... à cause de...

207

— ... de Steve Brenner, acheva Bessie Jean. Il va littéralement grimper au lustre, en apprenant ça ! Seigneur ! Nous ne voudrions manquer cette scène pour rien au monde ! Brenner qui avait de si grands projets pour vous, Laurant !

— Je n'ai jamais accepté aucune de ses invitations, et je ne crois pas avoir fait le moindre geste pour l'encourager.

— Peut-être, mais il est totalement fou de vous, ma chérie, fit Viola.

— Disons plutôt obsédé, rectifia Bessie Jean. Vous êtes la plus jolie fille des environs et vous savez que Steve tient à s'approprier tout ce qui se fait de mieux, sur tous les plans. Ce qui explique qu'il se soit offert cette vieille demeure, là-bas, sur Sycamore Street. Pour moi, ce pauvre Brenner n'est qu'un coq déplumé qui essaie d'en imposer à toute la ville ! Il se figure qu'il peut faire main basse sur tout ce qui lui plaît, y compris sur votre future ! ajouta-t-elle pour Nick.

— En ce cas, il va au-devant d'une sérieuse déconvenue », dit-il.

Bessie Jean eut un sourire radieux. « Seigneur, ô combien ! Vous avez sans doute remarqué que nous n'avions pas une très haute opinion de lui, ma sœur et moi.

— Effectivement... ça m'avait effleuré !

— Mais sinon, tout le monde l'admire ici, fit Viola. Et ce n'est pas par hasard. Figurez-vous qu'il fait des largesses à toutes les associations caritatives de la ville. Ça suffit à le faire apprécier. Sans compter qu'il est resté assez bel homme, somme toute... »

Bessie Jean eut une moue de dédain. « Il en faudrait davantage pour m'impressionner, moi ! J'ai toujours été allergique aux m'as-tu-vu, et ce Brenner, qui distribue ses dollars... Bref, parlons d'autre chose... je sens qu'il va m'ôter l'appétit. Alors, Laurant, êtes-vous officiellement fiancés, ou préférez-vous que nous gardions le secret ? Je vous assure que nous en serions tout à fait capables, en cas de besoin absolu !

— Au contraire ! se récria Laurant. Vous pouvez répandre la nouvelle. Demain ou après-demain, Nick m'emmène acheter la bague... » Elle tendit la main et fit frétiller son annulaire. « Quelque chose d'assez discret, mais...

— N'oubliez surtout pas de publier le faire-part dans le journal. Je peux m'en charger pour vous, si ça peut vous rendre service », proposa Bessie Jean.

L'étincelle qui avait brillé dans ses yeux n'avait pas échappé à Laurant. La vieille demoiselle mourait d'envie d'aller porter la nouvelle à Lorna Hamburg, qui se trouvait être à la fois la rédactrice de la rubrique « Potins mondains » de la gazette locale et la fille d'une des meilleures amies de Bessie Jean.

« Je peux lui passer un coup de fil dès la fin du dîner.

— Ce sera parfait, approuva Laurant. Et ça nous fera gagner du temps.

— Dois-je lui parler aussi de l'affreux incident de Kansas City ? »

Dans le doute, Laurant interrogea Nick du regard.

« Bien sûr, dit-il aussitôt. N'hésitez pas. La journaliste sera certainement ravie de connaître les circonstances exactes de notre rencontre. N'est-ce pas, trésor ? »

Le terme affectueux lui avait échappé. Il l'avait dit presque malgré lui et en fut encore plus surpris qu'elle.

« Oui, mon chéri. Je crois même que Bessie Jean devrait aussi faire part à Lorna des conclusions des experts du FBI. Selon eux, nous avons affaire à une sorte de déséquilibré complètement mythomane, et ne disposant pas de toutes ses facultés. Un pauvre malade.

— Ça, vous pouvez nous faire confiance..., pouffa Viola. Cette chère Lorna sera au courant de tout. Nous allons lui raconter tout ça par le menu. »

Elle repassa le plat à Nick en le pressant de se resservir, mais il repoussa sa chaise en se tapotant l'estomac et en jurant qu'il se sentait incapable d'avaler une bouchée de plus.

« Il y a tant de désaxés en liberté, de nos jours, dit Bessie Jean en hochant la tête. C'est vraiment rassurant de vous savoir à proximité.

— Mais où comptez-vous habiter, au juste ? s'enquit Viola.

— Chez Laurant, dit-il. Non pas que je doute de sa capacité à se débrouiller toute seule, mais je tiens à rester près d'elle pour assurer sa tranquillité et tenir à l'écart les enquiquineurs de tout poil, du style de Steve Brenner. »

Les deux vieilles filles levèrent un sourcil ombrageux et échangèrent un regard que Nick ne sut interpréter. Quelque chose avait dû lui échapper qui leur avait déplu – mais quoi au juste ?

Posant sa fourchette, Bessie Jean repoussa son assiette et croisa les mains devant elle sur la table. Elle parut prendre son élan, puis se tourna vers Laurant.

« Ma chère enfant... Je ne vais pas y aller par quatre chemins. Je ne suis peut-être qu'une vieille dame un rien collet monté, mais je me tiens au courant de l'évolution des mœurs et, comme vous le savez, je ne rate jamais un feuilleton à la télé. Or, je vous vois livrée à vous-même, sans père ni mère pour vous guider. Vous n'êtes plus tout à fait une gamine, mais reste que, de temps à autre, vous avez besoin des conseils d'une personne plus expérimentée... comme toute jeune femme de votre âge, n'est-ce pas ? Nous vous sommes énormément attachées, ma sœur et moi, et, évidemment, avec l'affection croît l'inquiétude. Je sais que vous êtes tous deux à l'âge où l'on se laisse facilement entraîner à faire des folies. La fougue de la jeunesse, l'activité hormonale, tout ça... Alors, permettez-moi de vous poser une question très directe : Nicholas se préoccupera certes de vous protéger des menées des autres hommes, mais vous... comment comptez-vous vous protéger de ses menées à lui ?

— C'est à votre vertu que ma sœur fait allusion, ma chère petite...

— Eh bien, c'est que... nous avons pris des engagements très stricts l'un vis-à-vis de l'autre..., commença Nick. Et je vous assure que je ne ferai rien que la morale puisse réprouver – pas plus que Laurant.

— Cela n'empêchera sûrement pas les gens de jaser, lui répondit Viola. Même si personne ne vous dit rien en face, soyez sûrs que les commentaires iront bon train dans votre dos !

— Les gens bavardent, quoi qu'on fasse..., fit Bessie Jean. Et entre nous, les meilleures intentions du monde se trouvent vite balayées sous le tapis, dans la fièvre de l'instant. Si vous voyez ce que je veux dire, mon poussin... »

Laurant ouvrit la bouche, mais aucun son ne put franchir ses lèvres. Elle adressa à Nick un SOS silencieux.

« Cesse donc de tourner autour du pot, Bessie Jean ! l'exhorta sa sœur en repliant sa serviette.

— J'y viens, j'y viens ! dit Bessie Jean, tout en se tamponnant délicatement les coins de la bouche. Souvenez-vous que les préservatifs protègent de tout sauf de l'amour, mon cher Nick... et appliquez à la lettre les mesures de sécurité.

— Exactement ! approuva Viola, qui s'était levée et avait entrepris de changer les assiettes. Et pour ma part, je ne saurais trop vous recommander de ne jamais rouler décapoté... vous prendrez tout de même un peu de dessert, mon cher ? »

18

Brenner était dans une rage noire. Cette fois, elle passait les bornes, la garce ! Il ne laisserait à personne le plaisir de se payer sa tête. Il était plus que temps de lui donner une bonne leçon, et il était l'homme de la situation ! Pour qui se prenait-elle ? Lui faire perdre la face aux yeux de toute la ville, en installant ce type chez elle !

Et comment pouvait-on tomber amoureux en l'espace d'un week-end ?

Les nouvelles que venait de lui rapporter Lloyd MacGovern le mettaient hors de lui. Il attrapa une chaise et l'envoya valdinguer à travers la pièce, renversant une lampe qui s'écrasa en miettes. Et pour faire bonne mesure, il donna un coup de poing dans le mur fraîchement repeint. Le revêtement de plâtre s'effrita sous le choc, mais la peau de ses phalanges, qu'il avait pourtant robustes, éclata au contact de la paroi de béton. Sans paraître s'émouvoir ni de la douleur ni des dégâts qu'il venait de provoquer, il secoua la main. Quand la colère s'emparait de lui, il devenait incapable du moindre effort de réflexion. Il devait remettre un peu d'ordre dans ses pensées, pour y voir un peu plus clair et choisir en toute connaissance de cause entre les options qui s'offraient à lui. Quoi qu'il en fût, il était bien décidé à rester seul maître du jeu. Elle n'allait pas tarder à s'en rendre compte, la garce... Et comment !

Le shérif s'était affalé sur un siège, derrière un bureau vide. Sous ses dehors dégagés, il était plus nerveux qu'un blaireau pris au piège. Il était bien placé pour savoir de quoi Steve était capable, aveuglé par la colère, et pour rien au monde il n'aurait souhaité avoir un autre aperçu de la face cachée de son nouvel associé.

La boucle de son ceinturon, un magnifique objet d'argent qui brillait comme un sou neuf, s'incrustait douloureusement dans sa bedaine, mais il ne bougeait pas d'un pouce, paralysé par la peur. Il se gardait bien de lever le petit doigt ou d'attirer sur sa personne l'attention de l'irascible Steve, avant qu'il ait recouvré un semblant de contrôle sur lui-même.

Car Brenner était hors de lui. De grosses gouttes de sang ruisselaient à présent sur son pantalon de toile kaki au pli irréprochable. Sachant avec quelle minutie il soignait sa mise, le shérif fut effleuré par l'idée de le lui faire remarquer. Tout bien réfléchi, il préféra s'en abstenir et fit celui qui n'avait rien vu.

Aux yeux de l'immense majorité de la gent féminine de Holy Oaks, Steve Brenner était un homme séduisant, et le shérif s'alignait généralement sur l'opinion de la majorité. À son goût, Steve avait le visage un peu trop en lame de couteau, mais sa carrure avantageuse, ses cheveux encore fournis, agréablement crantés, et son sourire qui se voulait ravageur ne manquaient effectivement pas d'un certain charme – sauf que, pour l'heure, Brenner ne souriait pas le moins du monde.

Planté devant la fenêtre, Brenner ouvrit et referma le poing, le regard fixé sur le square. Il tournait le dos au shérif. Dehors, quelques adolescents s'amusaient sur des skateboards, en dépit des panneaux prohibant ce genre de sport sur les trottoirs. L'un d'eux, un jeune énergumène arborant une tignasse orange taillée à la va-vite, atterrit au beau milieu de la vitrine du pharmacien, qui sortit en agitant les bras.

De l'autre côté du square, il apercevait le magasin de Laurant, toujours en chantier. Il reconnut les deux frères Winston qui en sortaient, vêtus de leurs bleus de travail. Il devait être sept heures passées, car toutes les boutiques, y compris la pharmacie, étaient fermées depuis déjà un moment. Les jumeaux faisaient des heures supplémentaires pour que le magasin puisse ouvrir à la date prévue. Le regard de Brenner les suivit tandis qu'ils ajustaient le joint de silicone autour de la vitrine qu'ils achevaient de poser.

« C'est ce qui s'appelle jeter l'argent par les fenêtres ! marmonna-t-il.

— Vous disiez, Steve ? »

L'interpellé ne prit pas la peine de répondre. Comme il semblait ne faire aucune attention à lui, MacGovern décida de prendre ses aises. Il défit sa ceinture et le premier bouton de son pantalon pour pouvoir respirer plus librement et, sortant son canif de sa poche, il en déplia la lame rouillée et entreprit de se curer les ongles.

« Je m'absente un jour ou deux, le temps d'aller à la pêche, et à mon retour qu'est-ce que je découvre ? Qu'elle est tombée amoureuse de ce type qu'elle a ramassé Dieu sait où ! Si seulement elle m'avait laissé l'ombre d'une chance... Si elle avait pris le temps de mieux me connaître, c'est de moi qu'elle serait tombée amoureuse – ça, pas l'ombre d'un doute. Putain de merde ! tonna-t-il. Je suis tout à fait charmant, quand je veux ! »

MacGovern ne savait s'il valait mieux tenter de minimiser le problème, pour l'amadouer, ou se lamenter avec lui. Une chose de sûre, c'était que mettre les pieds dans le plat aurait été pire que ne rien dire du tout. Il persista donc dans son silence prudent, émettant de temps à autre un vague grognement que Steve pouvait interpréter à sa guise.

« Mais elle ne m'en a pas laissé l'occasion. C'était pourtant tout ce que je demandais. Une occasion... J'aurais attendu, pour la laisser s'habituer à l'idée, puis je lui aurais envoyé des fleurs, et j'aurais renouvelé mon invitation à dîner. Tu as vu un peu comme elle m'a fait grise mine au barbecue, le mois dernier ? J'aurais pu marcher sur les mains ou avaler des clous qu'elle ne m'aurait pas laissé l'approcher à moins de cinq mètres. Elle me fuyait, pire qu'une mouche à merde ! Même les gens ont fini par s'en apercevoir.

— Mais non, voyons… c'est pas comme ça qu'il faut voir les choses. Toute la ville est au courant que vous allez vous la marier, Steve. Et va bien falloir qu'elle s'y fasse, elle aussi ! Peut-être qu'elle veut juste jeter un peu sa gourme, avant de fixer son choix sur vous.

— Jeter sa gourme, c'est un privilège masculin ! ça ne se fait pas, pour une femme.

— Alors, c'est qu'elle a décidé de vous tenir la dragée haute. » La lame de son canif glissa un peu trop loin sous l'ongle de son pouce, lui tirant une grimace de douleur. « Vous serez bientôt l'homme le plus riche de toute la vallée, Steve. Ce détail n'a pas pu lui échapper, pas plus qu'à quiconque… Ouais, pour moi, elle s'amuse à vous faire marner.

— Eh bien, si c'est ça, elle me déçoit beaucoup. Je l'aurais crue au-dessus de ça.

— Au-dessus de quoi ?

— Réfléchis un peu. S'il habite chez elle, c'est qu'elle le laisse la… l'approcher ! »

La colère lui avait de nouveau fait vibrer la voix. Le shérif s'efforça de l'apaiser. « Mais non, Steve. Elie s'amuse. Elle veut vous tester. Elles aiment ça, les femmes… elles veulent qu'on leur fasse la cour. Tout le monde sait ça.

— Qui c'était au juste, ces types que tu as trouvés chez elle ? » Il fit volte-face et lança un regard de pure haine en direction du shérif qui cherchait désespérément une explication. Il ne put lui servir que des excuses.

« J'étais pressé, Steve. Faut me comprendre… je voulais venir vous raconter tout ça. Le retour de la fille, l'arrivée de cet autre type, etc. J'avoue que j'ai pas pensé à prendre leurs noms. Ils m'ont juste dit qu'ils étaient des amis à elle, et qu'ils étaient venus réparer l'évier. Et effectivement, ils se trimballaient une caisse à outils comack. Ils ont dû passer chez elle en revenant de l'abbaye.

— Et l'idée ne t'est même pas venue de leur demander leurs noms ?

— J'étais pressé, Steve... ça m'est tout simplement sorti de l'esprit.

— Bon Dieu ! C'est quand même toi, le shérif, dans ce bled. Tu connais pas ton boulot ? »

MacGovern posa son couteau et leva les mains en un geste conciliant. « Eh ! j'y suis pour rien, moi, Steve... passez pas vos nerfs sur moi ! Je peux y retourner, si vous voulez. Comme ça, je vous ramènerai toutes les informations nécessaires.

— Non, laisse tomber, marmonna Brenner. C'est peut-être la vieille chouette d'à côté qui avait raison... ça n'était que des cambrioleurs.

— Ça m'étonnerait. Y a vraiment rien à cambrioler, chez elle. Non, c'étaient des amis à elle, je vous dis ! »

Steve en était vert. Laurant invitant un homme chez elle, dans son lit... C'était indigne ! Peut-être n'essayait-elle que d'affirmer son indépendance, de jouer un peu avec ses nerfs... Oui, elle avait besoin d'une bonne leçon ! Il s'était montré trop coulant, jusque-là. C'est ce qui lui valait cet ultime affront. Il ne pouvait s'en prendre qu'à lui-même... La première fois qu'elle lui avait battu froid, il aurait dû aussitôt la rappeler à l'ordre. Certaines femmes avaient besoin d'être menées à la baguette, pour comprendre où était leur vraie place. C'était le cas pour sa première femme... mais il avait espéré qu'avec Laurant il en irait différemment. Elle semblait si sensible, si délicate, si proche de la perfection. Mais non ! Il s'était grossièrement trompé. Il avait été trop discret et trop courtois. Désormais, il allait changer de ton.

« On n'a jamais vu personne tomber amoureux en un week-end !

— D'après ce qu'en disent ses amis, elle s'en est complète-ment entichée, de son Nick Buchanan, laissa tomber le shérif, toujours absorbé dans le nettoyage de ses ongles. Paraîtrait même qu'il y a mariage en vue ! »

216

Après avoir lâché cette petite bombe, MacGovern leva le nez pour voir comment Steve prenait la chose.

« Conneries ! hurla ce dernier. J'aimerais bien voir ça ! »

Le shérif eut un hochement de tête philosophe. « Ouais. Mais imaginez qu'ils en viennent quand même à se marier, ils finiront sans doute par déménager – son boulot à lui, tout ça... J'ai pas pensé à leur demander ce qu'il faisait dans la vie, le fameux Nick, mais vous voyez où je veux en venir... ça veut dire qu'elle finira par vous la vendre, la boutique... »

Steve posa sur MacGovern un regard réfrigérant. Le shérif lui faisait penser à ces gros singes gavés de cacahuètes qui passent leur journée à s'épouiller en public. Restait que ce gros dégueulasse pouvait lui être encore de quelque utilité – d'où les trésors de patience que Steve déployait à son égard.

MacGovern remisa son canif dans une de ses poches, puis, chassant d'un revers de main les débris noirâtres qui constellaient le bureau, il retourna le fer dans la plaie : « À part ça, le magasin m'a tout l'air d'être sur le point d'ouvrir. Ça va se faire d'un jour à l'autre.

— Ça aussi, j'aimerais bien voir ! » Le visage de Brenner s'était tordu dans un rictus de haine. Il fit un pas menaçant en direction du shérif. « Est-ce que tu as la moindre idée, dans le petit pois que tu as à la place du cerveau, des sommes qui vont nous échapper, si elle parvient à mener à bien son projet et à convaincre les autres propriétaires de ne pas vendre ? Tu crois que je vais la laisser me mettre des bâtons dans les roues ?

— Et qu'est-ce que vous comptez y faire ?

— Ce qu'il faudra.

— Vous n'envisagez quand même pas d'enfreindre la loi !

— Va te faire voir, toi et ta loi ! Tu es déjà dans le bain jusqu'au cou, au cas où ça t'aurait échappé. Un peu plus, un peu moins... ! ricana-t-il.

— Jusqu'à présent, j'ai rien fait d'illégal.

— Ouais ! Va donc raconter ça à la vieille Broadmore ! C'est pas toi qui as imité sa signature sur les actes de vente, peut-être ? »

Le shérif fut pris d'une sueur froide. « Eh ! Mais c'était votre idée et ça ne portait tort à personne. Elle était déjà morte, la vieille, et ses héritiers vont toucher l'argent de la vente, alors tout le monde s'y retrouve, il me semble ! De toute façon, ils auraient fini par vendre. Mais vous disiez qu'ils auraient demandé trois fois le prix, s'ils avaient eu vent de nos accords avec la compagnie immobilière. Pour moi, on a rien fait d'illégal. »

Steve eut un petit rire qui grinça comme un clou rouillé sur un tableau noir. « C'était peut-être mon idée, mais c'est bien toi qui as signé pour elle. Et, soit dit en passant, j'ai noté que tu t'es empressé d'aller dépenser ton bonus en t'achetant une nouvelle voiture !

— Je n'ai fait que ce que vous m'avez dit de faire.

— Exact, et tu ne vas pas t'arrêter en si bon chemin. Tu veux partir en retraite avec un compte en banque bien rembourré, non ?

— Et comment ! Je ne rêve que de plaquer ce bled et…

— Et Lonnie ? »

Le shérif détourna le regard. « J'ai jamais dit ça.

— Parce que t'en as une trouille bleue, de ton vaurien de fils, pas vrai, MacGovern ? T'as beau être tout aussi méchant et teigneux que lui, il te fout les jetons !

— Ça, sûrement pas ! »

Steve ulula de joie et MacGovern dut faire un effort surhumain pour réprimer une grimace.

« Espèce de vieux tas de merde. Tu as peur de ton propre rejeton ! »

Sur le moment, ce qui effrayait par-dessus tout MacGovern, c'était de savoir que Steve l'avait percé à jour et raillait ouvertement sa façade de « notable local ». « Lonnie va sur ses dix-neuf ans, et je peux vous dire qu'il n'a jamais eu toute sa tête. Déjà tout petit, c'était un enfant difficile, méchant, avec un caractère de cochon. Peut-être que je préférerais prendre mes distances avec lui, mais c'est pas parce qu'il me fait peur ! Je suis encore de taille à lui filer une bonne dérouillée, s'il me cherche ! Non.

Le truc, c'est que j'en ai plein le dos des sales histoires où il n'arrête pas de se fourrer. Il ne se passe pas de semaine sans que j'aie à le tirer d'un mauvais pas. Il va finir par tuer quelqu'un, un de ces jours. Avec la petite Edmond, il s'en est fallu d'un cheveu… Elle a fini à l'hôpital et j'ai vraiment eu du mal à convaincre le médecin de ne pas faire de vagues. Je lui ai dit que la petite risquait de se suicider, si la rumeur se répandait qu'elle avait été victime d'un viol. Plus jamais elle n'oserait se balader en ville la tête haute. »

Steve inclina ironiquement la tête. « Et tu ne l'aurais pas un peu menacé, ce bon docteur, par mesure de sécurité ? Tu as dû lui dire que tu lâcherais ton taré de fils aux trousses de sa famille si l'affaire venait à s'ébruiter ?

— J'ai seulement fait en sorte d'éviter la prison à mon fils.

— Tu es au courant du surnom qu'on te donne dans cette ville ? Lloyd CDP MacGovern – CDP pour "Cul de Plomb". Tout le monde se fout de toi dès que tu as le dos tourné. Si tu veux que ça change, boucle-la et continue à faire comme je te dis. Ensuite, tu pourras quitter tout ce merdier l'esprit tranquille et les poches pleines. »

MacGovern avait entrepris de déchirer des lanières de papier buvard. Sans lever les yeux vers Steve, il demanda : « Vous n'allez tout de même pas lui raconter ça, au Lonnie, hein, Steve ? Il croit dur comme fer qu'on va lui donner sa part du pactole et je préférerais avoir mis un bon paquet de kilomètres entre lui et moi, le jour où il réalisera qu'il s'est fait gruger !

— Tu peux compter sur mon silence, tant que tu continueras à coopérer. On s'est bien compris ? Maintenant, pour ce qui est de ce Buchanan… »

La tête de MacGovern se redressa vivement. « Qui ça ? »

Le poing de Brenner se referma derechef, et il fut pris d'une furieuse envie de frapper la masse de saindoux qui tenait lieu de visage à ce gros plein de soupe. Mais ses phalanges lui faisaient un mal de chien, et le coup d'œil qu'il jeta vers son pantalon lui rappela soudain qu'il était maculé de sang. Or, les apparences, c'était sacré, aux yeux de Steve Brenner. Il ne supportait pas la moindre défaillance en la matière.

« T'occupe », marmonna-t-il en fonçant vers le cabinet de toilette au fond du bureau, où il entreprit de se laver les mains.

MacGovern finit par se rappeler qui était Buchanan. « Ah oui... le joli cœur, vous voulez dire. Dommage que vous ne m'ayez pas laissé y retourner. J'aurais réussi à leur tirer les vers du nez, à ses soi-disant copains. Ils sont peut-être toujours là... »

Steve n'avait jamais été très patient avec les empotés, et les jérémiades du shérif commençaient à lui porter sur les nerfs. Si le gros MacGovern n'avait pas été un pion indispensable à sa stratégie, il se serait volontiers offert le plaisir de lui casser la figure – ou, mieux : de charger le délicieux Lonnie de cette mission, lequel ne se serait pas fait prier. Adéquatement motivé par l'appât du gain, cette petite brute était prête à tout pour lui faire plaisir. Il suffisait de le caresser dans le sens du poil, comme son père, en flattant ses plus bas instincts.

Brenner se sécha les mains et replia la serviette en papier pour en faire un carré parfait qu'il jeta à la poubelle. Il sortit un peigne de sa poche arrière et se lissa les cheveux devant le miroir. « Tu sais où se trouve ton fils, en ce moment ?

— Mystère. Il me dit pas où il va. À la pêche, peut-être... Au bord du lac – s'il a réussi à se sortir du plumard, à l'heure qu'il est. Pourquoi ? »

Parce que l'heure de la leçon avait sonné et qu'il allait en faire la démonstration à cette petite garce : il ne tolérerait la présence d'aucun rival.

« T'occupe. File me le chercher, et envoie-le-moi illico.

— Eh ! J'avais prévu d'aller prendre livraison de ma nouvelle voiture.

— Commence par faire ce qu'on te dit. Va chercher Lonnie ; elle attendra, ta voiture de merde !

— Mais qu'est-ce que je lui dis ? » s'enquit le shérif en se hissant sur ses pieds.

Steve émergea des toilettes, un sourire aux lèvres : « Que j'ai un boulot pour lui. »

19

Laurant prolongea autant que possible la soirée avec les sœurs Vanderman. Elle avait besoin de ces quelques instants de répit pour se préparer à ce qui l'attendait.

Il avait suffi d'une simple pichenette pour faire basculer toute sa vie. Jusque-là, sa maison était pour elle un refuge, où elle pouvait se délasser après ses journées si bien remplies. Cet homme que le FBI surnommait « le suspect » l'avait dépossédée de tout cela.

Depuis combien de temps la surveillait-il ? Serait-il au rendez-vous dans son fauteuil, ce soir-là, devant son écran vidéo ? À cette seule idée, elle se sentait défaillir. Dans quelques minutes à peine, elle irait dans sa chambre et se préparerait à se coucher, sous l'œil fixe de cette caméra qui captait chacun de ses mouvements.

Elle se sentit une soudaine envie d'enfiler ses tennis et de partir en courant ; impossible, évidemment. Il faisait nuit noire et ce genre d'escapade n'avait pas sa place dans l'emploi du temps approuvé par Wesson. Elle aurait pourtant aimé pouvoir le faire. Elle avait contracté le virus du jogging à l'époque où elle avait appris que Tom était malade. C'était l'échappatoire idéale... une excellente manière de faire taire son inquiétude.

Elle aimait le côté épreuve physique de la chose – explorer les limites de sa propre résistance, en courant de plus en plus vite, jusqu'à ce que son esprit redevienne un flux limpide. Au bout de quelques centaines de mètres, elle ne sentait plus que les battements de son cœur, le crissement de l'herbe sous ses pas et le rythme de son souffle, tandis qu'elle trottait sur le sentier qui longeait les rives du lac. Elle oubliait tout le reste et se concentrait sur ses foulées, s'appliquant à maintenir la cadence... jusqu'à ce que, les endorphines aidant, elle accède à cet état de grâce, à cette danse harmonieuse des énergies. Pendant quelques minutes, ses angoisses lâchaient prise et elle se sentait libre, enfin. Libre, et délicieusement vivante.

Elle aurait eu grand besoin de goûter de tels instants de paix et de retrouver un semblant de contrôle sur sa vie, ce soir-là. Elle détestait avoir peur, et cette constante oscillation entre rage et terreur la mettait hors d'elle.

« Prenez garde à cette tasse, très chère... n'allez pas me l'ébrécher ! »

La voix flûtée de Viola la ramena à la réalité. La vieille dame enchaîna sur les derniers potins qu'elle avait glanés à son club de bingo. Laurant fit un violent effort pour ramener son attention sur la délicate porcelaine bleue qu'elle avait entrepris d'essuyer. Lorsque toute la cuisine fut convenablement récurée, elle suivit son hôtesse sous la véranda et s'installa près d'elle dans un transat, tandis que Bessie Jean glissait son bras sous celui de Nick pour l'emmener faire le tour du propriétaire dans le jardin, qu'éclairait faiblement la lueur des lampadaires. Elle tenait à lui montrer son potager et ses pétunias.

L'attention de Nick se laissa plus volontiers attirer par le terrain vague, planté de quelques arbres et pour l'heure plongé dans l'ombre, qui s'étendait derrière chez Laurant. Les broussailles qui l'avaient envahi offraient une cachette idéale pour un individu mal intentionné qui aurait voulu la surveiller ou se glisser chez elle.

« Y a-t-il des enfants qui viennent y jouer, sur ce terrain ?

222

demanda Nick, après s'être extasié sur les laitues et les radis de Bessie Jean.

— Jusqu'à ces dernières semaines, oui. Mais ils n'y vont plus, depuis que le petit Billy Cleary a fait une allergie particulièrement spectaculaire au sumac vénéneux. Il était en short, le malheureux, quand il s'est accroupi dedans ! D'après ce que m'en a dit sa mère, il n'est pas près de recommencer ! Il n'a pas pu s'asseoir pendant quinze jours. Depuis, ils préfèrent aller jouer sur les rives du lac, lui et ses petits amis. » Ils étaient revenus à leur point de départ. « Je racontais à Nick la mésaventure du petit Cleary ! s'exclama-t-elle pour sa sœur. Je lui ai dit qu'il venait souvent jouer derrière chez Laurant, jusqu'à sa mésaventure avec le sumac vénéneux... » Elle gravit les marches du perron et se laissa choir dans un fauteuil d'osier.

Viola se pencha vers Laurant : « Vous l'auriez vu, le pauvre gosse... ! Il était littéralement à vif. Ses parties, j'entends...

— Et je disais à notre ami que, depuis, plus personne n'y met les pieds.

— Ce n'est pas tout à fait exact, objecta Viola. Tu oublies que d'autres enfants sont venus y jouer, il y a seulement quelques semaines. Papounet aboyait tant et plus, à la porte de derrière. Nous avons dû la fermer pour le calmer. »

Bessie Jean hocha la tête. « Pour moi, ça n'était pas des enfants. Il faisait déjà nuit noire. Ça devait être un raton laveur ou un opossum. D'ailleurs, maintenant que tu m'y fais penser, je me suis dit que cet animal avait dû élire domicile dans la parcelle de derrière, parce que Papounet était vraiment déchaîné, cette semaine-là !

— Effectivement, effectivement... », opina Viola.

Nick s'était accoudé à la balustrade du perron. « Pourriez-vous me situer un peu tout ça dans le temps ? Vous vous souvenez ?

— Hmmm... difficile à dire ! répondit Bessie Jean.

— Moi je m'en souviens ! fit Viola, toute fière. Je venais de planter les grosses Bertha.

— Les grosses Bertha ?

223

« — Une variété de tomates, expliqua-t-elle.

— Et quand les avez-vous plantées ? demanda Nick, avec une patience d'ange.

— Voilà bientôt un mois. »

Bessie Jean protesta. Sa sœur devait faire erreur... ça ne pouvait remonter si loin dans le temps. Les deux vieilles demoiselles se chamaillèrent encore un bon moment, jusqu'à ce que Laurant mette fin à la controverse en se levant.

« Je crois que nous allons rentrer, Nick et moi.

— Bien sûr, ma chère enfant. Vous devez avoir hâte de défaire vos valises et de vous reposer un peu, n'est-ce pas ? fit Viola.

— D'autant plus que je lui trouve vraiment une petite mine. Elle a l'air à bout de forces. »

Nick se rallia à leur avis. Laurant était éreintée. Des cernes sombres se creusaient autour de ses yeux. Il avait peine à reconnaître en elle la jeune femme qu'il avait rencontrée au presbytère et qui avait instantanément retrouvé son insouciance et sa gaieté dès qu'elle avait été rassurée sur la santé de son frère.

Jusqu'à ce que Tom l'informe de l'existence de ce pervers, évidemment. Mais, même alors, elle n'avait pas sombré dans le désespoir ou l'hystérie, comme l'auraient fait bien d'autres à sa place – et il n'était pas près d'oublier la vigueur et la détermination dont elle avait su faire preuve, dès le lendemain, pour convaincre Pete de l'épauler dans son projet. Mais combien de temps ses réserves d'énergie et de courage tiendraient-elles encore ? Jusqu'à la fin du cauchemar, espérait-il de tout cœur...

« Je vous remercie pour cet excellent dîner, fit-elle. Ça a été un grand plaisir !

— Je vous donnerai ma recette de gratin de macaronis, promit Viola.

— Ta recette ? Allons donc ! s'esclaffa sa sœur. Tu te contentes de suivre à la lettre celle qui est indiquée sur la boîte. Tu n'auras qu'à lui en acheter une à l'épicerie ! »

Nick prit à son tour congé de leurs hôtesses et glissa un bras autour de la taille de Laurant comme s'il l'avait fait toute sa vie.

Bessie Jean les raccompagna jusqu'au bout de l'allée et leur ouvrit la porte.

« Vos yeux ne se reposent jamais, n'est-ce pas, Nick ? lui demanda-t-elle. Ils sont sans arrêt en alerte, occupés à fureter çà et là. C'est le genre de détail que je remarque, voyez-vous... Dès l'instant où vous avez mis le pied dans notre jardin, vous n'avez pas cessé de surveiller le quartier. Ne le prenez surtout pas comme une critique ! s'empressa-t-elle d'ajouter. Je l'ai remarqué, voilà tout. Vous êtes toujours sur le qui-vive. Mais je suppose que c'est précisément ce qu'on vous a appris, au FBI. »

Nick secoua la tête. « En fait, je n'ai pas à beaucoup me forcer... c'est dans ma nature. Ma mère prétend même que je suis né soupçonneux ! »

Bessie Jean eut un fin sourire et un rayon de malice traversa ses yeux clairs. Quelques décennies plus tôt, elle avait dû faire tourner bien des têtes, à Holy Oaks. Contournant Nick, elle se pencha pour chuchoter à l'oreille de Laurant, assez fort pour que Nick l'entende : « Celui-là, je le trouve épatant, ma chère petite ! J'espère que vous n'allez pas le faire fuir ! »

Laurant éclata de rire : « Ce serait bien la dernière chose que je souhaiterais, fit-elle. Moi aussi, je le trouve épatant !

— Nous sommes très au fait de ce genre de chose, ma sœur et moi. C'est l'horloge biologique féminine. À votre âge, la plupart des jeunes femmes ont déjà deux enfants, sinon trois. Il est plus que temps de vous y mettre !

— Bien, madame ! » répliqua-t-elle, faute de mieux. Il eût été inutile d'argumenter contre Bessie Jean — en lui faisant remarquer, par exemple, qu'un nombre croissant de femmes attendaient la trentaine pour fonder une famille, et qu'il lui restait encore plusieurs années de répit avant la date fatidique. Bessie Jean alliait l'opiniâtreté d'une tête de mule à la discrétion et à la subtilité d'un marteau-pilon. Malgré ces quelques défauts, c'était une femme charmante, franche et serviable — enfin... la plupart du temps.

« Regardez ! Voilà Justin Brady et Willie Lakeman ! »

De l'autre côté de la rue, les voisins transportaient une longue échelle qu'ils avaient sortie du garage. Ils l'appuyèrent au pignon de la maison et l'un d'eux y grimpa, tandis que l'autre la maintenait d'aplomb.

Bessie Jean leur fit de grands signes et eut un sourire charmé en voyant les deux ouvriers lui répondre.

« Il se fait tard pour commencer à peindre », remarqua Nick. Il n'avait pas refermé la bouche que deux projecteurs s'allumèrent, illuminant le pignon.

« Justin est celui qui monte à l'échelle, expliqua Viola. C'est lui qui est venu si aimablement me prêter main-forte, pour remettre mes plates-bandes en état. Au début, quand ils sont arrivés dans le quartier, je ne les voyais pas d'un très bon œil, mais depuis, j'ai eu l'occasion de revenir sur cet avis.

— Et pourquoi n'aviez-vous pas bonne opinion d'eux, initialement ? » demanda Nick en observant le grand type svelte et musclé qui avait gravi l'échelle. D'un geste délié, le gaillard sortit un couteau à enduire de la poche arrière de son jean.

« Les premiers temps, je les ai pris pour une bande de vauriens, mais ensuite, j'ai vu qu'ils savaient tenir leurs promesses. M. Morrison, leur propriétaire, est parti en vacances en Floride jusqu'aux fêtes du centenaire. Il leur a laissé la maison et, en échange du loyer, ils se sont engagés à repeindre la façade.

— C'est la première fois que je les vois s'activer un peu, fit Bessie Jean. Jusqu'ici, pratiquement chaque soir, ils se contentaient d'aller au bar sur la 2e rue et ils n'en revenaient qu'après la fermeture, dans un état des plus avancés ! Inutile de vous dire qu'ils n'ont pas le vin discret – et aucun respect pour la tranquillité du voisinage. Ça rit, ça chante, ça s'égosille, et allez donc ! Vous pensez que je les vois, de ma fenêtre ! L'autre jour, il doit y avoir deux semaines de ça, j'en ai vu un rouler par terre, dans la cour ! Mark Hanover, m'a-t-il semblé... Quelles mœurs ! S'abrutir ainsi, au point de ne plus tenir debout ! »

Les deux sœurs avaient manifestement des opinions divergentes sur les nouveaux venus.

« Peut-être, mais au moins ils tiennent parole ! lui rappela

Viola. L'autre jour, Justin m'a expliqué que, dès la fin du chantier à l'abbaye, ils remettront tout à neuf dans la maison des Morrison, même s'ils doivent y travailler du matin au soir. Et je leur fais confiance sur ce point ! »

Nick se dévissait le cou pour tenter d'apercevoir la tête de Willie Lakeman, mais il lui tournait le dos et portait une casquette de base-ball. Willie et Justin étaient à peu près du même gabarit.

Il se proposait d'aller leur dire un petit bonjour – peut-être sa présence attirerait-elle à l'extérieur le troisième locataire, ce qui lui permettrait de le photographier, lui aussi – lorsque Laurant se mit à bâiller à fendre l'âme.

« Allons-y, trésor ! Le marchand de sable est passé… »

Elle le suivit jusqu'à la voiture et l'aida à transborder les bagages. La maison était plongée dans l'ombre. Les doubles rideaux étaient tirés et seule brillait une veilleuse, près du téléphone – lequel se mit à sonner à la seconde où Laurant posa le pied sur la première marche de l'escalier, chargée de son sac de voyage.

Elle alluma dans l'entrée et se rua dans le living. Nick lui avait expliqué qu'il y aurait toujours un agent du FBI de faction chez elle. Elle ne fut donc pas autrement surprise de voir s'écarter le battant de la porte de la cuisine sur le passage d'un jeune type en chemise blanche et pantalon noir, qui vint à sa rencontre un sandwich à la main. À sa ceinture était fixé un holster dont dépassait la crosse d'un pistolet.

Il la précéda de peu dans sa course au téléphone. L'appareil se trouvait sur un bureau, à la limite du living et de la salle à manger. Il vérifia le numéro d'appel, s'équipa d'un casque relié à la base de l'appareil et lui fit signe de décrocher.

Laurant avait reconnu le numéro de sa meilleure amie, Michelle Brockman, dont le mariage était prévu pour la fin de la semaine.

« Bonsoir ! Comment as-tu appris que j'étais de retour ?

— Tu oublies que nous sommes à Holy Oaks ! rigola Michelle. Alors, qu'est-ce que c'est que cette histoire qui circule sur ton compte ? Un homme aurait proféré des menaces contre toi, à Kansas City ? Si c'est vrai, je ne te laisse plus quitter cette ville !

— Une plaisanterie idiote, répliqua Laurant. Un débile qui n'a rien trouvé de mieux pour se rendre intéressant. Les autorités compétentes ont étudié le problème sous toutes les coutures, et en ont conclu que ça n'était pas bien sérieux.

— Bon ! J'aime mieux ça, fit Michelle. Secundo : d'où tu nous le sors, cet adonis ?

— Pardon ? »

Michelle partit d'un éclat de rire dont la gaieté communicative la força à sourire. Les deux jeunes femmes s'étaient rencontrées l'année précédente, au grand barbecue paroissial. Laurant n'était à Holy Oaks que depuis quelques jours, et à peine avait-elle eu le temps de défaire ses bagages que Tommy l'avait recrutée pour s'occuper de la cuisine – en même temps, précisément, que Michelle...

Elles s'étaient aussitôt découvert une foule d'atomes crochus, malgré leurs différences de caractère. Michelle était aussi exubérante que Laurant pouvait être secrète et réservée – ce qui ne l'empêchait pas d'avoir du tact. Le soir même, Lorna avait réussi à coincer Laurant et tentait de lui soutirer un maximum de détails personnels croustillants pour un article qu'elle comptait intituler « La belle étrangère qui nous vient de Chicago », lorsque Michelle avait glissé son bras sous celui de Laurant pour l'entraîner hors de vue de la redoutable potineuse professionnelle. Depuis, une complicité à toute épreuve réunissait les deux amies...

« Alors... j'attends !

— Je ne vois pas du tout de qui tu veux parler, répondit Laurant, l'air de ne pas y toucher.

— Ah ! cesse donc de me retourner sur le gril ! Je veux savoir ! Je me consume littéralement au bout de mon téléphone ! Qui est cette petite merveille que tu nous ramènes de Kansas City ?

— Il s'appelle Nick Buchanan. Tu te souviens... mon frère a grandi dans sa famille.

— Mais oui... Ça me dit quelque chose, effectivement.

— Eh bien, ils sont restés très liés, Tom et lui. Mais je n'avais encore jamais eu l'occasion de le rencontrer, jusqu'au week-end dernier.

— Et alors ?

— Alors quoi ?

— Vous avez déjà croqué la pomme ? »

Laurant sentit ses joues s'empourprer. « Attends. Tu veux bien ne pas quitter une seconde... ? »

Elle appliqua sa paume sur le micro, et chuchota à l'adresse de l'agent : « Est-il vraiment indispensable que vous écoutiez cette conversation... ? Ça n'a aucun rapport avec l'enquête ! »

L'agent se mordit la joue pour garder son sérieux, et ôta ses écouteurs avant de quitter la pièce. Elle tira la chaise de sous le bureau et s'installa face au mur.

« Me voilà de retour, fit-elle en se saisissant d'un stylobille dont elle entreprit de faire jouer en cadence le bouton poussoir.

— Bon, alors ? Vous l'avez fait ou non ?

— Fait quoi ?

— Ne joue pas les ingénues ! Tu sais très bien ce dont je parle – il paraît qu'il est à croquer ! »

Laurant éclata de rire. « Michelle... Quelle question ! ça ne se demande pas...

— Eh ! Mais je suis tout de même ta meilleure amie, il me semble !

— Bien sûr, mais...

— Eh bien, pour tout te dire, je m'inquiète pour toi. Tu aurais un besoin urgent de t'éclater un peu, ma vieille ! C'est bon pour le teint ! »

Laurant laissait courir le stylo sur le bloc-notes du téléphone, traçant des arabesques d'une main machinale. « Pourquoi ? Qu'est-ce que tu lui reproches, à mon teint ?

— Oh, rien ! En tout cas, une bonne partie de jambes en l'air te rendrait quelques couleurs !

— Je peux mettre un peu de blush, si tu y tiens... »

Michelle poussa un soupir pathétique. « Tête de mule ! Tu as décidé de ne pas desserrer les dents, ce soir ?

— Tout juste !

— Cette bombe sexuelle n'est donc qu'un ami de ton frère – et c'est tout ? » Laurant baissa le nez. Il lui coûtait de mentir à son amie, mais c'était pour la bonne cause, et par la suite, elle aurait tout le temps de lui expliquer...

« Non. Ce n'est pas tout... », commença-t-elle. Elle pivota sur sa chaise, pour jeter un bref coup d'œil vers Nick qui discutait dans l'entrée avec son collègue. Il affichait un air sombre et préoccupé, mais dut sentir ses yeux se poser sur lui, car il tourna la tête vers elle et la regarda en souriant.

« Figure-toi qu'il m'arrive quelque chose d'incroyable, ma petite vieille..., fit-elle, en ramenant son attention vers le téléphone.

— Non ?

— Si. Je suis tombée amoureuse. »

Michelle refusa de s'en laisser conter. « Toi ? Non ? Te laisser aller à tomber amoureuse, comme le commun des mortels ? Je n'en crois pas un mot !

— C'est pourtant la vérité vraie.

— À d'autres ! Dans le genre coup de foudre, difficile de faire plus... fulgurant !

— Je sais, je sais... » La bille du stylo se remit à courir sur le papier.

« Dis-moi... ce type doit être un vrai génie de la stratégie, pour être venu à bout de ton système de défense réputé inexpugnable ! Je meurs d'envie de le rencontrer !

— Mais je compte bien te le présenter dès que possible, et tu verras – tu vas l'adorer.

— Attends, attends... j'arrive pas à m'y faire... Il a dû au minimum t'envoyer au tapis, pour attirer ton attention... tu es sûre que tu n'es pas tombée sur la tête ?

— Ça, je n'en jurerais pas !

— J'en reste baba ! s'exclama Michelle.

— Je ne vois pas ce que ça a de si extraordinaire, fit Laurant, sur la défensive.

— Non ! Sans blague ! »

Laurant éclata de rire. Michelle la mettait toujours de bonne humeur, avec sa pétulance, son humour, et cette façon désarmante qu'elle avait de dire tout crûment ce qu'elle pensait. Depuis ses années de lycée, Michelle était la première personne à qui elle s'était un tant soit peu confiée.

« Je sais ce qui se passe dans ta caboche ! Tu cherches sans cesse la petite bête. Tu joues la sécurité à tout prix. Tout ça parce que tu t'es fait échauder une fois !

— Deux, rectifia-t-elle.

— Je ne compte pas ton amour de la fac, protesta Michelle. Un chagrin d'amour à la fac, ça arrive au moins une fois à tout le monde. Un classique du genre, autant dire ! Pour moi, seul compte ton tordu de Chicago !

— Ça, pour un tordu..., soupira Laurant.

— Et tu en as conclu que tous les hommes étaient à l'avenant – à la possible exception de mon Christopher. Lui, tu ne sembles pas le soupçonner d'être un sale type.

— Bien sûr que non ! Christopher, je l'adore.

— Moi aussi. Il est si gentil, si formidable !

— Tout comme Nick.

— Bien. J'espère que tu ne vas pas me le faire fuir comme les autres, celui-là, Laurant !

— Qu'est-ce que tu entends par là, au juste ?

— Je veux dire... laisse parler tes sentiments, pour une fois ! Avec ton passif...

— Quoi ?... qu'est-ce qu'il a, mon passif ?

— Ah ! Ne monte pas sur tes grands chevaux ! Je te dis les choses telles quelles. Ce n'est un secret pour personne, dans cette ville... tu n'as pas eu la main très heureuse avec les hommes. Tu veux que je te cite la liste de tous les prétendants que tu as éconduits, à ce jour ?

— Eh ! Je ne les aimais pas !

— Disons plutôt que tu ne t'es pas intéressée à eux le temps d'en avoir le cœur net.

— Voilà le problème : ils ne m'intéressaient pas.

— Ça, ça crevait les yeux ! Toute la ville raconte que Steve Brenner a décidé de venir à bout de ton infranchissable coquille. Il paraît même qu'il jure ses grands dieux qu'il va t'épouser.

— Il en fait courir le bruit, mais il ne m'a jamais plu, et je ne lui ai certainement pas laissé l'ombre d'un espoir. Il me file la chair de poule, ce rouleur de mécaniques !

— Je ne le trouve pas si déplaisant, moi... Et Christopher l'apprécie. C'est un type énergique, drôle, plein d'esprit – pour tout le monde, sauf pour toi.

— Et sauf pour mes voisines, Bessie Jean et Viola Vanderman !

— Je t'en prie... Bessie et Viola détestent tout le monde en bloc !

— Là, tu exagères... ! s'esclaffa-t-elle.

— Si peu ! Elles détestent les catholiques parce qu'ils manquent de discrétion et, pas plus tard qu'hier, quelqu'un m'a dit que Viola avait accusé le rabbin Spears de truquer le jeu de bingo !

— Non ? Tu plaisantes ?

— Tu me vois inventer des choses pareilles ?

— Dis-moi un peu... comment tu as fait pour savoir si vite, pour Nick et moi... ?

— Le téléphone arabe ! Pendant que vous étiez sous la véranda avec Bessie Jean, Viola a appelé maman. Évidemment, connaissant Viola et sa tendance à tout orner, nous avons hésité à prendre la nouvelle pour argent comptant. Alors ? Vous êtes vraiment fiancés ? Tu crois que vous avez des chances de conclure un jour ou l'autre, ou est-ce qu'il est encore trop tôt pour poser la question ?

— Tu m'as juste demandé si nous avions couché ensemble, lui rappela Laurant.

— Non ! J'ai parlé de "croquer la pomme".

— Eh bien, en fait, Viola ne vous a dit que la stricte vérité. Nous allons nous marier. »

Michelle poussa un cri perçant. « Et tu ne pouvais pas me cracher le morceau ? Tu es sérieuse, là ? Tu vas vraiment... Waouh ! Tout ça va trop vite pour ma pauvre tête ! Vous avez fixé une date ?

— Pas encore. Mais Nick tient à ce que ça se fasse dans les plus brefs délais.

— Mon Dieu... comme c'est romanesque ! Quand je vais annoncer ça à Christopher ! Mais tu n'as pas oublié... tu es ma demoiselle d'honneur... alors ? »

L'allusion était on ne peut plus claire. « Accepteras-tu d'être mon témoin ? »

Michelle s'interrompit pour annoncer la nouvelle à ses parents. Toute la famille se succéda au téléphone pour la féliciter. Lorsque Michelle revint en ligne, il s'était écoulé dix bonnes minutes.

« Mais bien sûr ! Je serai très honorée d'être ton témoin et je te remercie de me l'avoir proposé. Tiens... ça me rappelle que je t'appelais pour t'annoncer que ta robe est prête. Tu peux passer la prendre dès demain. Prends le temps de faire une dernière séance d'essayage, d'accord ? Je ne veux aucune fausse note, au jour J !

— Bien, chef ! et à part ça ?

— N'oublie surtout pas le pique-nique, fit Michelle. Ce sera une occasion de rencontrer Nick !

— Quel pique-nique ?

— Comment, quel pique-nique ? Le prieur organise un grand déjeuner sur l'herbe au bord du lac pour remercier tous ceux qui ont participé à la rénovation.

— Quand a-t-il décidé ça ?

— Ah, c'est vrai... Tu étais absente. La nouvelle figurait dans le bulletin paroissial de dimanche, mais tu étais encore à Kansas City. Seigneur ! J'oubliais de te demander. Ce doit être cet incroyable scoop... ta rencontre avec Nick et tout et tout... je n'ai plus tout à fait ma tête ! Tout ça te ressemble si peu... c'est si… époustouflant, que j'en aurais oublié de te poser la question qui me tient le plus à cœur : comment va ton frère ?

— Bien, et même très bien. Les analyses sont bonnes.

— Pas de chimio, cette fois ?

— Non. Pas de chimio.

— Dieu merci, dit-elle, manifestement soulagée. Il sera bientôt de retour parmi nous ?

— Pas tout de suite. Il va revenir par la route avec un ami à lui, dès que ma voiture sera prête. Nous l'avons laissée dans un garage. Un petit problème de transmission.

— Tu aurais besoin d'une nouvelle voiture.

— Je m'en achèterai une, un de ces jours…

— Quand tes moyens te le permettront ?

— On ne peut rien te cacher… »

Le stylo lui échappa tout à coup des mains. Elle n'avait pas pris garde aux signes que le stylo avait tracés sur le papier mais à présent, ça lui sautait aux yeux. La page s'était remplie de cœurs. Des cœurs brisés. Arrachant la feuille du bloc, elle la froissa au creux de sa paume.

« Ton frère n'a toujours pas la moindre idée de ce qui est arrivé à votre patrimoine, n'est-ce pas ? »

Elle baissa instinctivement la voix, bien qu'elle fût seule dans la pièce : « Non. Tommy ne sait encore rien. Tu es la seule qui soit au courant, avec Christopher.

— Je préférerais ne pas être là, le jour où il l'apprendra. Mais mettons-nous à sa place. Il t'a confié ses intérêts en entrant au séminaire, pensant que la fortune de votre grand-père serait placée en lieu sûr et que ton avenir serait définitivement assuré. Comment réagira-t-il en apprenant qu'il ne reste plus rien… que ces crapules d'avocats ont pillé votre héritage, sous couvert d'honoraires. Une note de plusieurs millions de dollars ! J'espère qu'ils moisiront longtemps sous les verrous, ces escrocs ! C'est inqualifiable, la façon dont ils t'ont abusée.

— Ce n'est pas moi qu'ils ont trahie, Michelle. C'est mon grand-père. C'est lui qui leur faisait confiance. Moi, je n'ai fait que les attaquer en justice… »

Il lui avait fallu une année entière pour dénicher un avocat qui soit prêt à intenter une action contre l'un des cabinets juridiques les plus influents de Paris. Il avait commencé par résister, mais quand elle lui avait décrit et expliqué, documents à l'appui, la manœuvre dont elle avait été victime, il avait radicalement changé d'avis. La plainte avait été déposée dès le lendemain.

« Garde espoir et bats-toi pour récupérer ton bien ! l'exhorta Michelle. Décidément, les avocats sont de vrais requins !

— Honte à toi ! Tu vas épouser l'un des leurs !

— Il n'était pas encore avocat quand je l'ai rencontré.

— Prie pour que cela s'arrange sans tarder, Michelle… J'ai dépensé tout ce que j'avais en honoraires et en travaux pour la boutique. Je n'ai plus un sou vaillant. J'ai même dû demander un prêt à la banque…

— Tes adversaires misent sur les mois qui passent. Ils espèrent t'avoir à l'usure. Tu te souviens de ce qu'en a dit Christopher ? Ils tentent de faire traîner les choses et de retarder le jugement final, mais cette fois, si tu as gain de cause, ils vont devoir payer.

— Oui. Dans les dix jours ! fit Laurant.

— Exact. Accroche-toi, ma belle ! Tu es dans la dernière ligne droite.

— Je sais.

— Ma mère me crie de raccrocher. Je vais devoir te laisser. Le pique-nique est prévu pour demain, à cinq heures du soir. Je compte sur toi !

— Je ne comprends pas pourquoi le prieur a programmé ce pique-nique si tôt dans la saison. Le chantier est loin d'être terminé. Je parie qu'ils n'ont toujours pas démonté les échafaudages de l'église.

— C'était le seul jour qu'il ait pu trouver dans son emploi du temps, expliqua Michelle, et il a promis qu'il n'y aurait plus aucun échafaudage pour mon mariage. Est-ce que tu vois ça d'ici, Laurant ? Dans maintenant moins d'une semaine, je serai une femme mariée – une vieille, autant dire ! Ah… ne quitte pas une seconde, ma chérie. »

Elle entendit Michelle crier quelque chose à sa mère, puis son amie revint au téléphone : « Maman va finir par tourner en bourrique, avec tous ces préparatifs.

— Je vais te laisser alors...

— Tu m'as l'air complètement lessivée.

— Plutôt », convint-elle. Tout en parlant à son amie, Laurant soupesait les différents problèmes. Wesson avait investi le bungalow du prieur pour en faire son QG de campagne. Personne ne devait savoir qu'il se trouvait à Holy Oaks avec son équipe...

« Où se tient le pique-nique ? Au bungalow du prieur ?

— Non, fit Michelle. Il n'est pas libre. Le prieur l'a prêté à des amis à lui, ou à des parents, il me semble. La fête se tiendra donc de l'autre côté du lac. Tu n'auras qu'à suivre le mouvement !

— Entendu. Je t'appelle demain matin, sans faute.

— Demain, je ne suis pas chez moi. Je vais à Des Moines chercher mon nouvel appareil. On se retrouve au pique-nique.

— Qui t'emmène ?

— Papa. Et si le nouvel appareil ne va toujours pas, mon père a l'intention de leur remonter sérieusement les bretelles. À cause de leurs tâtonnements idiots, je vais me retrouver avec à peine cinq jours pour apprendre à marcher normalement.

— Je ne me fais pas de souci ! Si quelqu'un est capable d'un tel exploit, c'est bien toi ! Y a-t-il quelque chose que je peux faire pour toi pendant que tu seras partie ? »

Michelle éclata d'un rire sonore. « Oh, oui ! Débrouille-toi pour retrouver quelques couleurs ! »

20

Les pas de Nick avaient retenti dans l'escalier. Tandis qu'elle raccrochait, Laurant vit qu'il était venu s'accouder au montant de la porte, les yeux fixés sur elle. Des mèches en bataille lui balayaient le front. Une fois de plus, elle se sentit profondément ébranlée par le charme sensuel qu'irradiait toute sa personne. Peut-être Michelle était-elle dans le vrai... et devait-elle songer sérieusement à reprendre quelques couleurs ?

Était-il aussi irrésistible au lit, ce tentateur ? Seigneur... était-ce vraiment elle qui se laissait aller à de telles pensées ? Incroyable... Elle se hâta d'étouffer dans l'œuf ces images sulfureuses. Elle n'était tout de même plus une adolescente en proie à ses premières poussées hormonales, que diable ! Elle était une adulte responsable. Elle pouvait bien supporter quelques mois d'abstinence, en attendant l'homme de sa vie. Or, ce Nick ne remplissait absolument pas les conditions requises. Ce n'était pas du tout l'homme qu'il lui fallait.

« Excusez-moi. Je me suis un peu attardée au téléphone.

— Pas de problème. Selon Joe, vous avez plusieurs messages sur votre répondeur. Nous devrions les écouter... »

Il prit son sac pour l'emmener à l'étage, pendant qu'elle enclenchait la touche « play ». Il n'y avait qu'un message important et préoccupant : Margaret Stamp, propriétaire de la boulangerie, lui annonçait que Brenner avait augmenté de vingt pour cent son offre d'achat et lui avait laissé une semaine de réflexion. Le message se terminait sur une question : Laurant savait-elle qu'il avait mis une condition à ses offres d'achat ? Les propriétaires qui avaient décidé de vendre ne toucheraient pas un centime tant que l'ensemble des propriétaires n'auraient pas signé.

Un grondement de tonnerre se répercuta au loin. Elle se laissa aller contre le dossier de son fauteuil. Pauvre Margaret ! La vieille dame ne voulait pas vendre, mais sa boutique battait de l'aile et la somme que lui proposait Steve aurait amplement suffi à lui garantir une retraite confortable. Comment Laurant aurait-elle pu l'exhorter sans arrière-pensée à la résistance, alors que Margaret risquait ainsi de tout perdre ?

Elle sursauta. La main de Nick s'était posée sur son épaule.

« Laurant, j'aimerais vous présenter Joe Farley qui va assurer avec moi la surveillance de la maison. »

L'agent se pencha pour lui serrer la main. « Ravi de faire votre connaissance, m'dame ! »

L'esprit de Laurant débraya brusquement. Pour l'heure, la lutte pour la sauvegarde du centre-ville allait devoir passer au second plan.

« Appelez-moi Laurant.

— Avec plaisir. Moi, c'est Joe. »

Joe était un garçon plutôt enveloppé dont le visage, surmonté d'une touffe de cheveux roux, s'illuminait dès qu'il souriait. L'une de ses incisives avait poussé de travers et rompait l'alignement des autres dents, lui conférant un je-ne-sais-quoi de vulnérable et d'humain qui contrebalançait l'imposant holster qu'il portait à l'aisselle. Rien à voir avec ce robot de Wesson…

« Faites-vous souvent équipe avec Nick ?

— Ça nous arrive, répondit-il. Mais je ne travaille qu'exceptionnellement sur le terrain. La plupart du temps, j'interviens depuis mon bureau. J'espère que vous n'y verrez pas d'inconvénient, mais nous allons devoir apporter certaines modifications à votre système d'alarme avec mon collègue Feinberg. Rien de bien sophistiqué, mais ça fera l'affaire ! »

Elle jeta un coup d'œil surpris en direction de Nick. « Je n'ai pas de système d'alarme.

— Vous en avez un, à présent.

— Nous avons posé des détecteurs sur toutes vos portes et fenêtres. Dès que quelqu'un entrera sans frapper, cela déclenchera un voyant d'alarme silencieux. Le suspect n'en saura rien, mais nous, nous serons aussitôt avertis de sa présence. Le but n'est évidemment pas de le faire fuir, mais de l'attirer ici et de le prendre au piège. Et, bien sûr, nos hommes postés à l'extérieur repéreront toute personne non identifiée qui viendrait rôder autour de la maison.

— La maison est donc sous surveillance ?

— Bien sûr.

— Et jusqu'à quand ?

— Jusqu'au 1er juillet, si nous n'avons pas épinglé notre suspect d'ici là. Nous nous en irons en même temps que vous... »

Elle se sentit prise de vertige. Il lui devenait de plus en plus difficile de s'abstraire d'un problème pour se concentrer sur autre chose. Tournant les talons, elle mit le cap sur la cuisine, entraînant ses deux hôtes dans son sillage. « Je vais me faire une tasse de thé, dit-elle avec lassitude.

— Laurant... nous sommes toujours bien d'accord sur la date de votre départ, j'espère ! Nous en avons déjà discuté, lui rappela Nick.

— Oui, oui, je sais..., murmura-t-elle.

— Pas de blagues, Laurant. Vous serez loin d'ici...

— Je vous ai déjà dit que oui », l'interrompit-elle. Elle sentait la moutarde lui monter au nez. « Et ça vous ennuierait beaucoup de me dire où je serai ?

— Avec moi.

— Vous pourriez cesser ce jeu idiot ! » explosa-t-elle.

Ce soudain débordement d'humeur prit Nick au dépourvu. Le

sourcil levé, il s'assit au coin de la table de la cuisine et croisa les bras. « Quel jeu ? s'enquit-il.

— Toutes ces réponses absurdes que vous m'opposez ! » marmonna-t-elle, en attrapant sa bouilloire pour la remplir.

Le diagnostic était facile à porter : elle cédait à l'excès de stress et de pression émotionnelle. Mais le moment était mal choisi, parce que Nick non plus ne se trouvait pas au mieux de sa forme. Il se sentait, bizarrement, dans la peau d'un animal pris au piège. Ils étaient à Holy Oaks, dans l'Iowa. L'embuscade était tendue. Il ne restait plus qu'à attendre... Mais l'affût n'avait jamais été son fort. Il avait toujours eu en horreur cette partie de son travail. Il aurait mille fois préféré se trouver sous la roulette de son dentiste...

Quant à la collaboration avec Wesson, elle s'annonçait épineuse. Nick avait passé dix minutes éprouvantes avec lui, sur son portable, à s'efforcer de lui soutirer quelques informations indispensables, or Wesson esquivait systématiquement ses questions. C'était on ne peut plus clair : il essayait de le mettre sur la touche.

Joe tira une chaise de sous la table, tandis que Nick suivait du regard les évolutions de Laurant.

« Pardon ? Quelles réponses absurdes ? »

Elle faillit le bousculer en faisant volte-face. Un geyser d'eau s'échappa du bec de la bouilloire, et atterrit sur la chemise de Nick.

« Ne voyez-vous pas que vous vous arrangez pour ne jamais répondre clairement à aucune de mes questions ?

— Ah ? Vous pouvez préciser ?

— À l'instant, par exemple ! Je vous demande où je serai le 1er juillet, et à cela vous me répondez...

— Avec moi, acheva-t-il.

— Vous appelez ça une réponse claire ? » fulmina-t-elle.

Sans même réfléchir à ce qu'elle faisait, elle attrapa une serviette et entreprit d'éponger sa chemise. Il lui prit la serviette des mains et la balança sur le plan de travail.

« Le problème, voyez-vous, c'est que je n'en sais encore rien moi-même. Dès que j'aurai cette information, soyez certaine que vous serez la première à le savoir – d'accord ? Et, ajouta-t-il, en se penchant vers elle jusqu'à ce qu'ils soient nez à nez, c'est bien la seule fois où je vous ai fourni une réponse évasive.

— Non ! contre-attaqua-t-elle. Je vous ai aussi demandé le nombre d'agents qui travaillaient sur l'affaire, à Holy Oaks, et vous vous souvenez de ce que vous m'avez répliqué ? *Assez.* On fait plus précis, comme réponse ! »

Garder son calme exigea de lui un violent effort. Les muscles de sa mâchoire se contractèrent. « Même si je connaissais ce nombre, je me garderais bien de vous le communiquer. Je tiens à ce que vous continuiez à faire comme si vous ignoriez leur présence.

— Tiens ! Et pourquoi donc ? » Il s'était levé. Elle l'écarta de son chemin et alla poser la bouilloire sur la gazinière qu'elle alluma.

« Parce que dès que nous mettrions le nez dehors, vous tente-riez de les repérer, et que, si le suspect vous surveille, c'est le genre de signe qui nous trahira à coup sûr. Il vous verra remar-quer la présence de nos hommes.

— Eh ! On se croirait en pleine scène de ménage ! » s'exclama Joe. Ils se retournèrent vers lui avec un synchronisme parfait, l'air furibond.

« Rien à voir avec une dispute ! rétorqua Nick.

— Simple divergence d'opinion, confirma-t-elle. N'y voyez rien d'autre ! »

Le sourire de Joe s'épanouit. « Relax ! Je ne suis pas votre gamin. Vous n'avez pas à vous justifier. Vous pouvez vous disputer autant qu'il vous plaira ! Cela dit, je comprends que vous ayez besoin de lâcher un peu de vapeur. Autant vider votre sac tout de suite... »

Le regard de Laurant tomba tout à coup sur la pile d'assiettes sales qui encombraient l'évier. Joe avait manifestement fait comme chez lui, mais ne s'était pas donné la peine de nettoyer. Elle lui décocha un regard noir et, s'emparant de son flacon de liquide vaisselle, entreprit de remplir l'évier d'eau chaude.

241

Joe comprit aussitôt où elle voulait en venir. « Laissez, fit-il. Je vais le faire. Je pensais mettre ça dans la machine... avant de m'apercevoir que vous n'en aviez pas.

— C'est une vieille maison. »

Nick prit la serviette et se mit en devoir d'essuyer les assiettes qu'elle lui tendait, tandis que Joe s'assit plus confortablement, heureux comme un pape.

« À propos, Nick..., lança-t-il. Pour ce qui est de partir le 1er juillet...

— Oui... quoi ?

— Wesson n'est pas d'accord. Il veut qu'elle reste.

— Pas question. Le 1er juillet, nous serons loin !

— Il va tenter de vous imposer ses vues par la voie hiérarchique.

— Qu'il essaie ! aboya Nick.

— Pourquoi le 1er juillet ? Pourquoi tient-il tant à cette date ?

— Parce que le lendemain et les jours suivants, deux ou trois mille personnes risquent de débarquer dans cette ville. Un important colloque se tiendra à l'université, en plus des fêtes du centenaire. S'il n'avait tenu qu'à moi, j'aurais préféré partir avant, mais il y a ce mariage que Laurant refuse de manquer.

— Wesson a décidé de la garder ici le temps qu'il faudra, insista Joe.

— Et moi, je te dis qu'elle partira ! Pas question de la laisser dans cette ville pendant ces festivités. Comment pourrions-nous assurer sa sécurité, dans une foule de cette ampleur ? » Il secoua la tête et se répéta : « Pas question, pas question une seconde ! »

Joe leva les mains en un geste conciliant. « Tu es mon supérieur direct, sur cette affaire. Je m'alignerai sur ta décision, quelle qu'elle soit. Pour moi, c'est toi qui diriges les opérations. Mais je tenais à te mettre en garde. Ça risque de provoquer un beau pataquès. »

Laurant lui tendit une autre assiette à essuyer. « Et Tommy ? s'enquit-elle. Lui aussi, il va devoir partir le 1er juillet ?

— Vous connaissez votre frère aussi bien que moi. Il a décidé qu'il devait rester aider le prieur.

« — Mais vous allez le convaincre, n'est-ce pas ? fit-elle, pleine d'espoir. Moi, il ne m'écoutera certainement pas, mais vous...

— Sans blague ? Depuis quand ?

— Il faut qu'il parte avec nous. S'il reste, je reste. Dites-le-lui tel quel. Ça le fera capituler.

— Rassurez-vous... Noah m'a promis qu'il parviendrait à l'éloigner de la ville, d'une façon ou d'une autre, même s'il doit pour cela l'assommer et l'évacuer de force – et ce n'est pas ça qui ferait reculer Noah ! Rassurez-vous. Nous avons sa parole, et il a mon entière confiance.

— Et vous n'auriez pas aussi un petit creux, par hasard ? s'enquit Joe et, à point nommé, son estomac émit un gargouillement sonore.

— Toi oui, apparemment ! répondit Nick.

— Je tombe d'inanition. Je n'ai avalé qu'un minuscule sandwich. Feinberg m'avait promis de m'apporter des provisions en passant par le terrain de derrière, mais... misère de misère ! Les deux vieilles toupies d'à côté campent en permanence derrière leurs rideaux. Il n'a pas réussi à déjouer leur surveillance. On devrait les embaucher, au Bureau !

— Elles ne savent pas que vous êtes toujours sur place, fit Laurant, sinon elles nous l'auraient dit, à moi ou à Nick.

— Je n'ai pas quitté la maison depuis que j'y suis entré, expliqua Joe. Elles sont sorties un moment, cet après-midi. Elles ont dû se dire que j'étais reparti en leur absence. Je me suis bien gardé d'allumer les lampes avant votre arrivée.

— Et Feinberg n'a pas pu t'apporter des provisions par la porte de derrière ?

— Il n'aurait certainement pas pu approcher d'une porte sans se faire remarquer ; quant à passer par la fenêtre, il y a renoncé. Trop risqué. »

Laurant vida l'évier, se sécha les mains et ouvrit son frigo, à tout hasard.

« Je vous tire mon chapeau si vous trouvez de quoi manger là-dedans... Je viens de faire un sort à votre dernier filet de hareng, et il ne reste plus qu'un vieux fond de céréales !

— Tu as vidé les placards, si je comprends bien ! s'esclaffa Nick.

— Je passerai à l'épicerie demain matin, fit Laurant en refermant le frigo. Inutile d'essayer ce soir. Ici, tout ferme à six heures !

— Je ne comprends pas comment on peut vivre dans ce genre de bled », dit Nick à Joe. Il avait pris une chaise et s'y était assis à califourchon, face à son collègue. « Pas le moindre marchand de sandwichs ou de hamburgers. Pas un McDo dans un rayon de cinquante kilomètres – tu imagines !

— C'est vrai, admit Laurant en refermant son placard, où il ne restait plus rien. Mais, personnellement, je vis très bien en faisant mes propres sandwichs !

— Inutile de vous demander s'il y a un marchand de bagels ou de donuts quelque part dans le village, se lamenta Joe.

— Ça, vous pensez ! »

Laurant ouvrit son congélateur et se mit à fourrager parmi les paquets de légumes surgelés.

« Alors ? demanda Joe, dans un sursaut d'espoir.

— Carottes, brocolis ?

— Je passe... »

La bouilloire émit un sifflement. Nick attrapa une tasse et une soucoupe. « Et une bonne tasse de thé, Joe, ça t'inspire ?

— Je le préfère glacé.

— Eh ! on n'est jamais mieux servi que par soi-même, n'est-ce pas, vieux ? Je t'en prie... fais comme chez toi ! »

Il fit asseoir Laurant près de lui et lui versa son thé.

« Attendez quelques jours pour porter un jugement sur cette ville, leur dit-elle. Il faut commencer par se mettre au diapason. Nous avons un tout autre rythme, ici. C'est une autre façon de vivre. Tout est plus calme.

— On avait remarqué, merci ! » ironisa Nick.

Elle ne releva pas. « Commencez par ralentir. Vous vous y ferez, vous verrez.

— Permettez-moi d'en douter !

— Ah ! Ce que vous pouvez être buté ! fit-elle, piquée au vif.

244

Quand je veux manger un hamburger, j'en achète un paquet à l'épicerie et je les décongèle !

— Rien à voir avec un bon vieux McDo préparé sous vos yeux ! protesta-t-il. Toute la population de ce pays mange des McDo, ma chère. C'est un véritable symbole national. Regardez les jeunes... ils en raffolent ! C'est un aliment sain, non ? Ça fait des gosses costauds !

— Oh ! ça va, hein ! Cessez de gémir, comme ces demeurés qui ne vont visiter Paris que pour aller s'entasser dans le premier McDo venu !

— Je ne gémis pas.

— Ah ! vous m'échauffez les oreilles, à la fin !

— Bon Dieu... Où est donc passée la douce Laurant que j'ai rencontrée à Kansas City... ?

— Elle a dû rester là-bas ! » grinça-t-elle.

Joe se leva de table. Il attrapa une boîte de Rice Krispies dans le placard, et une bouteille de lait longue conservation dans le frigo, et se mit en quête du plus grand bol de la maison. « C'est ce Brenner qui vous porte sur les nerfs, hein ? Lui et son offre de vingt pour cent de mieux pour la boulangerie. »

Laurant lui jeta un coup d'œil surpris. « J'ai dû écouter vos messages, lui rappela-t-il. Margaret est à deux doigts de craquer, on dirait. Cette offre risque de la faire fléchir, surtout si elle est aussi âgée que le laisse supposer sa voix au téléphone.

— Elle n'est pas si vieille, mais vous avez mis le doigt dessus : cet argent suffirait à lui assurer une retraite confortable.

— Et vous, si j'ai bien compris, vous avez entrepris de sauver la ville des griffes de Brenner.

— Le vieux centre-ville seulement, fit-elle en secouant la tête. Je n'ai jamais compris pourquoi le progrès consisterait à remplacer de vieilles bâtisses pleines de charme par d'affreux blocs de béton. Ça, ça m'a toujours laissée perplexe. Je sais bien que la ville survivra avec ou sans son vieux centre, mais nous, nous y perdrons beaucoup. Notre passé. Un certain art de vivre. »

Nick la regarda remuer son thé. Elle n'en avait pas encore bu

245

une gorgée. Elle demeurait immobile, plongée dans la contemplation du liquide tournoyant. Le tintement de la cuiller de Joe retombant dans le bol la tira de sa rêverie. Elle suivit Farley du regard tandis qu'il le posait dans l'évier.

« Pourquoi consultez-vous constamment votre montre, Joe ? s'enquit-elle.

— Parce qu'elle est reliée au système que j'ai installé dans la chambre d'amis. Si le voyant s'allume là-bas, ma montre répercutera le signal. »

Le tonnerre claqua, à proximité cette fois, et la pluie se mit à tomber. « Formidable ! s'exclama Joe. Notre bonne mère nature est avec nous, ce soir. Prions pour que ça pète fort et longtemps !

— Pourquoi ? Vous aimez les orages ?

— Celui-là, oui, je l'adore ! Grâce à lui, nous allons pouvoir débrancher la caméra, dès que vous aurez fait votre show pour le suspect avec Nick. Je ferai vaciller les lumières une fois ou deux, et rideau ! Je couperai le compteur. Quand l'électricité reviendra, tout se rallumera dans la maison, sauf la caméra.

— Je me suis dit que vous auriez du mal à vous endormir, sous l'objectif de cette caméra…, expliqua Nick.

— Délicate attention, répondit-elle, soulagée. Merci.

— Elle est branchée sur un appareil caché dans votre grenier, expliqua Joe. La panne lui suggérera que le système de protection a tout simplement disjoncté et on peut supposer qu'il reviendra, pour tenter de le rallumer. »

Elle hocha la tête. « Et vous serez là pour l'accueillir… »

Elle posa les coudes sur la table, le menton dans le creux de la main, les yeux rivés aux stores de la fenêtre de derrière. Était-il à l'affût dehors, quelque part, attendant son heure ? Quand et comment attaquerait-il ? Pendant son sommeil ? Attendrait-il qu'elle sorte ?

De grosses gouttes de pluie se mirent à tambouriner sur les vitres.

« Parfait ! Tous en scène ! s'exclama Joe. L'orage ne durera peut-être pas toute la nuit. Il faut tirer parti de cette occasion. Je vais aller bidouiller dans le système électrique, à la cave. Vous attendrez que les lumières se soient éteintes et rallumées une fois ou deux, puis vous monterez dans la chambre et à vous de jouer... Vous avez cinq minutes pour faire votre show. Après quoi, black-out complet. Nick débranchera la caméra, et quand tout sera OK je rétablirai le courant.

— Entendu, approuva Nick.

— Il y a une lampe de poche dans le tiroir de la commode du hall, près de la chambre. Tu pourras t'en servir. » Joe repoussa sa chaise et se leva. « Restez là bien sagement, jusqu'à mon signal. »

Il quitta la pièce et traversa le hall d'entrée en direction de l'escalier menant au sous-sol. Nick s'était levé et était allé se poster sur le seuil.

« Vous n'avez toujours pas touché à votre thé, lui fit-il remarquer. Mais je crois que j'ai compris pourquoi vous l'avez préparé. »

Elle leva vers lui un regard surpris. « Parce qu'il y a quelque chose à comprendre, selon vous ? »

Les lampes clignotèrent avant de s'éteindre, plongeant la cuisine dans un noir d'encre.

« N'ayez pas peur..., murmura-t-il dans un souffle qui la rassura.

— Je n'ai pas peur ! »

L'espace d'une fraction de seconde, un éclair illumina la pièce. Laurant s'attendait d'un instant à l'autre à voir surgir une apparition terrifiante dans cette lumière blafarde. Elle se sentait au bord de la crise de nerfs, dans cette pièce où *il* s'était introduit à sa guise, où *il* avait pris ses aises. Si seulement elle avait pu sauter dans sa voiture et filer ! Bon sang... pourquoi était-elle revenue ?

La voix de Nick s'éleva de nouveau, dissipant son début de panique. « J'ai comme l'impression que ce rituel de la tasse de thé que vous ne buvez pas est votre exercice de relaxation préféré – je me trompe ? »

Elle se tourna dans la direction d'où lui parvenait la voix et

247

tenta d'apercevoir la silhouette de Nick dans l'ombre. « Vous disiez ?

— Que quand la tension monte, vous trompez votre angoisse en vous préparant une tasse de thé, que vous ne buvez finalement pas. Vous l'avez fait plusieurs fois au presbytère. Ce doit être une sorte d'échappatoire ; une façon de faire le vide et de vous détendre. »

Elle allait répondre quand l'électricité revint. « C'est parti ! » leur cria Joe.

Nick lui prit la main et ne la lui lâcha plus de tout le parcours – à travers le hall, dans l'escalier... Comme elle gravissait les marches derrière lui, il lui sembla que les battements de son cœur allaient eux aussi crescendo. On aurait dit qu'il cognait directement contre ses côtes. Le placard à linge était resté entrebâillé, mais la caméra demeurait invisible.

Nick marqua une pause, la main sur la poignée de la porte. « Tout ceci doit rester très naturel, si vous voyez ce que je veux dire... Nous voulons le provoquer, ce qui signifie que vous allez devoir mettre le paquet. Une fois passée cette porte, vous allez devoir faire comme si vous aimiez ça !

— Mais vous aussi, vous allez devoir faire comme si ! rétorqua-t-elle vertement.

— Bah ! Moi, je n'aurai guère à me forcer : ça fait déjà un bout de temps que j'ai envie de vous embrasser. Prête ?

— Contentez-vous de me donner la réplique, et tout ira bien ! »

Ah ! Il voulait une vamp ? Il allait voir ce qu'il allait voir ! Elle comptait bien se surpasser, sous l'objectif de cette caméra. Ils poursuivaient le même but : pousser le dément à commettre l'erreur qui le perdrait, le provoquer au point de le déstabiliser. Trop tard pour faire machine arrière, songea-t-elle. « Et surtout, souriez ! lui glissa-t-il à l'oreille. Nous aurions peut-être dû répéter un peu... ça fait combien de temps qu'on ne vous a pas renversée dans l'herbe ?

— Entre vingt-quatre et quarante-huit heures, à vue de nez, mentit-elle, tout à trac. Et vous ?

— Un peu plus longtemps. Pas de surprises, dans votre chambre ?

— Quel genre de surprises ?

— Oh, allez savoir... Ce à quoi on peut s'attendre en pénétrant pour la première fois dans une chambre de jeune fille modèle : chaînes, fouets, bottes à talons aiguilles... Le genre de gadget qu'on se transmet de mère en fille. »

Elle resta de marbre. « Quel style de "jeunes filles modèles" avez-vous fréquenté jusqu'ici, M. Buchanan ?

— Oh, rien que des demoiselles très comme il faut. Des filles très bien ! »

Il essayait de la dérider pour lui faire surmonter son trac. Elle le précéda et entra dans la pièce en s'exclamant : « Désolée, non ! Rien de bien croustillant. Les miroirs au plafond, il me semble que c'est le strict minimum pour une chambre de débutante, non ? »

Il éclata de rire et alluma, tandis qu'elle traversait la pièce en direction du lit.

Tout se déroula sans accroc. C'était bien plus facile qu'elle ne se l'était figuré. Elle s'imagina en plein défilé de mode : le lit était le bout de la piste, et il lui suffisait de s'y rendre le plus nonchalamment possible. Elle traversa la pièce avec un naturel consommé, un sourire charmeur aux lèvres, les hanches ondulant au rythme d'une musique imaginaire.

Nick l'observait depuis le seuil, sidéré par cette soudaine transformation. Elle rejeta sur ses épaules ses longs cheveux bouclés et lui décocha une œillade savamment ajustée. Puis, se retournant, elle lui fit face et, de l'index, lui fit signe d'approcher. Il dut se rappeler à la réalité : ça n'était qu'une comédie. Mais si un regard pouvait suffire à attiser la passion... ses yeux à elle devaient être capables de réduire le quartier en cendres !

Il s'avança vers la tentatrice, mais il n'était pas au bout de ses découvertes. Comme ses mains allaient se poser sur elle, elle secoua la tête, recula d'un pas et entreprit de déboutonner son corsage avec une lenteur étudiée, les yeux plongés dans les siens, terriblement provocante.

Il attendit qu'elle soit venue à bout du dernier bouton, mais quand elle fit mine d'enlever son chemisier et qu'il aperçut dessous la dentelle de son soutien-gorge, il l'attira à lui, comme incapable d'attendre une seconde de plus. Sa main remonta le long de sa nuque et vint s'enrouler dans ses longs cheveux, tandis que de l'autre il lui maintenait le dos, la plaquant contre lui. Il lui tira la tête en arrière et se pencha avec fougue sur elle, en un interminable baiser qui l'électrisa. Cette bouche à la fois tendre, frémissante et voluptueuse... Qu'elle embrassait bien ! Ses lèvres lui livrèrent passage sans résistance, et il put laisser libre cours à sa curiosité et à son désir. Il y darda sa langue, pour mieux s'imprégner de son goût suave. Elle se raidit un peu sous l'intrusion, mais une seconde plus tard ses bras vinrent à leur tour se nouer autour de son cou comme pour mieux attiser son désir.

Leur baiser semblait ne jamais devoir prendre fin. Il gardait pourtant la tête claire... Tout cela n'était qu'un numéro... mais son corps, lui, n'avait cure de cette distinction, et sa réaction fut celle de tout homme normalement constitué dans les bras d'une séduisante tentatrice.

Écartant ses lèvres des siennes, il se mit à lui mordiller l'oreille. « Doucement..., murmura-t-il, à bout de souffle.

— Non ! » répliqua-t-elle sur le même ton. Elle lui prit à son tour les cheveux et lui tira la tête en arrière pour pouvoir l'embrasser à nouveau. Quand il sentit sa langue venir à la rencontre de la sienne, il lui échappa un grognement sourd, guttural.

Il la sentit sourire, tout contre ses lèvres, puis elle l'embrassa avec une ardeur redoublée, à présent tout à son rôle d'agresseur... mais, refusant d'être en reste, il déboutonna son jean et glissa les mains sous la grosse toile bleue, en direction de ses reins. Il lui saisit les fesses et l'attira contre son érection.

Alarmée, elle ouvrit les yeux et tenta de se dégager, mais il ne lui en laissa pas le loisir ; il l'avait bâillonnée de ses propres lèvres. L'instant d'après, elle referma les yeux et se mit à onduler contre lui, voluptueusement lovée dans ses bras. La conviction avec laquelle ses mains et sa langue la caressaient lui aurait presque fait oublier que tout cela n'était qu'une mise en scène. Elle s'agrippa à ses épaules robustes pour ne pas vaciller, et lui rendit son baiser avec une ferveur qu'elle n'avait plus besoin de feindre.

Depuis son living plongé dans l'ombre, à l'autre bout de la ville, le Voyeur n'en perdait pas une miette. Ses rugissements de rage résonnèrent dans toute la maison. Il empoigna une lampe d'une main tremblante, en arracha le fil électrique et la fit voler en éclats contre le mur de stuc. Mais l'heure de la vengeance approchait.

21

Le lendemain matin, elle eut quelque peine à soutenir son regard. La veille au soir, sitôt la lumière éteinte, lorsqu'il s'était éloigné d'elle pour aller débrancher la caméra, elle s'était félicitée de se trouver dans cette pénombre salvatrice. Elle avait dû faire grise mine. Elle se sentait à la fois groggy et désemparée. Elle songea à aller se réfugier dans la salle de bains, le temps de recouvrer ses esprits, mais dut y renoncer : ses jambes refusaient de la porter. Elle s'était donc laissée choir sur le lit et avait attendu que son cœur et son souffle veuillent bien retrouver un rythme normal.

Nick et Joe étaient venus la voir dans la chambre sombre et lui avaient souhaité bonne nuit, en lui recommandant de bien se reposer. Ils se relaieraient pour assurer la surveillance de la maison. Elle n'aurait su dire si Nick avait réussi à fermer l'œil ou même à prendre quelques instants de repos. La seule chose dont elle se souvenait, c'était d'avoir capitulé sous le poids de l'épuisement.

Elle se réveilla au lever du jour et enfila sa tenue de jogging. Un petit haut rayé bleu et blanc qui lui arrivait tout juste au nombril, un short bleu, assorti de bonnes grosses chaussettes, et ses indispensables Reebok blanches, un peu fatiguées mais si confortables. Elle rassembla ses cheveux en une queue-de-cheval et sortit de la salle de bains pour faire ses étirements matinaux.

Nick fit irruption dans la pièce à cet instant, et son cœur sauta un battement lorsqu'il découvrit sa tenue de jogging. Ce short et ce tee-shirt minuscules, qui soulignaient chacune des courbes de son corps !

« Laurant... Votre frère vous a déjà vue dans ce genre d'accoutrement ? »

Elle s'était lancée dans une série de torsions de la taille et du buste, les mains aux hanches. Elle ne lui fit pas la grâce d'un seul regard. « Je ne vois pas ce que vous reprochez à ma tenue. Nous n'allons pas à la grand-messe, que je sache !

— Vous pourriez tout de même enfiler un genre de sweat-shirt sur...

— Sur quoi ?

— Sur vous ! »

Mais aucun sweat-shirt au monde n'aurait pu masquer ses longues jambes fuselées. Il allait avoir un mal de chien à penser à autre chose...

« Et passer un vrai pantalon de jogging..., marmonna-t-il. On n'est pas en ville, ici. Les gens s'offusquent d'un rien !

— Mais non..., l'assura-t-elle. Ils ont l'habitude... »

Il n'en aurait pas juré, et tout ça ne lui disait rien qui vaille, mais à quel titre aurait-il pu élever une objection ? Il n'était ni son mari ni son frère, et si elle tenait à se déguiser en... en marathonienne... eh bien, qu'est-ce que ça pouvait lui faire, après tout ? Il n'avait pas voix au chapitre.

Il avait déjà passé sa propre tenue – short, ample tee-shirt bleu marine délavé, chaussettes blanches, baskets hors d'âge. Pendant qu'elle s'étirait les jambes, il glissa son arme dans le holster qu'il portait à la ceinture et qu'il dissimula sous son tee-shirt. Puis il se fourra un minuscule écouteur dans le conduit auditif droit et, devant le miroir de la commode, fixa une petite pastille dans l'encolure de son tee-shirt, juste sous la clavicule.

Elle s'était accroupie, pour nouer ses lacets.

« Pour quoi faire, ce pin's ? s'enquit-elle en levant le nez.

— C'est un micro. Je vous conseille désormais de vous abstenir de tout écart de langage, parce que Wesson n'en perdra pas un mot. D'ailleurs, tout à fait entre nous, mon cher Jules... je trouve cette idée proprement débectante – et n'oubliez pas de consigner ça dans votre rapport ! »

La réponse ne se fit pas attendre : « C'est noté à la virgule près, agent Buchanan, répondit son écouteur. Et de votre côté, notez que je suis votre commandant et non votre "cher Jules". »

Vieux chameau..., articula Nick silencieusement. « Alors, prête... ?

— Oui, répondit-elle en le regardant dans les yeux pour la première fois de la matinée.

— Je me demandais sincèrement combien de temps il vous faudrait pour... »

Elle ne prit pas la peine de feindre l'incompréhension : « Ah... vous aviez remarqué ?

— Allez ! Inutile de rougir.

— Je ne rougis pas ! »

Dissimulant son embarras d'un haussement d'épaules désinvolte, elle ajouta, trop bas pour que Wesson puisse l'entendre : « Et vous, inutile de revenir sur les événements d'hier soir.

— Inutile d'y revenir », approuva-t-il. Mais il eut un irrésistible petit sourire en coin avant d'enchaîner : « Mais ma tête à couper que nous allons avoir du mal à penser à autre chose de toute la journée, vous et moi. »

Son regard restait rivé aux lèvres de Laurant, qui s'abîma dans la contemplation de ses Reebok.

« Bien, lança-t-il. En route ! »

Elle le précéda dans le couloir. Ils descendaient l'escalier quand il dit : « J'aimerais que vous restiez toujours à deux pas devant moi. Et n'ayez crainte, je ralentirai, pour m'adapter à votre rythme.

— Vous ralentirez ! s'esclaffa-t-elle. J'ai hâte de voir ça !

— Pratiquement chaque jour depuis que je travaille au FBI, j'ai dû m'entraîner intensivement à la course à pied – entre autres sports. Un agent fédéral doit se maintenir au sommet de sa forme.

— Mmh-mmh ! fit-elle. Pourquoi m'avoir dit hier que vous ne couriez pas, en ce cas ?

— Je vous ai dit que je n'aimais pas courir, ce qui est autre chose.

— Vous avez précisé que c'était mauvais pour les genoux et que vous alliez ronchonner pendant tout le parcours.

— Mais c'est bien mon intention, et je persiste : c'est une plaie pour les articulations.

— On peut savoir le nombre de kilomètres que vous parcourez chaque matin ?

— Oh, une petite centaine... »

Elle éclata de rire. « Sans blague ! »

Joe s'était posté devant la fenêtre du living, tous rideaux tirés, et surveillait discrètement les environs.

« Hé, Nick ! chuchota-t-il. Viens jeter un œil par ici... On a comme un problème. Je me demande si vous pourrez sortir, aujourd'hui. »

Laurant le devança d'une courte tête au poste d'observation.

« Ah, ce n'est rien ! s'esclaffa-t-elle. Ce sont mes copains. Nous courons ensemble. Ils viennent me chercher tous les matins. »

Le regard de Nick passa au-dessus de sa tête. Une demi-douzaine de jeunes types attendaient sur le trottoir, devant la maison. Deux autres adolescents trottinaient sur place, au milieu de la chaussée.

« Qui c'est ?

— Des amis à moi, des lycéens..., répondit-elle.

— Et ils viennent vous chercher tous les matins ? Pourquoi n'avez-vous rien dit ? » Il semblait hésiter entre la colère et l'incrédulité.

« Eh ! protesta-t-elle. Ne vous emballez pas... ce n'est pas une affaire d'État. J'ai dû oublier de vous en parler. Mille excuses. Ils courent dans l'équipe d'athlétisme du lycée – enfin, pour certains. D'ailleurs, ils font rarement le tour du lac avec moi. Ils abandonnent les uns après les autres, au début du sentier. Là, ils se contentent d'attendre mon retour et...

— Et quoi ? » s'exclama-t-il, et sans lui laisser le temps de répondre, il marmonna : « Vous entendez ça, Wesson ?

— Reçu cinq sur cinq ! lui fut-il répondu, sur fond de friture.

— Et quoi ? répéta-t-il, pour Laurant cette fois. Ils attendent votre retour, et quoi ?

— Et ils me raccompagnent à ma porte – point final. Ils veulent simplement s'entraîner un peu pendant l'été, pour être en forme à la rentrée. »

Nick jeta un coup d'œil à la joyeuse bande. Au bout de la rue, un autre gamin arrivait au pas de gymnastique.

« Ça, pour une équipe, c'est une fine équipe ! railla-t-il. Des athlètes complets... je leur fais confiance. Surtout à celui qui s'entraîne à s'enfiler cet énorme beignet à la crème ! Celui-là, il a déjà sa sélection pour les jeux Olympiques ! »

Joe s'était planté devant le miroir de l'entrée – il n'avait pas pris le temps de se peigner et tâchait de discipliner un peu les mèches rebelles qui se hérissaient sur son crâne.

« Eh bien, fit-il, j'ai du mal à croire que ces lycéens s'arrachent chaque matin de leur lit et viennent jusqu'à votre porte uniquement pour l'amour du sport, Laurant. Je serais même porté à penser qu'ils se contrefichent de la course à pied.

— Et qu'est-ce qui peut bien les tirer du lit à une heure si matinale, selon vous ? » riposta-t-elle, agacée.

Ce fut Nick qui répondit : « Leurs hormones, Laurant. Une élévation subite et incontrôlée de leur taux de testostérone !

— À une heure pareille ? Quoi que vous en pensiez, les garçons de cet âge ne sont pas obsédés par le sexe. Ils ont des milliers d'autres sujets de préoccupation !

— Mon œil, répliqua-t-il. À leur âge, on ne pense qu'à ça. »

Elle jeta un regard vers Joe, qui hocha la tête d'un air contrit : « Eh oui, à rien d'autre !

— À leur âge, renchérit Nick, avec un mouvement du pouce en direction de la fenêtre, j'étais totalement obnubilé.

— Eh oui, fit Joe, moi aussi, c'était mon principal souci. Je commençais par me creuser la tête pour parvenir à mes fins, et une fois que j'y étais parvenu... eh bien, je me torturais les méninges pour pouvoir recommencer. »

Elle pouffa de rire, partagée entre la colère et l'amusement. La conversation prenait un tour franchement bouffon.

« Attendez... qu'est-ce que vous essayez de me faire croire, tous les deux... ? Que vous n'avez jamais pensé à rien d'autre, à chaque seconde de chacune de vos heures de veille, et pendant toute votre adolescence ? s'esclaffa-t-elle.

— À peu de chose près, c'est exactement ça, fit Nick. Alors, je ne vais pas vous faire un dessin. Nous savons parfaitement d'où ils viennent et où ils vont ! Le mieux, c'est que j'aille leur dire deux mots...

— Je vous l'interdis formellement ! » s'insurgea-t-elle.

Il lui vint une meilleure idée. Il allait les avoir à l'intimidation. Soulevant son tee-shirt, il en fit passer l'ourlet derrière la crosse de son Sig Sauer, pour que la présence de l'arme ne puisse passer inaperçue.

Joe le regarda faire. « Voilà qui devrait leur fournir matière à réflexion... »

En ouvrant la porte sur le passage de Laurant, Nick lui décocha un grand sourire. « Mais je reste persuadé que j'aurais plus vite fait d'en canarder un ou deux, pour les faire déguerpir ! »

Laurant leva les yeux au ciel d'un air exaspéré et le précéda, ignorant royalement ses sourcils froncés. Elle rejoignit son fan club au petit trot et leur présenta Nick, en leur expliquant que c'était son fiancé. Les gamins ne manquèrent pas de remarquer le Sig Sauer, évidemment, mais l'arme ne retint que temporairement leur attention, qui eut tôt fait de revenir aux charmes de Laurant, autrement plus attractifs. À peine s'ils jetèrent un œil à Nick, quand elle leur expliqua qu'il travaillait au FBI. Nick courait dans sa foulée et les garçons s'attroupaient autour d'eux, chacun tâchant à son tour d'engager la conversation avec Laurant. Le roi du beignet à la crème fut le premier à caler, bientôt imité par trois de ses amis, tandis que Laurant accélérait progressivement, portée par ses longues foulées. Elle avait vu juste, quant à l'endurance de son fan club. À l'entrée du parc, les deux derniers garçons étaient distancés et à bout de souffle. Nick crut même entendre l'un d'eux lâcher un petit hoquet d'épuisement, et il fut lui-même surpris du plaisir que lui procura ce signe de capitulation.

Laurant aimait spécialement ces premières heures de la matinée, où le monde était si calme, si innocent et si beau. Pendant ces instants privilégiés, elle se contraignit à ne penser qu'à son parcours. La pluie torrentielle de la nuit avait détrempé les feuilles, mais elle se serait évaporée avant midi. La sécheresse avait durement sévi, cette année-là : les herbes et les broussailles étaient roussies et desséchées. Elle s'engagea dans le grand virage qui contournait les eaux bleues du lac, laissant à sa droite l'entrée de la réserve du parc naturel : une vingtaine d'hectares de prairie jaunie dont les hautes herbes ondulaient comme un champ de blé sous la brise matinale.

En passant devant le bungalow du père prieur, elle crut sentir sur elle le regard de Wesson, mais elle n'aperçut personne derrière les stores baissés. Le petit embarcadère qui s'avançait dans l'eau, à droite du pavillon de bois, surplombait à présent les eaux de plus de deux mètres – autre signe attestant la gravité de la sécheresse.

Lorsqu'ils eurent bouclé leur cercle autour du lac, elle ruisselait. Des gouttelettes de sueur lui dévalaient entre les omoplates et entre les seins. Elle ralentit l'allure puis s'arrêta et, pliée en deux, prit plusieurs longues inspirations. Elle entendit dans son dos le souffle haletant de Nick, qui la suivait à quelques mètres.

L'endroit était pourtant mal choisi pour s'arrêter. Au repos, ils offraient des cibles idéales pour un éventuel tireur embusqué. Il balaya du regard le sous-bois et les broussailles des berges autour d'eux, puis s'approcha d'elle. Son tee-shirt était trempé. Il s'essuya le front d'un revers de poignet. Elle aurait tout le temps de reprendre souffle, quand ils auraient regagné la maison.

« Venez. Ne restons pas là… Vous voulez rentrer chez vous en marchant, ou continuer à courir ?

— Repartons à petites foulées. »

Les garçons les guettaient à l'entrée. Sans se départir de leurs sourires béats, ils se regroupèrent à nouveau autour d'eux. « Bande de lavettes ! » pesta Nick, lorsqu'elle eut pris congé de son fan club, et une fois la porte d'entrée refermée sur eux.

Il s'autorisa une minute de détente.

« Purée ! Plutôt humide ce pays…

— Alors… que dites-vous de notre lac – superbe, non ?

— Déjà vu hier…, haleta-t-il. Quand nous sommes… passés voir Wesson.

— Mais ne trouvez-vous pas le coin charmant ? C'est un vrai petit Éden pour les pêcheurs. L'eau du lac est si claire… on y voit les poissons !

— Ah… ? Désolé… pas fait attention. »

Elle reprenait son souffle, les mains aux hanches. « Comment avez-vous pu manquer ça ! Vous aviez les yeux dans la poche ?

— Non. Je surveillais tous les points d'où notre homme aurait pu tirer. Il aurait pu vous tenir en joue pendant pratiquement tout le trajet, dans ce fichu parc, et je n'avais aucun moyen sûr de le repérer. Impossible d'assurer votre sécurité, dans des conditions pareilles. Pas question de vous laisser y retourner. Vous m'entendez, Wesson ? Le suspect aurait pu être en planque à peu près n'importe où. Il y a trop de surface à couvrir. »

Une étrange sécheresse lui envahit la bouche quand elle reprit la parole : « Vous pensez vraiment qu'il pourrait me tirer dessus ?

— Je pencherais plutôt pour une agression personnelle rapprochée, fit Nick. Mais ça ne veut pas dire qu'il n'essaiera pas de vous ralentir, en vous blessant au bras ou à la jambe.

— Vous étiez couverts par d'autres agents sur tout le parcours », leur fit remarquer Joe, tandis que Laurant se dirigeait vers la cuisine, où elle sortit une bouteille d'eau du frigo. Il la suivit. « Votre sécurité à tous deux était parfaitement assurée. »

Elle revint dans le living avec deux bouteilles d'Évian et en lança une à Nick. Elle but longuement, puis mit le cap sur la salle de bains à l'étage.

« Maintenant, une bonne douche... ça s'impose !

— Une seconde », fit-il en la précédant dans l'escalier. Il ouvrit le premier la porte de la salle de bains et inspecta la pièce avant de la laisser entrer.

« OK. Allez-y.

— Vous pouvez vous doucher dans l'autre salle de bains, au fond du couloir, lui suggéra-t-elle.

— Ça attendra. »

Dix minutes plus tard, en sortant de sa douche, elle le trouva assis sur le lit de sa chambre, le téléphone à l'oreille. Elle avait passé un vieux peignoir élimé qui lui arrivait à mi-cuisse. Au premier coup d'œil qu'il lui jeta, il perdit le fil de ses pensées. Il dut se retourner vivement et faire un moment le vide dans son esprit, pour pouvoir reprendre la conversation.

« Bien, Théo... bon, écoute... euh, nous en reparlerons quand je serai de retour à Boston... d'accord ? » Il raccrocha et fit lentement pivoter sa tête dans la direction de Laurant pour l'apercevoir du coin de l'œil. Il la vit fouiller dans un tiroir de la commode, dont elle sortit deux petites boules de dentelle. Des images troublantes lui assaillirent aussitôt l'esprit.

Ressaisis-toi, nom d'un chien ! se morigéna-t-il. Inaccessible – elle est *inaccessible* ! À quoi bon fantasmer ? En pincer pour la sœur de Tommy !

Mais d'un autre côté, à quoi bon se voiler la face ? Autant se rendre à l'évidence. Il la désirait, c'était aussi simple que ça. Et qu'est-ce qu'il pouvait espérer ? Pas grand-chose. D'ailleurs, n'eût-elle pas été la sœur de son ami que toute relation avec elle aurait tout de même été impossible. Entre eux, c'était l'échec assuré. Elle voulait des enfants, elle voulait cette famille qu'elle n'avait jamais eue, et qu'il ne pourrait jamais lui offrir. Il en avait trop vu pour accepter de se rendre aussi vulnérable. Bien qu'issu

260

d'une tribu de huit enfants, il avait appris à vivre en solo, et tenait à son style de vie.

Jamais il n'aurait dû l'embrasser, se dit-il. Très mauvaise idée. Rien ne l'avait préparé à ça. Comment aurait-il pu prévoir une telle révélation ? Avec son arrogance coutumière, il s'était figuré qu'il parviendrait à garder une distance toute professionnelle, mais, dès qu'il avait senti ses bras se nouer autour de son cou, dès que ses lèvres avaient touché les siennes, elles avaient fait voler en éclats son professionnalisme de pacotille, et il s'était retrouvé dans la peau d'un de ces adolescents baveux qui attendaient son retour à la porte du parc. Et comme l'avait si bien formulé Joe, après l'avoir embrassée, il n'avait désormais plus qu'une idée en tête : recommencer.

Il rendit grâce à la clairvoyance de Morganstern. Il était effectivement trop impliqué pour pouvoir se charger de cette mission – si ce n'était que, lorsque Pete lui avait adressé cette mise en garde, c'était à son amitié pour Tommy qu'il faisait allusion. Qu'aurait-il dit en apprenant que son subordonné avait carrément succombé aux charmes de la sœur de son ami ? Nick connaissait la réponse à cette question : il l'aurait aussitôt mis sur la touche.

Le téléphone sonna de nouveau. Il décrocha, écouta un moment et répondit : « Oui, mon père. Je n'y manquerai pas. Merci de votre appel. »

Laurant se tenait devant son placard ouvert. Elle passait en revue ses différentes tenues, serrées sur une tringle qui ployait sous le poids des cintres.

« Qui était-ce ? demanda-t-elle. L'abbé McKindy ?

— Pardon ? Oui… c'était lui. Tommy a oublié son agenda au presbytère et l'abbé se propose de le lui envoyer par courrier.

— Vous a-t-il dit à quelle heure Noah et lui ont pris la route ?

— Oui… au petit matin. Laurant, de grâce… couvrez-vous donc un peu. »

Les yeux toujours fixés sur les cintres, elle lui répondit du tac au tac : « Mais c'est exactement ce que je m'apprête à faire, mon cher ! Dès que vous aurez quitté ma chambre ! »

La note d'embarras qui avait filtré dans sa voix n'avait pas échappé à Nick. « OK, OK..., fit-il platement. Bon... eh bien, je vais prendre ma douche. Mais fermez bien à clé après moi, et ne quittez pas cette chambre avant mon retour.

— Joe est toujours en bas, il me semble.

— Peut-être, mais je tiens à ce que vous m'attendiez », dit-il d'un ton sans réplique.

Elle courut sur ses traces. Il s'extirpait de son tee-shirt lorsqu'elle étendit le bras pour prendre sa brosse et son sèche-cheveux près du lavabo. Sa main lui effleura la taille au passage, et il tressaillit comme si elle l'avait frôlé avec un fer chaud. Il fit la grimace. « Oh ! Désolée ! » marmonna-t-elle.

Il poussa un soupir en balançant son tee-shirt dans le lavabo. « Je vous ai à nouveau brusquée, c'est ça ? »

Ils étaient face à face. De sa main droite, elle ramena sur elle les pans de son peignoir, tout en s'agrippant de l'autre à sa brosse et à son sèche-cheveux.

« Le commandant Wesson nous entend, là ? » demanda-t-elle dans un souffle.

Il fit non de la tête. « Le micro et l'oreillette sont sur la commode...

— Comprenez-moi, fit-elle. Je ne voudrais surtout pas monter la chose en épingle. Mais hier, quand nous nous sommes embrassés... nous ne faisions qu'appliquer le scénario, je sais bien, mais...

— Mais quoi ?

— Eh bien, fit-elle avec un haussement d'épaules, je crois que ça a jeté un certain malaise. Voilà tout.

— Nous nous sommes laissé, l'un et l'autre, un peu...

— Un peu quoi ? murmura-t-elle en se plongeant dans la contemplation de ses orteils.

— Emporter. »

À ce mot, elle leva les yeux et soutint son regard. « Emporter, oui. Et qu'est-ce qu'on y peut ?

— Tourner la page, suggéra-t-il. Pensons à autre chose. Je connais une bonne méthode. »

Elle aurait dû se méfier de l'étincelle qui s'était allumée dans ses yeux. « Laquelle ? demanda-t-elle, en toute ingénuité.

— Venez donc avec moi sous la douche. C'est le meilleur moyen de surmonter vos inhibitions ! »

La suggestion la prit tellement au dépourvu qu'elle éclata de rire, ce qui était bien le but poursuivi. La tension se dissipa. Il eut un sourire irrésistiblement bon enfant, à la limite du cocasse. « Je vous trouve vraiment croquignolet, dans le rôle de l'exhibitionniste... ! » répondit-elle, avant de tourner les talons et de le planter là.

Il lui demanda de laisser la porte entrouverte. L'atmosphère de la salle de bains était saturée de vapeur et le miroir brouillé par la buée. Elle attendit qu'il soit sous la douche et, dès qu'elle entendit le bruit de l'eau, elle se hâta d'enfiler ses vêtements et de se sécher les cheveux. Elle opta pour une tenue qui lui parut convenir à l'achat d'une bague de fiançailles. Pantalon blanc plissé et chemise de soie pêche. Elle retrouva ses espadrilles de toile blanche au fond du placard.

Comme elle finissait de se brosser les cheveux, il sortit de la salle de bains et entreprit de faire le lit. Le résultat ne fut pas à la mesure de ses efforts. Le couvre-lit était de guingois, mais elle se garda bien d'émettre la moindre critique.

Il avait revêtu un ample polo blanc qu'il portait sur un jean. Son gros holster de cuir était fixé à sa ceinture.

Il accrocha la pastille rouge à son encolure, ajusta l'écouteur et glissa son portefeuille dans sa poche arrière.

« OK. Quel est le programme de la matinée ? demanda-t-il après l'avoir détaillée d'un regard bref mais perçant.

— D'abord, petit déjeuner. Je meurs de faim ! Puis, ravitaillement à l'épicerie du coin, pour Joe. Ensuite, je passerai voir où ils en sont, à la boutique. S'ils n'ont pas commencé les sols, je resterai travailler là-bas une bonne partie de l'après-midi.

— Ensuite, détour obligé par la bijouterie, suggéra-t-il en enfilant des mocassins de cuir.

— Il faudra aussi aller prendre ma robe de demoiselle d'honneur, se souvint-elle. Et je passerai une heure ou deux à l'abbaye. Je dois m'organiser, pour le rangement de combles... »

La matinée fut donc consacrée aux courses, à cette multitude de petites corvées ordinaires que la majorité des couples font sans même y penser – si ce n'est que leur situation à eux n'avait rien d'ordinaire. Il lui était impossible de faire un pas sans tomber sur une amie ou une voisine à qui elle devait présenter son nouveau fiancé, mais, même à l'épicerie, elle ne pouvait s'empêcher de jeter des coups d'œil inquiets par-dessus son épaule.

Nick soignait particulièrement son numéro de soupirant attentif et tendre. Il le faisait avec un naturel si désarmant qu'elle dut se sermonner à plusieurs reprises, en se remémorant que tout cela n'était qu'une comédie.

Elle ne s'autorisa quelques instants de détente qu'une fois à l'abri du cocon protecteur de la voiture. Ils s'arrêtèrent à la boulangerie acheter de quoi petit-déjeuner et reprirent le chemin de la maison. À la radio, un crooner susurrait une chanson d'amour.

Elle mourait d'envie de lui faire visiter le chantier de la boutique. Ils déposèrent les sacs à provisions dans la cuisine, grignotèrent un morceau avec Joe, et repartirent presque aussitôt. Ils iraient à l'abbaye après avoir acheté la bague, décidèrent-ils. Ils mirent donc le cap sur le centre-ville.

Il s'arrêta au niveau de la fontaine pour pouvoir embrasser du regard le groupe des vieux immeubles. Aucun n'aurait pu prétendre au titre de monument historique, mais l'ensemble constituait un coin charmant et pittoresque, même si certaines façades auraient eu besoin d'un bon coup de pinceau.

« Vous imaginez ce que ça pourrait donner ? demanda-t-elle.

— Très bien. Pourquoi diable s'acharner à tout démolir ?

— Je vous le demande ! fit-elle avec conviction. Autrefois, ce quartier était le cœur de la ville, l'endroit où les gens se retrouvaient pour faire leurs courses et bavarder. Je veux lui rendre son cachet d'antan.

« — Il ne suffira pas de rénover les magasins. Encore faut-il que le quartier ait de sérieux atouts, pour attirer le public.

— Le président de l'université projette d'installer la bibliothèque du campus dans le bâtiment que vous apercevez là-bas, à votre droite. C'est plus que suffisant pour accueillir les étudiants, qui commencent à être un peu à l'étroit sur le campus. Les jeunes auront donc une bonne raison de venir ici.

— Ça pourrait être un argument.

— Sans compter qu'ils viendront à pied. La fac n'est qu'à deux rues d'ici. Venez vite ! Je tiens à vous montrer la boutique... »

Son enthousiasme arracha un sourire à Nick. Il gara l'Explorer à deux pas de la bijouterie et lui passa le bras autour de la taille pour descendre la rue.

Ils durent finalement renoncer à visiter le magasin. La première couche de polyuréthanne venait d'être posée et on ne pouvait marcher dessus. Comme les vitrines étaient encore sous leur film plastique, Nick ne put même pas apercevoir le magnifique comptoir de marbre qu'elle lui avait tant vanté. Il leur faudrait attendre quatre jours de plus pour que la deuxième puis la troisième couche aient eu le temps de sécher.

Ils revinrent donc sur leurs pas jusqu'à la bijouterie Russell. Nick fit grosse impression sur la propriétaire du magasin en filant droit sur la bague la plus chère du stock – un solitaire de deux carats. Ce ne fut cependant pas le choix de Laurant, qui lui préféra une marquise de taille plus modeste. La bague semblait faite pour son annulaire, et Nick en conclut qu'elle lui était destinée.

Laurant leva la main dans la lumière et agita les doigts pour faire scintiller la pierre en poussant des exclamations de ravissement, comme une jeune fiancée comblée. Elle craignit même un instant d'avoir un tantinet forcé la note – mais Miriam Russell semblait gober leur numéro sans sourciller, les mains pressées l'une contre l'autre, l'air charmé.

Lorsque Nick lui tendit sa carte American Express, la bijoutière retrouva instantanément son sérieux et pria Laurant de venir lui dire deux mots en privé, avant d'encaisser. Elle l'entraîna dans son arrière-boutique, laissant Nick seul au comptoir. Il n'avait pas la moindre idée de ce qu'elles pouvaient bien mijoter ensemble, mais quel que fût le sujet de leur conversation, il avait dû mettre Laurant dans l'embarras, car à son retour elle avait les joues en feu et hochait la tête d'un air confus.

Quelques secondes plus tard, après avoir signé le ticket d'achat, il prit la bague dans son écrin et la passa à son doigt. Puis il l'embrassa – un baiser délicat et comme désintéressé, qui l'ébranla des pieds à la tête. Il finit par la prendre gentiment par le bras pour l'entraîner hors du magasin.

Ils allaient franchir le seuil quand Miriam la rappela : « Surtout, n'oubliez pas, Lauren… Je croise les doigts en pensant à vous ! »

Manifestement mortifiée, elle pressa le pas. Nick dut forcer l'allure pour la rattraper.

« De quoi s'agissait-il ?

— Rien. Un simple détail.

— Pourquoi croise-t-elle les doigts ?

— Pour rien du tout.

— Allez, quoi… Racontez. »

Elle ralentit sensiblement l'allure, comme si elle avait renoncé à vouloir le précéder. « Bien. Je vais vous le dire. La petite conférence que m'a tenue Miriam dans son arrière-boutique avait trait au règlement en vigueur dans le magasin, en cas de retour d'un article. Elle craint que je ne "loupe mon coup, comme d'habitude" – je la cite, bien sûr… Vous comprenez bien que, quand tout ça sera fini et que vous serez loin d'ici, on murmurera dans toute la ville que j'aurai réussi à en faire fuir un de plus… Ça n'a rien de franchement drôle, Nick. Si vous cessiez d'afficher ce sourire béat ! »

Il ne semblait pas compatir le moins du monde.

« Dites donc ! s'esclaffa-t-il, vous m'avez l'air de vous être taillé une sacrée réputation dans ce patelin ! On peut savoir ce que vous leur faites, à ceux qui tentent de vous approcher ?

— Rien ! s'écria-t-elle. Je ne ferais pas de mal à une mouche !

Évidemment, je suis peut-être un peu... difficile. Mais il y a dans cette ville une bande de redoutables commères qui passent le plus clair de leur temps à cancaner. Il suffit que l'une d'elles m'aperçoive en compagnie d'un homme disponible pour qu'elles s'imaginent aussitôt Dieu sait quoi et, avant que j'aie eu le temps de comprendre ce qui m'arrive, la spécialiste des potins mondains de la feuille de chou locale – redoutable parmi les redoutables – entreprend de raconter ma vie, ou plutôt les fantasmes qu'elle s'en fait, dans sa rubrique "ragots fumants". C'est grotesque ! s'insurgea-t-elle. Et ensuite, pour peu qu'on me voie bavarder avec quelqu'un d'autre, toute la ville se met à ricaner en disant que j'en ai découragé un de plus !

— Le journal local publie vraiment ce genre de sottises ?

— Dans le cadre de ce qu'on appelle la "Rubrique Société" : un cocktail de racontars et d'âneries. Vous vous figurez bien qu'il ne se passe pas grand-chose de sensationnel ici. La journaliste est donc bien forcée...

— De broder un peu...

— Bon Dieu, Nick... quand on parle du loup ! Venez vite, filons... Seigneur, trop tard... Elle nous a repérés ! »

Lorna Hamburg les avait vus, effectivement, et elle arrivait à bride abattue. Sa longue crinière blond platine crêpelée achevait de ratatiner les traits de son visage poupin, déjà minuscule, et à chacun de ses pas de gigantesques pendants d'oreilles se trémoussaient le long de ses joues. Elle portait en bandoulière un sac de toile à impression léopard presque aussi vaste qu'une valise, et elle devait courir de guingois pour éviter de perdre l'équilibre, comme un ivrogne en rébellion contre la ligne droite.

Elle galopa pour les intercepter. Ses vertigineux talons rose fuchsia martelaient frénétiquement le trottoir. On aurait cru entendre claquer des dents.

« Quel sprint ! » fit Nick avec un sifflement d'admiration.

Comme elle les rejoignait, il ne put s'empêcher de laisser son regard s'attarder un peu plus longtemps que nécessaire sur ses sourcils, ou plus précisément sur le trait de crayon qui leur en tenait lieu. Quant à Laurant, elle pestait contre l'inertie et le manque de jugeote de Nick : ils étaient faits comme des rats.

« Je m'étais pourtant laissé dire qu'on vous entraînait à cultiver vos réflexes, dans la police fédérale ! » grinça-t-elle, tout en s'armant de patience. Elle allait devoir le présenter officiellement à cet épouvantail monté sur talons aiguilles qu'elle avait secrètement rebaptisé « Gazetzilla ».

« Ne perdons pas de vue notre objectif, répliqua-t-il. C'est une occasion en or. Souriez, très chère, et surtout, gardons la tête de l'emploi ! »

Nick fit preuve d'une amabilité révoltante envers l'abominable Lorna, ce qui ne pouvait qu'encourager cette dernière... Elle les soumit sur-le-champ à une interview improvisée, recueillie sur le vif. Tirant de sa besace un imposant calepin, elle entreprit de les cuisiner, pour leur faire raconter les circonstances de leur rencontre.

Dans les quinze secondes, Nick eut fait le tour du problème : primo, Lorna lui faisait un gringue éhonté, et secundo, elle détestait cordialement Laurant. Ça n'avait rien d'une supposition présomptueuse de sa part – pas plus d'ailleurs que ce n'était une preuve de la finesse de son jugement. Les œillades langoureuses que lui lançait Lorna, ponctuées de petits coups de langue furtifs, sous prétexte de s'humecter les lèvres, tandis qu'elle lui parlait, en disaient assez long sur ce point. Il en était presque gêné pour elle.

Les questions de Lorna se faisaient de plus en plus précises, et l'envie qui tenaillait Laurant de la planter là de plus en plus impérieuse, mais elle parvint à opposer à la potineuse professionnelle un front relativement serein, jusqu'à ce que Lorna s'avise de lui demander s'ils cohabitaient déjà, comme mari et femme.

« Si vous vous occupiez de vos oignons, Lorna ! » explosa-t-elle.

Nick lui pressa affectueusement l'épaule. « Garde ton calme, mon trésor ! Montre plutôt ta bague à Mlle Hamburg... »

Toujours au bord de l'exaspération, elle leva la main, agitant les doigts sous le nez de Lorna.

« Hmmm ! Ravissant ! Ça a dû vous coûter une petite fortune... Toute la ville sait déjà que vous travaillez au FBI, enchaîna-t-elle. Mon téléphone n'a pas arrêté de sonner de toute la matinée. J'ai dû recevoir au moins six appels à votre propos. C'est la pure vérité ! ajouta-t-elle devant la mine sceptique de Laurant. C'est à cause de votre arme, voyez-vous. Les gens se posent des questions, forcément. Mais ils sont trop discrets pour vous interroger directement...

— Ils se contentent de jacasser dans notre dos ! » railla Laurant.

Lorna se garda bien de relever. « Or, les agents du FBI ne sont pas connus pour rouler sur l'or, que je sache...

— Et vous vouliez savoir si j'avais les moyens de m'offrir un tel bijou ?

— Je ne vous l'aurais sûrement pas demandé de façon aussi directe ! »

Il glissa affectueusement sa main dans celle de Laurant. « Disons que j'ai de quoi vivre confortablement. Une petite fortune familiale.

— Vous êtes donc d'un milieu plutôt aisé ?

— De grâce, Lorna ! Tout ça ne vous reg... »

Nick posa son autre main sur l'épaule de Laurant : « Ne te mets pas martel en tête, voyons, ma chérie ! La curiosité de madame n'a rien que de très naturel...

— Absolument ! approuva l'intéressée. D'où êtes-vous, Nick ? – si vous me permettez de vous appeler par votre prénom...

— Faites, faites. Je suis originaire de Boston. J'ai grandi dans la région de Nathan's Bay.

— Et vous comptez emmener Laurant là-bas, lorsque vous serez mariés ?

— Non. Nous préférons vivre ici. Je suis souvent amené à voyager, mais je peux m'établir à peu près n'importe où. Laurant adore Holy Oaks et moi aussi, je commence à m'y plaire.

— Laurant n'aura donc plus besoin de travailler, quand vous serez mariés, je suppose ?

— Si c'est au magasin que vous pensez, laissez tomber, Lorna ! Je ne vendrai pas ! grinça Laurant.

— Vous vous opposez au progrès.

— C'est bête, mais c'est comme ça ! » La repartie tomba un peu à plat, mais il ne lui était rien venu de plus percutant à l'esprit. « D'ailleurs, il se trouve que j'ai envie de travailler !

— Comme je vous comprends, pépia Lorna avec condescendance.

— Si Laurant veut travailler, rien ne l'en empêchera, fit Nick. C'est une femme moderne. Elle aime son indépendance, et je la soutiendrai quoi qu'elle fasse. »

Lorna referma son gros calepin qu'elle remisa dans son sac, et posa sur Laurant un regard lourd de désapprobation : « Je veux croire que cette fois sera la bonne, mais, en toute honnêteté, je ne peux m'empêcher d'avoir quelques doutes. Et je préférerais ne pas avoir à publier un démenti de plus. J'ai horreur de ce genre de manipulation. Mes lecteurs doivent pouvoir se fier aux nouvelles qu'ils trouvent dans ma chronique et ils me font totalement confiance ! Vous comprendrez donc mon embarras, quand ça arrive ! »

Nick entoura de son bras les épaules de Laurant et l'attira tout contre lui. « Pourquoi ? Vous avez déjà dû publier un démenti pour les fiançailles de Laurant ?

— À deux reprises !

— Ça n'a aucun intérêt ! s'exclama Laurant. Nous devrions vraiment y aller, Nick. Il nous reste une foule de choses à faire !

— Comme vous n'avez pu manquer de le remarquer, Holy Oaks est une petite ville, enchaîna Lorna. Mais j'y tiens une place importante, en tant que responsable de la rubrique "Société" du journal local. Les gens aiment se tenir au courant de la vie sociale de leur région et ils comptent sur moi pour leur fournir des informations exactes. Je dois pourtant vous avouer que votre fiancée ne m'a guère facilité la tâche, jusqu'ici. J'en suis arrivée à détester écrire sur elle. C'est un véritable parcours du combattant !

— Eh bien, dispensez-vous-en ! » ricana Laurant.

Résolument tournée vers Nick, Lorna poursuivit : « Comme je vous l'expliquais avant cette interruption déplacée, Laurant ne cesse de changer d'avis. Ayant eu cette information de source sûre, j'ai annoncé dans l'un de mes articles qu'il y avait anguille sous roche entre elle et Steve Brenner, et qu'un mariage se profilait à l'horizon, mais, trois jours plus tard, j'ai dû faire paraître un démenti. »

Elle marqua une pause, le temps de lorgner Laurant avec une petite moue pincée, avant de poursuivre : « C'est elle qui l'a exigé... vous rendez-vous compte ? Ma crédibilité de journaliste était en jeu, mais ce détail ne l'a pas arrêtée !

— Pourquoi m'aurait-il arrêtée ! s'insurgea Laurant. Il n'y avait pas un mot de vrai dans votre papier ! Je n'ai jamais accepté un seul des rendez-vous de Brenner, et vous le saviez parfaitement. C'était votre article qui portait atteinte à votre crédibilité, et non mon démenti ! Sur ce, vous nous excuserez, mais nous avons vraiment beaucoup à faire. »

Nick ne bougea pas d'un cheveu. « Pour votre information, puisque je vois que vous mettez un point d'honneur à ne transmettre que des informations d'une minutieuse exactitude...

— Oui ? fit Lorna, alléchée, en exhumant aussitôt son calepin.

— Je vous confirme que nous sommes éperdument amoureux. Alors n'ayez crainte : cette fois, vous n'aurez certainement pas à publier de démenti – n'est-ce pas, trésor ?

— Exactement. Nous sommes fous l'un de l'autre. Ça nous est tombé dessus comme ça ! fit-elle en claquant des doigts au nez de Lorna. Jusque-là, je refusais mordicus de croire au coup de foudre et, entre nous..., ajouta-t-elle en baissant la voix, ce n'est pas seulement pour la bagatelle ! Les premiers temps, j'avais mis ça sur le compte d'une bonne petite flambée de libido – n'est-ce pas, chéri ? Mais nous avons bien dû nous rendre à l'évidence. Ça va bien plus loin. C'est l'amour avec un grand A ! »

Les petits yeux chafouins de la journaliste faisaient la navette entre le visage de Laurant, désarmant de sincérité, et le sourire radieux qu'affichait son futur époux.

« Comptez sur moi pour vous citer à la virgule près ! fit Lorna, sur le ton de la mise en garde.

— Mais je vous en prie..., répondit Nick. Au contraire, c'est nous qui comptons sur vous ! » Sur ce, lui présentant son large dos et sans lâcher l'épaule de Laurant, il mit le cap sur la voiture qui, par chance, ne se trouvait qu'à quelques mètres. Il ouvrit la portière à Laurant du côté passager avant de contourner la voiture et d'y monter à son tour.

« Quelque chose me dit que vous n'êtes pas dans les petits papiers de cette chère Lorna – ou alors précisément trop ! fit Nick, en glissant un œil vers son rétroviseur.

— Je comprends pourquoi ils vous ont sélectionné, au FBI. Pour votre sens de l'observation, je suppose !

— L'article paraîtra ce week-end ! leur cria Lorna. Tâchez de rester ensemble jusque-là ! »

Piquée au vif par tant d'opiniâtreté, Laurant abaissa sa vitre : « Puisque je vous répète que cette fois sera la bonne, Lorna !

— Vraiment ! Alors, à quand le mariage ? »

C'était un défi, et Laurant s'empressa de le relever : « Le deuxième samedi d'octobre, à sept heures ! riposta-t-elle sans sourciller.

— Sans blague ! Voilà qui s'appelle brûler les étapes ! Mais dites-moi... pourquoi tant de hâte ? Vous ne seriez tout de même pas *obligés* de vous marier ?

— Là, vous passez les bornes ! » explosa Laurant, la main sur la poignée.

Nick la rattrapa de justesse par le bras et verrouilla automatiquement les portières, en se mordant les joues pour ne pas éclater de rire. Il brûlait de lui demander ce qu'elle aurait fait, s'il n'avait pu l'empêcher de sauter sur Lorna. L'aurait-elle vraiment étendue pour le compte sur le trottoir... ?

Laurant se laissa choir sur son siège et remonta sa vitre, catastrophée. Quelle mouche l'avait piquée... ? Elle avait peine à se reconnaître dans sa propre conduite.

« Démarrez, Nick. Vite... filons ! »

Ils roulèrent en silence jusqu'à ce qu'ils arrivent en vue de l'abbaye. Laurant lâcha alors la bride à sa frustration : « Cette Lorna Hamburg est une vraie poison. C'est la plus dangereuse et la plus malveillante de toutes les colporteuses de ragots de cette ville ! D'ailleurs, elle m'a toujours porté sur les nerfs. C'est la méchanceté personnifiée ; elle adore jeter de l'huile sur le feu. Quel culot de mettre ainsi ma parole en doute ! s'écria-t-elle. Moi qui ne lui ai jamais dit que la vérité ! Vous avez vu ça ! Elle me narguait ouvertement, elle n'essayait même pas de s'en cacher. Ça sautait aux yeux ! Elle m'a carrément accusée de lui mentir ! »

Un ange traversa l'Explorer, en prenant tout son temps, puis Nick glissa un œil vers elle :

« Laurant...

— Quoi ! rétorqua-t-elle d'un ton brusque.

— Puis-je vous faire remarquer que vous mentiez... ?

— Qu'est-ce qu'elle en savait, hein ?

— Elle avait l'air d'avoir subodoré quelque chose.

— Regardez la route, Nick ! »

Il éclata de rire. C'était plus fort que lui.

Elle préféra concentrer son attention sur le paysage qui défilait derrière sa vitre.

« Avouez que vous n'êtes pas toujours très rationnelle, s'esclaffa-t-il. Que se passera-t-il quand l'enquête sera terminée et que je devrai regagner Boston ? Vous demanderez à Lorna de publier un troisième démenti, ou vous vous contenterez de reconnaître qu'aujourd'hui vous avez un peu flirté avec la vérité ?

— Ça, jamais ! Jamais et pour rien au monde je ne lui ferai le plaisir d'admettre qu'elle avait raison ! J'ai une affreuse réputation, auprès de tous les hommes de cette ville, à cause de cette punaise et de ses mensonges idiots... » Elle croisa les bras et garda les yeux rivés droit devant elle. Bien sûr, tout ça n'avait rien de bien rationnel... Et alors ! Tout était de la faute de l'abominable Gazetzilla et de ses machinations !

273

« Elle n'a aucune conscience professionnelle ! Je serais prête à tout pour ne jamais reconnaître qu'elle avait raison. J'irais jusqu'à épouser un type qui ne correspondrait pas du tout à mes attentes – vous, par exemple ! »

Nick leva brusquement le pied. « Pardon... Qui ne correspondrait pas du tout à vos attentes... Et je peux savoir pourquoi ?

— Parce que vous êtes un type dangereux, voilà pourquoi ! Vous ne sortez que harnaché et muni de toute une artillerie !

— Je vous ai expliqué. Ça va avec le job.

— Justement.

— Rien n'est garanti à cent pour cent, dans la vie, Laurant. Le risque zéro n'existe pas. Le chauffeur de bus le plus pantouflard peut se faire descendre pendant son service.

— Non ? Et vous en connaissez beaucoup, des chauffeurs de bus qui ont trouvé la mort dans des fusillades ! »

Il grinça des dents. « Si on va par là, je ne connais pas non plus des foules d'agents fédéraux qui aient trouvé la mort dans des fusillades, comme vous le dites si joliment, marmonna-t-il. Mais la logique n'a pas l'air d'être votre fort, dites-moi... Personne ne vous l'a jamais dit ? »

Elle se raidit. « Et s'il me plaît, à moi, de ne pas être logique – c'est tout de même mon droit, non ?

— Attendez... attendez que j'essaie d'y voir un peu plus clair. En dépit de tout bon sens, vous seriez prête à m'épouser rien que pour faire enrager Lorna ? »

Évidemment pas. Jamais elle n'aurait fait une chose aussi absurde, mais elle ne pouvait tout de même pas lui laisser marquer ce point, à ce monsieur Je-sais-tout. « Où voulez-vous en venir, hein ? fit-elle, l'air mauvais.

— Nulle part ! Si vous n'y voyez pas d'inconvénient, moi non plus !

— Parfait ! s'exclama-t-elle, avec un hochement de tête belliqueux. En ce cas, rendez-vous le 14 octobre à dix-neuf heures ! C'est noté ? »

22

Le rebut des uns peut faire le bonheur des autres, se répétait Laurant, en farfouillant dans un tas de cartons piquetés de moisi qui débordaient de linge mangé aux mites et de vieilleries échouées là depuis un bon demi-siècle. Lorsqu'elle jeta l'éponge, elle disparaissait sous une couche uniforme de poussière grise, la couleur initiale de ses vêtements n'était plus qu'un vague souvenir, et elle éternuait toutes les dix secondes. Pas trace du moindre Van Gogh ni du moindre Rubens, dans tout ce fatras ! En fait, elle n'avait vu passer qu'un bric-à-brac sans intérêt. Ses fouilles commençaient à peine, et il lui restait une soixantaine de cartons à trier...

Nick lui prêta main-forte pour transporter les objets les plus volumineux et leur faire descendre les quatre volées de marches du grand escalier.

« Aurons-nous le temps de passer chez la couturière ? s'inquiéta-t-elle en sautant sur le siège passager.

— À condition de faire vite. Nous devons revenir chercher Tommy et Noah dans une heure, ce qui nous laisse tout juste le temps de prendre une douche et de nous changer. »

En arrivant chez elle, elle fila au premier étage et croisa dans l'escalier Joe qui en descendait.

« Je viens de faire ma ronde. Tout semble calme, l'assura-t-il. Rien à signaler ! »

Pendant ce temps, dans la salle à manger, Nick déposait délicatement sur la table la robe qu'ils venaient d'aller chercher. Il passa à la cuisine boire un verre d'eau.

Laurant s'organisa rapidement. Cette fois, pas question d'émerger de la salle de bains dans cet affreux peignoir. Elle avait donc rassemblé toutes ses affaires, chaussures comprises, avant même de prendre sa douche. Dix minutes plus tard, elle inspecta le résultat des opérations d'un œil satisfait. Elle avait décidé de frapper un grand coup, ce soir-là. Elle avait mis la robe : une petite chose noire juste assez moulante pour mettre en valeur les courbes qu'il fallait, et dont le décolleté carré soulignait joliment, sans trop les dévoiler, les rotondités de sa poitrine. Elle ne l'avait sortie de ses placards qu'une seule et unique fois, depuis son arrivée à Holy Oaks le soir où elle avait invité Michelle et Christopher au restaurant pour fêter leurs fiançailles. Depuis, Michelle la surnommait « l'arme absolue » ; c'était, selon elle, ce que la garde-robe de Laurant contenait de plus dévastateur. Elle disait que, sur elle, cette robe était « d'une décence frisant l'outrage à la pudeur », diagnostic que Christopher avait approuvé sans réserve.

Elle s'était donc diligemment pomponnée. Elle avait même tenu à se friser les cheveux, ce qui lui avait valu une douloureuse brûlure à l'oreille, pour cause de manque de pratique dans la manipulation du fer. Elle considéra un long moment l'image que lui renvoyait son miroir et poussa un petit soupir exaspéré. Pourquoi se donner tout ce mal ? Elle n'était plus une gamine en proie à ses premiers émois amoureux, que diable...

Enfin... Elle n'allait tout de même pas tomber amoureuse de lui ! Cette seule idée lui donnait la chair de poule. Car il partirait, inéluctablement. Dès la fin de l'enquête...

« C'est trop bête... », murmura-t-elle en balançant sa brosse sur le plan du lavabo. S'enticher d'un copain de son grand frère, comme la première idiote venue !...

L'arrivée de Nick acheva de mortifier son ego. Il ne jeta qu'un hâtif coup d'œil à sa tenue (sans doute pour s'assurer qu'elle ne s'était pas trompée de pied en enfilant ses chaussures), avant de lui annoncer que Pete était en ligne et qu'il désirait lui parler, lorsqu'il aurait terminé son briefing avec Joe. La voix de son ange gardien avait cependant sonné un tantinet étranglée – d'où lui venait donc ce surcroît de préoccupation ? se demanda-t-elle.

« Rien de bien grave, fit-il en regardant très loin au-dessus de sa tête. Pete veut juste prendre de vos nouvelles. »

Lorsqu'il la frôla pour se rendre dans la salle de bains, il capta une bouffée de son parfum, mais fit comme si de rien n'était, tout comme il était resté de marbre en la découvrant dans cette petite robe noire ajustée qui lui allait si bien. Jusqu'à ce qu'il ait refermé la porte sur lui. Ensuite, il s'y était adossé. « Seigneur ! Me voilà dans de beaux draps... », murmura-t-il, la tête basse.

Ils avaient un quart d'heure de retard quand ils arrivèrent à l'abbaye, où les attendaient Tommy et Noah. Nick gara l'Explorer derrière le bâtiment, en face du perron. Ils mettaient tous deux pied à terre lorsque Tommy apparut au sommet des marches et accourut à leur rencontre.

« Tu vas bien, petite sœur ? demanda-t-il en l'embrassant.

— Très bien. Et toi ?

— Ne reste pas là ! Rentre dans la voiture, répliqua-t-il et, rouvrant sa portière, il tenta de la pousser à l'intérieur sans essayer de dissimuler son anxiété. Cette idée ne me dit rien qui vaille, Nick !

— Et Noah, qu'est-ce que tu en as fait ? demanda ce dernier en se glissant derrière le volant tandis que Tommy prenait place à l'arrière.

— Il arrive... Je préférerais que nous allions nous acheter des plats préparés que nous irions manger chez Laurant. Ce n'est pas très prudent de nous exhiber ainsi en public. »

Elle pivota sur son siège et le regarda bien en face : « Tommy... Tu voudrais peut-être que je me barricade chez moi !

— Et pourquoi pas ?

277

— Parce que notre plan est précisément d'aller et venir au vu et au su de tous. Tu l'as déjà oublié ?

— Je sais très bien ce qu'est votre fameux plan ! riposta-t-il. Pousser ce dément à passer à l'acte !

— Il le fera tôt ou tard, lui fit remarquer Nick. Le plus tôt sera le mieux, et nous serons prêts à le recevoir.

— Ce plan est une pure absurdité ! protesta Tommy. Un grain de sable suffirait à tout faire capoter et...

— Sais-tu que nous sommes entourés d'agents qui nous surveillent de loin ? » l'interrompit-elle. Elle ne savait pas au juste ce qu'il en était, mais aux grands maux les grands remèdes, et le plus urgent était d'apaiser les craintes de Tommy.

« Où ça ? Où sont-ils ? » demanda-t-il en se dévissant le cou pour tenter de les apercevoir par la vitre arrière.

« Tu ne les verras pas. Ils sont censés se fondre dans le paysage, déclara-t-elle avec une autorité dont elle fut la première surprise.

— Bon, bon..., fit Tommy, un tantinet plus détendu. Mince ! J'ai oublié mon portefeuille...

— Cette réplique est normalement réservée à l'arrivée de l'addition ! plaisanta Nick.

— J'en ai pour une minute... »

Laurant suivit son frère du regard tandis qu'il gravissait le perron quatre à quatre et s'engouffrait dans l'abbaye. « Il m'a l'air encore plus stressé qu'à Kansas City...

— On peut le comprendre. »

Une minute plus tard, Tommy était de retour, en compagnie de Noah. En découvrant la tenue qu'arborait son collègue, Nick ne put réprimer un petit gloussement, aussitôt imité par Laurant. Noah avait revêtu l'habit ecclésiastique civil : costume gris, chemise noire à petit col blanc empesé, crucifix d'argent au revers.

« Ce bougre de mécréant ! Il va finir au fin fond de l'enfer ! » s'esclaffa Nick. Laurant dut détourner les yeux pour pouvoir retrouver un semblant de sérieux.

« Vous croyez qu'il porte une arme, sous cette veste ?

— Il est tenu d'en porter une.

— Nuit et jour ?

— Nuit et jour. »

Noah ne prit même pas le temps de les saluer. Il avait décidé d'avoir le dernier mot dans une discussion qu'il avait manifestement engagée depuis un certain temps avec Tommy.

« Puisque je vous dis que ça a quelque chose de contre-nature !

— Pour vous, peut-être..., répliqua Tommy.

— Comme pour tout homme normalement constitué ! » ricana Noah.

Nick avait deviné l'objet de la polémique. « Le vœu de chasteté, je me trompe ?

— Exact, fit Noah. Cette histoire de célibat à perpétuité m'a toujours fait doucement rigoler ! »

Nick partit d'un grand éclat de rire, tandis que Tommy s'efforçait de parler d'autre chose : « Bien... Où allons-nous dîner ? demanda-t-il.

— Ah ! Ça va à l'encontre de toutes les règles d'hygiène ! D'ailleurs... ça doit nuire à votre santé, d'une façon ou d'une autre, et...

— Je sais, je sais ! l'interrompit Tommy. Comme pour tout homme normalement constitué, comme vous dites. Ce point étant établi, si nous changions de sujet... ? »

Noah parut y consentir : « Nom d'un chien, Laurant... c'est vous qui sentez bon comme ça ? » Et il enchaîna, un ton plus bas : « T'as remarqué le nombre de minibus, de vans et de fourgonnettes qui sillonnent ce bled ? On en voit à tous les coins de rue. Wesson doit avoir du pain sur la planche, pour vérifier toutes les immatriculations... ? »

La question ramena le sérieux dans la voiture.

« Je l'ai appelé cet après-midi, pour savoir s'il avait des nouvelles, dit Nick. Il a certainement dû vérifier les plaques des véhicules appartenant aux ouvriers qui occupent les maisons voisines de celle de Laurant, mais il n'en a rien laissé filtrer.

— Qu'est-ce qu'il t'a dit ?

— "Je fais mon boulot."

— Il nous traite comme des larbins, soupira Noah. On dirait qu'il s'est juré de nous tenir hors du coup.

— En tout cas, ça y ressemble fort.

— Je t'en foutrais ! Comme si nous pouvions nous permettre de jouer à colin-maillard, avec un cinglé en face de nous ! »

Tommy se mit à bombarder Nick de questions et de suggestions. Lorsque l'Explorer se gara sur le parking du restaurant, Laurant en avait le tournis.

Comme Tommy s'apprêtait à descendre de voiture, Noah le retint par le bras : « Écoutez, mon cher curé... Vous ne me quittez pas d'une semelle, d'accord ? Et n'essayez plus de filer à l'anglaise, ou je vous enchaîne à mon poignet avec des menottes !

— D'accord, d'accord..., soupira Tom. Ça ne se reproduira pas. »

Noah eut un sourire satisfait. Tommy alla ouvrir la portière de Laurant, qui étendit devant elle ses jambes fuselées avant de mettre à son tour pied à terre, en tirant avec modestie sur l'ourlet de sa jupe.

« Ce qui vous sauve, mon cher cureton, c'est que vous avez une sœur épatante ! fit Noah avec un sifflement d'admiration.

— Un prêtre ne siffle pas en lorgnant les jambes des filles ! »

Noah jeta un coup d'œil complice vers Nick. « Depuis que j'ai enfilé ce costume, c'est ma fête. J'essuie critique sur critique ! J'essaie pourtant de me tenir à carreau, et je fais de mon mieux pour me rendre utile, mais on ne peut pas dire que ton pote me facilite la tâche ! »

Nick et Noah emboîtèrent le pas à Laurant et à son frère.

« Qu'est-ce que tu entends au juste par "te rendre utile" ? » demanda Nick.

Noah haussa les épaules. « Je lui ai proposé, par exemple, de relayer le prêtre de service à confesse, mais Tom est monté sur ses grands chevaux et m'a poliment envoyé sur les roses ! »

Tommy dut entendre le commentaire, car il se retourna et lui lança : « La confession est un sacrement, Noah. Vous n'espériez tout de même pas que je vous laisserais faire n'importe quoi !

— Il se prend vraiment au sérieux, ton pote...

— Comme tous les prêtres, mon vieux. J'aurais dû le mettre en garde contre ton sens de l'humour.

— Faut dire qu'il démarre au quart de tour !

— Et que tu as l'art de le prendre à rebrousse-poil !

— Dis donc, toi... et sa sœur ? Est-ce que je te demande dans quel sens tu la prends !

— Pardon ? »

Noah cligna de l'œil. « Oui... T'as trouvé le bon angle d'approche, ou tu cherches encore ? Tu crois peut-être que j'ai les yeux dans la poche !

— Puisque je te dis qu'elle est inaccessible ! Une seconde, Tom ! Laisse-nous passer devant.

— Inaccessible, vraiment ? Pour moi ou pour toi ? insista Noah, en pressant le pas avec lui.

— Les deux. C'est pas du tout le genre de fille avec qui on peut folâtrer sans avoir pris de solides engagements. »

L'allée de galets, qui contournait le bâtiment en une vaste courbe, était bordée de grands pots de terre cuite débordants de géraniums rouges et blancs. Noah prit la tête du groupe tandis que Nick fermait la marche, l'œil aux aguets.

Le Rosebriar était une vieille demeure victorienne reconvertie en restaurant. La salle à manger était somptueuse. Partout, sur les nappes de lin blanc, trônaient de splendides vases de cristal chargés de fleurs fraîches. La vaisselle semblait très ancienne et hors de prix.

Le maître d'hôtel les pilota jusqu'à une petite salle située à l'arrière de la maison, d'où l'on avait une jolie vue sur un étang. Il leur proposa une table ronde face à une fenêtre, mais Noah opta pour une autre table, dans un coin plus stratégique.

La salle affichait presque complet. Quelques couples étaient venus avec des enfants dont les rires faisaient résonner la vieille bâtisse. Comme ils prenaient place, plusieurs têtes se retournè-rent vers Laurant. Les enfants eux-mêmes semblaient électrisés par sa présence, mais à peine remarquait-elle les regards de surprise et d'admiration qui convergeaient vers elle.

Le maître d'hôtel tira la table pour qu'elle puisse s'installer dans le coin. Nick s'installa à son côté, tandis que Tommy et Noah s'asseyaient en face. Ce dernier, qui détestait tourner le dos à la salle, plaça sa chaise de biais, de manière à pouvoir garder un œil sur les autres clients. Il commença à ôter sa veste puis se ravisa et la rajusta sur ses épaules pour ne pas montrer son holster.

Quant à Tommy, il se retournait à chaque instant pour balayer la salle d'un regard inquiet. Le moindre éclat de rire le faisait sursauter.

« Cessez donc de vous agiter et tâchez de vous détendre un peu, lui enjoignit Noah. Vous allez finir par nous faire repérer, à force de vous tortiller sur votre chaise ! Et, de grâce... arrêtez de dévisager les gens ! Vous n'allez pas me dire que vous connaissez tous les clients de l'établissement ?

— Évidemment pas, c'est précisément pour ça que je les garde à l'œil !

— Laisse-nous nous en charger, Tommy..., suggéra Nick. C'est notre job. Contente-toi d'appliquer le programme. OK ?

— Et tâche de sourire un peu, lui glissa Laurant. Nous sommes supposés fêter un heureux événement.

— Je vais commander une bouteille de champagne..., annonça Nick.

— Ah ? Qu'est-ce qu'on fête ? » s'enquit Noah.

Laurant lui montra sa bague. « Nous sommes officiellement fiancés, Nick et moi. »

Tommy ne put réprimer un sourire. « Ce qui explique que tu te sois mise sur ton trente et un... !

— Je ne suis pas sur mon trente et un !

— Mais tu t'es même maquillée, ma parole ! Toi qui ne te mets jamais rien sur la peau ! »

Tommy n'avait pas l'intention de la plonger dans l'embarras. Sa candeur naturelle le rendait incapable de ce genre de calcul – ça, Laurant était bien placée pour le savoir. Mais, n'empêche...

elle lui aurait volontiers décoché un coup de pied sous la table pour lui clouer le bec.

« Attends... Je n'avais pas vu tes cheveux ! Qu'est-ce que tu leur as fait ?

— Je me suis un peu coiffée, voilà tout. Pas de quoi en faire une montagne ! Et incidemment – si quelqu'un venait à te poser la question –, tu es enchanté de me voir épouser ton meilleur ami.

— D'accord, fit-il.

— Sans compter que je vais peut-être finir par épouser ta sœur pour de vrai ! exulta Nick. Figure-toi que nous avons croisé une vieille amie à elle, et que...

— Lorna n'a jamais été de mes amies ! »

Nick hocha la tête et poursuivit, sans sourciller : « Bref, il semblerait que Laurant soit prête à tout pour que cette Lorna ne puisse prétendre qu'elle avait prédit le naufrage de nos projets de mariage ! »

Tommy éclata de rire. « La pauvre Lorna ! Elle a toujours eu le don de te taper sur les nerfs, n'est-ce pas ? Effectivement, Nick... je crains que nous n'en soyons réduits à devenir beaux-frères ! »

Tommy se carra contre son dossier, tandis que son regard faisait la navette entre Nick et Laurant. « Mais ça ne serait peut-être pas une si mauvaise idée ! Vous m'avez l'air plutôt faits l'un pour l'autre...

— Si ce n'est que ta sœur ne voudrait pas de moi pour un empire ! Je suis un parti trop dangereux pour elle.

— Le mariage aura lieu le deuxième samedi d'octobre, à dix-neuf heures, et c'est toi qui nous béniras, annonça Laurant. Comme on peut supposer que Lorna ne va pas tarder à venir t'en parler, tâche au moins de prendre un air réjoui – et n'oublie pas la date.

— Le deuxième samedi d'octobre... Et on peut savoir ce que tu feras, le jour où tu devras dévoiler le pot aux roses à Lorna ? »

Elle secoua vigoureusement la tête. « Ça, jamais ! Plutôt déménager !

— Je croyais que vous comptiez m'épouser, pour ne pas perdre la face !

— Mais j'en serais tout à fait capable ! » l'assura-t-elle avec un haussement d'épaules.

Tommy fronça les sourcils. « Vous oubliez que le mariage est un saint sacrement !

— Allez, détends-toi un peu, mon petit Tom ! lui suggéra sa sœur. Plaisante avec nous... joue le jeu !

— Tu voudrais me faire mentir par omission, c'est ça ?

— Exactement.

— Bien. Mais réfléchis un peu... Si c'est moi qui vous marie, Nick et toi, au bras de qui descendras-tu la grande nef ?

— Ah ! Je n'y avais pas songé.

— J'ai une idée ! fit Noah. Je prendrai votre place derrière l'autel, ce qui vous laissera les mains libres pour faire visiter l'église à votre sœur autant qu'il vous plaira, mon cher curé.

— Ça c'est un plan ! » approuva Nick.

Tommy leva des yeux excédés. « Au nom du ciel ! fulmina-t-il. Combien de fois faudra-t-il vous le répéter, Noah... L'habit ne fait pas le moine ! Vous ne pouvez administrer aucun sacrement : ni mariage, ni absolution – ce qui ne vous autorise pas pour autant à draguer les filles, avec l'habit que vous portez ! »

Noah partit d'un éclat de rire qui fit se retourner plusieurs têtes aux tables voisines. « Il ne vous en faut vraiment pas beaucoup pour sortir de vos gonds, mon cher Tom ! Puisque Nick et Laurant font semblant de se marier, je ne vois pas ce qui m'empêcherait de tenir le rôle du prêtre qui fera semblant de conclure l'affaire ! »

Tommy jeta un regard de pur désespoir en direction de son ami : « Nick... J'ai besoin de ton aide, là ! Le prieur n'a accepté que du bout des lèvres la présence de cet... énergumène. Pete a dû parlementer une demi-heure avec lui pour le convaincre de coopérer. Il a accepté de faire comme si Wesson était un cousin à qui il aurait prêté le bungalow. Il fait preuve chaque jour d'une patience d'ange et d'une tolérance à toute épreuve. Mais si nous avons une chose en horreur, ajouta-t-il, c'est bien de voir quelqu'un se déguiser en prêtre. Ton collègue s'était engagé à ne rien faire qui puisse discréditer l'habit qu'il porte, et nous n'avions pas quitté le bureau du prieur qu'il contait déjà fleurette à Suzie Johnson et lui faisait de grands clins d'œil en l'appelant "mon petit chou".

— Eh ! protesta Noah, je ne me suis jamais engagé à devenir un dragon de vertu, il me semble ! Et, entre nous, il serait hautement souhaitable que même les ecclésiastiques disposent d'un jour par semaine pour...

— Je sais, je sais... pour mener ce que vous appelez "une vie sexuelle normale". Eh bien, ce n'est pas le cas ! »

Le portable de Nick émit un bourdonnement discret. Il l'écouta trente secondes et répondit : « C'est entendu », puis raccrocha.

« Le shérif vient de s'offrir une nouvelle voiture, annonça-t-il. Une Ford Explorer rouge. Il sera ici d'une minute à l'autre.

— Seul ? s'étonna Noah.

— À première vue, oui.

— L'association tient ses réunions hebdomadaires ici, expliqua Laurant. Les autres membres doivent être dans l'une des salles à manger à l'étage.

— Brenner est-il des leurs ?

— Je suppose, fit-elle.

— Après le dîner, je profiterai de l'occasion pour aller le saluer, ce brave Brenner, dit Nick. Je serais ravi de le rencontrer. »

Le shérif arriva une minute plus tard, vêtu de son uniforme gris et chaussé de ses bottes western. Il ne se donna pas la peine d'ôter son Stetson en entrant, et suivit le maître d'hôtel qui le conduisit dans les étages.

« Ce Brenner, c'est autant dire l'artiste local, n'est-ce pas ? demanda Noah.

— Si on veut, fit Nick.

— L'artiste local ? s'étonna Tommy.

— Le caïd du coin. Celui qui prétend imposer ses vues à toute la ville. Il y en a toujours au moins un ou deux, dans ce genre de patelin.

— Exact. C'est Brenner tout craché ! fit Tommy. Il a effectivement juré d'étendre sa mainmise à toute la vallée. Laurant est bien la seule à oser lui résister. » Il eut un sourire attendri en regardant sa sœur, qui ne pouvait détacher les yeux de son annulaire gauche. « À ta place, j'éviterais de trop m'attacher à ce bijou...

— Je fais semblant, murmura-t-elle. Mais, entre nous, cette bague est vraiment ravissante, n'est-ce pas ? Jamais je n'aurais cru qu'ils avaient de si jolies choses, chez Russell... » Et elle se surprit à rêver de ce que serait sa vie, si elle venait à épouser Nick. Le trouver à son côté chaque matin en ouvrant les yeux, être l'objet de toutes ses attentions, de son amour...

« Quel est leur règlement pour le retour des articles ? » demanda Tommy, qui ne perdait jamais de vue les détails pratiques.

Elle reposa la main sur ses genoux. « Le délai normal est de dix jours, mais Mme Russell a accepté de faire une exception pour moi. Elle m'en laisse trente. Et vous savez ce qu'elle m'a sorti ? "Je vous donne un mois entier pour changer d'avis, ma chère – avec le triste palmarès que vous avez dans cette ville !"

— Ma sœur a une réputation épouvantable auprès de toute la gent masculine de Holy Oaks ! s'esclaffa Tommy.

— Grâce à Lorna et à ses mensonges idiots !

— En toute honnêteté, Laurant, reconnais que tu as fait ce qu'il fallait pour décourager tes prétendants ! Cela dit, ça a le mérite d'opérer parmi eux une sélection naturelle salutaire ! »

Tommy jeta un coup d'œil vers Nick, qui étouffait un petit gloussement.

« Qu'est-ce qu'il y a de si drôle ? » demanda Noah.

Nick regarda Laurant avant de répondre : « Je me suis laissé dire que les garçons de cette ville lui avaient trouvé un surnom fumant...

— Sans blague ? Lequel ?

286

— Mlle Iceberg ! » s'esclaffa Tommy, déclenchant une tempête de rires autour de la table.

Laurant restait de marbre. « Tu as toujours été un abominable cafteur, Tommy ! » grinça-t-elle en lui décochant un regard dont le sens n'était que trop clair : il ne perdait rien pour attendre !

Nick se pencha alors vers elle et lui glissa à l'oreille : « Ne vous en faites pas, mon ange. J'ai eu personnellement l'occasion de vérifier que les patins de Mlle Iceberg n'étaient pas de glace… ! »

L'arrivée du maître d'hôtel qui venait prendre leurs commandes fit un instant diversion, mais, dès qu'il eut tourné les talons, les trois compères se relayèrent à nouveau pour la chambrer. De guerre lasse, elle se mit en quête d'un moyen pour y couper court.

« Et moi, je me suis laissé dire que la saison allait être catastrophique pour l'équipe de Penn State ! lança-t-elle, l'air de ne pas y toucher. Il paraîtrait qu'ils ont perdu leur meilleur *quarterback* ! »

Elle venait de leur sortir ce scoop de son chapeau, mais l'information elle-même n'était qu'accessoire. Il suffisait de prononcer certains mots magiques – *équipe, match, saison, quarterback…* – pour que leurs esprits se mettent automatiquement en mode football. Elle se rencogna contre le dossier de sa chaise, un sourire indulgent aux lèvres. Nick et Tommy étaient des anciens de Penn State ; quant à Noah, il avait joué arrière dans l'équipe du Michigan. Tous trois estimaient donc faire autorité en la matière… Ils se mirent aussitôt à discuter sélection et tirage au sort, et lui fichèrent une paix royale pendant tout le repas.

Le dîner terminé, comme ils se dirigeaient vers la sortie, Tommy aperçut à une table une famille de sa connaissance et resta bavarder un moment, toujours sous l'escorte vigilante de Noah, tandis que Nick et Laurant continuaient en direction du parking.

Là, ils aperçurent le fils du shérif qui semblait guetter leur arrivée. Tandis qu'ils regagnaient leur voiture, il amena sa Chevy Nova au beau milieu du parking, à quelques mètres d'eux, au terme d'un virage vertigineux, et dans un concert de grincements de pneus. Nick mit aussitôt Laurant à l'abri entre deux voitures et se posta devant elle, pour surveiller les agissements du jeune chauffard.

Lonnie n'était pas venu seul. Il était flanqué de trois autres larrons, des voyous originaires d'une ville voisine, tous fichés pour délinquance. Lorsque Steve Brenner lui confiait un « travail », Lonnie s'arrangeait toujours pour s'assurer le concours de ses copains, à qui il ne reversait qu'une modique fraction de ses bénéfices. D'ailleurs, ils s'y prêtaient davantage par plaisir que pour l'appât du gain, et Lonnie avait une excellente raison de les faire participer à ses micmacs : en cas de pépin, si les choses tournaient mal, il avait ainsi sous la main des boucs émissaires tout trouvés. Lui, son gros benêt de père était bien obligé de le laisser filer... Qu'auraient dit les gens en voyant le shérif de la ville passer les menottes à son propre rejeton ? Or, pour son père, ce qui comptait, c'était de continuer à rouler des mécaniques en ville en jouant les gros bras. Lonnie avait la quasi-certitude qu'avec un minimum de précautions, il pouvait se tirer de n'importe quelle bourde.

Steve ne s'était pas étendu sur les détails, au sujet du prétendu fiancé de Mlle Iceberg. Il lui avait décrit sa voiture, une Ford Explorer, près de laquelle il les avait repérés, et il lui avait dit de mettre en fuite cet encombrant prétendant. « Fiche-lui la trouille de sa vie. Qu'il ne remette jamais plus les pieds dans cette ville ! »

Appâté par la liasse de billets que Brenner lui avait agitée sous le nez, Lonnie avait aussitôt accepté la mission.

« C'est Lonnie, le fils du shérif..., murmura Laurant. Qu'est-ce qu'il manigance encore ?

— Nous n'allons pas tarder à le savoir, lui répondit Nick sur le même ton. Hé ! petit... si tu enlevais ta voiture du chemin ! » lança-t-il.

Sans couper son moteur, Lonnie ouvrit sa portière et mit pied à terre. C'était un grand escogriffe, au visage grêlé de marques d'acné. Ses lèvres minces s'étiraient en un rictus mauvais et ses cheveux lui tombaient dans le cou en longues mèches poisseuses, luisantes de brillantine. À vue de nez, Nick ne lui donnait pas plus de dix-huit ou dix-neuf ans, mais on lisait dans son regard que sa cause était déjà perdue.

« Si on commençait par la bagnole ! » ricana-t-il pour ses amis, en sortant de sa poche revolver un couteau à cran d'arrêt dont il fit jaillir la lame. « Admirez le boulot, les mecs ! Je vais lui foutre les foies, à cette petite enflure de citadin... » Il avança à pas comptés. « Et toi, ma belle... va falloir que tu rentres avec nous, parce qu'il n'en restera plus grand-chose, de ton pote et de sa caisse, quand on en aura fini avec eux ! »

Nick éclata de rire – ce qui n'était pas tout à fait la réponse escomptée.

« T'as vu quelque chose de fendard, l'enflure ?

— Oui, toi ! » riposta Nick. Noah descendait quatre à quatre les marches du perron.

« Hé ! Noah... Vise un peu ce loustic qui nous menace de passer ses nerfs sur la voiture !

— Eh ! mais c'est..., commença Tommy qui arrivait dans le sillage de son ange tutélaire.

— Lui-même ! fit Nick.

— Lonnie ! Range-moi immédiatement ce couteau ! lui lança le prêtre.

— J'ai un petit compte à régler avec Laurant, grinça Lonnie. Dégagez, vous et l'autre curé. Vous mêlez pas de ça !

— Qu'est-ce qui lui prend, à ce ouistiti ? Il a une case de vide, ou quoi ? fit Noah, incrédule.

— Je commence à le croire », marmonna Nick en glissant la main dans sa veste.

Mortellement humilié sous les yeux de ses copains, Lonnie plongea vers le pneu avant de l'Explorer et y planta son couteau à plusieurs reprises. Un sourire narquois lui tordit les lèvres, lorsqu'il entendit le sifflement de l'air qui s'en échappait.

« Vas-y, répète-le, que j'ai une case de vide !

— Bah ! C'est pas un drame, on a une roue de secours ! »

s'écria Noah, en tâchant de s'interposer entre Tommy et le fils du shérif.

Comme l'avait prévu Noah, Lonnie s'en prit à un deuxième pneu, sous les rires et les encouragements enthousiastes de sa bande. Puis, pour faire bonne mesure, il raya d'une profonde balafre la carrosserie immaculée de la portière et du capot.

« Alors, on rigole moins, hein, l'enflure ? Comment tu comptes rentrer chez toi, maintenant ? ironisa-t-il.

— Dans ma voiture, répliqua tranquillement Nick.

— Sans blague ! Avec deux pneus à plat ? »

Nick eut un fin sourire. « La mienne a toujours ses quatre pneus. Celle-ci n'est pas à moi. »

Les yeux de Lonnie se mirent à papillonner.

Nick s'avança vers lui. « Noah ! s'écria-t-il. Si tu appelais le shérif ? Il sera curieux de voir ce que son fils a fait de sa voiture !

— Eh merde..., geignit Lonnie.

— Tu ferais bien de lâcher ce couteau, lui conseilla Nick. N'aggrave pas ton cas. Tu as endommagé un véhicule qui ne t'appartient pas, tu as menacé d'une arme un officier fédéral, et... »

Lonnie ne le laissa pas achever sa phrase. « J'ai jamais laissé personne me ridiculiser en public !

— Tu m'étonnes ! Tu es bien assez grand pour t'en charger tout seul ! Lâche ce couteau – dernier avertissement ! »

Lonnie plongea en fente avant : « Amène-toi, trouduc... que je te débite en rondelles !

— Quand tu veux », répliqua Nick en l'arrêtant d'un coup de genou. Puis il s'empara du couteau et l'envoya à plusieurs mètres de là. Cela fait, il plaqua le voyou contre le capot de la Ford, dont l'alarme se mit à ululer.

Laurant eut à peine le temps de battre des paupières que Lonnie s'écroulait, plié en deux, gémissant de douleur. Le couteau avait atterri juste derrière elle. Elle recula de trois pas et, du bout du pied, l'expédia sous la voiture.

À la seconde où avait retenti l'alarme, les copains de Lonnie regagnèrent prudemment l'abri de la voiture et décampèrent. Nick lâcha Lonnie, qui s'affaissa sur lui-même.

« Sale enflure ! je vais te...

— Tiens, tiens..., répliqua Nick, l'air guilleret. Regarde qui arrive ! »

Le shérif dégringolait les marches du perron, précédé de son énorme bedaine. Lorsqu'il les rejoignit, il parut sur le point de fondre en larmes. « Ma bagnole... Purée ! Regardez-moi ce massacre ! Qui est-ce qui a fait ça, Lonnie ? C'est toi ? »

Lonnie avait réussi à se hisser sur ses pieds. « Non ! s'écria-t-il. C'est ce trouduc ! Et par-dessus le marché, il m'a envoyé un sacré coup de pied ! Je me demande s'il m'a pas cassé le genou..., ajouta-t-il, l'index pointé sur Nick.

— Bon Dieu ! Je venais juste d'aller la chercher au garage ! Elle ne m'aura pas duré une soirée..., poursuivit le shérif, comme s'il n'avait pas entendu son fils. Je venais justement t'annoncer la nouvelle... » Il promena l'index sur les balafres qui défiguraient le capot, toujours au bord des larmes. « Pas même une soirée... Je venais juste d'aller la chercher !

— Puisque je te dis que c'est cette enflure qui a fait le coup...

— Il aurait grand besoin d'enrichir un peu son vocabulaire, ce gamin ! souligna Noah.

— Tu vas m'écouter, oui ou merde ? hurla Lonnie aux oreilles du shérif. C'est ce connard qui a bousillé tes pneus et ta carrosserie ! »

À bout de patience, Laurant vint se planter devant Nick, nez à nez avec MacGovern.

« Je sais que ça ne doit pas être facile pour vous, shérif, mais vous devez faire votre travail ! Votre fils vous ment effrontément. C'est lui qui s'est attaqué à votre voiture par erreur, en s'imaginant qu'elle appartenait à mon fiancé. Vous allez devoir l'arrêter, que ça vous plaise ou non. »

Le shérif leva les mains. « Doucement, doucement ! Pas de conclusions hâtives ! Cette voiture m'appartient et vous pouvez me faire confiance : le responsable devra payer les conséquences de ses actes – si on peut prouver qu'il a bien fait ce que vous dites. Sauf qu'à en croire mon fils, ce serait plutôt votre petit ami qui...

— Pur mensonge ! s'exclama-t-elle, exaspérée. Nous sommes quatre à en être témoins : mon frère, le père Clayborne, Nick et moi-même. Vous devez l'arrêter immédiatement !

— Nous aussi, on était quatre ! riposta Lonnie. Mes copains ont tout vu et je peux parier qu'ils vont confirmer ma version !

— Bien, fit MacGovern. Alors, c'est votre parole contre la leur. Parce que, évidemment, je ne vois pas pourquoi le témoignage des amis de mon fils aurait moins de poids que le vôtre.

— Lonnie nous a menacés d'un couteau.

— Vous, je vous conseille vivement de surveiller les paroles de votre petite amie ! lança le shérif à Nick, comme si Laurant avait été transparente. Je n'ai pas à écouter ses jérémiades ! Écartez-vous, mademoiselle Madden, et tâchez de tenir un peu votre langue ! »

Elle n'en croyait pas ses oreilles. Cet incapable qui se permettait de la réprimander comme une gamine mal élevée ! « Moi, tenir ma langue ? s'insurgea-t-elle. Je ne crois pas que ce soit le plus urgent ! C'est à vous d'agir ! »

Le shérif lui lança un regard menaçant. « Bien. Très bien. C'est ce que je m'apprête à faire. Vous, là..., fit-il en désignant Nick d'un coup de menton. Commencez donc par me présenter vos papiers – et que ça saute ! »

Le shérif serrait les poings, tout en fusillant son fils du regard. Il lui aurait volontiers filé une bonne raclée pour lui passer l'envie de ce genre de fantaisie, mais ce n'était pas dépourvu de tout danger : Lonnie était fort capable de riposter, et, en cas de bagarre, le shérif n'était pas sûr d'avoir le dessus...

« Alors... ça vient, ces papiers ?

— Pas de problème, fit Nick en lui présentant son insigne. Agent fédéral Buchanan, shérif. Du FBI.

— Eh merde..., grogna MacGovern.

— Comme vous dites. Vous allez devoir mettre votre fils au frais, cette nuit. Je reviendrai demain remplir les papiers.

— Les papiers... Quels papiers, monsieur l'agent fédéral ? La voiture endommagée m'appartient. Il me revient de décider ou non de porter plainte. Arrête de ricaner, Lonnie, ou je t'en retourne une ! »

Noah s'approcha du shérif par-derrière. « Je ne suis pas très au fait des problèmes légaux puisque, comme vous voyez, je suis prêtre. Mais il me semble que votre fils a tout de même commis une infraction grave, en menaçant d'un couteau un agent fédéral. Je suis sûr qu'il existe une loi qui punit ce genre de méfait.

— Ça, faut voir, fit le shérif. Personnellement, je ne vois pas trace du couteau dont vous parlez... ce qui fait que, pour moi, votre accusation ne repose sur rien, et vous pourriez aussi bien avoir tout inventé. Vous comprenez mon problème...

— Vous trouverez le couteau sous cette voiture », déclara Noah.

Le shérif cherchait désespérément à gagner du temps pour pouvoir décider de la conduite à tenir. « Sous la voiture ? grommela-t-il. Et je peux savoir comment il est arrivé là ?

— C'est moi qui l'y ai envoyé d'un coup de pied, fit Laurant.

— Vous ? Et qu'est-ce que vous faisiez, en possession de ce couteau ?

— Oh ! Pour l'amour du... », s'exclama-t-elle, mais elle renonça à achever.

Le shérif ôta son chapeau et se gratta le crâne. « Bien. Voilà ce qu'on va faire... Rentrez chez vous, bien tranquillement, tous autant que vous êtes, et moi, je m'occupe de tout ça. Demain, vous pourrez passer à mon bureau, à condition de vous annoncer par téléphone, fit-il à Nick. J'aurai sûrement tiré les choses au clair. Allez, fichez-moi le camp ! Rentrez tous chez vous ! »

Laurant tremblait de colère. Sans ajouter un mot, elle fit demi-tour et se dirigea vers la voiture de Nick, en faisant rageusement claquer ses talons sur l'asphalte du parking.

Nick l'entendait marmonner entre ses dents. Avant de refermer la portière sur elle, il lui prit la main. « Vous n'avez pas l'air dans votre assiette, Laurant... Mais vous tremblez, ma parole ! Ce n'est tout de même pas Lonnie qui vous a fait peur ? Je vous garantis que rien n'aurait pu vous arriver en ma présence. Je me porte garant de votre sécurité. Vous en êtes convaincue, j'espère ?

— Bien sûr, Nick. Je suis tout simplement hors de moi. Ce minus ne lèvera pas le petit doigt contre son fils. Ne comptez surtout pas sur lui pour l'arrêter !

— Mais vous êtes furieuse...

— Il avait un couteau, ce petit imbécile ! s'écria-t-elle. Il aurait pu vous faire très mal ! »

La remarque prit Nick au dépourvu. « C'était pour moi que vous vous inquiétiez ? »

Tommy et Noah s'apprêtaient à monter à leur tour, et elle ne tenait pas à ce qu'ils l'entendent répondre : « Bien sûr que j'ai eu peur pour vous. Et maintenant, si vous cessiez de me regarder avec ce sourire idiot, pour vous mettre au volant... J'aimerais bien rentrer chez moi ! »

Il l'aurait volontiers prise dans ses bras et serrée à l'étouffer, mais il se contenta de garder sa main dans la sienne, en la lui tapotant affectueusement.

« Shérif ! s'écria Nick, demain, je tiens à avoir une petite conversation avec votre fils ! »

Se retournant, Tommy aperçut par la lunette arrière les MacGovern père et fils, entamant une discussion qui promettait d'être orageuse.

« Tu ne crois tout de même pas que Lonnie puisse être notre homme, si ?

— Simple vérification, dit Nick. Mais, à première vue, Lonnie n'est effectivement pas un candidat très sérieux. Il ne me paraît pas briller par son intelligence.

— Tu parles ! s'esclaffa Noah. Ce môme se trimballe une de ces couches... un fléau ambulant !

— Peut-être, mais certains ne se privent pas de le pousser dans le sens de sa pente !

— Sans blague ? fit innocemment Noah. Qui aurait l'inconscience de faire une chose pareille ?

294

— "C'est pas un drame, on a une roue de secours", c'est pas toi qui as balancé ça, avant qu'il ne lacère le second pneu ?

— Ouais, peut-être…, admit Noah. Je voulais simplement lui tenir les mains occupées, histoire de vous laisser le temps de vous mettre à l'abri, toi et la demoiselle…

— Tiens donc ! Moi qui m'imaginais que c'était au contraire pour le mettre au défi et voir jusqu'où il irait ! »

Noah haussa les épaules et passa son index entre son cou et son col empesé. « Quel supplice ! fit-il à Tommy. Ça vous donne l'impression d'avoir un nœud coulant autour du cou !

— Aviez-vous des collègues dans le restaurant ? s'enquit Laurant. Et si oui, pourquoi ne sont-ils pas intervenus ?

— Nous avions la situation parfaitement en main, répondit-il.

— Vous saviez que Wesson m'avait intimé l'ordre de laisser Tommy reprendre sa permanence à la confession… ? fit Noah, en un magistral coq-à-l'âne.

— Très mauvaise initiative, répliqua Nick. Je doute que Pete approuve.

— Je ne me suis pas privé de le lui dire ! »

À en juger par l'agacement qui avait percé dans sa voix, Laurant sentit que Noah était tout aussi remonté que Nick contre ce Wesson. Elle pivota sur son siège pour leur en demander la raison.

Avant de répondre, Nick appliqua son pouce sur le micro caché dans son col.

« Laisse, laisse ! dit Noah. Au contraire… je tiens à ce que Wesson n'en perde pas un mot – et, surtout, qu'il le consigne dans son rapport ! Je pense qu'il est affligé de quelques idées fixes bien ancrées : tirer la couverture à lui, se faire mousser, grimper les échelons coûte que coûte, et au besoin en écrasant tout ce qui se trouve sur son passage, Morganstern y compris. »

Noah n'avait visiblement pas l'intention de s'arrêter en si bon chemin. « Il a toujours fait preuve d'une fâcheuse tendance à la jouer perso, poursuivit-il. Bien sûr, moi aussi je fais cavalier seul, mais je fuis toute publicité, tout comme Nick. Dans notre branche, c'est un principe sacré. Wesson, lui, s'arrange toujours pour s'attirer les projecteurs de la presse. Dans l'affaire Stark, par exemple, tu te souviens ? » Et il enchaîna, sans laisser à Nick le temps de dire ouf : « Bien sûr que tu t'en souviens ! Tu as dû abattre un suspect en légitime défense. C'est pas le genre de chose qui s'oublie si vite !

— Non. Et alors… ? demanda Nick, en lançant un coup d'œil dans son rétroviseur.

— Tu as dû sursauter, le lendemain, en trouvant dans ton quotidien favori un compte rendu complet des événements de la veille, avec tous ces détails d'une troublante précision concernant ton passé, ton palmarès et tes proches…

— Tu veux dire que Wesson aurait organisé la fuite ? souffla Nick, que cette idée semblait abasourdir.

— Exactement, répliqua Noah. L'omniprésence de son nom, dans cet article, n'a pas dû t'échapper. Si seulement j'avais pu avoir une petite discussion en tête à tête avec ce journaliste, je suis sûr que nous en aurions eu le cœur net.

— Mais pourquoi Wesson aurait-il fait une chose pareille ? s'enquit Laurant. Qu'est-ce qu'il avait à y gagner ?

— Un petit coup de pied de l'âne, visant à mettre hors jeu un concurrent gênant, car il a toujours rêvé d'être admis parmi les Saints Apôtres, conjectura Noah. Sans doute s'imagine-t-il que toute publicité est bonne à prendre et augmente ses chances d'y parvenir. Je te fiche mon billet que, dès que Pete prendra sa retraite ou sera promu, Wesson parviendra à s'annexer son poste. Et ce jour-là, nous serons bien avisés de ne pas être sur son chemin ! »

Nick gara la voiture sur le parking de l'abbaye, à l'arrière du bâtiment.

« Pour l'instant, concentrons-nous sur notre mission. Et toi, Tommy, file te coucher. Tu as l'air lessivé !

— C'était bien mon intention. À demain, au pique-nique ! Tu tiens toujours le coup, petite sœur ? fit-il avec une pression affectueuse sur l'épaule de Laurant.

296

— Très bien, Tommy. Bonne nuit ! »

Noah enjamba le siège pour sortir du côté de Tommy. « Bonsoir, Mlle Iceberg ! lui lança-t-il avant de descendre. Faites de beaux rêves... »

23

Le pique-nique battait son plein. Ils entendirent les flonflons de l'orchestre dès qu'ils eurent traversé l'allée, main dans la main, pour rejoindre la foule qui se pressait autour de l'estrade et des tables. Les coteaux bordant le pré étaient constellés de couvertures bigarrées ; de loin, on aurait dit un patchwork. La brise du soir leur apportait des parfums de feu de bois, d'herbes aromatiques et de barbecue. Les enfants aussi étaient de la fête, et ils se faufilaient entre les couples de danseurs en se livrant à des courses-poursuites effrénées.

Tommy avait été embauché avec son garde du corps pour retourner les hamburgers sur les grils. Comme il levait la tête, il vit Nick et Laurant arriver au loin, et agita les bras en guise de bienvenue. Laurant repéra une place agréable et ombragée, et elle y étendit la couverture qu'elle avait apportée.

À croire que la moitié de la ville a tenu à être présente ici, songea Nick, non sans inquiétude, devant l'ampleur du rassemblement. La nuit achevait de tomber. Les guirlandes lumineuses accrochées d'arbre en arbre autour de l'estrade s'illuminèrent.

« Formidable, l'orchestre, vous ne trouvez pas ? s'exclama Laurant.

— Hmm-mmh... », fit-il, l'esprit manifestement ailleurs. Son regard ne cessait de scruter la foule.

« C'est Herman et Harley Winston qui ont fondé le groupe, poursuivit-elle. Ils sont respectivement au saxo et à la batterie. Vous les reconnaissez ?... Ce sont les jumeaux qui s'occupent de mon chantier, au magasin. Je vous les présenterai. Je les trouve irrésistibles, pas vous ? »

Lorsque le regard de Nick se porta enfin vers l'estrade, il ne put réprimer un sourire. À vue de nez, les musiciens, qui étaient au total six sur scène, devaient friser les soixante-dix ans de moyenne d'âge. Outre qu'ils se ressemblaient comme deux gouttes d'eau, les jumeaux Winston étaient vêtus exactement à l'identique : pantalon blanc et chemise à carreaux rouges.

« Irrésistibles, d'accord, mais plus de toute première jeunesse ! fit-il.

— De cœur, ils sont aussi jeunes que vous et moi ! objecta-t-elle. Et ce sont des génies du bricolage. Ici, nous ne jetons pas les anciens aux oubliettes. Leur participation à la vie locale nous est infiniment précieuse. Attendez de voir ce qu'ils ont fait au magasin, et vous comprendrez à quel point ils peuvent être indispensables !

— Eh... ça n'était pas une critique. Une constatation, tout au plus... »

Le leader du groupe, un vieux monsieur chauve et voûté qui affichait un sourire éblouissant, quoiqu'un peu trop blanc pour être tout à fait d'origine, tapota le micro pour réclamer le silence.

« Mesdames et messieurs !... vous n'êtes pas sans savoir que le présent pique-nique a été organisé par notre prieur pour remercier tous les habitants de cette ville qui ont travaillé d'arrache-pied sur le chantier de l'église, en vue des fêtes du centenaire. Le père prieur vous souhaite à toutes et à tous une merveilleuse soirée et, tels que vous nous voyez, moi et mes petits cama-rades, nous allons nous faire un plaisir de vous jouer les bons vieux tubes de notre jeunesse... puisque, entre nous soit dit, ce sont les seuls que nous ayons à notre répertoire ! Si vous voulez entendre votre chanson préférée, associée au nom d'une personne qui vous est chère, rien de plus simple ! Il vous suffit d'écrire le titre sur un papier que vous mettrez dans le chapeau. là, au bord de l'estrade. Nous tirerons des titres dans le chapeau jusqu'à la fin de la soirée. Pour commencer cette série, nous allons dédier notre première chanson à Cindy Mitchell et à son mari, Dan. C'est la première sortie de Cindy depuis son opération de la vésicule biliaire, et nous sommes tous heureux et soulagés de la voir à nouveau sur pied ! Approchez, Dan ! Approchez, n'ayez pas peur ! Amenez votre femme sur la piste et ouvrez cette danse... C'est l'un de mes morceaux préférés... » Herman recula de trois pas, se retourna vers ses compères, leva les mains façon chef d'orchestre symphonique et, marquant la mesure du pied, attaqua : « Un, deux – un, deux, trois, quatre... ! »

À son signal de départ ne répondit qu'un silence gêné. Se retournant vers le public, Herman Winston éclata de rire : « Au temps pour moi, mesdames et messieurs ! fit-il dans le micro d'un air penaud. Mes camarades attendent toujours le titre du morceau !... Il s'agit de... *Misty* ! Et c'est parti ! »

La présence de toute cette cohue autour de Laurant ne laissait pas d'inquiéter Nick. Le pique-nique était pourtant une excellente occasion pour tous deux de s'afficher ensemble – et, pour lui, d'observer les faits et gestes des gens qui évoluaient autour d'elle –, mais il ne parvenait pas à s'empêcher de craindre le pire. Elle pouvait disparaître de sa vue à tout moment, emportée par la foule, et il rechignait à la quitter des yeux une seconde. Les amies de Laurant ne lui simplifiaient pas la tâche... À peine l'eurent-elles repérée qu'elles vinrent l'assiéger de questions et semblèrent mettre un point d'honneur à l'entraîner loin de lui.

Simultanément, plusieurs jeunes types vinrent se présenter à lui et lui serrer la main. Ils étaient tous très avenants et tâchaient de l'attirer dans leur groupe, autour des tonnelets de bière, tandis que les filles emmenaient Laurant dans la direction opposée. Nick lui passa résolument un bras autour de la taille et tint bon, affichant son intention de ne pas la lâcher d'un cheveu.

Mais elle ne supporta pas bien longtemps cet état de semi-liberté. Se dressant sur la pointe des pieds, elle lui glissa à l'oreille : « Vous allez tout de même devoir me laisser bavarder un peu avec mes concitoyens et amis...

— À condition que je puisse vous garder à l'œil, répondit-il sur le même ton – et comme il savait qu'on les observait, il lui posa un baiser sur les lèvres. Tâchez de rester entre Noah et moi.

— C'est promis, fit-elle en lui rendant son baiser. Nick, pour l'amour du ciel !... cessez donc de faire cette tête d'enterrement. Souriez, que diable ! Nous sommes à la fête, oui ou non ? »

Derrière eux, quelqu'un appela Laurant et il dut se résoudre à la laisser repartir. Elle n'avait pas fait cinq pas qu'il se retrouva environné d'une nuée de jeunes femmes qui babillaient toutes en même temps, et manifestement à son propos, car elles n'arrêtaient pas de l'observer à la dérobée avec une curiosité à peine voilée. Il se fourra les mains dans les poches, les yeux toujours vissés sur Laurant. Ce merveilleux sourire qu'elle avait... Il se demandait s'il s'en remettrait un jour !

L'une des amies de Laurant poussa un cri perçant et il s'élança dans leur direction, pour s'immobiliser aussitôt : Laurant était simplement en train de leur montrer la bague. Il battit en retraite de quelques mètres et se replongea dans ses observations. Lorsque son regard revint vers elle, il l'aperçut près de l'estrade, en grande conversation avec des gens de tous âges. Tout le monde semblait charmé par sa gentillesse, sa générosité et le magnétisme qu'elle exerçait par sa seule présence – et tous avaient apparemment le même réflexe que lui : jouer des coudes pour se rapprocher d'elle. De son côté, elle n'avait nul besoin de feindre ou de prendre des poses. Elle était sincèrement passionnée par ce que lui racontaient les gens. L'attention et la curiosité bienveillante qu'elle leur portait suffisaient à les rendre beaux et intelligents – un vrai cadeau du Ciel !

Nick la contemplait avec un sourire attendri, mais ce sourire fut de courte durée. Deux types de l'âge de Laurant l'avaient abordée et, à voir les regards dont ils la couvaient, il comprit instantanément que ni l'un ni l'autre n'allait se laisser rebuter par la sinistre réputation de Mlle Iceberg. Il sentit monter en lui une bouffée de jalousie dont il fut le premier surpris. L'un des jeunes types avait poussé l'audace jusqu'à poser la main sur le bras de Laurant. Il lui aurait volontiers mis son poing dans la figure – une réaction évidemment démesurée, et qui ne lui ressemblait absolument pas.

Quelle mouche le piquait ? Pourquoi donc avait-il tant de mal à garder ses distances ? Parce qu'elle le fascinait, s'avoua-t-il. Mais ce n'était pas uniquement physique, il avait suffisamment l'expérience de la chose pour faire la différence. Une bonne douche froide suffisait à calmer le désir physique le plus lancinant. Mais là, il s'agissait de tout autre chose. Et ça ne manquait pas de l'inquiéter.

« Nick Buchanan, je présume ? »

Il se retourna. « C'est bien moi.

— Bonjour. Christopher Benson, fit le nouveau venu en lui tendant la main. Il paraît que vous êtes le fiancé de Laurant, qui est la meilleure amie de la mienne, euh… de fiancée – et aussi la mienne… euh… de meilleure amie ! Michelle m'a parlé de vous. Ravi de vous rencontrer ! »

Christopher était un garçon sympathique, d'une franchise de bon aloi. Lui aussi aurait fait un bon *quarterback* sur un terrain de foot. Il était à peu près de la même taille que Nick, mais devait lui rendre vingt ou trente kilos.

Après avoir échangé quelques propos de circonstance, Christopher lui avoua qu'il venait le voir en service commandé. « Michelle m'envoie avec mission de vous soutirer un maximum d'informations. Elle doit s'imaginer que le diplôme d'avocat que je viens de décrocher me confère le droit et le pouvoir de tirer les vers du nez au premier venu… »

Nick s'esclaffa. « Et que veut-elle savoir, au juste ?

— Oh, les banalités habituelles. L'endroit où vous projetez de vous installer après votre mariage, et, plus important, votre degré de constance et de motivation, jusqu'à quel point Laurant peut-elle compter sur vous, etc. N'en concluez surtout pas que

Michelle aime les commérages... C'est simplement qu'elle se préoccupe du bonheur de son amie. »

Ils se retournèrent tous deux pour regarder Laurant, qui dansait à présent avec le jeune amateur de beignets à la crème. À quelque distance, Nick repéra une espèce de file approximative qui s'était formée : plusieurs cavaliers potentiels attendaient leur tour pour danser avec elle...

Il répondit aux questions de Christopher du mieux qu'il put, en esquivant les plus gênantes.

Lorsque le fiancé de Michelle s'estima enfin dûment renseigné, il conclut : « Laurant tient une place importante dans le cœur des gens de cette ville. Ici, tout le monde lui fait confiance. Michelle et elle sont comme deux sœurs. Elles n'ont pas leurs pareilles pour s'asticoter, mais ce qu'elles peuvent rigoler, quand elles sont ensemble ! »

Nick commençait à se demander si les admirateurs de Laurant lui laisseraient l'occasion de danser avec elle. Il n'allait tout de même pas prendre son tour dans la queue ! Même fictif, le titre de fiancé vous garantissait tout de même certains privilèges, non ?

Christopher dut lire dans ses pensées. « Et si vous alliez la chercher ? Le buffet ne vous attendra pas éternellement.

— Voilà une idée... »

Se frayant à grand-peine un chemin dans la foule, il prit à revers le roi du beignet et lui tapota amicalement l'épaule. « Excusez-moi, jeune homme... mais je crois que ça va être mon tour ! » fit-il d'un ton guilleret, en prenant d'autorité Laurant entre ses bras.

Pour consoler son jeune cavalier, elle lui promit de lui réserver une danse plus tard, après le dîner.

« Eh... ! Mais vous l'encouragez, ma parole ! protesta Nick.

— Il est si mignon ! »

Il jugea préférable de ne pas s'appesantir sur le sujet et la serra plus fort en se concentrant sur la danse.

« Faites comme si vous étiez éperdument éprise de moi, mon ange », lui recommanda-t-il.

Elle éclata de rire. « Mais je n'ai pas besoin de faire semblant, mon amour !

— Charmant, ce petit truc que vous portez ce soir.

— Ce petit truc, comme vous dites, est une robe bain-de-soleil. Eh bien, merci. Ravie qu'elle vous plaise !

— Reste tout de même une chose qui m'échappe... Si tous les hommes de cette ville ont si peur de vous, comment expliquez-vous qu'ils fassent la queue pour votre prochaine danse ?

— Là, vous m'en demandez trop. Peut-être parce qu'ils savent que j'accepterai. Par contre, voyez-vous... aucun ne se risquerait à m'inviter à sortir avec lui. Tommy doit être dans le vrai : je les décourage un peu.

— Tant mieux, fit-il avec un sourire satisfait.

— Tant mieux ? Pourquoi ?

— Si nous allions manger..., suggéra-t-il, esquivant résolument la question.

— Regardez : Viola et Bessie nous font signe... Elles nous invitent à venir manger à leur table.

— Nom d'une pipe ! » grinça Nick.

Cette réaction la fit sursauter. « Eh bien ! Moi qui pensais que vous les adoriez !...

— Rien à voir avec elles, fit Nick avec un brin d'impatience. Je viens juste de repérer Lonnie... Qu'est-ce qu'il fabrique ici ?

— Comment voulez-vous que je le sache ? » Elle localisa à son tour le fils du shérif, trônant seul à une table de pique-nique dont il avait dû faire fuir les autres occupants. Les personnes qui croisaient dans les parages évitaient de s'attarder dans le coin.

« Je ne vois nulle part son brave vieux papa..., fit Nick en survolant la foule.

— Je doute qu'il soit des nôtres, ce soir. Le téléphone de son bureau n'a pas été décroché de la journée, et la prison était fermée à double tour lorsque nous sommes passés devant. Je serais tentée de penser qu'il ne tient pas à vous rencontrer, monsieur l'agent fédéral. »

Nick secoua la tête. « Il va pourtant falloir que je m'occupe de son cas !

— À condition de lui mettre la main dessus.

— Je ne parlais pas du shérif. C'est Lonnie qui m'inquiète. Je me serais passé de ce genre de problème.

— Que comptez-vous faire ? »

Il lui glissa le bras autour de la taille et l'emmena en direction du buffet.

« Noah, répliqua-t-il.

— Ah. Et que pourrait-il y faire, lui ? »

Le sourire de Nick s'illumina. « Une foule de choses !

— Si vous commenciez par demander à Lonnie de libérer cette table ? suggéra-t-elle. Nous pourrions ensuite nous installer pour manger. Les gens ont besoin de cette place pour s'asseoir.

— OK », dit-il, et comme il se retournait pour mettre le cap sur la table, il vit Tommy qui se dirigeait lui aussi vers Lonnie, mais depuis la direction opposée. Il avait une louche à la main, et ses sourcils froncés indiquaient sans erreur possible qu'il ne supporterait pas longtemps l'arrogance du jeune voyou. Noah s'affairait autour du gril et ramassait des hamburgers brûlés et tombés dans l'herbe. Mais il ne travaillait que d'un œil, l'autre restant consacré à la surveillance de Tommy – ce qui expliquait que deux hamburgers aient atterri sur le gazon. Comme Tommy approchait de la table, les copains de Lonnie surgirent soudain entre lui et le jeune homme.

« Nick, fit Laurant d'une voix étranglée. Vous devriez aller prêter main-forte à mon frère.

— Pas de panique ! Tommy est tout à fait capable de s'en sortir seul. »

Lonnie avait la cigarette au bec. Tom dut lui faire une remarque, car l'autre secoua la tête et, d'une pichenette, envoya son mégot dans sa direction. Tom l'éteignit d'un coup de talon puis, bondissant sur lui, l'empoigna par la peau du cou et l'extirpa du banc où il était installé.

Lorsque la main du petit malfrat s'insinua dans sa poche de pantalon, Noah accourut à la rescousse, tout comme un certain nombre de personnes de l'assistance. Cette belle démonstration de solidarité ne fit qu'attiser la rage de Lonnie. Son visage avait viré à l'aubergine. Noah jaillit du petit attroupement qui s'était formé juste au moment où le garnement sortait son cran d'arrêt. Il se rua sur lui et lui assena sur le poignet un coup de la spatule qu'il tenait à la main, aussitôt suivi d'un coup de genou à l'estomac qui plia en deux Lonnie, lequel lâcha son couteau. Tom s'empressa de le récupérer et le lança à Noah puis, soulevant Lonnie pour le remettre sur pied, il lui intima l'ordre de déguerpir avec ses copains.

Laurant poussa un soupir de soulagement. Pendant que Tommy et Noah retournaient à leurs grillades, plusieurs des gens présents leur serrèrent la main avec enthousiasme. L'un d'eux leur envoya même une bourrade de félicitations.

« Alors... on peut manger, maintenant ? » fit Nick en s'emparant de deux assiettes, et il en tendit une à Laurant, avant de se diriger à son tour vers le buffet.

Lorsqu'ils eurent fait le plein de chips et de salade, ils allèrent s'installer près des sœurs Vanderman, qui bavardaient à perdre haleine en compagnie de leurs trois jeunes voisins. Bessie Jean se rapprocha de Viola pour faire place à Laurant et à son fiancé.

Viola se chargea des présentations, émaillant ses propos de quelques précisions qu'elle tenait des intéressés. Deux d'entre eux, Mark Hanover et Willie Lakeman, étaient des exploitants agricoles de la région. Ils louaient leurs bras sur les chantiers de charpente pour compléter leurs revenus pendant la saison creuse. Quant à Justin Brady, il venait du Nebraska, où il avait acheté une exploitation appartenant à son oncle. Il comptait sur ce travail saisonnier pour accélérer le remboursement de ses emprunts. Ils avaient tous trois la trentaine et portaient des alliances. À en juger par les cals de leurs mains, le travail ne leur faisait pas peur et la série des gobelets vides qui s'alignaient devant eux attestait qu'ils étaient de solides buveurs. Accoudé à la table, Nick prêtait une oreille attentive à la conversation des trois ouvriers qui décrivaient leur travail sur le chantier de l'abbaye. Il s'efforçait de mieux les cerner.

Mark descendit en deux gorgées un énorme gobelet de bière,

306

mais Nick comprit mieux d'où pouvait lui venir ce besoin de s'étourdir lorsque Bessie Jean lui demanda s'il avait des enfants.

Le regard du charpentier se voila de tristesse. « Je suis veuf, dit-il. Ma femme est morte l'an dernier, et nous n'avions pas d'enfants. Nous attendions d'avoir remboursé les emprunts que nous avions faits pour la ferme...

— Sa disparition a dû être bien douloureuse, fit Viola en lui tapota la main. Mais gardez espoir et pensez à l'avenir. Je suis sûre que c'est ce que vous dirait votre chère défunte, si elle pouvait vous parler...

— Je sais, m'dame, je sais..., soupira-t-il. Avec la sécheresse de cette année, j'ai dû prendre le premier travail qui se présentait. Et je dois m'occuper de mes vieux parents – tout comme Willie et Justin. »

Willie sortit de son portefeuille une photo où figurait sa petite famille au grand complet : sa femme, une belle plante, et trois adorables fillettes aussi rousses que leur maman. Pour n'être pas en reste, Justin tendit à Bessie Jean la photo de sa propre femme, qu'il avait délicatement sortie de son étui de portefeuille.

« Je vous présente Kathy, fit-il, d'une voix vibrante de fierté. Nous allons avoir notre premier bébé aux environs du 1er août.

— Garçon ou fille ? » demanda Laurant.

Justin sourit. « Nous préférons nous ménager cette surprise. » Il jeta un coup d'œil par-dessus son épaule, en direction de l'estrade. « Dommage que Kathy ne soit pas de la fête, ce soir. Elle adore danser...

— Nous faisons des journées de quatorze heures, en ce moment, fit Mark. Mais ne nous plaignons pas : la paie est en conséquence !

— Justin..., pépia Viola. Je ne vous ai pas suffisamment remercié pour votre aide. Occupé comme vous l'êtes, trouver une heure pour venir m'aider dans mes travaux de jardinage... c'était vraiment adorable ! J'aimerais vous faire un petit cadeau. Que diriez-vous d'un bon gros gâteau au chocolat, par exemple ? C'est ma spécialité !

— J'adore le gâteau au chocolat, madame, mais je ne peux

pas vous dire quand je pourrai passer le prendre. Nous commençons tôt, et nous finissons toujours très tard. Nous ne sommes généralement pas de retour avant la tombée de la nuit.

— À la bonne heure... marché conclu ! fit Viola, radieuse. Je vous le laisserai sur votre perron, ou mieux : dans votre cuisine. »

Mark entreprit de leur décrire ce qu'il leur restait à terminer avant les fêtes du centenaire, tandis que Willie taquinait Justin qui, à l'en croire, avait hérité d'un travail de tout repos.

« J'en fais largement ma part, protesta Justin. Les vapeurs de peinture et de vernis montent dans la mezzanine que je suis en train de repeindre et restent bloquées là-haut. Une vraie chambre à gaz... J'ai besoin de plus de pauses que vous, les gars !

— Mais tu as au moins les pieds sur un plancher bien solide, toi – alors qu'avec Willie, on passe la journée suspendus à dix mètres du sol !

— Qu'est-ce que vous faites sur la tribune ? s'enquit Laurant.

— Je dépose et je remplace les lambris vermoulus. Il y a eu pas mal d'infiltrations de ce côté, tout autour de l'orgue. C'est un travail minutieux, mais quand j'en aurai fini, vous verrez, ça sera splendide !

— Et vous vous plaisez, chez les Morrison ? demanda Bessie Jean.

— Oh, on est comme chez nous, fit Mark avec un haussement d'épaules. Pour le ménage, Justin a décidé de partager le boulot entre nous trois. On a chacun une pièce à tenir propre. Ça simplifie la tâche ! »

Nick engloutit deux hamburgers d'affilée, sans cesser de suivre la conversation. Feinberg l'avait informé que Wesson avait lancé des recherches sur les antécédents des trois hommes, sans rien trouver de bien palpitant. C'était effectivement trois agriculteurs qui faisaient des travaux saisonniers pour compléter leurs revenus. Mais Nick ne les rayait pas pour autant de la liste, pas plus qu'aucun des hommes présents au pique-nique. À ses yeux, tous les habitants de Holy Oaks étaient suspects.

L'un des lycéens de son fan-club vint demander une danse à Laurant, qui la lui accorda avec sa spontanéité coutumière. Nick les suivit jusqu'au bord de la piste de danse et se planta là, les bras croisés, en les suivant du regard.

L'orchestre avait attaqué un rock endiablé d'Elvis Presley. Laurant se déhanchait gracieusement tandis que son cavalier se trémoussait en tournoyant autour d'elle. À deux ou trois reprises, elle dut baisser la tête pour esquiver les coudes ou les bras du jeune gaillard qui s'agitait comme un démon. Nick aurait cru voir un figurant dans un mauvais film de karaté et Laurant, elle aussi, avait quelque peine à garder son sérieux. Autour d'eux, les autres danseurs s'éloignaient prudemment du Travolta en herbe – sans doute pour éviter les coups.

Pendant toute l'heure qui suivit, Laurant accepta danse sur danse et ne s'arrêta que pour prêter son concours au nettoyage des tables. Elle évoluait dans la foule avec une aisance confondante, distribuant poignées de main et propos amicaux avec autant de grâce et de naturel que si elle s'était trouvée dans son propre salon.

Il lui avait semblé comprendre que la population de Holy Oaks était soudée par un profond sentiment de solidarité, mais ce soir, Nick en avait la preuve flagrante. Sa première réaction avait été un scepticisme goguenard – comment garder sa santé mentale dans un bled où tout le monde se tient à l'affût de vos moindres faits et gestes… ? Mais il commençait à revenir sur cette opinion : ça devait avoir aussi de très bons côtés. À Boston, il ne connaissait aucun de ses voisins. Il rentrait tard le soir, laissait sa voiture au garage et s'enfermait chez lui jusqu'au lendemain matin. Jusque-là, son train-train quotidien ne lui avait pas laissé le temps ni l'énergie de lier connaissance avec ses voisins. Il n'aurait même pas su dire s'il y avait des enfants dans les maisons du quartier.

C'était à présent Justin qui avait invité Laurant. Elle riait, sans doute d'une plaisanterie qu'il venait de lui glisser à l'oreille. Puis, le morceau s'achevant, Nick repéra un autre cavalier potentiel qui avait mis le cap sur elle. Assez dansé pour ce soir !

décida-t-il et, coiffant au poteau le prétendant, il la prit dans ses bras et l'embrassa délicatement sur les lèvres.

« Qu'est-ce qui me vaut l'honneur ? demanda-t-elle.

— Eh ! auriez-vous déjà oublié que c'était l'amour fou entre nous ? L'amour avec un grand A, pour reprendre vos propres termes... Vous avez raconté notre coup de foudre à tout le monde, j'espère ?

— Et plutôt vingt fois qu'une ! Tout comme le diagnostic des spécialistes, concernant le givré qui me harcèle. » Elle posa la tête sur son épaule et ferma les yeux. « Je l'ai dit tant de fois, et de tant de manières différentes, que je suis à court d'adjectifs ! Je l'ai traité d'abruti, de minus et d'incapable. J'ai dit à toute la ville que le FBI situait son QI au ras des pâquerettes et qu'avant tout c'était de la pitié qu'il devait nous inspirer, parce qu'il était certainement très mal dans sa peau. Pour l'avoir raconté, ça, faites-moi confiance – je l'ai raconté !

— Formidable !

— Et vous ? Avez-vous mené à bien votre petite campagne d'intox ?

— Oui. J'ai raconté notre rencontre à qui voulait l'entendre et j'ai fait la connaissance de Christopher. Un type charmant...

— Moi, je n'ai pas encore vu Michelle... Aïe ! Voilà Steve Brenner.

— Vous n'allez tout de même pas danser avec lui, j'espère... ?

— Rassurez-vous, je n'en ai pas la moindre envie. » La chanson s'acheva. Comme ils quittaient la piste, Brenner vint à leur rencontre.

Nick le jaugea du premier coup d'œil. Ce type ne pensait qu'à étendre son pouvoir et son contrôle. Il suffisait de voir ses vêtements ou sa façon de se mouvoir : il était vêtu avec un soin maniaque ; sa chemise était impeccablement repassée et le pli de son pantalon était irréprochable – tout comme la coupe de ses cheveux, qui semblaient se tenir au garde-à-vous. La seule concession qu'il ait daigné faire à l'ambiance détendue du pique-nique, c'était d'avoir enfilé sans chaussettes ses mocassins Gucci.

Comme il serrait la main que lui tendait Brenner, le regard de Nick tomba sur la somptueuse Rolex qu'il portait au poignet.

Steve posa sur l'épaule de Laurant une main compatissante : « Ma chère Laurant, je tenais à vous dire à quel point je regrette cette bourde qu'a commise Lorna... Je vous assure que je suis tombé des nues, en lisant son article. Un tissu d'absurdités ! Je n'ai pas la moindre idée de ce qui a pu la pousser à inventer cette histoire et j'espère que ça ne vous aura pas trop contrariée...

— Pas le moins du monde, puisqu'elle a aussitôt publié un démenti ! répliqua-t-elle.

— Elle m'a appris que vous étiez fiancés, Nick et vous, poursuivit-il, sans se départir de son sourire. À moins que ça ne soit qu'une nouvelle invention de sa part ?

— Cette fois, c'est la pure vérité. Nick et moi, nous allons nous marier.

— Fichtre ! C'est formidable... Félicitations, mon vieux. Vous avez décroché le gros lot, lança-t-il à Nick ; puis son regard revint vers elle : À quand le mariage ? lui demanda-t-il.

— Pour le deuxième samedi d'octobre.

— Où comptez-vous vous établir ?

— Mais ici même ! fit-elle en riant. Et je continuerai à lutter pied à pied contre vous, au centre-ville – vous voilà rassuré ! »

Brenner garda le sourire, malgré la lueur plus acérée qui luisait dans son regard : « Pour ça, je vous fais confiance. Mais j'aimerais vous faire une proposition que vous ne pourrez refuser. Si je passais vous voir demain, par exemple, après le bureau ? Ça nous laisserait amplement le temps d'en discuter. Serez-vous chez vous, à cette heure-là ?

— Malheureusement pas. Nous serons à l'abbaye, Nick et moi. Une petite séance de répétition, pour la cérémonie du week-end prochain. Après quoi, nous dînons avec la future mariée. Nous ne rentrerons que bien plus tard. »

Brenner hocha la tête. « Je vous rappelle lundi, alors. Vous aurez récupéré...

— Parfait.

311

« — Vos fiançailles, le jour J déjà fixé... vous n'avez pas perdu une minute, dites-moi... ! »

« — Nous nous connaissons depuis la nuit des temps, intervint Nick. Nous sommes pour ainsi dire des amis d'enfance.

— Et lorsque nous nous sommes retrouvés, à Kansas City, enchaîna-t-elle, cela nous a paru... totalement évident – n'est-ce pas, mon chéri ?

— L'évidence même, oui ! fit Nick, avec un grand sourire.

— Eh bien, encore toutes mes félicitations ! répéta Brenner. Je vais aller me servir au buffet avant que tout n'ait disparu ! »

Nick le regarda s'éloigner dans la foule.

« Qu'est-ce que vous en pensez ? s'enquit-elle.

— Il donne le change, mais il bout. Vous avez vu son sourire avantageux, pendant qu'il nous débitait son petit compliment... plutôt jaune, non ?

— Plutôt, oui. Et vous avez vu comme il serrait les poings ? Pour se retenir de m'étrangler, je suppose. À moi seule, j'ai fait capoter les deux projets qui lui tenaient le plus à cœur. Je suppose qu'il figure en bonne place sur la liste des suspects ?

— Comme tout le monde. Venez... allons nous installer sur votre couverture. Nous en profiterons pour flirter sans retenue et nous afficher comme deux tourtereaux adolescents. »

La suggestion la fit éclater de rire. Sur leur passage, les têtes se retournaient. Les gens les regardaient en souriant, comme si ce spectacle suffisait à leur réchauffer le cœur...

« Ce n'est pas que l'idée me déplaise en soi, fit-elle. Mais je me demande ce qu'en penserait le père prieur...

— Ah ! te voilà, toi... Je t'ai cherchée partout ! »

C'était Michelle qui approchait, escortée de son futur époux.

Elle était jolie comme un cœur. Menue, avec des traits fins et une longue chevelure blonde qui encadrait joliment son visage à la fois épanoui et délicat. Et un sourire explosif et contagieux.

Elle portait à la jambe droite un appareil métallique, qui lui tira une petite grimace douloureuse lorsqu'elle voulut s'asseoir à une table de pique-nique. Christopher s'interrompit au milieu d'une anecdote qu'il avait entrepris de raconter à Nick pour la prendre dans ses bras et s'asseoir en l'installant sur ses genoux.

« Comme tu vois, je suis toujours handicapée...

— Mais tu ne boites presque plus ! lui fit remarquer Laurant.

— Ah ! Tu as remarqué... ?

— Ça saute aux yeux !

— J'ai eu le genou broyé lors d'un accident, expliqua-t-elle à Nick. Statistiquement parlant, je n'aurais même pas dû pouvoir marcher à nouveau. Mais vous voyez : j'ai décidé de faire mentir les statistiques !

— Les probabilités n'ont pas de secrets pour elle, fit Christopher en souriant. Elle est diplômée en maths et en compta, et elle compte passer sa maîtrise dès que nous serons mariés.

— Je tiens déjà la comptabilité du magasin de Laurant ! » ajouta-t-elle.

Elle fut interrompue par le leader du groupe, qui tapotait son micro pour annoncer le dernier morceau de la soirée.

« Celui-là, il ne faut le louper sous aucun prétexte, chérie ! fit Christopher.

— Tous en piste ! » lança Nick et, tout en entraînant Laurant vers le groupe des danseurs, il lui glissa à l'oreille : « Je trouve vos amis charmants.

— Et je crois qu'ils vous le rendent bien. »

Le chanteur avait tiré du chapeau le dernier papier. « Et pour finir, chers amis, ce sera... Ah ! Un slow... et l'un de mes favoris, tout comme la personne à qui il est dédié. À notre charmante Laurant Madden – de la part du Tombeur ! »

Les bras de Nick venaient de se refermer sur elle. Il sentit son hoquet de surprise et d'effroi autant qu'il l'entendit. Elle s'était raidie contre lui et il la serra plus fort, comme pour la protéger d'un danger invisible.

Noah et Tom avaient fendu la foule en direction de l'estrade. Dans la direction opposée, Nick localisa un autre homme qui approchait, et en qui il reconnut un collègue. Mais hélas... aucun d'eux ne savait vraiment ce qu'ils cherchaient. Autour d'eux, les couples voisins, inconscients de la menace qui pesait sur eux, leur décochaient des sourires attendris.

« Nom d'un chien... ! pesta-t-il.

— Que faire, Nick ? murmura-t-elle d'une voix transie.

— Rien. Dansons. »

Paupières closes, elle enfouit sa tête sous le menton de Nick, avec le sentiment que le monde entier se refermait sur elle. Elle avait le souffle court et l'esprit confus. *Il surveille chacun de mes gestes, et tient à me le faire savoir. Seigneur, de grâce... Éloignez-le de moi.*

« Eh bien, messieurs ! hâtez-vous d'inviter votre cavalière, car voici notre dernier titre de la soirée : *Je n'ai d'yeux que pour toi... !* »

24

Il s'était posté dans la foule, l'œil aux aguets. Son excitation et sa fébrilité menaçaient à tout instant de dépasser leur point d'ébullition. Laurant, sa merveille des merveilles... Si belle, si inaccessible – mais peut-être pas éternellement.

Patience, mon amour... Bientôt, tu seras mienne.

À la limite de son champ visuel, il vit le mulet fendre la foule pour la rejoindre. Un sourire lui courut sur les lèvres. Il lui suffisait de claquer des doigts pour qu'ils accourent... Mais ils étaient pris dans sa toile et ne lui échapperaient pas.

Il ne pouvait détacher son regard du flic qui avait traversé la piste... Il la prenait dans ses bras, à présent – mais ça n'était qu'une mise en scène. Il avait percé à jour leur petit jeu. Ils essayaient de le manipuler, mais c'était le sous-estimer gravement...

Restait qu'il avait peine à détacher son regard de cette scène. Ils dansaient... il détestait ce regard dont il la couvait, ce flic... Sans compter qu'il la serrait de beaucoup trop près ! Quand il vit le mulet se pencher pour l'embrasser, la rage obscurcit sa vision, tandis que ses genoux se dérobaient sous lui. Il dut se trouver un siège et s'asseoir. Il avait beau savoir ce qu'ils faisaient, cela le rendait malade.

Le torturer ainsi, lui… Pensaient-ils pouvoir le défier en toute impunité !

Mais il n'était pas au bout de ses surprises. Il la dévisageait ouvertement, à présent, et ça lui sauta aux yeux. Cette façon qu'elle avait de plonger son regard dans celui de cet abruti… elle l'aimait ! Pour un œil aussi perspicace que le sien, c'était clair comme le jour. À lui, elle n'aurait pu jouer la comédie. Sa belle s'était entichée d'un flic ! De Dieu… que faire ?

Elle gâchait le plus précieux de ses plaisirs. Lors de l'annonce de ce dernier morceau, le mélange de colère et d'excitation qui s'était emparé de lui l'avait laissé pantelant et hagard. Il s'était planté dans la foule, sans même tenter de se cacher, absorbé dans la contemplation de sa proie qui évoluait parmi les autres danseurs, radieuse, riant aux éclats, comme si elle vivait la plus belle soirée de son existence. D'autres mulets devaient croiser dans les parages, avec l'espoir de lui mettre la main au collet. Sombres crétins ! Comment auraient-ils pu deviner à quoi il ressemblait ? Comment pensaient-ils le coincer ? Espéraient-ils qu'il allait sortir un flingue et se le mettre sur la tempe ? Impayable…, se dit-il. En avoir une telle couche, c'était vraiment impayable !

Puis il reconnut le curé – le père Madden, qui accourait vers sa sœur, accompagné d'un autre prêtre. Et cette terreur qui se lisait dans ses yeux… Magnifique ! Il en savoura l'éclat, avec un soupir de satisfaction. Qu'est-ce qu'ils se figuraient, ces imbéciles de curés ? Qu'ils allaient pouvoir l'exorciser ? L'acculer à la reddition, à coups d'orémus et d'eau bénite ?

La vengeance m'appartient, a dit le Seigneur. Est-ce à cela que pensait le père Thomas, à l'heure présente, à la vengeance ?… Cette possibilité lui arracha un sourire. Il faudrait lui poser la question, un jour ou l'autre. La prochaine fois qu'il irait à confesse, peut-être. Un prêtre… Il devait comprendre. C'était sa mission, après tout. Comprendre. Et absoudre. Mais cette compréhension, cette prise de conscience ne lui viendraient peut-être qu'avec la mort… Il médita quelque temps sur cette

316

hypothèse et chassa ce souci d'un haussement d'épaules. Que Tom finisse ou non par le comprendre, quelle importance ?

Bon sang ! Cela faisait des lustres qu'il ne s'était pas tant amusé. Et les choses n'iraient qu'en embellissant ! Tant qu'il parviendrait à imposer silence à sa colère, à la contenir, en la domptant avec des promesses d'apocalypse, en l'alléchant par la perspective de la curée à venir. Comment étaient-ils assez naïfs pour prétendre jouer au plus malin avec lui, ces mulets, tous plus ignorants et bornés les uns que les autres ?

Pourtant, la prudence la plus extrême était désormais de mise. Bien choisir son moment, ce serait la clé. Non qu'il fût effrayé ni même préoccupé par ce que les flics pouvaient faire contre lui. N'était-ce pas lui qui les avait invités dans cette charmante bourgade ? En maître de maison digne de ce nom, il aurait aimé connaître le nombre exact de ses hôtes, pour s'assurer qu'il avait prévu assez de couverts et mis assez de bouteilles au frais. Avait-il préparé une quantité suffisante de C-4 ? Il y songea une seconde. Oui, et largement ! Le Tombeur ne se laissait jamais prendre de court !

Son objectif secondaire était de mettre hors jeu autant de flics que possible – dans la mesure où cela n'interférerait pas avec sa cible principale, évidemment. La cible. Pourquoi ne pas s'offrir, de surcroît, un petit bonus, comme au bon vieux temps, tout en faisant éclater sa supériorité aux yeux du monde ! Aucun de ces abrutis du FBI ne lui arrivait à la cheville et il n'allait pas tarder à leur en administrer la preuve ! Bientôt, très bientôt – mais trop tard, pour eux ! Quand ils n'auraient plus le temps de s'opposer à l'inéluctable. Il s'occuperait en priorité de son « affaire en souffrance » et, par la même occasion, il leur jetterait au nez un énorme éclat de rire, diffusé sur toutes les chaînes nationales – en *prime time*, s'il vous plaît !

Et à onze heures, le grand film de la soirée... ouais, mon pote !

25

Un autre jour s'écoula. La pression montait.

À la seule idée d'affronter un autre rassemblement en masse, Laurant se sentait défaillir. Mais c'était le soir de la grande répétition, couronnée par un dîner entre copains. Comment aurait-elle pu faire faux bond à Michelle, en un moment aussi crucial ?

Après les hors-d'œuvre, remarquant que Laurant n'avait pas touché à son plat, son amie se pencha : « Dis-moi, ma vieille... ça n'a pas l'air d'aller très fort !

— Mais si, mais si... », répondit-elle avec un sourire laborieux.

Michelle ne s'en laissa pas conter. Elle se tourna vers Nick : « Et si vous alliez mettre au lit votre future, mon cher ? Elle m'a l'air totalement épuisée – et comme Laurant ouvrait la bouche pour protester, elle lui cloua le bec d'un : Tsss ! Tu ne voudrais tout de même pas tomber malade demain ? Je refuse de descendre la grande nef sans toi ! »

Ils se levèrent donc et prirent congé de l'assistance.

Quand ils arrivèrent en vue de la maison, ils découvrirent un magnifique bouquet de roses qui attendait Laurant devant la porte. Elle prit un vase au passage, dans le salon. « Le fleuriste les a livrées juste après votre départ », expliqua Joe.

Nick lut à haute voix la carte qui y était jointe : « Pardonne-moi. Reviens. Je t'aime. Joel. »

Elle prit le vase et le posa sur la table de la salle à manger. Nick et Joe lui avaient emboîté le pas. Ils se plantèrent tous deux devant le bouquet et le contemplèrent, l'œil sombre.

« J'ai horreur du gaspillage, fit-elle. Mais d'habitude, je les jette. Je ne tiens pas à ce que Joel Patterson se rappelle à mon bon souvenir chaque fois que je traverse la pièce...

— Et à quel rythme vous envoie-t-il des roses, cet emplâtre ? grinça Nick, en tâchant de contenir son agacement.

— Chaque semaine ou presque. Il refuse de se le tenir pour dit.

— Ah ! Vraiment ? On va voir s'il refusera encore long-temps ! » S'emparant du vase, il fila à la cuisine, où il jeta l'eau dans l'évier et les fleurs dans la poubelle. « Plutôt tenace, l'enfoiré ! s'exclama-t-il.

— Patterson ? s'enquit Joe, c'est bien ce type de Chicago qui vous courtisait, tout en s'envoyant en l'air avec sa secrétaire... ?

— Celui-là même, fit-elle, sans s'offusquer de ce fulgurant raccourci.

— Eh bien, on peut dire qu'il ne lâche pas facilement prise. Mais n'ayez crainte. Nick va prendre les choses en main.

— Ne vous en mêlez pas ! riposta-t-elle, un peu plus vive-ment qu'elle ne l'aurait voulu. C'est à moi de régler ce problème.

— Parfait, parfait, dit Joe, un peu surpris. À vous de voir.

— J'ai choisi de l'ignorer.

— Mais on dirait que ça ne suffit pas à le décourager, objecta-t-il.

— Qu'il dépense son argent comme il l'entend ! Je m'en contrefiche. Ça vous ennuierait de parler d'autre chose, à présent ?

— Pas du tout. »

Elle se passa la main sur le front. « Écoutez, je suis navrée d'avoir haussé le ton. C'est ce... ce qui s'est passé hier soir, au pique-nique. Il était là, Joe. Il me guettait et voulait à tout prix me le faire savoir. Je n'ai d'yeux que pour toi – *Je n'ai d'yeux que*

319

pour toi – c'est le titre de la chanson qu'il m'a dédiée. Éloquent, n'est-ce pas ?

— On m'a tout raconté », fit Joe, comme elle le précédait en direction de la cuisine.

Il savait déjà ce qu'elle allait y faire : une tasse de thé. Cette constante tension nerveuse la minait, lentement mais sûrement. Sous les néons blafards de la pièce, elle semblait encore plus pâle.

« Vous allez devoir garder votre sang-froid », lâcha Joe.

Elle fit volte-face et le regarda droit dans les yeux, le poing sur la hanche. « Ne vous en faites pas pour moi ! »

Facile à dire, songea Joe. « Si vous alliez vous écrouler tranquillement devant une bonne émission de télé ?

— Tout à l'heure. Je vais d'abord me faire une tasse de thé – vous en voulez une ?

— Avec plaisir. » Le thermomètre de la cuisine devait avoisiner les quarante degrés, mais si elle tenait vraiment à lui faire boire du thé bouillant...

Il s'assit et la regarda faire. Nick était au fond du couloir, au téléphone. Il parlait dans un souffle, la tête basse, sans doute à Wesson ou à Morganstern, supposa-t-il.

Elle porta la bouilloire à l'évier et la plaça sous le robinet, le regard perdu dans les fleurs de lis qui ornaient les carreaux de faïence blancs.

Nick avait raccroché. Comme il revenait dans la cuisine, il entendit ce que disait Laurant : « Lonnie était au pique-nique. Il est parti très tôt, mais il aurait très bien pu mettre ce papier dans le chapeau, avant de s'en aller... »

Nick sortit du frigo une boîte de Pepsi dont il fit sauter l'opercule. « Oui, lança-t-il, mais il n'a pas le don d'ubiquité. Et nous savons qu'il n'a pas quitté Holy Oaks le mois dernier. Il était ici le jour où le suspect est venu parler à Tom dans le confessionnal.

— Tiens. D'où tenez-vous ça ?

— C'est Feinberg qui m'en a informé, ce matin.

« — Et vous savez qui s'est absenté assez longtemps pour avoir pu le faire ? » demanda-t-elle, en se tournant vers l'évier.

La bouilloire était pleine et débordait. Nick la lui prit des mains, en déversa le trop-plein et la déposa sur la gazinière.

« Le shérif, fit Joe. Ainsi que Steve Brenner. Il a dit à ses amis qu'il partait à la pêche. »

Laurant sortit des sachets de thé et trois tasses qu'elle disposa sur la table, sans paraître remarquer que Nick était déjà servi. Il ne put réprimer un sourire en la voyant faire. Une petite manie bien à elle, qu'il finissait même par trouver attachante, à la longue...

Elle s'assit en attendant que l'eau parvienne à ébullition. Pour tromper sa nervosité, elle prit un paquet de cartes que Joe avait dû laisser là et se mit à les battre.

« Qu'en est-il du fameux théâtre du crime qui avait tant enthousiasmé Wesson ? Le labo ne devrait pas tarder à nous communiquer ses conclusions...

— Les gars travaillent sur des indices. Mais les lieux ont été contaminés, expliqua Joe.

— Contaminés ?

— Oui. Par un troupeau de vaches.

— Oh, zut..., murmura-t-elle.

— Allez-y, distribuez les cartes... Si nous faisions un gin-rummy ?

— D'accord », dit-elle. Mais elle continua à battre les cartes sans donner le moindre signe de vouloir s'arrêter. Joe finit par les lui prendre des mains d'autorité, et par les distribuer lui-même.

« Je sais bien que ça ne remonte qu'à trois ou quatre jours... », commença Nick.

Elle acheva pour lui : « Mais ils ne trouveront rien – pas une empreinte. Aucune trace qui puisse leur permettre de remonter jusqu'à lui. »

Nick vint s'asseoir face à elle, à califourchon sur une chaise. « N'en faites pas un Superman. Il est fait de chair et de sang, comme vous et moi. Il va finir par se trahir et nous le coincerons.

— Le plus tôt sera le mieux, n'est-ce pas ? fit-elle, sans lever le nez de ses cartes.

— Oui, convint-il.

— OK. Pourquoi ne pas précipiter un peu les événements, alors ? Je trouve que Wesson n'a pas tout à fait tort sur ce point. Peut-être devrais-je aller courir seule, demain. Et faire mes courses sans vous pendant toute la journée... Inutile de secouer la tête avec cet air buté, Nicholas ! Il n'attend qu'une bonne occasion. Nous devrions la lui offrir. Vous assureriez discrètement ma sécurité.

— N'y songez pas ! fit-il, d'un ton sans réplique.

— Vous ne trouvez pas que nous devrions en discuter calmement, avant de... ?

— Non. »

Elle ravala son agacement. « Je pense très sincèrement...

— Et moi, j'ai fait une promesse à votre frère. Je lui ai juré de ne pas vous laisser seule dehors, hors de ma vue !

— Eh, Nick... relax ! l'exhorta Joe.

— OK, OK... », admit-il.

L'excès de tension leur portait sur les nerfs, à l'un comme à l'autre. Laurant savait ce qui lui valait une telle frustration : le sentiment que chacun de ses actes était sous le contrôle d'un maniaque. Et ça n'était malheureusement pas qu'une impression. Bon sang ! Quelle effroyable épreuve ! Mais Nick... ? Pourquoi ces sautes d'humeur ? Il aurait tout de même dû conserver son sang-froid en toutes circonstances, non ? N'avait-il pas été spécialement entraîné pour ça ? Jusque-là, il lui avait toujours donné l'image d'un homme posé et solide. Mais comment pouvait-il tenir le coup, mois après mois ? Son unité était spécialement affectée aux affaires de rapts d'enfants. Quoi de plus éprouvant que de savoir un enfant en danger ? Ces sautes de pression répétées devaient le ronger.

« Bien, dit-elle. C'est vous l'expert. À vous de décider. Si vous ne voulez pas que je sorte seule, je m'en abstiendrai. »

Pourquoi ce brusque retour à la raison en l'espace de quelques secondes ? « On peut savoir ce qui vous est passé par la tête ? demanda Nick d'un ton soupçonneux.

— Rien, fit-elle. Je ne veux surtout pas vous compliquer la tâche.

— Au risque de vous gâcher la soirée, dit Joe en écartant une de ses cartes pour en prendre une autre, je dois vous dire que si le suspect ne s'est pas manifesté dans les quarante-huit heures, je serai affecté à une autre mission. »

La mâchoire de Nick se contracta.

« Comment le savez-vous ? demanda Laurant.

— Wesson, fit Nick. Je me trompe ? »

Joe confirma d'un signe de tête. « Il se demande si le suspect ne soupçonne pas ma présence. Si je pars en m'assurant de ne pas passer inaperçu, il se dira peut-être que...

— Non, je rêve ! s'écria Nick. Et si le suspect n'a toujours pas donné signe de vie dans les jours qui suivront ton départ, Wesson réassignera aussi les autres agents ? Attends... j'ai une meilleure idée : nous allons tous plier bagage ce soir même. Laurant va laisser sa porte ouverte pour rassurer le suspect et lui simplifier la tâche. Ce doit être à peu près son plan, à ce fumier de Wesson. Et lui, je te fiche mon billet qu'il s'arrangera pour rester sur place et conclure l'affaire en se faisant mousser. »

Joe pointa l'index vers le micro pour rappeler son ami et collègue à la prudence. Mais Nick n'en avait cure. Au contraire ! Il tenait absolument à faire savoir à Wesson ce qu'il lui inspirait, lui et ses méthodes.

Décrochant la pastille, il la tint devant lui pour mieux se faire entendre. « Tu tiens absolument à être le héros du jour, celui qui mettra la main au collet du méchant – n'est-ce pas, mon petit Jules ! Et coûte que coûte... C'est bien ton plan, n'est-ce pas ? Que vaut la sécurité de Laurant, en regard de ton ambition ? »

Ce fut la voix de Feinberg qui lui répondit : « Désolé de te décevoir, vieux, mais c'est moi qui suis de garde ce soir, au standard. Et ce que vous pensez de Wesson, moi, ça ne me fait ni chaud ni froid. Vous pourriez tout aussi bien parler de la pluie et du beau temps... »

Feinberg faisait des pieds et des mains pour protéger Nick, mais ses efforts ne devaient pas peser bien lourd dans la balance. Quoi qu'il en fût, Wesson ne pouvait nuire à Buchanan par la voie hiérarchique, mais, même dans le cas contraire... Qu'est-ce que ça lui aurait fait, d'apprendre qu'il était viré ?

Le diagnostic de Morganstern était juste : il avait un urgent besoin de vacances et des mois de frustration sexuelle à rattraper. Mais pas dans les bras de n'importe qui...

« Gin ! » s'écria Laurant en abattant ses cartes. Joe grommela dans sa barbe, tandis que la bouilloire sifflait allègrement sur le gaz. Elle se leva, versa de l'eau dans les trois tasses, puis reposa la bouilloire sur la cuisinière. Comme elle se préparait à quitter la pièce, Joe l'interpella : « Et alors ? vous ne buvez pas votre thé ?

— Je vous laisse terminer. Je vais monter me reposer. Je rêve de me glisser dans un bon bain chaud, avec une montagne de bulles... »

Nick grinça des dents. Était-elle vraiment obligée de les tenir informés de ce genre de détail... ?

26

Il entra par la porte de derrière.

Il avait d'abord essayé la clé dont il avait le double, mais la petite garce avait dû faire changer les serrures. Pourquoi ? Avait-elle découvert la caméra ? Il était resté un long moment sur le petit perron, la clé à la main, perplexe, tâchant d'évaluer les risques, et avait fini par décider que non : la caméra était indécelable à l'œil nu. Elle n'avait pu la trouver. Quant à l'ancienne serrure, elle était rongée par la rouille. Elle avait probablement rendu l'âme.

Par chance, il avait pensé à se munir d'un coupe-vent noir, qu'il pourrait utiliser pour se protéger la main tandis qu'il briserait la vitre. Il l'avait mis pour mieux se fondre dans la nuit et éviter de s'attirer l'attention des deux vieilles pies de la maison d'à côté, à l'affût derrière leurs rideaux. Il s'était garé à trois rues de là – précaution supplémentaire pour échapper à l'œil de lynx des voisins trop curieux. Il était venu à pied en rasant les buissons des jardins et sans s'attarder sous les lampadaires.

À deux reprises, il avait eu le sentiment d'être suivi, et cela l'avait mis dans un tel état qu'il avait bien failli rebrousser chemin, mais en lui la rage avait eu le dernier mot. Le désir de vengeance le minait comme l'aurait fait un acide particulièrement corrosif. Il fallait agir. Prendre ce risque – calculé, bien sûr. Le besoin qu'il avait de lui rendre coup pour coup le tenaillait de la même façon que la soif d'un alcoolique. La sienne ne s'apaiserait pas tant qu'il n'aurait pas frappé.

Protégeant sa main de plusieurs épaisseurs de tissu, il fracassa la vitre en imaginant que c'était sur le visage de Laurant qu'il abattait le poing. Une pluie d'éclats de verre se répandit dans le petit couloir.

Cette soudaine montée d'adrénaline eut sur ses nerfs l'effet euphorisant d'un orgasme. Il dut se mordre les lèvres pour réprimer un juron bien senti. Il se sentait à présent investi d'un pouvoir invincible. Qui aurait pu l'arrêter – qui ?

Il n'avait rien à craindre. La maison était déserte. Ils étaient allés ensemble à cette fameuse répétition, qui devait être suivie d'un dîner. Le frère de Laurant était venu les chercher, avec un autre prêtre, et toute la bande s'était entassée dans la grosse Ford avant de repartir, tandis que lui-même regagnait ses pénates pour régler les derniers détails. Il était onze heures passées, à présent, et ils ne seraient sûrement pas de retour avant minuit, ce qui lui laissait amplement le temps de faire ce qu'il voulait et de repartir ni vu ni connu.

Il passa la main par la vitre cassée, actionna le verrou intérieur, ouvrit et entra. Pas plus compliqué… Il résista de justesse à une furieuse envie de siffloter.

À l'étage, le signal visuel s'était mis à clignoter dès que la porte de derrière s'était ouverte, mais Nick savait déjà qu'un intrus était dans la place. Après leur retour prématuré, Laurant et Joe étaient allés se coucher tandis qu'il prenait le premier quart. Il se trouvait sur le palier du premier et s'apprêtait à descendre, quand il avait entendu la vitre voler en éclats. Même atténué par les portes intermédiaires, le bruit était reconnaissable entre tous.

Il n'hésita pas plus d'une demi-seconde. Il avait relevé le cran de sécurité de son revolver et sa main allait se poser sur la poignée de la chambre d'amis, lorsque la porte s'ouvrit sur le passage de Joe qui surgit, l'arme au poing. Il fit oui de la tête pour signifier à Nick qu'il était prêt, puis replongea dans la pénombre de la pièce. Nick lui indiqua d'un geste le voyant qui clignotait. Joe le débrancha aussitôt, puis Nick se rua dans la chambre de Laurant dont il referma délicatement la porte. Elle dormait à poings fermés, les bras le long du corps, un livre ouvert sur la poitrine. Il vint s'accroupir près d'elle et lui posa la main sur la bouche.

« Réveillez-vous, Laurant..., fit-il dans un souffle. Nous avons de la visite. »

Elle se réveilla en sursaut et voulut crier. Elle tenta instinctivement de se libérer de la main qui la bâillonnait, avant de comprendre que c'était celle de Nick. Le sens du message filtra jusqu'à sa conscience, tandis qu'elle apercevait l'arme qu'il tenait à la main.

« Chhh... », fit-il.

Elle hocha la tête et il ôta sa main. Elle se leva d'un bond et, en repoussant les draps, envoya valser son livre que Nick rattrapa au vol. Il le posa sur le lit, éteignit la lampe de chevet et l'aida à se mettre debout.

Elle avait le cœur battant et le souffle court. Ils durent se frayer un chemin à tâtons à travers la chambre plongée dans la pénombre. Quand ils entrèrent dans la salle de bains, elle avança la main vers l'interrupteur, mais celle de Nick l'y avait précédée.

« Pas de lumière, murmura-t-il.

— Soyez prudent », lui glissa-t-elle à l'oreille.

Il revint dans la chambre et referma sans bruit la porte derrière lui. Elle aurait voulu le supplier de ne pas l'abandonner là, de rester près d'elle. Elle se retrouva dans une nuit d'encre où elle osait à peine faire un pas, de peur de trahir sa présence. Courbant le front, elle se figea sur place, les bras croisés. Dans sa tête, tout s'emballait. Qu'aurait-elle pu faire pour aider Nick et Joe sans risquer de les gêner ?

Elle craignait avant tout pour Nick. L'imprévu peut faire trébucher l'homme le plus expérimenté, et personne n'est invulnérable... pas plus lui que quiconque. Que ferait-elle s'il venait à lui arriver malheur ? Un silence de plomb régnait dans la maison. Elle appliqua son oreille à la porte et retint son souffle, pendant une minute qui s'étira interminablement, sans rien percevoir d'autre que les pulsations de son propre cœur.

C'est alors qu'elle l'entendit. Un imperceptible craquement, rappelant le frôlement d'une branche contre une fenêtre. Mais le bruit ne venait pas de l'intérieur. C'était dehors, au-dessus de sa tête. Sur le toit. Bon Dieu ! L'intrus pouvait-il être là-haut ? Non, puisqu'il venait d'entrer par le rez-de-chaussée... Elle tâcha de se persuader que ce n'était qu'une branche agitée par la brise.

Elle tendit à nouveau l'oreille. Le bruit se reproduisit, à présent plus proche, évoquant davantage celui d'une fuite précipitée. On aurait dit un gros écureuil ou un raton laveur trottinant au bord du toit, au-dessus de la fenêtre de la salle de bains.

Était-elle seulement fermée, cette fenêtre ? Oui, bien sûr... Nick avait dû y veiller. Calme-toi... ne te laisse pas berner par ton imagination !

Elle s'efforça d'inspecter la fenêtre, qui donnait juste au-dessus de la baignoire, mais il faisait trop sombre pour pouvoir s'assurer que le verrou était bien mis. Il fallait pourtant en avoir le cœur net... En avançant lentement, centimètre par centimètre, elle ne ferait pas le moindre bruit. Elle avait franchi un mètre ou deux, lorsqu'elle aperçut un point de lumière rouge, gros comme la pointe d'un stylo, qui transperçait la fenêtre pour venir danser sur le mur. Il passa sur le miroir et se rapprocha d'elle, comme s'il cherchait sa cible.

Elle se laissa choir à terre et se coucha contre la baignoire, les yeux rivés au mince rayon. Trop tard, songea-t-elle. Elle aurait dû fuir pendant qu'il en était encore temps. À présent, si elle essayait de sortir de la salle de bains, le rayon l'intercepterait. Il balaya la porte de gauche à droite, puis en sens inverse. Seigneur... et si Nick venait à l'ouvrir, cette porte ! Il offrirait au tireur embusqué sur le toit une cible idéale ! En plein dans son viseur...

Pas de panique. Réfléchis... Comment un intrus aurait-il pu monter là-haut sans se faire voir ? Nick lui avait assuré que la maison était surveillée nuit et jour par les agents fédéraux... mais il y avait beaucoup de broussailles, dans les terrains des alentours. Du côté de la salle de bains, précisément, et dans ce grand terrain vague qui jouxtait la cour de derrière. Ce devait être un jeu d'enfant que d'escalader l'un des arbres qui y poussaient, puis de grimper sur son toit. Un jeu d'enfant.

Mais sans se faire voir ? Le pari était risqué mais possible. Calme-toi. Laisse venir... Ce n'était sans doute qu'un agent qui surveillait les lieux depuis le toit. Oui. Ça ne pouvait être que ça. Peut-être les hommes de Wesson s'étaient-ils postés au-dessus de la fenêtre de la salle de bains pour couper la retraite au suspect, s'il tentait de s'enfuir par là... Toutes les issues de la maison devaient être surveillées.

Elle s'efforça désespérément de croire à cette théorie, sans aller jusqu'à en tester la véracité, en s'éloignant de la baignoire.

Le rayon s'était remis en mouvement. Il s'immobilisa sur le miroir. Remerciant l'obscurité providentielle de cette nuit sans lune, elle décida de profiter de l'occasion. Elle s'agenouilla dans le noir pour ouvrir la porte et crapahuta en direction de la chambre, s'écorchant au passage les genoux sur la barre de seuil.

Elle n'avait pas détaché son regard du rayon lumineux et l'avait vu la prendre en chasse, tandis qu'elle refermait précipitamment la porte. Elle fit la grimace en entendant le petit déclic que fit la serrure, puis elle s'adossa au mur le temps de retrouver une respiration normale.

Si l'on essayait d'ouvrir la fenêtre, elle ne pourrait pas ne pas l'entendre. Le cadre de bois vermoulu ferait un vacarme infernal... Elle s'immobilisa donc, l'oreille tendue, prête à prendre la fuite.

Depuis le couloir, Nick avait entendu le déclic de la porte de la salle de bains. Que fichait-elle donc ? Pourquoi ne restait-elle pas à l'abri ?

Il se coula contre le mur adjacent à la porte de la chambre, qu'il entrouvrit d'un cheveu. Il avait une bonne visibilité sur le couloir, faiblement éclairé par une petite veilleuse posée sur une commode à l'autre bout du palier. Il s'attendait à voir l'intrus passer devant la porte de Laurant, ou la franchir.

Il entendait ses pas dans l'escalier. Il reconnut le grincement de la cinquième marche. Si l'inconnu était aussi familier des lieux qu'il le supposait, il aurait dû avoir repéré ces craquements. À moins que Nick ne l'ait un peu surestimé. Mais non... C'était un méticuleux. Tout ce qu'on savait de lui concordait sur ce point. Organisé. Méthodique. Or, il venait d'entrer par effraction à grand fracas, avec une technique pour le moins rudimentaire. Un tigre peut-il se débarrasser si vite de ses rayures ? On avait observé des cas de tueurs organisés qui régressaient, tels Bundy ou Donner, et abandonnaient toute méthode. Mais une telle désintégration ne s'opérait qu'au fil des mois, sinon des années. Le suspect qui gravissait à présent l'escalier semblait avoir changé du jour au lendemain...

En bas, la porte de derrière s'ouvrit à la volée, puis se referma en claquant. Le visiteur nocturne fit aussitôt demi-tour et dégringola l'escalier quatre à quatre. Nick entendit un bruit de pas précipités au rez-de-chaussée, puis des murmures rauques. Ils étaient deux, désormais. Nom d'une pipe ! Tout cela n'avait ni queue ni tête. Jusque-là, tout ce qu'ils savaient du dément avait corroboré l'hypothèse d'un forcené solitaire.

Non. Ça n'avait aucun sens. Les deux intrus semblaient engagés dans une âpre discussion, à voix basse. Nick ne put en saisir un traître mot. Tout à coup, l'un d'entre eux parut s'agiter, aller et venir d'une pièce à l'autre. Il y eut un bruit de chute – celle d'un vase, peut-être –, puis le bruit d'un tissu que l'on déchirait. Ces salauds devaient être à la recherche de quelque chose – à moins qu'ils n'aient entrepris de saccager la maison.

L'adrénaline lui pulsait dans les veines. Il brûlait d'aller leur mettre la main au collet.

L'un des deux intrus avait gravi l'escalier à toutes jambes. Il déboucha sur le palier. Il avait à la main une petite lampe torche dont le rayon balaya le seuil de la chambre. L'ombre continua en direction du placard du hall. La caméra..., songea Nick. Il veut l'enlever, ou la remettre en marche.

Pendant que Nick allait se poster derrière l'intrus pour lui couper toute retraite, Joe alluma le plafonnier du couloir.

« On ne bouge plus ! » cria-t-il, son arme braquée sur le suspect.

Steve Brenner sortit précipitamment sa main du placard pour se protéger les yeux. « Qu'est-ce que... ? » rugit-il et, se retournant, il tenta de charger en direction de Nick qui lui assena un vigoureux coup de crosse sur le côté du crâne. Estourbi, Brenner recula puis revint à la charge, battant l'air de ses poings, tel un nageur qui boit la tasse. Nick esquiva ses coups sans peine et le stoppa net d'un uppercut au nez. Il y eut un craquement sinistre, suivi d'un cri. Brenner vacilla et tomba à genoux en hurlant, les mains sur le nez.

« Je te laisse t'en occuper ? fit Nick en direction de Joe, avant de mettre le cap sur le rez-de-chaussée.

— Vas-y, je le tiens ! » répliqua Joe. Il avait plaqué Brenner à terre et l'y maintenait, le genou appuyé entre ses omoplates. « Vous avez le droit de garder le silence... », l'informa-t-il.

Nick dévala l'escalier en trois enjambées, franchit d'un bond la rampe pour atterrir dans le hall d'entrée, et s'élança en direction de la cuisine. Dans tout le rez-de-chaussée flottait une forte odeur d'essence qui lui fit monter les larmes aux yeux. Comme il arrivait à la salle à manger, il aperçut un gros jerrycan renversé sous la table, près d'un tas de mousseline rose où il reconnut la nouvelle robe de Laurant, imbibée de carburant. Étouffant un juron, il poursuivit sur sa lancée.

En tournant le coin du couloir pour entrer dans la cuisine, il entr'aperçut une silhouette de profil. Lonnie. Mais il n'eut pas le temps de voir ce qu'il tenait à la main.

Du fond du couloir, Lonnie craqua une allumette dont il se servit pour enflammer la boîte entière, avant de la jeter derrière lui dans la cuisine. Dans sa hâte, il empoigna frénétiquement le bouton de la porte, mais ses mains étaient pleines d'essence et il dut s'y reprendre à trois fois. La porte s'ouvrit enfin et il se précipita dehors. Trébuchant sur le perron, il s'affala dans la cour et se releva en toute hâte, avant de s'enfoncer dans les broussailles du terrain vague avec un long cri de joie. Il avait réussi à piéger Nick dans la maison et à lui tirer sa révérence sans le moindre accroc...

Le feu se répandit instantanément sur le plancher imbibé d'essence, qui s'embrasa avec une détonation sourde. Le courant d'air frais que déversait la porte ouverte vint alimenter les flammes, et, en l'espace de quelques secondes, la cuisine se transforma en brasier. Nick battit en retraite vers la salle à manger, le bras levé en visière pour se protéger les yeux. Il parvint à rassembler ses esprits, mais la chaleur était si suffocante qu'il dut renoncer à affronter le mur de flammes. Le sol de la cuisine s'était transformé en un raz de marée incandescent qui se déversait en direction de la salle à manger, engloutissant tout sur son passage.

« Laurant ! » s'écria-t-il en traversant le living. Il lui sembla entendre des pneus crisser devant la maison. Il prit le temps de tirer le verrou de la porte d'entrée, qu'il se garda bien d'ouvrir pour ne pas risquer d'attiser les flammes.

Joe avait passé les menottes à Brenner et s'efforçait de le remettre sur pied, mais le prisonnier ne semblait pas disposé à se laisser faire.

« Sors-le par-devant, lui cria-t-il. On n'a pas une seconde à perdre, le feu gagne à vue d'œil !

— La petite ordure ! hurla Brenner. Le misérable petit salaud ! Je vais lui faire la peau ! »

Joe le hissa sur ses pieds et le poussa devant lui, tandis que Nick se précipitait dans la chambre de Laurant. Elle avait déjà passé son jean et ses mocassins et finissait d'enfiler un tee-shirt.

Elle avait eu le temps de faire sa valise ! Il se retint de se frotter les yeux. Le sac qu'elle avait laissé près du placard était à présent sur son lit, bourré de vêtements. Nick jeta un œil par la porte de la salle de bains, restée entrouverte, et aperçut les étagères, vidées de leur contenu.

« Venez vite ! hurla-t-il pour couvrir les imprécations de Brenner. Et laissez-moi tout ça ici ! Nous avons dix secondes pour quitter cette maison ! »

Passant résolument outre à l'injonction, elle attrapa son sac qu'elle s'accrocha à l'épaule, puis, remarquant qu'il était pieds nus, elle récupéra au passage ses chaussures et les fourra dans son sac, par-dessus son album de photos.

Nick remit le cran de sécurité de son arme et la rangea dans son holster, ce dont Laurant profita pour cueillir sur la commode le portefeuille de Nick, ses clés de voiture et son propre sac à main. Elle finissait d'enfourner le tout dans l'une des poches latérales de son sac lorsque Nick revint sur ses pas et la prit à bras-le-corps, pour lui faire franchir de force le couloir, puis l'escalier, en la portant sur une bonne partie du chemin. Elle se cramponnait désespérément à la lanière de son sac, qui dévalait les marches dans leur sillage.

Au pied de l'escalier, ils furent accueillis par une muraille de fumée noire. Nick lui maintint la tête contre sa poitrine et se rua en direction de la porte.

Une seconde plus tard, un fracas épouvantable retentit derrière eux. Le crépitement soutenu qui suivit le leur confirma : le climatiseur de la salle à manger venait d'exploser. Le plancher vibra sous leurs pieds, puis les vitres du living volèrent en miettes, projetant des débris meurtriers dans toutes les directions. Alimentées par le surcroît d'air frais qui s'engouffra par ces nouvelles ouvertures, les flammes se mirent à rugir de plus belle.

Ils franchirent la porte d'extrême justesse, les flammes sur les talons, et dégringolèrent les marches du porche avant de se retrouver dans l'allée, crachant, toussant, à deux doigts de l'asphyxie – mais sains et saufs.

Laurant se frottait les yeux pour tenter d'atténuer l'insupportable picotement de la fumée. Nick fut le premier à retrouver le nord. Il reconnut Wesson qui avait surgi de sa voiture pour s'élancer en direction de Joe et de Brenner, réfugiés dans le terrain vague sur le côté de la maison. Feinberg attendait dans la voiture, dont le moteur ronflait.

Comment avaient-ils pu arriver si vite sur les lieux ? se demanda Nick. Mais chaque chose en son temps. « Tout va bien ? » demanda-t-il à Laurant en la serrant contre lui. Sa voix avait jailli de sa gorge en un souffle rauque.

Elle s'abandonna dans ses bras. « Oui, fit-elle. Et vous ?

— Ça devrait aller », répliqua-t-il, toujours hors d'haleine.

Elle jeta un coup d'œil autour d'elle. Tout le quartier était sur le pied de guerre. Les fenêtres s'allumaient une à une et les gens sortaient pour venir aux nouvelles. Au loin retentit une sirène. Bessie Jean et Viola étaient sorties dans leur cour et se tenaient sous le vieux chêne où elles attachaient leur cher Papounet. Elles étaient empaquetées dans de grosses robes de chambre roses et blanches, qui leur donnaient l'allure de vieux lapins en peluche. Bessie Jean était couronnée d'une superbe collection de bigoudis maintenus par un filet de nylon rose. Quant à Viola, elle se tamponnait les yeux de son mouchoir de dentelle et contemplait la scène en hochant la tête d'un air catastrophé.

Se retournant, Laurant vit une gerbe de flammes jaillir du toit pour s'élancer vers le ciel. Il s'en est fallu de peu…, se dit-elle avec un frisson rétrospectif. Mais Nick était indemne.

Personne n'avait eu de mal. Elle remercia la Providence et, comme si son esprit émergeait soudain du brouillard, elle reprit contact avec la réalité en une sorte de déclic, et se mit à trembler de tous ses membres.

« Vous êtes sûre que ça va aller ? lui demanda Nick.

— Oui. C'est terminé. Vous l'avez pincé, Nick. Le cauchemar est fini ! » Elle laissa tomber son sac et lui jeta les bras autour du cou. « Merci…, lui murmura-t-elle à l'oreille.

— Attendez. Il est encore un peu tôt pour pavoiser. »

Elle plongea les yeux dans les siens. « Je n'arrive pas à me faire à cette idée… J'avais reconnu la voix de Steve, dans le couloir. Je savais que c'était lui. Mais je ne parvenais pas à reconstituer le puzzle. J'étais tellement abasourdie ! » Elle prit une profonde inspiration et tâcha d'y voir plus clair. « Vous m'aviez dit qu'il comptait parmi les suspects – eh bien, vous aviez vu juste… sur toute la ligne ! »

Elle claquait des dents. Essuyant d'un revers de main les larmes qui lui barbouillaient les joues, elle se souvint de l'homme

sur le toit. « Mais ils étaient deux, n'est-ce pas... ? Oui, deux...,
répéta-t-elle.

— L'autre, c'était Lonnie. C'est lui qui a mis le feu à la
maison.

— Lonnie ? » Elle n'aurait su dire au juste ce que cette
nouvelle avait de si stupéfiant. Le fils du shérif était donc dans
le coup... Mais à l'évidence, c'était Brenner qui avait tout manigancé... Il avait orchestré ce cauchemar du début à la fin.

Nick survola les alentours du regard. Où était passé le rejeton
du shérif ? Il aurait dû avoir les menottes aux poings, lui aussi.
Il n'avait pu échapper à la surveillance des agents...

Willie et Justin accoururent pour leur venir en aide. Justin se
précipita vers la cour de Bessie Jean et entreprit de dérouler le
tuyau d'arrosage, dont le débit se révéla dérisoire, face à
l'ampleur du brasier.

Nick entraîna Laurant en direction de Wesson, qui parlait
dans son portable.

« Je l'ai l'épinglé, chef ! jubila Wesson. C'est désormais une
certitude. Dès que j'aurai le mandat de perquisition, je pourrai
verser bien d'autres preuves au dossier. »

« *Il* l'a épinglé ? dit Laurant, époustouflée.

— Eh oui..., soupira Nick. J'ai entendu, tout comme
vous... »

De même que Joe, qui ne prit pas la peine de dissimuler sa
colère et fusilla Wesson du regard ; lequel ignora royalement sa
mine outrée pour se répandre de plus belle dans son téléphone.

« Dans les règles de l'art, chef ! Absolument. Et pour votre
information, je dois souligner que je n'ai rien laissé au hasard, ni
à cette fameuse intuition dont on nous rebat les oreilles. Nous
ne devons ce succès qu'à une démarche programmée point par
point et systématiquement appliquée. Non, chef... Loin de moi
l'idée de critiquer vos propres méthodes ! Je tenais juste à souligner qu'un travail bien organisé finit toujours par aboutir ! »

L'autopompe arriva en trombe, en faisant hurler sa sirène.
Feinberg déplaça la voiture qui masquait la bouche d'incendie et

alla la garer devant la maison voisine, avant de rejoindre Joe, qui fixait le brasier d'un regard halluciné.

Les pompiers, des bénévoles équipés de grosses vareuses et de casques jaunes, mirent pied à terre et coururent brancher leur tuyau, tandis que le chauffeur coupait la sirène.

« Il reste quelqu'un, là-dedans ? cria-t-il à la cantonade.

— Non, personne ! répondit Joe sur le même ton. Tout le monde s'en est sorti sain et sauf. »

Quant à Nick, il écumait en rongeant son frein et se jurait que, si Wesson continuait à pérorer dans son satané portable dix secondes de plus, il allait le lui arracher des mains, quitte à lui coller un œil au beurre noir. Il voulait obtenir des réponses à des questions autrement plus urgentes : où était passé Lonnie ? Et qu'avaient fabriqué les agents chargés de la surveillance de la maison ?

« Laurant... je vous demande de m'attendre dans la voiture. Je vais la garer dans la rue », lui dit-il en l'entraînant dans son sillage.

Elle avait clairement reconnu cette pointe acérée qui avait percé dans sa voix, mais quelque chose lui échappait... Pourquoi Nick continuait-il à faire comme s'il fallait la protéger ? Brenner était sous bonne garde... et son complice était démasqué.

« Détendez-vous, Nick ! Tout est terminé, à présent. » Peut-être ne s'était-il pas encore fait à cette idée, lui non plus... « Vous avez réussi – vous et Joe ! Vous l'avez arrêté...

— Ça, nous aurons tout le temps d'en reparler ! » répliqua-t-il d'un ton brusque, en empoignant son sac.

Comme ils arrivaient à la voiture, il grommela : « Ah ! Purée... qu'est-ce que j'ai fait des clés !

— Elles sont dans le sac ! »

Il lui tint les poignées du sac pendant qu'elle les cherchait, mais la main de Laurant était agitée d'un tel tremblement qu'elle dut renoncer à introduire la clé dans la serrure de la portière. Nick lui prit le trousseau pour la lui ouvrir, puis il balança le sac sur la banquette arrière.

« Laurant ! s'écria Willie, qui les avait rejoints au pas de course. Pourquoi les flics ont-ils passé les menottes à ce type ? »

Justin le suivait à quelques mètres. « Eh ! Mais c'est Steve Brenner ! s'exclama-t-il. Un des notables de la ville, à ce que j'ai cru comprendre... ?

— Pourquoi ces menottes ? Qu'est-ce qu'il a fait ?

— Il est entré chez moi par effraction.

— Allez vous installer dans la voiture, Laurant », fit Nick en lui prenant le coude, mais elle se dégagea vivement pour se retourner en entendant les cris de Brenner.

« Enlevez-moi immédiatement ces menottes ! Vous n'avez pas le droit de m'arrêter ! Je n'ai commis aucun délit. Je suis le propriétaire légal de cette maison et si l'envie me prend d'y mettre une caméra, c'est mon droit le plus strict ! Voilà deux semaines que l'acte de vente est signé. La maison m'appartient, et j'ai le droit de savoir ce qui s'y passe ! »

Joe semblait à bout de patience : « Pour l'instant, le seul droit que vous ayez, c'est de garder le silence. Alors je vous conseille de la boucler – compris ? »

Justin en resta bouche bée. « Il avait posé une caméra chez vous ?

— Où l'avait-il cachée ? » s'enquit Willie.

Elle ne souffla mot et vacilla contre Nick, les yeux rivés sur Brenner qui l'avait à présent repérée et crachait vers elle des ricanements de mépris. Du sang séché maculait son visage. À la lueur de l'incendie, son faciès avait quelque chose de reptilien.

Il fulminait et blâmait le monde entier – Laurant la première, évidemment. Si la petite garce n'avait pas installé chez elle son copain flic, rien de tout ça ne serait advenu. C'était elle et elle seule qui l'avait mis dans le pétrin !

Il tenta de marcher sur elle, mais Joe le ceintura. De loin, il hurla un chapelet d'insanités à l'adresse de Laurant. Elle avait anéanti tous ses projets, et elle n'avait pas fini d'en payer les conséquences !

« Sale petite grue ! cria-t-il. Cette maison est à moi. J'ai payé le prix fort à la vieille, et je ferai valoir mes droits. Tu ne pourras même pas lever le petit doigt pour m'en empêcher ! Et quand j'en aurai fini avec vous, vous n'aurez plus un sou vaillant ! Le FBI devra me rembourser jusqu'à mon dernier *cent* ! D'ailleurs, tu n'as plus de secrets pour moi ! cracha-t-il, dans l'espoir de l'humilier publiquement. Je me suis rincé l'œil pratiquement tous les jours, matin et soir, en te surveillant ! »

Elle vit flamboyer dans le regard du dément une lueur de malveillance et de rage. Ses derniers doutes s'en trouvèrent dissipés : Brenner n'avait plus toute sa tête. Il était bien le bourreau de ces malheureuses.

« Bâillonne-le, Joe ! cria Nick.

— Et vous, éloignez Mlle Madden ! » lui enjoignit Wesson.

Elle fit la sourde oreille au torrent ordurier dont Brenner continuait de l'abreuver, pendant que Nick la faisait monter en toute hâte dans la voiture. L'assistance en restait pétrifiée d'horreur. Une femme bouchait les oreilles de son jeune enfant. Tout le monde semblait atterré par la conduite de Brenner – et ils n'étaient pas au bout de leurs surprises !

Nick s'installa au volant et manœuvra pour garer la voiture derrière celle de Feinberg.

« Écoutez-moi bien, Laurant... Vous allez m'attendre ici. Verrouillez les portières et n'abaissez votre vitre sous aucun prétexte.

— Combien de temps devrons-nous attendre ? fit-elle en se mordant la lèvre pour ne pas fondre en larmes. Je voudrais m'éloigner d'ici...

— J'en ai pour une seconde. Je vous en prie. J'ai deux mots à dire à Wesson. »

Elle hocha la tête comme un automate. « Bien, fit-elle. Faites vite... »

Elle le suivit du regard tandis qu'il traversait la cour au pas de course, puis elle contempla sa maison. L'incendie semblait circonscrit, à présent, mais le spectacle du désastre ne lui inspirait que peu d'émotion. Dieu savait pourtant qu'elle avait aimé cette maison... mais maintenant que Brenner en était propriétaire, elle n'avait plus aucune envie d'y remettre les pieds.

Les éclairs des gyrophares, la rumeur de la foule, les hurlements que poussait Brenner... Portant ses mains à son front, elle se roula en boule sur son siège et se mit à pleurer sur les victimes de Brenner.

Elles pouvaient reposer en paix, désormais. Le monstre était hors d'état de nuire.

27

Le shérif arriva bon dernier sur les lieux du drame. Sa Ford Explorer rayée tourna le coin sur deux roues et stoppa net au beau milieu de la chaussée.

MacGovern s'extirpa à grand-peine de derrière son volant, mit pied à terre et, les mains aux hanches, balaya les alentours du regard, en tâchant d'afficher une mine de circonstance – air sévère, sourcils froncés – pour bien montrer que la gravité de la situation ne lui échappait pas. Puis, remontant son pantalon à deux mains, il bomba le torse et mit le cap sur la cour de Laurant.

« Qu'est-ce qui s'est passé ici ? demanda-t-il.

— À votre avis ? répliqua Joe. Un petit barbecue qui a mal tourné, apparemment ! »

MacGovern lui lança un regard mauvais pour lui signifier qu'il ne goûtait guère ce genre d'humour, et s'avisa soudain de la présence de Brenner, qui le fixait d'un œil noir, menottes aux poings, le visage barbouillé de sang.

« Eh ! Que fiche Steve avec ces menottes ?

— Il a été pris en flagrant délit, riposta Joe.

— Conneries ! riposta Brenner. Je n'ai commis aucun délit,

Lloyd. Dis-leur de m'enlever immédiatement ces saletés qui m'écorchent les poignets !

— Je le ferai en temps utile », l'assura le shérif en braquant sur Joe son regard numéro cinq, façon œil d'aigle. « Dites donc, vous… Je vous remets ! C'est pas vous qui étiez censé réparer l'évier chez Laurant ? Qu'est-ce que vous faites là ? C'est vous qui avez frappé cet homme ? Mais vous lui avez mis le nez en compote, ma parole ! Cessez de jouer au plus fin, mon p'tit gars ! Je veux une réponse, et pas pour après-demain. Vous l'avez frappé, oui ou non ?

— C'est moi qui l'ai frappé, s'interposa Nick. Et il peut s'estimer verni : j'aurais dû lui tirer dessus.

— Vous aussi, fiston, je vous déconseille de faire le mariole ! L'affaire est grave !

— Très, renchérit Nick. Et moi, je vous déconseille de continuer à m'appeler "fiston", si vous ne tenez pas à vous retrouver à votre tour avec des menottes aux poignets, pour outrage à officier de la police fédérale. Pigé, MacGovern ? »

Le shérif s'empressa de mettre quelques pas de plus entre Nick et lui et fit mine de soupeser les options qui se présentaient. En fait, il commençait tout bonnement à comprendre qu'il était dans le pétrin jusqu'au cou. Mais, d'un autre côté, Brenner l'assassinerait s'il échouait à le sortir d'affaire. Il jeta vers Nick un regard méfiant. L'agent fédéral lui faisait penser à un puma : un bon gros matou, à première vue, jusqu'au moment où il vous sautait à la gorge pour vous déchirer à belles dents.

« Interviens immédiatement, Lloyd ! lui enjoignit Brenner. C'est lui qui m'a cassé le nez. J'exige que tu l'arrêtes ! »

MacGovern hocha prudemment la tête et se força à regarder Nick dans le blanc des yeux. Le mépris glacial qu'il lut dans son regard lui donna le frisson, mais il se félicita mentalement d'avoir résisté à l'envie de baisser les yeux. « C'est un grave délit que de brutaliser un honnête citoyen. Vous pensez que les agents fédéraux sont au-dessus des lois de cet État ? Vous vous figurez que je ne pourrais pas vous arrêter pour voies de fait ?

— Exact, riposta aussitôt Nick. Vous ne le pouvez pas.

— Eh merde…, marmonna Brenner.

— Ça, c'est ce que nous allons voir ! bredouilla MacGovern. Primo, M. Brenner doit être immédiatement conduit à l'hôpital pour se faire soigner, et secundo, ici, la loi, c'est moi. Vous êtes dans ma juridiction, et je me charge de lui. »

Joe consulta Nick du regard avant de répondre : « Bas les pattes ! Monsieur est mon prisonnier ! »

Nick vint se placer à côté de Joe pour tenir tête au shérif, mais il ne voulait surtout pas s'éloigner de la voiture ni perdre Laurant de vue.

« Dites donc, vous, le plombier ! Comment se fait-il que vous soyez armé ? s'étonna le shérif en remarquant le holster fixé à la ceinture de Joe. Je peux voir votre permis de port d'armes ?

— Mais certainement, fit Joe en se fendant d'un grand sourire. Et j'ai aussi un bel insigne qui va avec ; plus gros que le vôtre, je parie. Vous voulez le voir ?

— Cessez de faire le malin, fiston !

— Il est agent fédéral, tout comme moi », ajouta Nick.

MacGovern se sentait perdre pied de seconde en seconde. Pour reprendre le contrôle de la situation, il se cramponna désespérément au premier prétexte qui lui vint à l'esprit.

« Et cet incendie… Qui en est le responsable, hein ? C'est vous, je parie ! » demanda-t-il à Nick, lequel se contenta d'enfouir ses mains dans ses poches pour s'empêcher d'attraper le shérif par la peau du cou et de le secouer comme un prunier.

Lorna était venue se poster à quelques mètres de là et griffonnait frénétiquement sur son bloc-notes. Elle fit un pas hésitant en direction de Nick, mais battit en retraite dès que son regard croisa le sien.

Joe fit signe à Wesson de les rejoindre.

« Et on peut savoir pour quel motif vous pensiez arrêter Steve Brenner ? demanda le shérif. Pour avoir mis le feu à sa propre maison ?

— Il est déjà en état d'arrestation.

— Ah ! Et pourquoi ? »

Wesson arrivait au petit trot. « Un problème ? demanda-t-il.

— Et vous, on peut savoir qui vous êtes ?

— Commandant Wesson, officier de police chargé de l'enquête, répliqua l'interpellé.

— Un agent fédéral, lui aussi…, dit Joe avec un large sourire.

— Mais vous avez débarqué à combien, dans cette ville ? Et qu'est-ce que vous fichez ici ? Sur tout le territoire municipal, vous dépendez de ma juridiction ! leur rappela-t-il. Lorsque vous avez vent d'un problème, vous êtes tenu d'en informer les autorités locales – c'est-à-dire moi ! »

Une discussion orageuse s'engagea. MacGovern insistait pour emmener le prisonnier, mais Wesson s'y opposait, refusant mordicus de communiquer au shérif le détail des charges qui pesaient contre Brenner. Il résista à toutes les injonctions de MacGovern qui hurlait à la violation de la Constitution.

« Je ne fais que protéger le secret de l'enquête.

— Une enquête ? Quelle enquête ? »

Nick avait peine à contenir la colère que lui inspirait Wesson. Il avait besoin d'informations vitales et refusait d'attendre davantage pour les obtenir, même si cela risquait de dégénérer en bataille rangée sur la voie publique.

« Purée ! Je n'en crois pas mes oreilles…, marmonna Joe. Ils vont finir par jouer à qui pissera le plus haut !

— Grand bien leur fasse, grinça Nick, mais le moment est vraiment mal choisi. À propos, shérif… où se trouve votre fils ? »

La question prit MacGovern à rebrousse-poil : « Quoi ? Qu'est-ce que ça peut vous fiche ?

— Lui aussi, je vais l'arrêter. »

Les sourcils broussailleux du shérif se soulevèrent d'un cran : « J'aimerais bien voir ça ! Mon garçon n'est pour rien dans cette histoire. D'ailleurs, fit-il avec un ample geste du bras, vous pouvez voir qu'il n'est même pas sur les lieux !

— Il y était.

— C'est faux ! Je peux vous certifier qu'il n'a pas mis les

pieds dans le quartier de toute la soirée. Il est resté avec moi à la maison. Nous avons regardé ensemble un match de catch à la télé.

— Je l'ai formellement reconnu, dit Nick.

— Je ne vois pas comment vous auriez pu le reconnaître, puisque vous ne l'avez pas vu. Il a passé la soirée avec moi. »

Nick se tourna vers Wesson. « J'ai besoin de vous parler, Wesson. Immédiatement, et en tête à tête ! »

Comme Lorna approchait à pas de loup, il lui tourna résolument le dos et se dirigea vers le terrain vague, à l'abri des oreilles indiscrètes. Wesson finit par lui emboîter le pas, non sans réticence.

« Qu'y a-t-il ?

— Où sont les hommes qui devaient surveiller la maison ? demanda Nick d'une voix entrecoupée par la colère. Comment Lonnie a-t-il pu leur passer si facilement sous le nez ? Il est entré comme chez lui par la porte de derrière ! »

Les lèvres de Wesson s'étrécirent en une ligne désapprobatrice. Il ne reconnaissait à personne le droit de contrer ses décisions.

« Ils sont partis hier.

— Quoi ?

— Ils ont reçu d'autres affectations. »

La mâchoire de Nick se tétanisa. « Qui en a donné l'ordre ?

— Moi. J'ai jugé que je n'avais plus besoin d'eux. La présence de Farley et de Feinberg était plus que suffisante pour assurer la sécurité de Mlle Madden.

— Et l'idée ne vous est pas venue de nous en informer, Joe, Noah ou moi ?

— Cela n'avait rien d'indispensable, répliqua Wesson sur le ton de l'évidence. Vous vous êtes porté volontaire pour être le garde du corps de Laurant, et c'est vous qui avez confié à Noah la sécurité de son frère. Franchement, sans l'insistance de Morganstern, vous ne seriez même pas sur l'affaire. Vous étiez bien trop impliqué et je me serais prononcé contre votre affectation. Morganstern a contourné le règlement pour vous donner le feu vert. Or, moi, le règlement, je l'applique. Et il se trouve que je n'ai nullement besoin de vous sur les lieux. Ai-je été bien clair ?

— Vous êtes un vrai fils de pute, Wesson. Personne ne vous l'a jamais dit ?

— Je vais faire un rapport sur votre attitude d'insubordination, agent Buchanan ! »

La menace ne l'impressionna guère. « Faites donc, Wesson, et n'oubliez pas de vérifier l'orthographe du mot dans votre dictionnaire !

— Vous ne travaillez plus sur cette affaire. »

Nick explosa. « Vous faites courir d'énormes risques à Laurant, en essayant de tirer la couverture à vous ! Vous ne pensez qu'à faire votre petit one-man-show – voilà ce qu'il dira, mon rapport ! »

Wesson se garda bien de laisser éclater sa propre colère. Pour rien au monde il n'aurait fait à Nick ce plaisir... « C'est faux, répliqua-t-il d'un ton glacial. Quand vous aurez retrouvé une attitude plus rationnelle, vous conviendrez que l'affaire ne justifiait nullement la mobilisation d'une douzaine d'agents qui se tournaient les pouces dans ce patelin. À mes yeux, seul le résultat compte. Je tiens mon suspect et, pour le boss aussi, c'est la seule chose qui importera.

— Comment comptez-vous prouver que Brenner est bien notre suspect ? Vous avez des preuves tangibles contre lui ?

— Plus qu'il n'en faut, répliqua Wesson. Elles crèvent les yeux. Brenner n'a pas d'alibi. Il était en voyage au moment des faits et ne peut justifier de son emploi du temps. Il a eu tout le temps d'aller à Kansas City, de menacer le père Madden et de revenir à Holy Oaks. Il avait pris soin de limer le numéro de série de la caméra, mais il a reconnu l'avoir posée dans la maison. S'il y est venu ce soir, c'est parce qu'il vous croyait au restaurant, vous et Laurant. Il avait bien calculé son coup, mais il a trébuché sur un détail annexe – comme c'est presque

345

toujours le cas, ajouta-t-il d'un air docte. De multiples témoins nous ont confirmé qu'il nourrissait une passion maladive pour Mlle Madden. Il était persuadé qu'elle finirait par l'épouser. Nous n'aurons aucun mal à démontrer qu'il a craqué par dépit amoureux.

— De quels témoins s'agit-il ?

— J'ai recueilli plusieurs dépositions à ce sujet. Brenner a toujours été notre suspect numéro un ! J'ai envoyé un de mes hommes chez le juge, et il ne va pas tarder à en revenir avec un mandat en bonne et due forme. J'irai personnellement perquisitionner chez Brenner. Et là, je trouverai plus de preuves qu'il ne m'en faut pour l'inculper – dans les règles de l'art et dans le plus strict respect du règlement ! cracha-t-il, débordant de suffisance.

— Un peu trop simple, Wesson !

— C'est le fruit d'un travail d'enquête rigoureux et irréprochablement mené, qui a débouché, en toute logique, sur l'arrestation de Brenner.

— Je crains que votre ego ne vous obscurcisse le jugement, objecta Nick. Ne trouvez-vous pas surprenant que ce genre de suspect ait agi avec l'aide d'un complice ?

— Si c'est à Lonnie que vous faites allusion, ma réponse est non, au contraire. Cela cadre parfaitement avec le caractère du tueur présumé. Brenner est matois. Il aura profité de l'occasion dans l'espoir de faire porter le chapeau au lascar.

— Et Lonnie ? Qu'est-ce que vous comptez en faire ?

— Je laisse aux autorités locales le soin de s'en occuper. »

Nick grinça des dents. « Vous oubliez que les autorités locales, comme vous dites, se trouvent être son père ! »

Wesson ne s'encombrait pas de ce genre de détail. Il laissait aux sous-fifres le soin de faire coïncider les pièces accessoires du puzzle ! « Si tout se déroule comme prévu, nous pourrons quitter cette ville demain soir au plus tard, Feinberg et moi. Farley s'en ira dans les heures qui viennent. Quant à vous et Noah, je ne vois pas l'ombre d'une raison de vous laisser traîner dans le coin. Comme je vous l'ai dit et répété, votre mission s'arrête là ! »

346

Nick tourna les talons et s'en fut sans ajouter un mot ni un regard. Wesson n'avait pas le triomphe modeste. Inutile d'insister, il ferait la sourde oreille.

Pour lui, Brenner était le tueur.

Affaire classée !

28

« Un problème ? lui demanda Laurant lorsqu'il la rejoignit dans la voiture.

— Je suis officiellement dessaisi de l'affaire, mais ça n'est pas un drame, puisque je n'en ai jamais été vraiment chargé. Wesson est persuadé de tenir son coupable en la personne de Brenner. Il n'attend qu'un mandat pour perquisitionner chez lui.

— Eh bien... ? Je ne vois pas ce qui vous chagrine ! »

Il garda le silence. À quelques mètres de là, Wesson agitait les bras pour attirer son attention, mais il fit comme s'il ne le voyait pas et mit le contact.

« Expliquez-moi, Nick...

— Il se plante sur toute la ligne.

— Ce n'est donc pas Brenner, selon vous ?

— Non. Je n'ai aucun indice concret, mais quelque chose me dit qu'un détail essentiel nous échappe. Tout est décidément trop simple. Ceci dit, c'est certainement Wesson qui a raison, et je m'obstine peut-être à me compliquer inutilement la vie... Mais, comme il nous a laissés travailler à l'aveuglette, Noah et moi, je ne sais même pas sur quels éléments il fonde sa conviction. Nom d'un chien... Filons d'ici. J'ai besoin de prendre le large, pour pouvoir me servir à nouveau de ma tête.

— Les sœurs Vanderman nous proposent leur chambre d'amis – tout comme Willie et Justin. Je leur ai dit que nous passerions la nuit à l'abbaye…

— Et c'est ce que vous voulez faire ? s'enquit-il en engageant la voiture sur la chaussée.

— Non.

— OK. En ce cas, mettons les voiles. Vous aussi, vous avez besoin d'un peu d'air… »

Ils prirent la direction du nord. Lorsqu'ils eurent dépassé les faubourgs de la ville, Nick appela Noah pour le mettre au courant des récents événements. Il conclut en lui conseillant d'attendre le matin pour en informer Tommy.

« Et toi, occupe-toi bien de Laurant ! » lui recommanda Noah.

Dès qu'il eut raccroché, Laurant lui demanda : « Et la maison ? Je vous ai vu parler au capitaine des pompiers. Tout a brûlé ?

— Non, répliqua-t-il. La façade sud est en cendres, mais le premier étage a tenu bon.

— Pensez-vous qu'il reste quelque chose de mes placards ?

— Pourquoi ? Vous espérez récupérer vos vêtements ?

— Mes toiles, surtout. Elles étaient dans le placard de la chambre d'amis. Non pas que j'y tienne plus que ça…, s'empressa-t-elle de préciser. Elles n'ont vraiment rien d'extraordinaire !

— Vous les avez déjà montrées à quelqu'un de compétent ?

— Pour moi, ce n'est qu'un délassement », fit-elle d'un ton évasif.

La sentant soudain sur la défensive, Nick préféra changer de sujet. L'odeur de l'incendie les avait suivis dans la voiture, imprégnant tout. Il abaissa sa vitre pour laisser entrer un flot d'air nocturne.

Ils roulèrent une bonne heure sur l'autoroute. Ils trouveraient sans peine un gîte pour la nuit. À chaque intersection, une ribambelle de panneaux vantaient les tarifs préférentiels des hôtels locaux. Ils finirent par quitter l'autoroute pour s'engager sur une voie secondaire, qui filait plein ouest. Ils optèrent pour un motel situé à trois kilomètres du lac Henry. Les néons violets et orange de l'établissement proclamaient qu'il restait des chambres disponibles, mais à la réception tout était éteint. Nick réveilla le patron, régla la chambre d'avance et en liquide et, à la grande satisfaction du tenancier, lui acheta deux immenses tee-shirts rouges portant au dos le logo de l'hôtel et, sur le devant, un brochet ouvrant une bouche gigantesque, qui était apparemment l'emblème des pêcheurs du coin.

Les douze chambres étaient vacantes. Ils n'eurent que l'embarras du choix. Nick opta pour la dernière de la rangée et gara la voiture derrière le bâtiment, de manière qu'on ne puisse l'apercevoir depuis la route. La chambre était simple mais propre : sol de lino gris, murs de béton brut, peints en gris, avec deux grands lits que séparait une table de nuit branlante. L'abat-jour de verre de la lampe avait été réparé à la va-vite avec du chatterton.

Il était plus de deux heures du matin et ils étaient tous deux sur les genoux. Laurant étala sur le lit le contenu de son sac de voyage et rassembla ses affaires de toilette, avant de filer prendre une douche rapide.

Lorsqu'elle sortit de la salle de bains, vêtue du grand tee-shirt rouge que Nick venait d'acheter, il la regarda en souriant ; c'était le premier signe de détente qui lui échappait depuis leur départ.

« Hmmm… sur vous, on en mangerait !

— Un rien loufoque, non ? » fit-elle en tirant sur l'ourlet du bas.

Le sourire de Nick s'élargit. « Un rien, concéda-t-il, avant de disparaître à son tour dans la salle de bains. Incroyable, que vous ayez eu le temps de prendre le chargeur de mon portable. Quelle présence d'esprit !

— Vous l'aviez laissé sur la table de nuit, près de mes lunettes. J'ai fourré dans mon sac tout ce qui m'est tombé sous la main. »

Elle se glissa dans l'un des lits. La porte de la douche était restée entrouverte et le rideau de plastique ne masquait pas grand-chose, mais elle s'interdit de lorgner du côté de Nick. Chaussant ses lunettes, elle entreprit de faire la liste des courses les plus urgentes pour le lendemain. Bah ! un rapide coup d'œil du côté de la douche ne porterait pas à conséquence... Ce n'était qu'une curiosité bien naturelle, après tout. Oh ! Le vilain mensonge... Si elle l'avait eue sur elle, sa petite culotte aurait déjà pris feu ! Nick avait la silhouette d'un dieu grec. Comme il lui tournait le dos, son regard s'attarda sur sa musculature à la fois robuste et fuselée. Elle n'avait jamais vu de plus bel homme !

Puis elle s'avisa de ce que sa conduite avait d'indiscret. Elle ôta ses lunettes, de façon à ne plus distinguer que des masses confuses, si elle venait à succomber à nouveau à la tentation. Le pauvre garçon... il avait tout de même le droit à un minimum d'intimité !

Elle prit la télécommande et, allumant la télé, s'efforça de prêter attention à ce qui se passait à l'écran.

Ils se conduisaient comme s'ils avaient vécu ensemble depuis toujours – surtout Nick, qui semblait tout à fait à l'aise en sa présence. Son regard ne s'était même pas attardé sur les lits. Il prenait tout cela avec le plus grand naturel, comme si ça avait coulé de source.

Elle, moins. Elle se sentait confuse et nerveuse – une puce dans un four, comme aurait dit Tommy... mais elle avait décidé de n'en rien laisser paraître. S'il s'apercevait que quelque chose ne tournait pas rond, elle pourrait toujours donner le change. En prenant pour prétexte les catastrophes de la soirée, par exemple... Il y avait tout de même de quoi être un peu à cran, non ? Elle ne pouvait décemment pas lui dire la vérité, mais elle ne pouvait s'empêcher de se demander quelle aurait été sa réaction, s'il avait su ce qui lui trottait dans la tête.

En avait-il le moindre soupçon ? Que répondrait-il si elle lui assenait tout à trac qu'elle le désirait – et au diable les conséquences ? Une belle nuit ensemble... Une nuit dont le souvenir lui resterait à jamais. Pas même une aventure. Nick ne pourrait pas assumer ce genre de chose, et elle pas davantage. Mais une nuit, une seule, sans le moindre regret... Qu'il serait bon d'être dans ses bras, tout contre lui. De sentir ses mains sur elle.

Mais cela ne se produirait pas. Il avait joué franc jeu avec elle dès le début. Il ne voulait pas fonder de famille. Pas d'épouse, pas d'enfants. Et comme c'était son plus cher désir et qu'il le savait, il n'essaierait même pas de la toucher.

Elle savait d'emblée que toute relation durable avec lui était exclue, mais elle aurait tant aimé le toucher... Elle l'aimait, la pauvre. Comment avait-elle pu en arriver à un tel état de vulnérabilité ? Elle aurait pourtant dû le voir venir et faire quelque chose, n'importe quoi, pour se protéger. Maintenant, c'était trop tard. Le jour où il partirait, elle en aurait le cœur brisé, irrémédiablement.

Avoir une vague idée de la souffrance qui l'attendait ne changeait pas grand-chose à l'affaire. Une nuit..., se dit-elle. Elle n'en demandait pas plus. Mais lui, verrait-il la chose du même œil ?

Ils étaient tous deux adultes et consentants. Qui pourrait y trouver à redire ?

Mais elle entendait déjà la réponse qu'il opposerait à cet argument : elle était la sœur de son ami – point final.

Pourtant, il tenait à elle. C'était l'évidence même... mais l'aimait-il ? Jamais elle n'aurait osé lui poser la question.

Il émergea de la salle de bains, vêtu d'un caleçon écossais, en se frictionnant vigoureusement les cheveux, et resta cloué sur place devant sa mine sombre. « Un problème ? s'enquit-il.

— Non, rien. Je me demandais juste... »

Il balança sa serviette sur une chaise et vint s'asseoir sur le lit d'en face. « ... Ce qui s'était passé cette nuit ?

— Pas tout à fait...

— Qu'est-ce que vous vous demandiez ?

— Passons... Vous ne voulez pas le savoir.

— Mais si. Dites-moi à quoi vous pensiez, insista-t-il en remontant l'oreiller contre la tête de son lit.

— Bon. Vous l'aurez voulu... Eh bien, je me demandais comment je pourrais vous séduire. »

Sa main, qui allait se poser sur l'interrupteur de la lampe, s'arrêta à mi-course. Laurant elle-même avait peine à croire qu'elle avait eu le culot de lui sortir ça, comme ça, tel quel. En tout cas, la petite phrase avait fait son effet. Il en resta pétrifié. Il se redressa lentement et se retourna pour lui faire face.

Il affichait une mine impayable. Il avait l'air littéralement estomaqué. Dieu savait à quoi il avait pu s'attendre... Un désaveu, une explication, une boutade ? Mais, en toute honnêteté, elle n'avait rien trouvé de mieux à lui servir que la vérité. Elle haussa les épaules, comme pour lui dire : voilà, vous savez tout. Maintenant, débrouillez-vous-en.

« Vous rigolez ? » fit-il d'une voix étranglée.

Elle fit lentement non de la tête. « Pourquoi ? Je vous ai choqué ? »

Il se recula sur le lit, en secouant la tête d'un air incrédule.

« C'est vous qui avez insisté pour savoir à quoi je pensais.

— Oui, eh bien...

— Eh bien, voilà. Vous savez. Et je n'en ai pas la moindre honte... » Ses joues avaient pourtant pris un joli vermillon, à peine plus pâle que celui de son tee-shirt.

« Il n'y a pas de quoi, bredouilla-t-il.

— Nick ?

— Quoi ?

— Alors, qu'est-ce que vous en pensez ? »

Il garda le silence. Rejetant ses couvertures, elle étendit les jambes et sortit du lit. Il battit aussitôt en retraite. Elle n'avait pas fait deux pas vers lui qu'il était déjà à l'autre bout de la pièce.

« Calmez-vous, je ne vais pas vous violer...

— Ça, j'aimerais bien voir !

— Nick... » Elle fit un pas de plus dans sa direction. « Allez, quoi...

— Restez où vous êtes, Laurant ! » Il avait crié cette injonction, l'index pointé sur elle. Il recula encore jusqu'à se prendre les pieds dans ceux du guéridon de la télé, qui se serait écroulée si elle n'avait pas été solidement fixée au mur.

Elle était mortifiée. On aurait dit qu'elle lui faisait horreur, et

rien ne l'avait préparée à une réaction aussi extrême. De l'incrédulité, d'accord, voire de la colère – mais de l'effroi ? Jusque-là,
elle aurait juré que rien, à la possible exception des avions, bien
sûr, ne pouvait l'ébranler.

« Mais qu'est-ce qui vous prend ? murmura-t-elle.

— Il n'en est tout simplement pas question, voilà ce qui me
prend ! Et maintenant cessez, Laurant. Arrêtez ça tout de suite !

— Arrêter quoi ?

— De délirer ! »

Elle n'osait plus le regarder en face. Tête basse, elle se plongea
dans la contemplation du linoléum. Trop tard... Elle ne pouvait
plus retirer ce qu'elle venait de dire, ni faire comme si de rien
n'était. Le mieux était encore de vider son sac, en enfonçant le
clou.

« Mais ça n'est pas tout..., fit-elle dans un souffle.

— Je veux pas le savoir !

— Chaque fois que vous m'embrassez, poursuivit-elle, ça me
fait un curieux petit choc au creux de l'estomac. Et je voudrais
que ça ne s'arrête jamais. C'est la première fois que je ressens ce
genre de chose... Je tenais à vous en informer. » Elle l'entendit
grogner, mais ne put se résoudre à lever les yeux vers lui. « Et
vous ne savez pas le plus drôle...

— Je ne veux pas le s...

— Je me demande si je ne suis pas en train de tomber amoureuse de vous », s'empressa-t-elle d'achever, tant qu'elle s'en
sentait encore le courage.

Elle risqua un œil vers lui pour voir comment il prenait la
chose, en se maudissant d'avoir eu un tel culot. Il n'avait plus
l'air si épouvanté. Non, maintenant, il semblait plutôt animé
d'une violente envie de l'étrangler.

Elle prit alors un malin plaisir à mettre les pieds dans le plat :
« Non, c'est idiot de dire que je suis en train de tomber amoureuse de vous. Disons plutôt que je vous aime. Je t'aime...,
insista-t-elle bêtement.

— Mais depuis quand ! » s'exclama-t-il, d'une voix qui la
cingla comme un coup de fouet. Elle fit la grimace en papillotant

des paupières pour chasser les larmes qui menaçaient de déborder.

« Je n'en sais rien, fit-elle, sincèrement. Ça m'est tombé dessus, comme ça. Ça n'a sûrement rien de délibéré. Vous n'êtes pas du tout l'homme qu'il me faut. Je ne veux pas d'une aventure à la sauvette. Je veux tout – le grand amour, jusqu'à ce que la mort nous sépare. Et des tas de marmots. Je vois bien que nous ne pouvons faire aucun projet d'avenir ensemble, mais je me disais que... si je pouvais vous convaincre de me laisser passer cette nuit dans vos bras – juste cette nuit... ça me suffirait, et que tout resterait en l'état par ailleurs.

— En l'état par ailleurs...

— Ah ! Cessez de me regarder comme ça, en hochant la tête ! Oubliez ce que je viens de dire. Mais, entre nous, je trouve votre réaction un rien insultante. Je pensais que si vous aviez... ressenti pour moi le même... Bon, laissons tomber. Cela dit, ce n'était vraiment pas la peine de me faire une telle démonstration de dégoût. Un simple "non merci" aurait amplement suffi... Inutile de me montrer à quel point la seule idée de m'approcher vous fait horreur.

— Bon Dieu, Laurant ! Essayez donc de comprendre...

— Mais j'ai compris. Vous avez parfaitement dissipé toute ambiguïté. Vous ne voulez pas, c'est votre droit, point final.

— Vous n'allez tout de même pas pleurer ? » La question sonna comme une menace.

Elle aurait préféré tomber raide morte que de l'admettre. « Bien sûr que non ! » Elle s'essuya les yeux d'un revers du poignet, ce qui ne l'aida guère. « C'est juste un air que je me donne !

— Oh ! Laurant, vous n'allez pas pleurer..., supplia-t-il.

— Mais non, c'est mon allergie – elle laissa échapper un sanglot. Excusez-moi. J'ai besoin d'un... mouchoir. »

Elle tenta de l'éviter en se précipitant vers la salle de bains, mais il l'attrapa au passage et l'attira à lui. Elle se laissa aller contre sa poitrine, laissant éclater son chagrin. Il l'enveloppa de ses bras et l'embrassa dans les cheveux, puis sur le front.

« Maintenant, écoutez-moi ! » On aurait cru entendre un noyé appelant à l'aide. « Vous ne savez pas ce dont vous parlez. Ça n'est pas de l'amour. Vous venez de vivre un cauchemar, cette dernière semaine... Et ce soir, vous avez eu la peur de votre vie... Vous n'êtes plus vous-même. »

Voilà. Pas plus compliqué ! Elle confondait amour et gratitude – glissement facile, vu les circonstances. C'était bien ça. Elle ne pouvait pas l'aimer. Elle était trop bien pour lui, trop bonne, trop belle. Il ne la méritait pas, et il fallait y mettre le holà avant qu'il ne soit trop tard.

« Vous n'allez pas m'expliquer ce que j'ai dans le cœur, Nick ! Je vous aime.

— Ho... ! Changez de disque ! »

Mais ses baisers étaient un fervent démenti à la colère qui vibrait toujours dans sa voix – et ses mains étaient si tendres... Que lire, dans ce cocktail de signes contradictoires ? Et quelle importance... ? De toute façon, elle aurait été bien incapable de s'arracher à ses bras, au contact de sa peau.

« Cessez de pleurer, trésor. Je ne sais plus où j'en suis...

— Je n'y peux rien, c'est allergique..., protesta-t-elle contre sa clavicule.

— Vous n'êtes pas allergique », lui souffla-t-il dans le cou. Il aimait son odeur. Une odeur fraîche, évoquant les fleurs. Un parfum de femme. Il était fichu et commençait à le subodorer. Prenant son visage entre ses mains, il chassa ses larmes à coups de baisers.

« Je vous trouve si jolie », murmura-t-il, avant de la bâillonner de sa propre bouche, qui se faisait à présent impatiente et avide. Sa langue vint à la rencontre de la sienne, et il se mit à trembler comme un tout jeune homme goûtant pour la première fois aux choses de l'amour – à cela près que ses gestes à lui n'avaient rien de gauche. Ils étaient parfaits de douceur et de précision. Qu'il l'avait attendue ! Une partie de lui-même persistait à prétendre qu'il ne faisait que la consoler, jusqu'à ce que sa main s'insinue sous l'ample tee-shirt pour aller à la rencontre de sa peau. Au diable les consolations ! Il la désirait avec une véhémence qui le fit tressaillir jusqu'au tréfonds de lui-même. Il avait d'elle une soif dont la violence lui faisait presque peur.

C'était si bon de la tenir contre lui, si douce, si parfaite. Il fit glisser le tee-shirt par-dessus sa tête, sans cesser de l'embrasser – ni de l'exhorter à ne rien faire qu'ils regretteraient tous deux le lendemain matin.

Elle l'approuva avec enthousiasme et, tirant l'élastique de son caleçon, le lui ôta. Puis ses mains remontèrent le long de ses cuisses et entreprirent de le caresser.

Elle avait des doigts de fée. Ses caresses le soumettaient à la plus exquise des tortures. Son sexe dressé l'élançait presque douloureusement. Lorsqu'il se sentit à deux doigts du point de non-retour, il lui prit les mains et les passa autour de son propre cou, puis il se pressa contre elle. Le contact de ses seins épanouis contre sa poitrine faillit porter son excitation à son comble. Il aurait voulu que sa peau puisse épouser chaque pouce de la sienne.

Il l'écarta de lui. « Une seconde..., murmura-t-il. Appliquons les mesures de sécurité. » Il s'éclipsa dans la salle de bains. À son retour, il marqua une brève pause. « Laurant..., balbutia-t-il, je... » Mais elle avait à nouveau passé ses bras autour de lui et l'embrassait.

Ils tombèrent ensemble sur le lit, bras et jambes inextricablement emmêlés. Il la fit basculer pour pouvoir se trouver au-dessus d'elle et se coula dans son entrejambe. Levant la tête, il vit sa bouche gonflée comme par un désir de baiser, et se sentit submergé par sa beauté.

Sa main se referma sur un de ses seins, tandis que ses doigts en agaçaient le mamelon durci. Elle émit un petit soupir d'aise et ferma les yeux pour lui témoigner son approbation. Il y revint donc à plusieurs reprises, à l'écoute de la lente montée de son désir.

Il tâchait coûte que coûte de ralentir le tempo, pour pouvoir la combler avant de capituler lui-même.

« J'en rêvais depuis si longtemps, dit-il. À la seconde où je t'ai vue, j'ai voulu sentir tes jambes se nouer autour de moi. Je n'arrivais plus à penser à autre chose. »

Son visage avait pris la nuance sombre du désir et ses yeux bleus brillaient d'un éclat dangereux. Elle laissa courir ses doigts le long de sa mâchoire puis de son cou.

« Et tu sais ce que je désirais, aussi ? »

Il lui en fit la démonstration, des mains et de la bouche. Il savait exactement comment et où la toucher, avec quelle force, et quand cesser. Elle ondulait inlassablement sous lui. Ses caresses se firent de plus en plus précises, jusqu'à ce qu'elle lui enfonce les ongles dans les épaules en le suppliant de mettre fin à cette danse de la tentation.

Il la pénétra alors, et s'en remit à son corps pour lui dire ce que ses paroles eussent été incapables d'exprimer.

Jamais elle n'aurait soupçonné qu'elle pouvait parvenir à un tel degré d'extase. Des vagues exquises l'inondaient. Elle vint à sa rencontre et se cabra contre lui, de plus en plus pressante. « Maintenant, Nick... Je t'en supplie ! Oh, Seigneur, oui ! – maintenant ! »

Il s'enfonça jusqu'à la garde et renonça à réprimer ses grognements de plaisir en se sentant fondre en elle. Le contact de ses jambes qui se nouaient autour de sa taille lui arracha un autre gémissement. Dans ses bras, la réalité rendait fade la plus flamboyante des fictions. Elle était au-dessus de tout ce qu'il avait pu imaginer. Il laissa sa tête rouler au creux de son cou et s'efforça de ralentir son souffle, pour apaiser le jeu. Il voulait faire de cette étreinte un moment inoubliable.

Il se remit à bouger en elle, d'abord presque insensiblement. « Tu aimes ça ?

— Oui... ! souffla-t-elle.

— Et ça ? » Ses mains s'immiscèrent entre leurs corps réunis pour la caresser. Elle poussa un râle extasié qui ne fit qu'encourager son amant. Elle l'attira à elle et lui donna un long baiser.

« Ne t'arrête pas..., lui murmura-t-elle dans la bouche. Jamais ! »

Il s'enfonça à nouveau en elle et, cette fois, ni l'un ni l'autre ne put calmer le jeu. Ils s'élancèrent à la poursuite du plaisir.

Elle jouit juste avant lui, subjuguée par la splendeur de sa propre capitulation, dans un long sanglot où il sentit irradier toute la ferveur de son amour. Il vibra lui-même du profond frémissement qui la parcourait, tandis que chaque centimètre carré de sa peau semblait vouloir venir à sa rencontre pour l'englober au plus près. Et avec un hurlement à peine étouffé, il se répandit à son tour en elle. Cet orgasme ne ressemblait à rien de ce qu'il avait expérimenté jusque-là, mais il renonça à définir ce qui le différenciait de tous les autres. Il n'y comprenait rien. Il se contentait de constater l'extraordinaire nouveauté de cette sensation. Comment pourrait-il se contenter de moins, désormais... ?

Il resta longtemps en elle et quand il roula enfin sur le côté, ce fut pour la prendre dans ses bras et la serrer contre lui. Elle vint s'encastrer dans les creux de son corps, la main enfouie dans la toison bouclée de sa poitrine, trop bouleversée pour souffler mot.

À peine parvenait-elle à aligner deux idées cohérentes. Lorsque son souffle eut retrouvé un rythme à peu près normal, elle se redressa sur le coude, pour mieux plonger dans le bleu profond de ses yeux que la passion rendait si intense. Et, souriante, elle vint faire le gros dos contre lui, comme un gros chat satisfait. Elle aimait le contact de son corps solide contre le sien. Les poils de ses jambes lui chatouillaient les orteils, mais même ça, elle l'adorait.

Elle l'aimait tant – et plus que jamais, s'avoua-t-elle. Elle crut voir l'ombre d'un souci passer dans son regard et chercha un moyen de neutraliser les regrets qui n'allaient sans doute pas tarder à l'assaillir. Elle l'embrassa longuement et tendrement. Il lui sourit à nouveau. « Tu sais à quoi je pense ?

— À quoi, encore... ? » fit-il dans un grand bâillement. Il était à la fois trop éreinté et trop heureux pour pouvoir bouger.

« Je me disais qu'avec un minimum d'entraînement je pourrais m'améliorer considérablement à ce petit jeu. »

Il poussa une sorte de grommellement joyeux, et elle entendit monter de sa poitrine un grondement plus profond qui explosa soudain en un éclat de rire : « Si tu t'améliores ne serait-ce que d'un iota, je meurs !

— Ça t'a plu ?

— Cette question ! »

Elle promena les doigts sur les muscles noueux de ses épaules et, remarquant le zigzag d'une cicatrice sur son biceps, elle se pencha pour l'embrasser.

« Comment t'es-tu fait ça ?

— Au foot.

— Et ça ? fit-elle en effleurant une petite balafre sur sa hanche. C'était une balle ?

— Le foot, toujours... (devant sa moue incrédule, il répéta :) C'est vrai. Un coup de pied que je me suis pris sur le terrain.

— Tu ne t'es jamais fait tirer dessus ? demanda-t-elle.

— Non. Je me suis pris toutes sortes de coups : de poing, de pied, et même de couteau, mais de balle, jamais. » Pas à ce jour, du moins..., ajouta-t-il en son for intérieur. À la taille, juste sous le rein gauche – quelques centimètres plus haut, et la blessure eût été fatale –, il portait la trace d'une lame, d'un pic à glace, plus exactement. Peut-être la cicatrice n'attirerait-elle pas l'attention de Laurant... Mais si elle lui posait la question, il s'apprêtait à lui dire la vérité.

« Mes cicatrices ne sont que des souvenirs des terrains de foot, pour la plupart, lui dit-il.

— Celles qui se voient de l'extérieur, peut-être..., fit-elle, en glissant ses doigts dans ses cheveux. Mais les autres... »

Il écarta sa main. « Ne t'attendris pas trop sur mon cas. À chacun ses problèmes... »

Il tentait de se soustraire à son emprise pour rentrer dans sa coquille, mais elle ne lui en laissa pas le loisir. Comme il roulait sur le dos en déclarant qu'il était grand temps de dormir un peu, elle passa outre à cette suggestion et vint s'allonger sur lui. Les mains glissées sous le menton, elle plongea les yeux dans les siens.

Les mains de Nick s'étaient posées sur ses hanches. Il aurait voulu la faire décamper et s'endormir avant de céder une nouvelle fois au désir, mais c'était mal la connaître...

« Promets-moi une chose, et je te laisse dormir, fit-elle.

— Quoi ? rétorqua-t-il, l'air suspicieux.

— Quoi qu'il arrive...

— Oui ?

— Pas de regrets. D'accord, Nick ? »

Il hocha la tête. « Et toi ?

— Moi non plus. Pas de regrets, promit-elle.

— Marché conclu.

— Je veux te l'entendre dire. »

Il poussa un soupir résigné. « OK, fit-il. Pas de regrets. »

Et l'un comme l'autre, ils mentaient.

29

Le Tombeur détestait les surprises – quand ce n'était pas lui qui les orchestrait, évidemment.

Or la nuit avait été fertile en surprises d'un goût plutôt douteux. Il savait déjà que le mulet faisait des pieds et des mains pour le ridiculiser, et il avait pris la chose avec philosophie. Les mots n'avaient jamais tué personne ! Jusqu'à cette nuit où il avait appris que Laurant elle-même répandait ces répugnantes calomnies. Elle l'avait qualifié d'*impuissant* ! Il avait peine à supporter l'idée de ses jolies lèvres formant ce mot. Comment pouvait-elle le trahir ainsi – comment osait-elle ?

Il lui fallait se venger, et agir vite. L'urgence du châtiment primait désormais tout le reste, y compris la prudence. Combien de temps avait-il passé dans le terrain vague, les yeux rivés à sa fenêtre ? Une bonne heure, sinon deux. Il n'aurait su le dire. Quand le désir le tenaillait, le temps perdait toute signification.

C'est alors qu'il avait vu arriver Lonnie. Cet imbécile escaladait son arbre – celui-là même qui lui avait si souvent permis d'entrer chez elle pour la regarder dormir.

Il avait vu Lonnie ramper sur le toit jusqu'à la petite lucarne qui surplombait la fenêtre de la salle de bains. Il avait pris exactement le même chemin. Le chemin du Tombeur. *Futé, le gamin...*, s'était-il dit. *Mettre ses pas dans les miens !*

Tandis qu'il surveillait les faits et gestes de Lonnie, il vit approcher un second visiteur. C'était Brenner, qui se coulait dans l'ombre en direction de la porte de derrière. Qu'est-ce qu'il avait en tête ?

Le cabot de la maison d'à côté ne pouvait plus les trahir. Le Tombeur s'était arrangé pour le faire taire définitivement. Il voulait pouvoir aller et venir à sa guise autour de la maison, et voilà que, sans même s'en rendre compte, ces deux imbéciles tiraient effrontément profit de son travail !

Mais il n'en était qu'au début de ses surprises. Les événements s'étaient ensuite précipités dans un incontrôlable crescendo, jusqu'à ce que la maison se transforme en brasier sous ses yeux. Il en avait vu sortir Brenner, menottes aux poignets, environné d'une nuée de flics.

À ce point, il aurait encore pu s'en tenir là et s'éclipser. Personne n'en aurait jamais rien su. Ils étaient persuadés de tenir leur suspect. Il avait traîné quelque temps dans les rues du quartier, pour y trouver ce qu'il cherchait. Le temps de faire un petit dépôt, et il avait poursuivi son chemin d'un pas alerte. Cette occasion lui était pour ainsi dire tombée dans le bec. Mais allait-il en profiter ? Désormais, il pouvait leur tirer sa révérence, mais le ferait-il ? La question n'avait pas fini de lui tourner dans la tête.

Un vrai dilemme ! Pouvait-il le faire, et le voulait-il vraiment ?

Son obsession était en train de faire de lui un criminel tuant sans état d'âme. Enfin, pas tout à fait..., dut-il rectifier mentalement. Car il était né tueur. Un tueur parfait. Son ego refusait de se laisser déposséder de son dû et il en était au moins partiellement conscient. Il était tout à fait capable d'analyser ce qui se passait en lui. Ce qu'il refusait, c'était de regretter la perte de sa prétendue « raison » ou « santé mentale ». Car il n'était pas fou ! Pas le moins du monde... Il voulait se venger – ça, oui, sans l'ombre d'un doute ! Rendre coup pour coup. C'était un devoir sacré.

Il arpenta la petite pièce où il se trouvait, échafaudant son plan. Lonnie... Ce misérable petit jean-foutre avait tout fait foirer... Il n'allait tout de même pas le laisser s'en tirer en toute impunité ! Ses projets, son planning concoctés avec tant de soin ! Tout était à refaire. Comment pourrait-il le lui faire payer ?

Cet abruti le contraignait à revoir tout son programme. Quel handicap ! Un tel préjudice exigeait réparation. Lonnie devrait payer. D'ailleurs, il avait bien remarqué que Laurant ne l'aimait guère, ce minus – pas plus que la plupart de ses concitoyens. Il allait montrer à sa belle qu'il savait prévenir ses moindres désirs. Il lui ferait un présent royal – le foie de Lonnie, par exemple, ou sa rate... Mais pas son cœur. Car il voulait lui faire plaisir, mais pas l'offenser – et encore moins lui laisser supposer que Lonnie était le Tombeur. Ça, pas question, mon pote !

Il jeta un coup d'œil à la pendule, sur la table de nuit. Le temps passait – et il avait encore tant à faire. Il allait lui faire payer ça, à ce petit minable. Ça lui coûterait son foie et sa rate. Et peut-être un rein ou deux.

Pas de précipitation ! se morigéna-t-il. Il avait un travail à terminer.

La phase de préparation – tout était là.

La réception devait être parfaite.

30

Elle se réveilla avant lui et laissa s'écouler un long moment. Elle adorait dormir dans ses bras, confortablement lovée contre lui, la jambe calée sous sa cuisse. Il avait l'air si calme, si apaisé. Pour rien au monde elle n'aurait voulu troubler son sommeil. De l'œil averti d'une artiste, elle entreprit de détailler son visage. Le profil, d'une émouvante perfection. La ligne ferme de la mâchoire, le nez élégant, la bouche idéalement modelée. Elle aurait aimé le peindre, fixer sur la toile cette énergie qu'il irradiait jusque dans le sommeil. Se savait-il seulement beau – et s'en souciait-il ? Il ne devait pas accorder grande importance à ce genre de détail.

Elle aurait aimé qu'il se réveille et lui refasse l'amour, mais elle préféra y renoncer tout de suite. Le jour était levé. Maintenant, tout serait différent. La nuit – leur nuit – s'achevait. Elle lui avait demandé de la lui accorder, et elle savait ce qu'il avait dû lui en coûter. Elle ne pouvait ni ne voulait en demander plus.

Comment allait-elle pouvoir reprendre sa vie là où elle l'avait laissée ? Pour elle, rien ne serait jamais plus comme avant. Elle était forte. Elle pouvait accomplir à peu près tout ce qu'elle décidait et possédait à fond l'art de dissimuler ses sentiments. Il lui suffirait de faire comme si elle avait passé une belle et bonne nuit – le sexe n'était-il pas le meilleur moyen de se libérer de son trop-plein de stress ? Mais… parviendrait-elle à tourner cette page ? Si seulement elle avait eu les pieds un peu plus sur terre ! Elle avait une foule d'amies, d'anciennes camarades de lycée ou d'université, qui trouvaient tout naturel de passer la nuit avec un type qu'elles venaient de rencontrer et, au matin, bye bye ! Les femmes étaient des hommes comme les autres, après tout ! Avec des pulsions, elles aussi. Une vie sexuelle. Pourquoi en faire tout un plat, et qu'est-ce qu'on pouvait y trouver à redire ? Deux ou trois petites choses, songea-t-elle. Car le cœur devait être de la partie. Jamais elle n'aurait pu s'abandonner si radicalement dans les bras de Nick si elle ne s'était pas, d'ores et déjà, fait une promesse. Et si elle ne s'était pas avoué son amour pour lui.

Souvenirs, souvenirs… Voilà tout ce qui lui resterait de leur aventure, et elle devrait s'en contenter. Elle ferma les yeux, paupières serrées. Car elle voulait plus. Elle voulait se réveiller près de lui chaque matin.

Elle se maudit de se sentir si vulnérable. Soulevant le drap, elle sortit sa jambe de sous la cuisse de Nick et quitta le lit.

Pas de regrets…

Ils reprirent la route en toute hâte. Il voulait fuir cette chambre avant de succomber à l'envie qui le tenaillait de la prendre à bras-le-corps et de se laisser choir avec elle sur le lit. Elle voulait partir avant de se remettre à pleurnicher comme la petite cruche de midinette de province qu'elle était.

Dans la voiture, il s'installa un silence tendu. Elle s'absorba résolument dans la contemplation du paysage qui défilait derrière sa vitre. Elle aurait aimé savoir à quoi il pensait, mais elle se gardait bien de lui poser la moindre question.

Quant à lui, il se vouait mentalement à tous les diables. Profiter de la candeur de Laurant, la sœur de son meilleur ami… Il fallait vraiment être le dernier des salauds ! Et voilà ce qu'il était… un fumier, un sale jouisseur. Jamais Tommy ne le lui pardonnerait.

Des regrets ? Bien sûr, qu'il en avait – et ô combien cuisants !

Et pourtant, s'ils étaient restés cinq minutes de plus dans cette satanée chambre, il savait pertinemment qu'il aurait succombé à nouveau, et avec joie. Il lui aurait refait l'amour.

Ils firent escale dans un supermarché au bord de l'autoroute, le temps de faire quelques courses. Puis Laurant profita des toilettes d'une station-service pour se changer, tandis qu'il achetait deux coca au distributeur. Quand il la vit revenir, elle était vêtue d'un chemisier tout simple et d'un jean artificiellement délavé. L'ensemble n'avait pas dû coûter plus de vingt-cinq dollars, mais un rien l'habillait. Le jean soulignait joliment ses courbes et, une fois de plus, il dut se forcer à détourner le regard, le temps de reprendre ses esprits. Un sale hypocrite, se répéta-t-il. Quand il s'autorisa à la regarder à nouveau, les reflets cuivrés que le soleil mettait dans ses cheveux lui rappelèrent la caresse des boucles soyeuses sur sa peau, tandis qu'elle se penchait sur lui, et il se maudit de plus belle. Il avait autant de maîtrise sur ses pulsions que le premier débauché venu.

Elle le rejoignit dans la voiture. Son regard la suivit comme elle arrivait, de cette démarche à la fois ondulante et gracieuse, et il lui tendit son coca. Puis il mit le contact et ne desserra plus les dents pendant une bonne quarantaine de kilomètres. En dépit des efforts surhumains qu'il déployait pour fixer son attention sur la route, il ne pouvait s'empêcher de glisser un œil vers elle, de temps à autre. Des images d'une troublante précision lui revenaient malgré lui.

« Nom d'un chien…, maugréa-t-il.

— Pardon ?

— Non, rien.

— Pete a-t-il rappelé ?

— Quoi ? »

Il était à peu près aussi aimable qu'un chat sauvage. Elle répéta sa question.

« Non, fit-il. Je vous ai dit qu'il était en route pour Houston. Son avion n'atterrira que dans une heure.

— Ah ! Première nouvelle.

367

— Il me semblait vous l'avoir dit », fit-il avec un haussement d'épaules.

Il avait recommencé à la vouvoyer, nota Laurant. La route filait plein est, et ils avaient le soleil dans les yeux. Il mit ses lunettes noires et vida presque d'un trait sa canette.

« Vous êtes toujours aussi mal embouché le matin ? s'enquit-elle, souriante.

— Vous me connaissez assez pour pouvoir répondre vous-même à cette question... À votre avis ?

— À mon avis, vous êtes d'humeur massacrante.

— D'humeur massacrante... » Il lui jeta un bref coup d'œil. « Qu'est-ce que vous entendez par là ?

— Que vous vous conduisez comme un vrai crétin, laissa-t-elle tomber froidement. Pourquoi, selon vous ? »

Ça, je me demande..., songea-t-il à part soi. Peut-être parce que j'ai passé le plus clair de la nuit à faire des galipettes avec la sœur de mon meilleur ami ! Mais il garda un silence prudent. Il acheva son coca et jeta la canette vide dans la poubelle.

« Vous avez encore soif ? demanda-t-elle en lui tendant la sienne.

— Vous n'en voulez plus ?

— Prenez-la, je vous en prie. »

Et leur conversation se tarit à nouveau. Laurant attendit patiemment que le nuage se dissipe et, lorsqu'elle se sentit à bout de patience, elle rompit le silence : « Noah a dû mettre Tommy au courant, à l'heure qu'il est...

— De Dieu... J'espère bien que non ! C'est à moi de raconter ça à Tommy. Pas à Noah.

— De toute façon, il va bien finir par l'apprendre...

— Eh bien, je préfère qu'il l'apprenne de ma bouche ! »

Un doute assaillit Laurant : parlaient-ils bien de la même chose ? « Je pensais à l'incendie, Nick. Croyez-vous que Noah en ait informé mon frère – ainsi que de l'arrestation de Steve Brenner ?

— Ah. Oui... Il a certainement dû le lui dire. J'espère du

368

moins que Tommy ne va pas l'apprendre ce matin, en lisant son journal.

— Et à quoi pensiez-vous donc, à l'instant ?

— Oublions ça.

— Dites-le-moi – je veux savoir.

— À nous, fit-il, les mains crispées sur le volant. J'ai cru que vous me demandiez si Noah avait mis Tommy au courant de notre… escapade… »

Elle releva vivement la tête. « Et vous avez répondu que c'était à vous de le lui dire ? s'exclama-t-elle, incrédule.

— C'est exactement ce que j'ai dit, quasiment mot pour mot.

— C'était une blague, j'espère ?

— Pas le moins du monde.

— Vous n'allez pas parler à Tommy de cette nuit !

— Il va pourtant bien falloir que je lui en parle », fit-il, d'un ton soudain plus calme et plus posé.

Avait-il perdu la tête ? « Il n'en est pas question une seconde ! Ce qui s'est passé entre nous doit rester entre nous !

— En temps normal, la règle s'appliquerait. Mais il se trouve que nous ne sommes pas tout à fait en… en temps normal.

— Ah. Et qu'est-ce qui fait la différence ?

— Tout, mon ange ! À mes yeux, vous êtes un cas unique. Votre frère est mon meilleur ami, et qui plus est il est prêtre. Je vais donc devoir tout lui dire, en toute honnêteté. D'ailleurs, il va certainement s'en douter. Il va le voir du premier coup d'œil !

— Tommy n'a jamais eu la perspicacité que vous lui prêtez !

— Personnellement, depuis la classe de CE2, je n'ai jamais réussi à lui cacher quoi que ce soit. Il sait avant moi ce qui se passe dans ma tête, ce qui lui a permis de me sortir d'un nombre incalculable de mauvais pas. Quand nous étions à Penn State, il me tenait lieu de conscience. Je ne peux pas lui mentir, ne serait-ce que par omission. »

Elle se sentit prise d'une violente migraine. « Mais il ne s'agit pas de lui mentir, voyons ! Il suffit de ne pas aborder le sujet.

— Et moi, je vous dis qu'il saura tout. Parce que je vais le lui dire.

369

— Mais vous perdez complètement la tête !

— Non.

— Vous ne lui direz rien. Vous avez peut-être le sentiment de l'avoir trahi, mais...

— Et comment que je l'ai trahi ! s'exclama-t-il. Merde... Tom vous a placée sous ma responsabilité en toute confiance ! »

Ils étaient seuls sur la route. Il ralentit et gara la voiture sur une aire de repos.

« Je sais que ça va être un peu pénible pour vous, mais vous vous en remettrez vite », fit-il.

Elle n'en croyait pas ses oreilles. Était-ce bien lui qui lui tenait de tels propos ? « Attendez, Nick... c'est pour assurer ma sécurité que Tom comptait sur vous – et sur ce point, vous n'avez rien à vous reprocher. Pour le reste, cela ne regarde que nous deux. Rien ne vous oblige à le lui dire ! »

Son ébahissement avait fait place à de la colère, d'abord, puis à la plus totale confusion. Et pour couronner le tout, elle sentit à nouveau les larmes lui monter aux yeux. Mais elle aurait préféré être foudroyée sur place...

« Je n'ai rien fait de honteux, protesta-t-elle. Et j'avais votre parole. Vous aviez promis que ça serait sans regrets !

— Eh bien, j'ai menti ! »

Il l'énervait prodigieusement. Elle lui envoya une bonne bourrade dans l'épaule. « Allez donc vous confesser, si vous voulez soulager votre conscience ! »

Elle lui lança un regard incendiaire. Il n'aurait pas été autrement surpris de voir des étincelles lui jaillir des yeux.

« J'y ai pensé, admit-il. Mais je me suis représenté Tommy serrant les poings derrière la grille du confessionnal, et je me suis dit que ça n'était pas une bonne idée. Je dois lui faire cet aveu à visage découvert, qu'il puisse me mettre le poing dans la figure, s'il lui en prend l'envie.

— Qu'est-ce qui vous oblige à vous confesser à mon frère ? Allez donc voir un autre prêtre !

— Inutile de monter sur vos grands chevaux !

— Mais d'où vous vient ce soudain accès de culpabilité ! s'écria-t-elle. C'est moi qui vous ai séduit !

— Pas du tout.

— Bien sûr que si !

— Ah ? fit-il. Racontez-moi un peu comment vous vous y êtes prise !

— Eh bien, j'ai fait vibrer la corde sensible. J'ai fondu en larmes devant vous. »

Il leva les yeux au ciel. « Je vois ! ricana-t-il. Ce serait donc par pitié que j'aurais succombé à vos avances ? C'est comme ça que vous voyez la chose ? »

Elle commençait à songer sérieusement à le planter là pour regagner la ville à pied.

« Juste une question, contre-attaqua-t-elle, dans l'espoir de lui mettre le nez dans ses propres contradictions. Je ne suis tout de même pas votre première maîtresse, si ?

— Non. J'en ai eu d'autres... Vous voulez connaître le nombre exact ?

— Pas du tout ! Ce que j'aimerais savoir, c'est si vous vous êtes senti tenu d'aller vous confesser auprès de leur mère, le lendemain matin ! »

Il éclata de rire. « Non.

— Eh bien ?

— Puisque je vous dis qu'avec vous, c'est différent. »

Elle croisa les bras, le regard rivé droit devant elle. « Bien. Le débat est clos !

— Écoutez, Laurant... Et si je vous faisais une promesse ?

— Ah çà ! ne vous donnez surtout pas cette peine ! Pour ce que valent vos promesses !

— Oui... mais celle-là, elle ne comptait pas. C'était absurde de votre part, d'exiger que je m'engage à ne pas avoir de regrets. Celle-ci, je la tiendrai : si Tommy ne m'en parle pas, je ne lui dirai rien. Je n'aborderai pas le sujet pendant au moins deux ou trois jours, le temps que vous fassiez le point.

371

— Ça ne suffira pas. Vu votre tendance à parler à tort et à travers, je préférerais que vous gardiez le silence jusqu'à ce que vous soyez rentré à Boston.

— Je tiens à le lui dire en face, et de vive voix.

— À Boston ! » grinça-t-elle, la mâchoire crispée.

Il finit par capituler et reprit la route.

« Nick ?

— Oui ? » répliqua-t-il d'un ton enjoué. Il lui avait suffi d'un instant pour retrouver tout son allant. Ce type était vraiment exaspérant !

« Auriez-vous en réserve une autre petite bombe que vous comptez me lâcher dessus avant que nous soyons rentrés ?

— Ah... maintenant que vous m'y faites penser, il y a effectivement une chose dont je voulais vous avertir. »

Elle se prépara mentalement. « Chttt ! Laissez-moi deviner ! Vous allez publier un avis dans la presse !

— Non..., pouffa-t-il.

— Alors ? fit-elle, au comble de l'exaspération.

— Quand je rentrerai à Boston...

— Oui ?

— Je vous emmène.

— Pourquoi ?

— Parce que je ne vous lâcherai pas tant que je n'aurai pas la certitude que nous avons arrêté le bon suspect.

— Pendant combien de temps ?

— Aussi longtemps que nécessaire, et tant que je le jugerai utile.

— Impossible !

— Eh bien, c'est pourtant ce que nous ferons, riposta-t-il.

— Je veux bien vous accompagner à Boston pendant les fêtes du centenaire, mais je reviendrai aussitôt après. Je dois trouver une autre maison, ouvrir mon magasin, prendre les décisions qui s'imposent. J'ai besoin de réfléchir, d'y voir plus clair.

— Autre chose que je voulais vous dire...

— Oui ?

— Vous n'êtes pas amoureuse de moi. »

Elle cligna les yeux. « Ah non ?

— Absolument pas ! Vous croyez l'être, c'est tout. Vous avez encaissé une sacrée dose de stress, ces derniers jours, et nous ne nous sommes pratiquement pas quittés. » Elle commençait à entrevoir où il voulait en venir. « Ça s'appelle un transfert.

— Je vous demande pardon ?

— Oui. Comme en analyse. Les patientes s'imaginent parfois aimer leur thérapeute, mais ça n'a rien à voir avec de l'amour.

— Ah ! Voilà donc le mal dont je souffre...

— Vous n'en souffrez pas, trésor. Mais je pense que vous avez confondu votre gratitude pour moi avec de l'amour. »

Elle marqua une longue pause et fit mine de soupeser cette hypothèse. « Vous savez que vous pourriez bien avoir raison... ? » finit-elle par murmurer, en se promettant de lui en retourner une bonne s'il manifestait le moindre signe de soulagement.

« Vraiment ? fit-il, un brin soufflé.

— Maintenant que vous me le dites, j'en suis même pratiquement sûre ! »

Il tint à en avoir confirmation. « Vous avez fini par comprendre que vous ne **m**'aimiez pas ? »

Non..., songea-t-elle. Seulement que tu te voiles la face quand je te parle d'amour, parce que tu crains les risques et les engagements que ça implique. « Tout juste, fit-elle. C'est sans doute l'effet de ce truc, là... que vous m'expliquiez... Ce phénomène de transfert. Je faisais fausse route, mais vous m'avez ouvert les yeux. Merci de m'avoir ramenée à la raison ! »

Il lui jeta un bref coup d'œil. « Plutôt fulgurante, votre prise de conscience !

— Eh, c'est comme ça, la vérité ! Pas besoin de couper les cheveux en quatre !

— Un point, c'est tout ? »

Une violente envie de la gifler, qu'il ne fit rien pour dissimuler, le prit à la gorge. Nom d'un chien ! Elle se prétendait éperdument amoureuse, et il suffisait de deux minutes de discussion pour lui faire tourner casaque ! Qu'est-ce qu'elle avait dans la tête, cette écervelée !

« Et vous n'avez rien à ajouter ?

— Juste un truc..., fit-elle. Vous, dans le genre crétin... »

31

Elle se servit du téléphone de Nick pour appeler Michelle et lui annoncer que la robe de mousseline rose avait brûlé. Son amie répondit dès la première sonnerie.

« Où es-tu ? Tu vas bien ? J'ai su pour l'incendie. Bessie Jean a téléphoné à maman. J'ai appris que tu étais partie avec Nick, mais personne n'a pu me dire où. Seigneur… ! Qui aurait soupçonné que ce Brenner puisse être assez tordu pour cacher une caméra dans ton placard ! »

Laurant répondit patiemment à toutes ses questions et la mit au courant du désastre. Michelle prit la chose avec un surprenant pragmatisme : « Dommage que tu n'aies pas laissé la robe chez la couturière !

— Mais c'est toi qui m'as dit d'aller la prendre – tu as oublié ?

— Fichtre ! Depuis quand tu écoutes ce que je te dis !

— Que faire, Michelle ? Je n'ai plus rien à me mettre. Je devrais peut-être renoncer à te servir de demoiselle d'honneur ?

— Ça, sûrement pas ! Je vais bien trouver quelque chose à te prêter.

— Tu fais trois tailles de moins que moi ! Je ne rentrerai dans aucune de tes robes.

— Écoute, Laurant. C'est déjà une épreuve que de devoir supporter ces gourdes de cousines de Christopher... Je ne vais tout de même pas leur demander de te remplacer au pied levé ! Tu es ma meilleure amie, oui ou non ?

— Bien sûr, mais...

— Eh bien, tu n'auras qu'à improviser. Je me fiche de ce que tu auras sur le dos. Tu peux même venir en costume d'Ève, si ça te chante. Euh... non, à la réflexion, je préfère pas. Tu déclencherais une émeute, et le marié en oublierait ses vœux de fidélité ! ajouta-t-elle en étouffant un petit rire.

— Je vais bien dénicher quelque chose, lui promit-elle, tout en se demandant où elle trouverait le temps d'aller faire les boutiques.

— Je compte toujours sur toi pour quatre heures ?

— Disons plutôt cinq – ça te va ?

— Tu es sûre que la robe est irrécupérable ? Peut-être pourraient-ils faire quelque chose, au pressing...

— C'est sans espoir. Elle est fichue.

— Toute la ville est sens dessus dessous, pour Brenner, enchaîna Michelle. Mettre le feu à sa propre maison – quelle idée ! Tu savais qu'il avait harcelé cette pauvre Mme Talbot pour qu'elle accepte de la lui vendre ? Il n'avait même pas pris d'assurance – tu imagines ! Et il avait payé en liquide, ce vieux cochon !

— Où as-tu appris tout ça ?

— Le réseau de renseignements de maman. Lorna l'a rappelée trois fois ce matin, pour préciser les informations.

— Mais ce n'est pas lui qui a déclenché l'incendie, dit Laurant. C'est Lonnie. Sans doute ignorait-il que la maison appartenait à Steve.

— Waouh ! le scoop ! s'exclama Michelle. Le fils du shérif, en personne ? Ça, ça n'était pas dans le journal !

— Attends... tu es encore loin de tout savoir ! Je te raconterai tout ça en détail, mais là, je suis un peu pressée par le temps.

— On en reparlera chez moi, pendant que nous nous ferons

376

belles, dit-elle. Tu m'expliqueras tout – et quand je dis "tout", c'est "tout" ! Bon… Je vais te laisser. Il faut que je me fasse les ongles. On se retrouve à cinq heures, OK ? Et de grâce, cesse de t'en faire ! Tout ça va s'arranger. D'ailleurs, aujourd'hui, rien ne peut porter ombrage à ma bonne humeur – tu devines pourquoi ?

— Cette question ! Parce que tu vas épouser l'homme de tes rêves !

— Oui, mais ce n'est pas tout…

— Quoi d'autre ?

— Eh bien parce que ce soir, quoi qu'il arrive, je m'offre une jolie petite balade au septième c… Hmm-mh ! Bon, je t'embrasse, hein ! »

Laurant raccrocha et rendit son portable à Nick. « Nous pourrions commencer par aller voir la maison. Qui sait… Si le feu a épargné les placards du premier, je trouverai peut-être une robe à me mettre sur le dos, pour ce soir.

— Toutes vos affaires vont empester la fumée, mais le pressing vous arrangera ça pour cinq heures… »

Elle passa mentalement en revue sa garde-robe – ces vêtements qu'elle avait gardés de sa « vie antérieure », comme elle l'appelait. Ils lui avaient été offerts par quelques agences de mannequins européennes, soucieuses de la convaincre de rester travailler pour elles. Ces élégants tailleurs, ces magnifiques robes conviendraient parfaitement, dans ce genre de circonstance… La Versace bleue, par exemple, ou peut-être l'Armani pêche… L'une ou l'autre pourrait faire l'affaire, si elles n'avaient pas toutes deux péri dans l'incendie. Et avec ses sandales à hauts talons, le tour serait joué ! Mais si tout avait disparu, elle n'avait pas de solution. Les boutiques de la ville n'offraient que peu de choix, dans le genre habillé.

« Qu'est-ce qui vous reste à faire, avant la cérémonie ? demanda Nick.

— Me trouver un gîte pour ce soir. Demain, je tâcherai de rassembler et d'emballer ce que je pourrai récupérer dans la maison, mais aujourd'hui, je préfère penser à autre chose. Mais vous aussi, nous allons devoir vous trouver quelque chose, pour le mariage, précisa-t-elle. Vous avez une tenue un peu habillée dans vos bagages ?

— Mon blazer marine et un pantalon gris.

— Parfait. Nous n'aurons qu'à les laisser au pressing avec le reste, fit-elle d'une voix lasse.

— Ne vous découragez pas... Tout ça va s'arranger ! »

Elle se chercha désespérément un sujet de préoccupation plus optimiste. Belle journée, se dit-elle. Le temps idéal pour un mariage...

« Votre amie a dû être désolée, pour la robe.

— Pas le moins du monde ! répliqua-t-elle. Michelle n'est pas du genre à baisser les bras. Elle m'a assurée que rien ne pourrait porter ombrage à son bonheur ! »

Le téléphone sonna, mais ce n'était pas le coup de fil de Morganstern qu'espérait Nick. C'était Noah qui demandait à quelle heure ils comptaient arriver à l'abbaye, Laurant et lui.

« Pourquoi ? lui demanda Nick. Tommy se fait du mauvais sang ?

— Non. Il veut juste savoir s'il faut vous attendre ou non.

— Nous arrivons dans une heure. Essaie de le faire patienter. »

Laurant commençait à avoir un petit creux, mais elle ne voulut pas prendre le temps de manger. Il allait être midi et il lui restait une infinité de détails à régler avant le soir.

Ils arrivaient en ville. Nick prit le chemin de la maison.

« Vous savez ce que m'a appris Michelle ? Le journal n'a pas dit un mot sur Lonnie. Tout le monde pense que Brenner est l'auteur de l'incendie.

— Farley m'a dit qu'ils allaient épingler Lonnie dans les heures qui viennent, et qu'ils l'emmèneraient à Nugent. Ils se tiendront compagnie dans leur cellule, Brenner et lui !

— Vous aimeriez assister à leur interrogatoire, je suppose ?

— Oui, dit-il en lui lançant un bref coup d'œil. Je donnerais cher pour y être. Peut-être me suffirait-il de pouvoir regarder Brenner en face pour en avoir le cœur net.

— Pour vous assurer qu'il est bien notre homme... ?

— Non. Qu'il ne l'est pas.

— J'espère que vous vous trompez.

— Je sais. Moi aussi, fit-il avec sympathie.

— Hier encore, je n'aurais pu imaginer que Brenner n'était qu'un vulgaire voyeur, fit-elle.

— Parce que vous n'aviez jamais vu sa face cachée, à ce brave vieux Steve !

— Eh bien, je l'ai vue hier soir. Ce visage tordu de haine, ces mots affreux qu'il crachait contre moi, comme du venin. Je suis encore sous le choc. Je le crois capable de tout à présent, y compris de meurtre. Pourtant... Vous savez ce qui me fait tiquer ?

— Quoi donc ?

— Jusqu'ici, Steve avait toujours eu une conduite très contrôlée, du moins en ma présence. Il était toujours correct, très minutieux – très organisé, selon votre propre terme. Chez lui, tout était soigneusement planifié. Il a manipulé les propriétaires des boutiques avec une adresse consommée pour les amener à vendre. Il a agi discrètement. Il avait déjà acheté cinq magasins avant que nous commencions à soupçonner où il voulait en venir...

— Et alors ?

— Il ne pouvait pas ne pas connaître Lonnie, au moins de réputation. Or, toute la ville sait que le fils du shérif est une catastrophe ambulante, un garnement totalement imprévisible. Pourquoi Brenner l'aurait-il mis sur le coup ?

— Dans l'espoir d'en faire son bouc émissaire, peut-être ?

— Peut-être, concéda-t-elle. Comment Steve est-il entré dans la maison ?

— Par la porte de derrière. Il a cassé la vitre et a tourné le verrou. Rien de bien sophistiqué.

— Je suis pratiquement sûre que Lonnie a tenté de s'introduire chez moi par une fenêtre.

— Vous disiez que vous l'aviez entendu marcher sur le toit ?

— Oui. Au-dessus de la fenêtre de la salle de bains.

— Mais l'avez-vous vraiment vu ?

— Non, répliqua-t-elle. Peut-être voulait-il juste s'assurer qu'il n'y avait personne dans la maison. Lui non plus ne m'a pas vue. Je me suis jetée à terre dès que j'ai aperçu la lumière... »

Nick s'arrêta pour laisser traverser deux gamins de six ou sept ans qui passaient à vélo. À quoi pouvaient penser leurs parents ? Les laisser ainsi, sans surveillance ! Il pouvait leur arriver n'importe quoi. Une agression, un enlèvement... personne ne s'en apercevrait avant qu'il ne soit trop tard.

Son attention revint vers Laurant. « Parce qu'il avait une lampe torche ?

— Pas vraiment. C'était plutôt une lampe stylo, elle émettait un tout petit rayon rouge.

— Un petit rayon rouge... genre rayon laser ?

— Exactement.

— Et pourquoi ne m'en avez-vous rien dit, hier soir ? demanda-t-il avec un soupçon d'impatience.

— Mais je vous l'ai dit, souvenez-vous. Je vous ai signalé que Lonnie était sur le toit.

— Il aurait pu vous tenir en joue, ce petit fumier – la colère lui crispait les traits. Mais où diable a-t-il pu se procurer ce genre de matériel ?

— Dans la collection de son père, je suppose. Le shérif s'enorgueillit de posséder les plus beaux spécimens d'armes de la région. Lonnie n'a eu qu'à se servir. »

Empoignant son téléphone, Nick composa un numéro. « Et c'est ce qui explique que vous soyez sortie de la salle de bains ?

— Bien sûr. Qui appelez-vous ?

— Farley, répondit-il. Lui, il pourra tirer ça au clair et savoir si c'était bien Lonnie qui était sur votre toit...

— Pourquoi... Qui d'autre... ? »

Nick garda le silence.

Joe Farley s'apprêtait à embarquer dans un avion à Des Moines lorsque son portable sonna. En entendant la voix de Nick, il sortit de la file des passagers qui montaient dans l'appareil et se mit à l'écart.

« Tu m'as eu d'extrême justesse, vieux. Une minute de plus et j'éteignais mon portable.

— Est-ce que tu as mis la main sur Lonnie ?

— Non. Il n'a toujours pas refait surface et j'ai été affecté à une autre mission. Wesson a mis le shérif de Nugent et ses adjoints sur la piste de Lonnie.

— Et Feinberg ? Il est toujours dans le coin, ou est-ce que Wesson lui a fait faire ses valises, à lui aussi ?

— Ça, mystère ! Ils sont tous deux partis pour Nugent avec Brenner. Ils y sont toujours, si ça se trouve. Tout ça doit te chiffonner, non ? Tu n'as jamais été vraiment convaincu de la culpabilité de Brenner.

— Non, et je ne le suis toujours pas. Mais je ne peux toujours rien prouver.

— N'excluons pas la possibilité qu'il s'agisse d'une affaire simple, contrairement à toutes celles que tu as eu à traiter jusqu'ici.

— Peut-être.

— Tu restes à Holy Oaks ?

— Pour le moment, oui.

— Désolé de t'avoir fait faux bond, mais ils ne m'ont pas laissé le temps de dire ouf ! Wesson a dû envoyer un e-mail à l'état-major, parce qu'ils m'ont immédiatement collé une autre mission.

— Pour où, ton vol ?

— Detroit. Et entre nous, c'est pas de la tarte, ce qui nous attend là-bas. On ne va pas faire dans la dentelle ! J'en connais qui ont du pot d'être encore en vacances...

— Pas d'imprudence. Et, Joe, merci pour tout !

— On a fait du bon boulot ensemble – surtout vu les circonstances ! J'avais déjà eu l'occasion de travailler avec Wesson... ça n'était donc pas une surprise. Mais là, il s'est carrément arraché ! ça doit être toi..., s'esclaffa-t-il. Tu dois réveiller ses plus bas instincts. Cette fois, il a dépassé les bornes. Jamais plus je ne travaillerai pour cet ego ambulant, même si je dois rendre mon insigne ! "Dans les règles de l'art", mon cul, oui ! Ce type n'a jamais su bosser en équipe et ça, compte sur moi pour le consigner dans mon rapport. » Joe marqua une brève pause. « Tu sais ce qui me turlupine, Nick ?

— L'heure que tu vas passer dans cet avion ?

— Eh, faudrait pas prendre tes phobies particulières pour des généralités, mon pote ! Non, c'est cette intuition que tu as eue.

— Eh bien ?

— Eh bien, si tu es dans le vrai et si Brenner n'est pas notre homme, ça voudra dire que vous vous retrouvez seuls face au tueur, toi et Noah ! »

32

Laurant trouva quelques robes qui pourraient faire l'affaire pour le mariage, et ils firent escale au pressing, avant d'aller rejoindre Tom à l'abbaye. Noah les attendait dans la cuisine, attablé devant un poulet froid qu'il dévorait assaisonné de tout un assortiment de sauces. Attrapant une aile au passage, Nick tira une chaise pour Laurant. « Vous devriez essayer de manger quelque chose, mon chéri... », lui dit-il.

Les sourcils de Noah eurent un sursaut de surprise, tandis que son regard faisait un rapide aller-retour entre la mimique préoccupée de Nick et la mine embarrassée de Laurant, dont les joues s'étaient empourprées. Puis il éclata de rire : « Eh bien, vous y avez mis le temps ! pouffa-t-il.

— Ho ! tu ne vas pas commencer !

— Commencer à quoi ? demanda Noah en toute candeur.

— N'allez pas imaginer des choses..., bredouilla Laurant. Nick appelle tout le monde "mon chéri" !

— Ça je m'en suis rendu compte, dit Noah. Moi et Tommy, par exemple... !

— Laisse tomber ! fit Nick d'un ton sans appel. Où est Tom ?

— Dans le salon, avec l'espèce de journaliste, là, tu sais ?

— Ah ! qu'est-ce qu'elle veut encore ? demanda Laurant.

— Pas la moindre idée ! » fit Noah avec un haussement d'épaules.

Nick entendit une porte se refermer dans le couloir et traversa la cuisine pour jeter un œil par la fenêtre. Lorna Hamburg dévalait les marches du perron.

« D'où vous tombe ce repas de gala ? demanda Laurant.

— Un don en nature de son fan-club, répondit Tom depuis le seuil.

— Eh… ! soupira Noah avec un grand sourire. Qu'est-ce que j'y peux, moi, si les dames sont sensibles à mon charme !

— Il a donné quelques séances de conseil psychologique bénévoles, fit Tommy, en secouant la tête d'un air exaspéré.

— Eh ouais ! j'ai toujours eu un don pour ce genre de truc… »

Laurant avait toutes les peines du monde à regarder son frère en face. Tout ça à cause de cette idée ridicule que lui avait inoculée Nick, en lui assurant que Tom comprendrait tout du premier coup d'œil.

« Laurant, j'aimerais avoir une petite conversation en tête à tête avec toi », fit-il.

Nick lui jeta son regard numéro trois, style « Qu'est-ce que je disais ? », et se retourna vers Tommy. « Moi aussi, j'aurais besoin de te parler, lui dit-il.

— Ah ! ça suffit ! s'écria Laurant et, repoussant sa chaise, elle se leva d'un bond. Qu'est-ce que tu as de si urgent à me dire ?

— Eh bien, je sors d'un entretien avec Lorna.

— Qu'est-ce qu'elle voulait ? lança-t-elle. L'incendie et les aventures de Brenner devraient lui fournir du grain à moudre pour les trois prochaines semaines. Elle pourrait me lâcher un peu… À moins qu'elle ne soit en quête d'un moyen de me rendre responsable de tout ça, dans la foulée ?

— Elle s'apprêtait à publier un nouveau papier sur toi, effectivement, mais sur un autre sujet. Elle est venue m'en demander confirmation. Au cours d'une conversation privée, la femme du banquier lui aurait parlé de l'emprunt que tu as fait pour financer les travaux de ton magasin. Et, de fil en aiguille, Lorna a découvert que... Nom d'une pipe, Laurant ! » La colère fit trembler la voix de son frère. « Pourquoi m'avoir caché ça ? Tu n'as plus le moindre sou vaillant ! Moi qui étais persuadé que ton avenir était assuré grâce à notre héritage et que je n'avais aucun souci à me faire pour toi ! »

Le culot de l'abominable Gazetzilla la laissa d'abord sans voix, puis elle parvint à mettre un peu d'ordre dans ses pensées : « J'ai dû remplir un dossier sur ma situation financière et expliquer ce qu'il en était de mon patrimoine, pour avoir mon prêt. Mais c'était strictement confidentiel ! Le directeur de la banque n'aurait dû communiquer ces informations à personne ! Comment cette poison de Lorna ose-t-elle venir mettre le nez dans mes finances ? »

Elle fit un pas vers Tommy. « Est-ce que tu te rends bien compte de ce que tu viens de dire... ? Tu croyais que tu n'avais aucun souci à te faire pour moi ! Je me demande si tu finiras un jour par admettre que je n'ai plus douze ans, Tom ! L'argent s'était évaporé bien avant que j'aie atteint ma majorité. Les avocats ont fait main basse dessus et nous ont volé jusqu'à notre dernier *cent*. Si je ne t'en ai pas parlé, c'est que je craignais, à juste raison, que tu en sois gravement affecté. D'ailleurs, ni toi ni moi n'y pouvions rien !

— Des millions de dollars ! Une fortune, amassée par bon-papa à la sueur de son front... Et tout a disparu ! Si j'avais pu imaginer ça, le jour où j'ai signé cette procuration que m'ont envoyée les avocats pour joindre ma part à la tienne... »

Le désespoir qui se lisait sur le visage de son frère lui fit monter les larmes aux yeux. Il semblait catastrophé et surtout déçu, comme si elle avait elle-même dilapidé cet argent.

« Calme-toi, Tom. Ta sœur n'y est pour rien, dit Nick d'un ton conciliant.

— Je sais, je sais...

— On ne dirait pas ! »

Les épaules de Tommy s'affaissèrent. « Quand as-tu découvert que tout avait disparu ?

— Le jour de mes vingt et un ans.

— Pourquoi n'avoir rien dit ? Peut-être aurions-nous pu faire quelque chose, à l'époque ! De grâce, ma chérie... ne me cache plus rien. Les frères aînés sont censés veiller sur leurs jeunes sœurs, quel que soit leur âge, Laurant. Écoute, passons un marché... Désormais, toi et moi, nous nous dirons tout, sans exception. Si je dois subir un autre traitement, je t'en avertirai sans faute, et toi, si tu as le moindre problème, je veux en être le premier informé.

— Mais tu n'as pas à régler mes problèmes à ma place.

— Je sais. Je sais que tu ne me demandes rien, mais promets-moi tout de même de tout me dire.

— D'accord, Tom, fit-elle en hochant la tête.

— Quand cet article va-t-il paraître ? demanda Nick, qui se creusait la tête pour trouver un moyen d'en empêcher la publication.

— Il ne paraîtra pas. Nous avons eu une petite conversation, Lorna et moi.

— Sans blague ? s'esclaffa Noah. Et tu l'as menacée des foudres de l'enfer ?

— Pas du tout, rétorqua Tom sans l'ombre d'un sourire. Je lui ai simplement fait remarquer que, à force de lire ces papiers désobligeants qu'elle écrit sur ma sœur, ses lecteurs allaient finir par subodorer une certaine malveillance, voire une certaine jalousie, de la part de leur auteur.

— Je boirais volontiers un grand verre de lait », dit Laurant, qui se sentait l'estomac un peu noué. Ah ! cette peste de Lorna et ses machinations infernales ! Rien de tel qu'un bon verre de lait pour vous réconcilier avec la vie...

« Assieds-toi, je vais te chercher ça, fit Tom.

— Tenez... Si vous mangiez quelque chose ? suggéra Noah, en poussant une assiette devant elle.

— Vous ne pouvez vraiment rien faire contre ces avocats véreux ? demanda Nick.

— Si. J'ai entrepris des démarches... », commença-t-elle.

La tête de Tom émergea du cellier. « Ah ! Quel genre de démarches ? s'enquit-il.

— J'ai porté plainte contre eux. »

Tom attrapa un verre au passage et revint précipitamment. « Tu les as attaqués ?

— Oui. Pratiquement le jour où j'ai découvert l'escroquerie. Mais il m'a fallu un an pour dénicher un avocat qui accepte de se colleter avec ces géants.

— David contre Goliath…, glissa Noah.

— Pfff ! s'esclaffa Nick. On dirait que ton rôle de composition commence à te coller à la peau. Tu devrais songer plus sérieusement au sacerdoce ! »

Noah fit la grimace. « Tout mais pas ça ! »

Tommy remplit le verre de Laurant. « Alors, ce procès… Où ça en est ? »

Elle prit une gorgée de lait avant de répondre : « J'ai remporté la première manche, puis la seconde. Mais la partie adverse fait systématiquement appel pour gagner du temps. Mon avocat m'a assurée que le prochain appel serait le dernier. J'attends actuellement de ses nouvelles. Mais cette fois, que j'aie gain de cause ou non, le résultat sera définitif.

— Il y a donc de bonnes chances pour que tu parviennes à récupérer l'argent ?

— La balance peut pencher dans un sens comme dans l'autre. Je me tiens prête à tout.

— Je comprends pourquoi vous roulez dans ce tas de ferraille, fit Nick. Vous avez dû vivre avec le strict minimum… »

Il la couvait d'un sourire tendre et admiratif, comme s'il s'agissait là d'un véritable exploit.

« Je tiens rigoureusement mes comptes, comme la plupart des gens. Quant à mon "vieux tas de ferraille", comme vous dites, il se trouve que je l'adore ! »

L'arrivée du shérif mit brusquement fin à la conversation.

« Où est mon fils ? rugit-il, la main sur sa crosse à demi dégainée. Qu'est-ce que vous en avez fait ? »

Nick lui tournait le dos, mais Noah se tenait face au shérif. En une milliseconde, sa main plongea dans la manche de sa soutane et empoigna son arme pour la braquer sous la table, en direction de MacGovern. « Doucement, shérif ! Sortez ce pistolet, et vous êtes mort. »

L'interpellé en resta cloué sur place. Comment cet ensoutané avait-il le culot de le menacer ainsi ?

Laurant n'eut même pas le temps de pivoter sur sa chaise que Nick, sans cesser de lui faire un rempart de son corps, avait déjà bondi vers MacGovern et appuyait le canon de son arme sur la tempe du shérif.

Tommy était arrivé par-derrière. Il le délesta de son pistolet puis lui suggéra aimablement de prendre place et de leur expliquer ce qui l'amenait.

« Ici, la loi c'est moi ! vociféra MacGovern.

— Plus tout à fait », lui fit remarquer Noah. Puis, rengainant son arme, il l'exhorta à suivre le conseil de Tommy.

MacGovern jeta son dévolu sur la chaise la plus éloignée, au bout de la table. « Commencez par me rendre mon pistolet ! » Tommy fit glisser l'arme vers Noah qui en vida le barillet avant de la passer au shérif.

« Alors ? Quel est le problème ? demanda Tom.

— Mon fils a disparu…, marmonna MacGovern. Le voilà, le problème !

— Il se cache, répliqua Nick. Logique. Moi aussi, je préférerais me faire oublier, après avoir déclenché un incendie ! »

Le shérif secoua la tête. « Inutile de revenir sur cette histoire d'incendie. Nous n'avons pas le même point de vue sur la question, vous et moi. Mon fils sait qu'il a un alibi solide en ma personne. Il n'a aucune raison de se cacher. En revenant de Nugent, je l'ai trouvé au lit, dormant à poings fermés. J'étais sur les genoux, évidemment, après la nuit que j'avais passée… et j'allais me coucher quand mon collègue de Nugent – qui n'est pas bien futé, entre nous soit dit – est venu frapper à ma porte, en m'annonçant qu'il voulait embarquer Lonnie pour incendie volontaire. On a un peu discutaillé tous les deux, et j'ai fini par me dire qu'il valait mieux laisser les juges et les avocats tirer la chose au clair. J'ai donc fait entrer mon collègue, et je l'ai conduit à la chambre de Lonnie, mais là, on a trouvé le lit vide et la fenêtre grande ouverte. »

Nick jeta un bref coup d'œil vers Noah, qui fit non de la tête. Il n'avait rien tenté du côté de Lonnie...

« Wesson a peut-être décidé de s'en occuper personnellement.

— Sûrement pas, gémit le shérif. Il est toujours à Nugent, à l'heure où je vous cause. Ils sont six dans une pièce minuscule, en train de cuisiner Brenner. Ils ont refusé de me laisser assister à l'interrogatoire. Ils ont apparemment décidé de me tenir hors du coup. J'ai fini par renoncer, et je me préparais à regagner mes pénates quand j'ai entendu l'un des adjoints du shérif dire que Steve était accusé de meurtre. Il paraît qu'il s'est mis à table. Ils l'ont coincé. Bref, tout se barre en couilles..., conclut-il, en ôtant son chapeau pour s'éponger le front.

— C'est vraiment pour votre fils que vous vous inquiétez ? » lui demanda Noah tout à trac.

La question parut mettre le shérif mal à l'aise. Il garda le silence. Voyant l'expression d'accablement et de désespoir qu'affichait MacGovern, Tommy prit le relais. Il emporta une chaise au bout de la table et vint s'asseoir près de lui.

« Votre fils vous a donné quelques petits soucis, ces dernières années, n'est-ce pas, Lloyd ? »

La voix du shérif se mua en un murmure. « Vous le connaissez, Tom... Il a toujours eu une case de vide. Toujours. Et un fichu caractère, avec ça. Une tête de cochon ! »

Tom amena imperceptiblement le shérif à se détendre, et l'exhorta à avouer un peu toutes les déceptions et les frustrations qu'il gardait pour lui depuis si longtemps. En quelques minutes, MacGovern mit bas le masque. Il entreprit de lui énumérer l'interminable liste des pots cassés qu'il avait dû payer ou réparer en lieu et place de son fils.

« Il a fait des trucs vraiment moches, vous savez. Vraiment ! Mais qu'est-ce que vous voulez – c'est mon fils ! J'ai beau en avoir jusque-là, de lui et de ses conneries, je dois assurer sa protection. Effectivement, c'est pas que je m'inquiète pour lui

– ça, maintenant, c'est au-dessus de mes forces. Mais il faut que je le retrouve parce que, si je laisse courir, et s'il revient dans quelques jours... il sera... fou furieux et me reprochera de n'avoir rien fait. Or, ça, je préfère éviter ! Il peut devenir vraiment méchant, vous savez... et je ne suis pas fier de devoir l'admettre..., poursuivit-il en s'essuyant le front d'un revers de main, mais j'ai peur de lui. Un de ces jours, vous verrez qu'il va me tuer. Il a déjà essayé, et plus d'une fois. Jusqu'à présent il a échoué, mais qui sait si le prochain coup... ?

— Vous ne croyez pas qu'il est grand temps de le mettre devant les conséquences de ses actes ? suggéra Noah.

— Il essaiera d'abord de se venger sur moi. Sûr et certain !

— Vous avez besoin de prendre un peu de recul pour réfléchir à tout ça, fit Tom. Si vous quittiez la ville une semaine ou deux, le temps de laisser les choses se décanter ? Vous pourriez revenir quand Lonnie sera derrière les barreaux. »

L'idée fit sursauter MacGovern. « Vous êtes fou ! Que vont penser les gens ? On dira que j'ai détalé devant le danger !

— Personne ne dira rien, répliqua Tommy. Vous avez tout de même le droit de prendre quelques jours de vacances, non ?

— Bien sûr, bien sûr... Et d'ailleurs – c'est juste une supposition, hein... ? –, peut-être même que je ferais bien de ne pas revenir ! Je décampe, sans même faire ma valise. Je laisse tout en l'état, comme si je n'étais pas parti... Comme ça, Lonnie ne pensera pas à remonter ma piste.

— On va l'épingler et le mettre sous les verrous, fit Noah. Vous pourrez téléphoner au père Tom, pour lui faire part de l'endroit où vous serez. Il vous informera de la suite des événements. »

Le shérif parut soudain pris d'une grande hâte de tirer sa révérence. Il était presque sur le seuil de la porte lorsqu'il s'arrêta net et parut se raviser : « Vous savez, Laurant... Steve a détourné de l'argent depuis le tout début.

— Steve Brenner ? » dit-elle.

MacGovern confirma d'un signe de tête. « Il a raconté à ses investisseurs de Griffen qu'il faudrait compter plus de cent mille dollars pour chaque magasin. Puis il a généreusement offert aux propriétaires la moitié de la somme convenue, en empochant la différence. Il s'est ouvert un compte – j'ignore dans quelle banque, mais pour vous, ça ne devrait pas être très difficile d'y jeter un œil. Et ça risque d'être assez intéressant... avant la prochaine réunion du conseil municipal, par exemple.

— Ça, comptez sur moi ! » fit-elle.

Le shérif allait à nouveau tourner les talons lorsque Nick l'arrêta : « Quel a été votre rôle dans tout ça, Lloyd ? »

Le shérif tâcha d'esquiver son regard. « Je lui ai donné quelques coups de main, par-ci par-là... Mais je suis prêt à témoigner contre lui. Peut-être que vous me laisserez une chance de m'en tirer sans trop de dégâts, si je vous aide à faire toute la lumière... ? »

MacGovern jeta vers Nick un regard plein d'espoir puis il s'adressa à Tommy : « C'est d'accord, mon père. Je vous ferai savoir où je serai. Je reviendrai dès que vous m'appellerez. »

Il rebroussa chemin, en traînant laborieusement les pieds. Il avait à présent l'allure d'un vieil homme accablé de chagrin. Avant de quitter la pièce, il laissa son arme et son insigne sur la table.

Tous les regards le suivirent, tandis qu'il franchissait le seuil. La porte se referma sur lui.

« Tu es sûr qu'il faut le laisser partir si facilement ? demanda Noah à Nick.

— Il n'ira pas bien loin », répliqua ce dernier.

Nick tenta vainement de joindre Wesson sur son portable, puis il essaya le numéro de Feinberg et laissa un message sur son répondeur. D'instant en instant, sa frustration allait crescendo. Il ne cessait de consulter sa montre. Morganstern devait avoir atterri à Houston, à l'heure qu'il était. Pourquoi diable ne rappelait-il pas ?

Tommy disparut dans le cellier, en quête d'un paquet de chips, et Nick lui emboîta aussitôt le pas. Laurant l'entendit recommander à son frère de rester sur ses gardes tant qu'ils n'auraient pas tous deux la preuve formelle que Brenner était bien l'homme qu'ils pourchassaient.

Ils durent engager une discussion palpitante, car ils semblèrent avoir décidé de camper dans le cellier. La voix de Tommy dominait, Nick se contentant de lui répondre par monosyllabes. Elle tendait l'oreille avec tant d'application, pour saisir quelques bribes de ce qu'ils se disaient, qu'elle ne remarqua pas le regard que Noah avait posé sur elle.

« Cessez donc de vous faire du mauvais sang... », lui dit-il.

Elle ramena les yeux vers son assiette. « Je ne m'en fais pas, protesta-t-elle. Enfin, pas plus que d'habitude...

— À d'autres... Vous êtes terrifiée à l'idée que Nick pourrait être en train d'avouer à Tom que vous avez passé la nuit ensemble. »

L'idée de tout nier en bloc ne l'effleura même pas.

Elle le regarda dans le blanc des yeux : « Vous, vous avez un don très particulier pour mettre les pieds dans le plat... !

— Comme vous dites !

— Comment avez-vous su... ?

— Élémentaire, ma chère... Il m'a suffi de vous observer cinq minutes, tous les deux... ça ne trompe pas. Cette façon que vous avez de ne pas vous regarder, comme si vous étiez transparents ! Voilà pourtant un moment que je connais Nick, précisa-t-il, mais je ne l'avais jamais vu dans un état pareil. Cherchez la femme..., me suis-je dit ! »

Elle prit une aile de poulet et la considéra d'un œil morne avant de la remettre dans le plat. « Nick va tout raconter à mon frère, c'est couru !

— Vous croyez ?

— C'est une quasi-certitude. Et Tommy risque de le prendre très mal. Vous pensez, un prêtre...

— Peut-être, fit-il avec un haussement d'épaules. Mais ce n'est plus tout à fait ses oignons ! Vous êtes une grande fille, maintenant.

— Il serait bien surprenant qu'il le voie de cet œil.

— Depuis combien de temps êtes-vous amoureuse de Nick ?

— Moi, amoureuse de Nick ? Qu'en savez-vous ?

— Pfff... l'expérience ! s'esclaffa-t-il. Je connais les femmes.

— C'est-à-dire ?

— C'est-à-dire que vous n'êtes pas le genre à vous offrir une aventure d'une nuit avec un homme que vous n'aimeriez pas. Et ça, Nick le sait aussi bien que moi. Et cette seule idée doit lui filer le frisson, à l'heure où je vous parle...

— Je sais. Je lui fais peur. Nous n'avons rien en commun. Je sais aussi qu'il ne veut pas me faire souffrir. La nuit dernière, nous avons commis une erreur..., murmura-t-elle. Mais la page est tournée, à présent. »

Elle s'était efforcée de le dire d'un ton dégagé, sous-entendant qu'elle était déjà passée à autre chose, mais à la façon dont la main de Noah vint tapoter la sienne, elle comprit qu'il n'était pas dupe.

« Sans blague... vous avez vraiment eu l'impression de vous être trompée, la nuit dernière... ? »

Elle secoua la tête. « Non. Mais comme vous le souligniez si judicieusement, je suis une grande fille à présent... Pour moi, la vie continue. Il en faudrait plus pour m'abattre !

— Bien sûr... L'amour, c'est bien le cadet de vos soucis... !

— C'est du second degré ?

— Mmh-mmh.

— Bon. Si nous parlions d'autre chose... ? suggéra-t-elle. Je peux vous poser une question ?

— Tout dépend de ce que vous voulez savoir...

— Pourquoi Wesson s'acharne-t-il ainsi contre Nick ?

— Oh ! ça ne date pas d'hier, répondit-il.

— Mais qu'est-ce qui a pu déclencher le conflit ? insista-t-elle, avec un coup d'œil inquiet vers la porte du cellier.

— Ça pourrait se résumer en une histoire de chat... même si, à la réflexion et avec le recul du temps, je me dis parfois que le sale caractère de Nick n'y est pas tout à fait étranger. Il venait juste d'entrer dans l'équipe de Morganstern et il pensait n'avoir plus rien à apprendre de personne. Morganstern avait eu le feu vert pour constituer sa section spéciale et Nick était sa deuxième recrue.

— Qui était la première ?

— Moi, fit-il avec un sourire avantageux. Vous imaginez que Wesson aurait donné son bras droit pour entrer dans ce groupe d'élite ! Dès le premier jour, il s'était porté candidat au programme d'entraînement et aux tests. Mais Morganstern l'a éconduit, et son ego ne s'en est jamais remis...

— Voilà donc l'origine de leur querelle...

— Non. Le point de départ, comme je vous le disais, c'est une histoire de matou, répéta-t-il, débordant de patience. C'était une affaire un peu particulière. Une fillette de trois ans, portée disparue. Le Bureau avait été alerté. Wesson était de service, ce jour-là, et pour lui il n'était évidemment pas question de laisser un des poulains de Morganstern lui rafler l'affaire sous le nez. Il a donc décidé de la résoudre seul, et le plus vite possible.

— A-t-il réussi ?

— Voilà ce qui s'est passé... Cette petite fille était dans un grand magasin, en compagnie de sa mère. Imaginez un vieil immeuble, avec ces planchers de bois qui grincent sous les pieds. De grandes salles, hautes de plafond, avec partout des moulures et, le long des plinthes, ces grandes bouches d'aération à l'ancienne. Il faisait un froid de canard, là-dedans. Le bâtiment se trouvait à deux pas du fleuve, près du quartier des entrepôts, dans une jolie rue commerçante. Les immeubles du début du siècle avaient été assainis et restaurés, mais vu la proximité du fleuve, on n'avait jamais réussi à dératiser complètement le quartier... ce qui explique que certains propriétaires d'immeubles, dont celui qui nous intéresse, gardaient des chats à demeure.

— Continuez..., le pressa-t-elle, en croisant les doigts pour qu'il ait le temps de terminer son histoire avant le retour des deux autres compères.

— C'était le samedi d'avant Noël, et tout le quartier était pris d'assaut par les clients de dernière minute. La cohue des grands jours... On a tout de même réussi à mettre la main sur une vendeuse qui se souvenait d'avoir vu un individu suspect rôder dans le magasin. La trentaine, vêtu d'un long imper gris, sale et déchiré. Elle ne pouvait en donner une description très détaillée, mais elle l'avait pris pour un voleur à la tire à cause de ses vêtements et de sa barbe de plusieurs jours. Elle avait signalé sa présence à un vigile du service de sécurité quand elle l'avait vu se diriger vers la sortie. Puis son attention avait été accaparée par les clients qui faisaient la queue.

L'une des clientes se souvenait d'avoir vu l'homme s'accroupir près de la fillette et lui parler, tandis que la mère, occupée à chercher son portefeuille dans son sac, n'avait rien vu. Puis, selon la cliente, l'homme s'était relevé et était sorti.

— Avec la petite ? »

Noah ignora la question. « Un autre client se rappelait avoir évité de peu la gamine qui s'était jetée dans ses jambes. Elle poursuivait un chat, quelques minutes avant que la mère s'aperçoive de sa disparition et s'élance à sa recherche. On continue à interroger les témoins. Le vigile appelle la police et le propriétaire du magasin alerte le FBI. Wesson, qui était de service ce soir-là, est arrivé presque aussitôt sur place. Morganstern a eu l'information par l'intermédiaire du supérieur de Wesson et nous a envoyés sur le terrain à titre expérimental. Mais ni Nick ni moi n'étions libres, ce soir-là. Nous n'avons pu arriver sur les lieux que plusieurs heures plus tard.

— Wesson n'a pas dû être très heureux de vous voir débarquer...

— C'est le moins qu'on puisse dire, mais sur le moment, ça n'était pas notre problème. Nous n'avions de comptes à rendre qu'à Morganstern. Wesson ne nous a communiqué qu'au compte-gouttes les informations dont il disposait, ce qui a mis Nick à cran – et vous le connaissez, à présent... quand il se met en rogne ! fit-il avec une admiration qui la fit sourire. Wesson nous a poliment envoyés sur les roses, mais nous lui avons fait savoir qu'on nous avait confié un boulot et que nous avions l'intention de le faire. Et pendant que Buchanan faisait le tour du magasin, j'ai pris à part un autre collègue, à qui j'ai demandé de consulter ses notes...

— Et la petite ? s'impatienta Laurant.

— J'y viens, j'y viens... Le magasin était désert. Il était pas loin de deux heures du matin et il gelait à pierre fendre. Wesson avait installé son quartier général de campagne à deux pâtés de maisons de là, dans le poste de police du quartier. Il avait lancé tous les hommes disponibles à la recherche de l'homme à l'imper gris. On est restés plantés sur le trottoir, Nick et moi, à se demander ce qu'on pouvait faire de plus... Le gardien de nuit s'apprêtait à verrouiller les portes et à rentrer chez lui, quand Nick lui a dit qu'il voulait y retourner. Il a demandé au vieux de lui laisser les clés et de neutraliser le système d'alarme.

« Nous avons fouillé le bâtiment de fond en comble, une fois de plus, et toujours sans succès. Puis nous nous sommes résignés à lever l'ancre.

» Je me rappelle que j'étais au volant, essayant de remettre un peu d'ordre dans mes idées. Nick mastiquait son chewing-gum d'un air absorbé, quand tout à coup je l'ai vu sursauter : "Dis donc... t'as une idée, toi, de l'endroit où a pu passer le chat ?" me dit-il.

» Et là, on a eu un vague soupçon. Les gosses sont attirés par les animaux... On a rebroussé chemin à toute allure, en passant par l'hôpital. Là, on a sorti nos insignes et on a embarqué un docteur qui s'apprêtait à aller se coucher. Nick lui a conseillé d'emporter son stéthoscope...

— Et la petite était bien dans le magasin ?

— Eh oui ! Elle s'était faufilée dans une des bouches d'aération en poursuivant le chat. Dans la cohue, personne ne l'avait remarquée. Mais la conduite avait cédé sous son poids. Elle avait dégringolé sur plusieurs mètres et s'était retrouvée sur une petite corniche, entre deux étages. Elle aurait pu se casser le cou dans sa chute. Elle s'était pris un bon coup sur la tête et était restée évanouie. Elle n'avait toujours pas repris conscience, quand nous l'avons retrouvée. Le chat était près d'elle. C'est grâce à ses miaulements que nous avons pu la repérer, à l'aide du stéthoscope.

— Mais elle n'avait rien de grave ?

— Non. Elle était saine et sauve. Mais nous avons eu chaud. Si elle avait été victime d'une grosse hémorragie, par exemple, nous serions arrivés trop tard. Nous nous en voulions d'avoir perdu tout ce temps sur la piste de l'homme à l'imperméable. Quant à Wesson, il aurait dû être aussi heureux et aussi soulagé que nous...

— Et ça n'a pas été le cas ? s'insurgea-t-elle.

— N'exagérons rien ! Wesson n'est pas un monstre – du moins il ne l'était pas, à l'époque. Il était heureux de savoir la petite hors de danger, évidemment, mais la jalousie le rongeait, et puis...

— Et puis ?

— Eh bien, Nick l'avait délibérément laissé hors du coup. Il aurait pu lui faire part de son hypothèse et le laisser s'en dépatouiller... » Noah marqua une pause. « Oui, c'est peut-être ce qu'il aurait dû faire, mais, en un sens, je ne suis pas mécontent qu'il ne l'ait pas fait. Ça n'était qu'un prêté pour un rendu, comme on dit ! Et à l'époque, nous n'avions que faire des considérations politiques – pas plus qu'à présent, du reste ! Ce que Nick voulait avant tout, c'était s'assurer personnellement de la sécurité de l'enfant. Wesson a appris la chose après coup, par l'intermédiaire de Morganstern. Nous étions déjà en route pour une autre mission, moi et Nick. Il avait brillamment résolu l'affaire mais Wesson avait perdu la face. Depuis, chaque fois que quelqu'un fait allusion à nous en sa présence, c'est comme si on renversait une salière sur une fracture ouverte, et jusqu'à cette enquête, nous n'avions pas eu l'occasion de collaborer à nouveau... »

Les coudes calés sur la table, elle appuya son menton dans sa paume et posa sur Noah un regard pensif. L'anecdote lui parut tout à coup lourde de sens. Jusqu'à présent, elle n'avait jamais totalement renoncé à espérer que Nick donnerait sa démission, mais elle voyait à présent ce que cette attitude pouvait avoir d'erroné et d'égoïste. Ça lui crevait littéralement les yeux...

« On ne peut pas exiger un certificat de garantie sur la vie, n'est-ce pas ? murmura-t-elle.

— Non. Il faut se hâter de prendre ce qu'elle nous offre, pendant qu'il en est encore temps. Nick est un bon flic, mais il est au bout du rouleau. Totalement lessivé par son métier... Ce job va finir par le tuer, s'il ne parvient pas à mettre un peu d'ordre dans sa vie. Un élément d'équilibre. Ce qu'il lui faudrait, c'est un vrai foyer, avec une femme comme vous, qu'il aille retrouver chaque soir.

— Peut-être, mais ça n'est certainement pas ce qu'il veut. Et vous ?

— Moi, ça n'est pas le problème. Mais vous deux, vu d'ici... ça me paraît clair comme de l'eau de roche. Si vous voulez mon avis...

— Allez-y. Je m'attends au pire !

— OK, fit-il. Voilà la façon dont je vois les choses. Vous essayez désespérément de vous mettre à couvert, vous et Nick. Vous esquivez la vie... Chttt ! laissez-moi finir... Nick a la fâcheuse habitude de rentrer dans sa coquille et de prendre ses distances, y compris avec sa famille. Or, dans notre branche, c'est une lourde erreur. Nous avons besoin de nous laisser aller à nos émotions. C'est le seul moyen de sauvegarder notre concentration, notre fraîcheur d'esprit. Mais je crois que Nick en arrive à refuser de prendre ce risque. Il refuse de ressentir quoi que ce soit, de se mettre en état de vulnérabilité. S'il continue, il va se retrouver enfermé dans sa propre coquille. Il deviendra cynique et dur, et je peux vous dire qu'il ne vaudra plus un kopeck, sur le terrain ! Maintenant, pour ce qui est de vous...

— J'écoute... » Elle se redressa sur sa chaise, à la fois impatiente et inquiète d'apprendre la suite.

« Eh bien, à votre manière, vous faites pareil. Vous êtes venue vous planquer dans ce bled. Ça n'est sans doute pas votre perception de la chose, mais c'est pourtant ce que vous faites. Vous avez encore plus peur que Nick de tout risque émotionnel, et vous vous dites qu'en éliminant toute occasion de vous frotter à l'inconnu vous vous soustrairez du même coup au danger. C'est bien comme ça que vous voyez la vie, n'est-ce pas ? Eh bien, laissez-moi vous dire qu'à long terme vous finirez dans la peau d'une vieille autruche aigrie et desséchée, doublée d'une fameuse dégonflée ! »

Le but de Noah n'était manifestement pas de l'offenser, mais ses paroles l'ébranlèrent profondément. C'était donc l'image qu'elle donnait d'elle... Elle se rencogna contre le dossier de sa chaise, les mains pressées l'une dans l'autre. Une vraie bécasse, engoncée dans sa frilosité, épouvantée à l'idée d'affronter la vie... Comment Noah pouvait-il la voir sous un jour aussi peu flatteur ?

« Je crois que vous ne comprenez pas..., commença-t-elle.

— Attendez. Vous voulez entendre la suite ? »

Elle prit son courage à deux mains. « Au point où nous en sommes...

— Il se trouve que j'ai eu sous les yeux une de vos toiles. »

Elle lui jeta un coup d'œil. « Où ça ? demanda-t-elle, surprise de sentir monter en elle cette bouffée de terreur sourde.

— Sur le mur de Tom, dans sa chambre. Il l'a accrochée en face de son lit. Et c'est un des tableaux les plus émouvants qu'il m'ait été donné de voir. À votre place, j'en serais sacrément fier ! D'ailleurs, je ne suis pas le seul à l'avoir admiré. Le prieur lui-même voulait l'exposer dans l'église. Tom m'a dit qu'il l'avait embarqué, sans vous demander votre avis... et par la même occasion, il m'a appris que vous gardiez toutes vos toiles au fond d'un placard, soigneusement enroulées et emballées, pour que personne ne risque de les voir. C'est bien le meilleur moyen de prévenir tout échec, n'est-ce pas ? La sécurité absolue – tout comme la petite existence pépère que vous vous apprêtez à mener ici. Eh bien, laissez-moi vous dire une chose, petite... La sécurité n'est pas de ce monde. Les tuiles sont faites pour nous tomber dessus. Et, comme pour le cancer de votre frère, personne n'y peut rien. Rien de rien. Tous vos efforts pour tenter de vous mettre à l'abri n'aboutiront qu'à vous isoler et à vous dessécher davantage. En persévérant dans cette voie pendant une vingtaine ou une trentaine d'années, vous réussirez peut-être bien à vous convaincre que vous pouvez vous contenter de votre petit train-train, mais ce genre de sécurité a un prix : la solitude. Et alors, ce talent époustouflant qui est le vôtre aura certainement séché sur pied. »

Le sombre avenir que lui prédisait Noah la fit frissonner. Il l'avait acculée au pied du mur et la forçait à se regarder en face.

« Vous ne savez pas de quoi vous parlez...

— Oh, que si, et vous savez très bien que j'ai raison ! C'est juste que vous ne voulez pas l'entendre ! »

Elle baissa la tête en repoussant de toutes ses forces cette sinistre prophétie. Mais peut-être contenait-elle un atome de vérité... Au début, lorsqu'elle avait décidé de venir s'installer à Holy Oaks, peut-être était-ce pour se soustraire au danger, effectivement... mais depuis, les choses avaient mûri. Elle avait été sincèrement surprise et conquise par cette ville et ses habitants. Elle s'était parfaitement intégrée à leur communauté. Elle ne s'était pas contentée de venir s'enterrer là, en laissant le reste du monde graviter autour d'elle...

Pour ce qui était de sa peinture, Noah était dans le vrai. Elle avait toujours considéré ses œuvres comme le reflet d'un monde trop personnel pour qu'elle puisse le partager avec quiconque. C'était une face cachée d'elle-même. Si, par malheur, l'une de ses toiles était tombée sous les yeux de quelqu'un à qui elle aurait déplu, elle aurait eu le sentiment que c'était elle-même qui était incomprise et rejetée. Elle se rendait compte de la lâcheté qu'indiquait cette attitude. En continuant dans cette voie, elle risquait effectivement de perdre le peu de talent qu'elle avait : que lui resterait-il à exprimer dans sa peinture, si elle refusait de s'exposer aux risques de l'existence ?

« Mais du moins, je ne les jette pas... Je garde précieusement mes toiles... »

Noah eut un grand sourire. « Vous vous résoudrez donc peut-être à les sortir de leur placard un de ces quatre, pour les exposer au grand jour !

— Oui, peut-être », fit-elle. Et après un moment de réflexion, elle leva les yeux vers lui en souriant : « Vous devez avoir raison, Noah... »

Il alla poser son assiette sur l'évier, releva les manches de sa soutane et entreprit de faire la vaisselle, sans cesser de déplorer que le père abbé ait jugé bon d'économiser le prix d'une machine.

Mais elle ne l'écoutait plus que d'une oreille. Elle était perdue dans ses pensées. Il venait de lui ouvrir une porte, et elle se trouvait devant un choix capital : la franchir, ou la refermer.

Lorsque Tommy et Nick revinrent dans la cuisine, Noah s'écria : « J'ai craché le morceau à votre sœur, Tom ! Je lui ai dit que vous aviez piqué l'une de ses toiles ! »

Tommy se mit immédiatement sur la défensive. « Je l'ai emportée sans te le dire, c'est vrai, mais j'estime avoir bien fait. Pourquoi ? Tu veux la récupérer ?

— Laquelle est-ce ? » demanda-t-elle, et elle se sentit prise d'une soudaine fringale. Elle mordit dans un morceau de poulet et tendit la main vers le paquet de biscuits.

« La seule sur laquelle j'aie réussi à mettre la main, parce qu'elle se trouvait sur le dessus du tas, dans ton placard. Je n'avais pas vu ce dont il s'agissait avant de la déballer dans ma chambre. Et là, j'en suis resté bouche bée. Je ne sais pas si tu es au courant, Laurant, mais c'est à s'arracher les cheveux... C'est la seule de tes œuvres que j'aie pu voir à ce jour. Tu les caches comme des maladies honteuses !

— Laquelle as-tu prise ?

— Elle représente des enfants, dans un champ de blé baigné de soleil. J'adore cette toile, Laurant, et j'aimerais la garder. Tu sais pourquoi ? Parce qu'il en émane une telle fraîcheur, une telle joie... En la contemplant, j'ai l'impression de voir le ciel sourire à ces enfants. Comme si c'était la main de Dieu qui descendait sur ce champ de blé, pour nous envoyer un rayon d'espoir. »

Elle se sentit bouleversée d'émotion. Les paroles de Tommy lui étaient allées droit au cœur. De la joie. De l'espoir... Quel plus beau compliment... ?

« D'accord, Tommy. Elle est à toi. Garde-la. »

Son frère ouvrit de grands yeux. « Vraiment ?

401

— Oui, répondit-elle. Je suis très heureuse de savoir que tu l'aimes.

— Je serais curieux de voir ça ! fit Nick, sincèrement intrigué.

— C'est promis », acquiesça-t-elle. Noah lui décocha un clin d'œil et elle fut prise d'une soudaine envie de rire. « Entendu, répéta-t-elle. Mais je vous préviens : celle de Tom est loin d'être la meilleure de mes œuvres. Depuis, j'ai fait nettement mieux ! »

La sonnerie du portable de Nick interrompit la conversation. Tous les sourires s'évanouirent aussitôt, et l'atmosphère de la cuisine se chargea d'une tension orageuse. Nick décrocha et alla s'isoler dans le cellier. C'était Pete, et il avait des nouvelles surprenantes à lui communiquer. On avait retrouvé le portable de Tiffany Tara Tyler sous le fauteuil passager du minibus blanc de Brenner. Ce nouvel indice semblait arriver à point nommé pour conclure l'affaire. Ils tenaient leur homme.

« A-t-on retrouvé des empreintes ?

— Il a tenté d'effacer ses traces, mais il a bâclé le travail. Il en a laissé une, l'empreinte partielle d'un pouce, près du chargeur métallique. Les gars du labo ont pu la prélever et ils pensent que ça leur permettra d'établir une correspondance définitive. Voilà qui nous donne le mot de la fin, il me semble... »

Nick secoua la tête. « C'est loin d'être l'impression que j'en ai », fit-il, et il s'absorba quelques secondes dans ses réflexions avant d'ajouter : « Bien. Alors, il ne nous reste plus qu'à plier bagage. Affaire classée, n'est-ce pas ?

— Ou peu s'en faut, convint Pete. Il y a d'autres indices, mais, à ce que j'ai cru comprendre, Wesson s'est bien gardé de vous mettre au courant.

— Comment l'avez-vous appris ?

— Une petite conversation que j'ai eue avec l'agent Farley.

— Wesson a donc de quoi inculper Brenner ?

— Avec le téléphone de la victime retrouvé dans sa voiture, largement.

— Quelqu'un a pu le laisser à dessein sous le siège.

— Mais il ne semble pas que ce soit le cas, fit Pete. Si vous aviez été informé des indices au fur et à mesure de la constitution du dossier, je pense que vous auriez moins de mal à vous convaincre de la culpabilité de Brenner. Mais vous avez été victime d'un black-out total. J'ai d'ailleurs la ferme intention d'en discuter avec le chef de Wesson. Dès lundi matin, à la première heure ! Je tiens à m'assurer que ce genre de chose ne se reproduira plus. Quant à vous, je ne saurais trop vous conseiller de vous offrir une semaine de pêche avec votre ami Tom, et de prendre quelques jours de repos mérités ! »

Nick se frictionna la nuque, dans l'espoir de se détendre un peu. En lui, la lassitude le disputait à la frustration. « J'en sais fichtre rien, Pete. À vue de nez, tout ça me laisse sur une impression de malaise. Rien ne va avec rien... Mais c'est peut-être moi qui suis à côté de la plaque.

— Disons que vous manquez un peu d'objectivité...

— Oui. Ce doit être ça. Je suis parti bille en tête sur une fausse piste. Mais j'aimerais tout de même savoir une chose : *quid* de l'analyse comparative entre la voix de la cassette enregistrée au confessionnal et celle de Brenner ?

— C'est en cours.

— Et Brenner n'a toujours pas avoué ?

— Non. Toujours pas. »

Il ne savait plus qu'en penser. Peut-être refusait-il tout simplement de voir ce qui aurait dû lui sauter aux yeux. Depuis le premier jour, Wesson l'avait contraint à travailler à l'aveuglette. Mais on avait retrouvé le portable de Tiffany dans le minibus de Brenner. Voilà qui aurait dû dissiper ses derniers doutes. Et pourtant...

« Pourquoi s'entêter à nier l'évidence ? demanda Pete. Il me semble que cette affaire se conclut de façon satisfaisante... »

Nick poussa un soupir. « Je sais, je sais, Pete. Et je crois que c'est vous qui êtes dans le vrai : j'ai un besoin urgent de me mettre au vert, se résigna-t-il à admettre. J'ai dû me laisser un peu... emporter. Par mes sentiments personnels, par exemple...

— Pour la belle Laurant ?

— Ça aussi, vous étiez au courant ? Bon, eh bien... je n'ai

plus qu'à m'en dépatouiller, n'est-ce pas ? Vous me tiendrez informé des résultats du labo ?

— Sans faute, promit Pete. Mes amitiés à Tom et à sa sœur. »

Nick s'attarda une longue minute dans le cellier après la fin de la communication, le regard perdu dans le vague, s'efforçant de rassembler ses idées et de se convaincre que l'affaire était bel et bien terminée. Il s'exhorta, une fois de plus, à cesser d'enfoncer les portes ouvertes et de se compliquer inutilement la vie. Certaines affaires se résolvaient plus facilement que d'autres, et ce devait être le cas, pour celle-ci. Ils tenaient leur coupable, point. Affaire suivante !

Mais il ne parvenait pas à chasser totalement de son esprit ce doute lancinant.

33

Le cauchemar s'était donc achevé. Ce fut un choc, pour Tom et Laurant, d'apprendre qu'on avait retrouvé le téléphone de Tiffany dans la voiture de Brenner. Mais une fois revenus de leur surprise, ils se réjouirent de savoir le meurtrier sous les verrous. Comme Noah suggérait d'arroser ça, Tommy le rappela à l'ordre, soulignant que l'on déplorait la mort de deux innocentes. Il déclara qu'il allait pour sa part prier pour l'âme de Tiffany Tyler et de cette malheureuse inconnue qu'ils ne connaissaient que par son prénom – Millicent.

« Brenner avait dû déguiser sa voix dans le confessionnal... Je n'ai pas eu le moindre soupçon, ajouta-t-il en secouant la tête.

— Il nous a tous bernés », fit Laurant. Elle se sentait soulagée mais toujours flageolante. Elle décida d'accompagner son frère à l'église.

Elle quitta sa chaise et, regardant Nick bien en face, lui demanda : « Vous allez donc pouvoir partir sans tarder, vous et Noah, je suppose ?

— Oui, répondit-il sans hésiter.

— Nous n'avons plus la moindre raison de rester dans la région, n'est-ce pas ? fit Noah en jetant à Nick un coup d'œil en coin.

« — Non, répondit-il platement – plus la moindre. »

Laurant se détourna pour ne pas lui laisser voir l'effet dévastateur de sa réponse. Elle avait bien conscience de prendre tout cela beaucoup trop à cœur. Dès le premier jour, elle avait su. La vie de Nick était à Boston. Il partirait dès sa mission accomplie. Il avait accouru toutes affaires cessantes à l'appel de Tommy, mais à présent il avait la ferme intention de regagner son port d'attache.

« Les affaires courantes… ? fit-elle.

— Comme vous dites », acquiesça-t-il.

Tommy lui tenait la porte. « Allez… viens, Laurant ! Ne traînons pas. » Elle posa sa serviette sur la table et rejoignit son frère. Nick et Noah leur emboîtèrent le pas. Lorsqu'ils arrivèrent à la grande porte de l'église, Nick prit son collègue et ami à part, tandis que Laurant et Tommy allaient s'agenouiller dans l'église.

Une bonne douzaine d'ouvriers s'affairaient sur le chantier, qu'il fallait remettre en ordre pour le mariage. Un groupe de maçons démantelait le dernier échafaudage, tandis que quelques autres pliaient des bâches et rassemblaient des pots de peinture. Toute l'équipe du fleuriste local attendait que Willie et Mark aient passé le dernier coup de serpillière sur les marches de l'autel pour y disposer des gerbes de lis.

Nick et Noah se trouvaient sous la tribune de l'orgue lorsque les doubles portes s'ouvrirent sur le passage de deux déménageurs qui apportaient un grand piano sur un chariot.

« Où faut-il le mettre, mon père ? demanda l'un d'eux en s'adressant à Noah.

— Aucune idée ! répondit ce dernier.

— Nom d'une pipe, mon père ! Excusez, mais ce truc pèse son poids. Ça vous ennuierait d'aller vous renseigner ? »

Justin remontait l'allée centrale dans leur direction. Il portait à l'épaule une petite caméra vidéo avec un long écheveau de câble rouge qu'il avait passé en bandoulière. Il ralentit sa trajectoire le temps de les saluer.

« Et vous, vous sauriez où il faut mettre ce piano, par hasard ? lui demanda Noah.

— Bien sûr. Le chœur se placera à gauche de l'autel, dans cette petite abside, répondit-il, en s'écartant pour laisser passer le piano.

— Pourquoi un piano ? demanda Noah. L'orgue ne ferait pas l'affaire ? »

Justin se retourna vers lui : « Il a besoin d'un nettoyage complet. Le prieur m'a expliqué que si on l'utilisait tel quel, la poussière qui s'est infiltrée dans les tuyaux pendant les travaux risquerait d'endommager les mécanismes.

— Qu'est-ce que vous filmez comme ça ? demanda Noah en désignant la caméra.

— On m'a collé au poste d'assistant cameraman. Le père de Michelle m'a demandé de filmer la cérémonie depuis la tribune. Il a engagé un pro qui filmera en bas, mais je suppose qu'il tient à avoir tous les angles de prise de vues possibles. J'ai accepté sans me faire prier, vous pensez ! Un petit bonus de cent dollars, ça ne se refuse pas – sans compter qu'ensuite, nous sommes invités à la réception, avec Willie et Mark. Nous comptons bien nous en fourrer jusque-là ! Et vous, vous serez aussi de la fête ? demanda-t-il à Nick.

— Je ne manquerais ça pour rien au monde.

— À tout à l'heure, alors ! lança Justin avant de s'éclipser. Et espérons que tout sera prêt pour la cérémonie. Il nous reste tant de petits détails à régler, avant l'heure H ! »

Ils s'écartèrent pour laisser Justin ouvrir la grille de fer forgé qui fermait l'escalier de la tribune.

« Alors… Qu'est-ce que tu voulais me dire ? » demanda Noah. Il avait suivi Nick jusqu'aux bancs du dernier rang.

« Que tout ça ne me convainc qu'à moitié.

— Pour Brenner ? »

Nick confirma d'un signe de tête. « Je changerai peut-être d'avis quand j'aurai tous les rapports. Ils travaillent sur cette fameuse empreinte et sur l'analyse comparative des voix. Si les résultats confirment la culpabilité de Brenner, je respirerai un peu mieux. Mais jusque-là…

— Tu veux que je reste ?

— Et si Pete t'appelle pour te confier une autre mission... ?

— Je tâcherai de le faire patienter. D'ailleurs, nous devrions avoir la conclusion du labo dès ce soir. Demain, au plus tard...

— T'es vraiment un pote, Noah.

— S'il te reste le moindre doute, pas de problème. Je préfère rester. Mais tu crois que je vais devoir me trimballer encore longtemps dans cette soutane ?

— Tant que tu seras à Holy Oaks. Ici, tout le monde t'identifie à un prêtre. Tu imagines le choc... » Il toisa Noah des pieds à la tête. « Entre nous, on peut savoir où tu planques ton arme ? À la cheville ? » fit-il, en regardant les pieds de son ami. Le bout de ses baskets noires émergeait de l'ourlet de sa soutane.

« Pas assez rapide, répondit Noah en soulevant discrètement sa manche gauche – son holster était fixé juste sous son coude. Dieu bénisse le petit génie qui a inventé le Velcro !

— Futé, approuva Nick.

— Tu crois qu'il faut faire part de tes doutes à Tom et à Laurant ?

— Que veux-tu que je leur dise ? Les indices semblent concorder, et Dieu sait quelles autres preuves Wesson a pu rassembler contre Brenner. Ils viennent de passer une semaine infernale et Laurant ne pense plus qu'au mariage de son amie. Je ne veux pas lui gâcher la soirée. Garde l'œil sur Tom. Je me charge d'elle.

— Mmh-hmm. Il me paraît un peu prématuré d'abaisser notre garde. Fais comme tu veux, pour Laurant... Moi, je préfère dire à Tom de rester sur le qui-vive.

— Bien, fit Nick avec un hochement de tête.

— Pete est au courant de ce que tu en penses ?

— Oui.

— Et ? »

Nick fourra les mains dans ses poches. « Tu sais bien que mon point de vue manque d'objectivité. Trop personnellement impliqué...

— En quoi il n'a peut-être pas tout à fait tort.

— J'y verrai plus clair, lorsqu'on aura les résultats.

— Et après ?

— Après, on rentre. Demain est un autre jour – et une autre mission.

— Tu comptes vraiment t'en aller et tourner la page ? fit Noah, sans pouvoir dissimuler son incrédulité. Cette fille est la meilleure chose qui te soit jamais arrivée, et tu y renonces sans même tenter ta chance ! Tu sais quoi, vieux... T'es vraiment à côté de tes pompes ! »

Pour toute réponse, Nick se contenta de tourner les talons et, le plantant là, sortit sur le parvis ensoleillé.

34

À six heures moins le quart, le père de Michelle revint de l'abbaye et annonça à sa fille que l'échafaudage avait été démonté et le tapis rouge déroulé dans la grande nef. La fleuriste et ses assistants s'étaient aussitôt mis à l'œuvre et travaillaient d'arrache-pied pour fixer des bouquets au premier banc de chaque rangée. Ils n'auraient pas une minute de trop, conclut-il, mais tout serait fin prêt lorsque retentiraient les premiers accords de la marche nuptiale.

La mère de Michelle, transformée pour l'occasion en un nuage de mousseline bleue, n'en fut pas rassérénée pour autant. Quant à la future, elle semblait prendre avec philosophie tous ces petits soucis de dernière minute. Adossée au chevet de son lit, elle supervisait les préparatifs de Laurant, tout en lui communiquant les dernières nouvelles dont elle avait eu vent.

« Ils ont lancé un APB – ou un ABP... bref, un avis de recherche, pour Lonnie. Ils vont l'inculper d'incendie volontaire et, avec un peu de chance, il moisira un bon moment en prison – ce qui ne sera que justice. Voilà deux ans qu'il sévit impunément... » Elle se tut, le temps de prendre une gorgée de limonade. « Et pour ce qui est de Steve, tout le monde est encore

410

sous le choc. Laisse tes cheveux tels quels, Laurant. Pas la peine de te faire un chignon...

— D'accord », acquiesça son amie en attrapant sa robe de soie pêche, posée sur le dossier d'une chaise. Tournant le dos à Michelle, elle s'y glissa et en fit coulisser la fermeture Éclair, puis ajusta le bustier. « Alors... qu'est-ce que ça donne ? » demanda-t-elle en pivotant pour lui faire face. La longue jupe de soie pastel cascadait joliment jusqu'à ses chevilles. « On peut aussi essayer la bleue, mais je crois que cette nuance-ci détonnera moins avec le rose que porteront tes autres demoiselles d'honneur... »

Mme Brockman entra en coup de vent pour tenter de faire se hâter sa fille. Elle resta clouée sur place en découvrant Laurant. Tout comme Michelle, elle en resta sans voix. Sous le feu croisé de leurs regards, Laurant se sentit soudain bizarrement godiche. « Eh bien... dites quelque chose ! fit-elle. Ça vous paraît convenir, ou pas ?

— On croirait voir une princesse de conte de fées, murmura Michelle.

— Je n'aurais pas mieux dit, renchérit sa mère. Vous êtes tout simplement ravissante, ma chère Laurant ! »

Michelle se glissa laborieusement au bas de son lit et se cramponna à l'un des montants pour se hisser sur ses pieds. Sa grimace de douleur n'avait pas échappé à sa mère. « Ton nouvel appareillage te gêne encore ?

— Un peu..., avoua-t-elle, sans détacher ses yeux de Laurant. Si je pouvais avoir autant d'allure ! Tourne-toi un peu. Je suis sûre qu'elle ne s'en rend même pas compte, maman ! Elle ne se voit pas du même œil que le commun des mortels. Seigneur... Je me demande si je ne devrais pas t'obliger à porter un sac en plastique sur la tête, pour t'empêcher de me piquer la vedette !

— Mais non, grosse gourde ! s'esclaffa Laurant. Tous les yeux seront tournés vers notre jolie mariée. Car toi aussi, tu vas être resplendissante – dès que tu te seras débarrassée de tes bigoudis et que tu auras passé ta robe. À moins que tu n'envisages de descendre la grande nef dans ce vieux peignoir ?

« — Allez-y, Laurant ! Houspillez-la un peu ! Moi, elle ne m'écoute pas. Elle va finir par arriver en retard à son propre mariage ! » Mme Brockman prit sa fille par les épaules et la poussa gentiment. « Ah ! Toutes ces émotions... Ce n'est plus de mon âge. Je n'étais déjà plus de première jeunesse quand tu es née...

— Je sais, je sais, ma chère petite maman. Et mon arrivée a été une vraie révolution dans ta vie.

— Une vraie bénédiction, tu veux dire..., rectifia sa mère avec un sourire. Et maintenant, je te donne trois minutes pour te préparer – ou j'envoie ton père y mettre bon ordre ! »

Michelle noua la ceinture de sa robe de chambre d'un geste résolu et entreprit d'ôter les gros bigoudis qu'elle avait dans les cheveux.

« Laurant... tes bretelles de soutien-gorge dépassent de celles de ta robe... »

Elle tenta de mieux ajuster son bustier, mais peine perdue : un liséré de dentelle blanche persistait à émerger. « Aïe... c'est le seul que j'aie apporté.

— Eh bien, enlève-le ! » suggéra Michelle.

Mme Brockman sursauta : « Elle ne va tout de même pas entrer sans soutien-gorge dans la maison du Seigneur !

— Il ne s'agit pas d'y aller sans le haut, maman ! Personne n'y verra rien. Le bustier est doublé.

— Dieu le saura, Lui ! déclara sa mère. Je vais chercher des épingles à nourrice. »

Dès que la porte se fut refermée sur elle, Michelle dit : « Maman est au bord de la crise de nerfs – tout comme mon père. Ce matin, j'ai vu le moment où il allait fondre en larmes. Il m'a dit qu'il était bouleversé de voir partir sa chère petite fille. C'est pas mignon ? »

Laurant lui tira une chaise et l'aida à s'asseoir à sa coiffeuse.

« Adorable, tu veux dire... Mais tu lui as tout de même rappelé que vous alliez emménager à deux rues d'ici, toi et Christopher ?

— Ah, ça n'est pas la même chose. Je suis sûre qu'il aura la larme à l'œil, quand je descendrai la grande nef à son bras. D'ailleurs, moi aussi, je sens que je vais piquer ma crise si l'église n'est pas prête ! »

Laurant lui tendit la brosse à cheveux. « Je me demande si tu connais vraiment ta chance... Avoir des parents si gentils, épouser un type comme Christopher ! Tu sais que je t'envie... », ajouta-t-elle avec un soupir.

Michelle lui jeta un coup d'œil espiègle dans le miroir. « Mais j'espère bien que ce sera bientôt mon tour de t'aider à passer ta robe de mariée ! »

En cet instant, Laurant aurait pu lui avouer la vérité – que tout ça n'était qu'une mise en scène, que son mariage avec Nick n'aurait jamais lieu –, mais elle préféra garder le silence. Pas question de gâcher la journée de son amie avec ce genre de nouvelle...

« Ah ! tu ne vas pas fondre en larmes, toi aussi ! protesta Michelle. Sinon, ma mère va te coller une liste de corvées ! C'est sa façon de lutter contre les débordements émotionnels, aujourd'hui. Elle a envoyé mon père sillonner toute la ville. Voilà déjà trois fois qu'il fait l'aller-retour à l'église. D'abord pour l'échafaudage, puis pour les fleurs, et, avant de nous y amener, il va devoir aller chercher les sœurs Vanderman à domicile.

— Mais Bessie Jean a une voiture...

— Tu l'as déjà vue au volant ? Elle exige d'avoir un chauffeur. Elle a dit à maman que pour rien au monde elle ne s'aventurerait à conduire dans le centre-ville avec toute cette circulation... ! »

Elles éclatèrent de rire en chœur.

L'arrivée de Mme Brockman mit un terme à leur fou rire. « Michelle, pour la dernière fois, tu te tais et tu t'habilles ! Désolée, mais voilà tout ce que j'ai pu trouver », ajouta-t-elle en agitant des épingles géantes, avec lesquelles elle entreprit de fixer le soutien-gorge de Laurant à la doublure de sa robe.

À sept heures moins vingt, Michelle était fin prête dans sa robe ivoire ornée de perles – réplique d'un modèle qu'elle avait vu dans un magazine. La coupe lui allait à merveille, soulignant agréablement ses courbes déliées. Quand elle se retourna vers sa mère et Laurant, elles battirent l'une comme l'autre en retraite vers la boîte de Kleenex.

« Michelle... tu es magnifique ! murmura Laurant. Et je pèse mes mots.

— Ton père va encore fondre en larmes quand il te verra », fit sa mère en reniflant de plus belle.

Michelle ajusta son voile et pressa la main de Laurant. « OK. Je suis prête – on est partis ! » En franchissant le seuil de sa chambre, elle lui lança par-dessus son épaule : « Et n'oublie pas de mettre le collier que je t'ai donné ! »

Le collier. Laurant avait failli l'oublier. À la soirée de répétition, Michelle avait offert à toutes ses demoiselles d'honneur une jolie chaînette en or.

Restée seule, il fallut plusieurs minutes à Laurant pour parvenir à enclencher le fermoir, puis elle se posta devant le grand miroir pour mettre ses boucles d'oreilles rehaussées de diamants – le seul bijou qu'elle portât en dehors de la chaînette et de la bague de fiançailles, dont elle contempla un long moment le diamant scintillant. Des larmes lui obscurcirent la vue. Elle songea un instant à l'enlever tout de suite et à la rendre à Nick, mais elle se ravisa. Mieux valait attendre la fin de la fête. Ensuite elle lui restituerait son bien, et bye bye...

Comment pourrait-elle s'en remettre un jour ?... Dieu, qu'elle l'aimait ! Il avait débarqué dans sa vie et lui avait ouvert les yeux sur le monde autour d'elle, sur toutes ces possibilités qu'elle ne soupçonnait pas...

Comment pourrait-elle vivre sans lui, désormais ? Elle se regarda dans la glace et redressa lentement les épaules.

Elle allait donc retrouver sa petite vie douillette. Et sa solitude.

Elle en aurait le cœur brisé, mais elle survivrait.

35

L'église était pleine. À croire que toute la ville avait été conviée aux réjouissances, se dit Nick en survolant du regard la foule qui continuait d'affluer. Quelques personnes tentèrent d'ouvrir la grille de fer forgé pour monter à la tribune, mais elle était verrouillée et portait une petite pancarte manuscrite : PASSAGE INTERDIT AU PUBLIC. Ceux qui essayèrent de faire jouer le verrou durent y renoncer et partirent en quête d'une autre place.

Les deux maîtres de cérémonie invitaient l'assistance à s'avancer le plus près possible de l'autel, et à se serrer pour faire place aux nouveaux venus. La mère de la mariée fit son entrée et on l'escorta jusqu'au premier rang.

Nick s'efforçait de faire oublier sa présence, tandis que Laurant attendait avec les autres demoiselles d'honneur dans le petit vestibule clos situé sous la tribune. La porte était entrouverte, mais la mariée restait invisible. Nick y glissa un œil, et aperçut Laurant à la seconde où elle ouvrait un placard pour y déposer son sac à main. Elle se retourna vers lui, croisa son regard, et lui décocha un sourire mal assuré avant de s'éloigner hors de sa vue.

Le père de la mariée attendait à la porte du vestibule. De

temps à autre, il glissait un œil vers l'autel, guettant le moment où Tom sortirait de la sacristie. Le trac lui nouait l'estomac. Dire que dans quelques minutes il allait accorder la main de sa fille unique… ! Il plongea la sienne dans la poche de son smoking de location et en sortit un mouchoir. Il s'épongeait le front lorsqu'il se souvint tout à coup des sœurs Vanderman. « Oh, Seigneur ! murmura-t-il.

— Qu'est-ce qui se passe, papa ? demanda Michelle, inquiète. Quelqu'un se trouve mal ?

— J'allais tout simplement oublier Viola et Bessie Jean.

— Tu ne peux pas y aller maintenant… La cérémonie va commencer ! »

Fouillant la foule du regard, M. Brockman se rabattit sur Nick.

« Vite ! s'exclama-t-il. Pourriez-vous aller chercher les sœurs Vanderman à ma place ? Elles doivent m'attendre sur le trottoir, devant chez elles. Je n'ai pas fini d'en entendre, si elles loupent le mariage ! »

Nick n'avait aucune envie de laisser Laurant sans surveillance, mais il était apparemment la seule personne disponible en vue. Il lui suffirait de trois ou quatre minutes pour descendre la colline et revenir…

Laurant perçut son hésitation et elle accourut, dans sa robe de soie qui ondulait si gracieusement autour de sa taille. « Vous serez de retour à temps », dit-elle à haute voix, à l'intention du père de Michelle et d'ajouter dans un souffle : « Allez-y vite. Je ne risque plus rien. Vous vous souvenez… Affaire classée ! Vous n'avez plus à vous inquiéter pour moi.

— Bon, OK…, fit-il, non sans réticence. Mais j'attendrai que vous ayez descendu la nef.

— Mais en vous dépêchant…

— Je ne partirai pas tant que je ne vous aurai pas vue descendre cette nef ! » dit-il d'un ton un rien plus brusque qu'il ne l'aurait voulu. En fait, il voulait surtout la savoir dans le rayon d'intervention de Noah, avant de quitter l'église.

Il ne lui laissa pas le temps d'argumenter davantage – si telle

416

avait été son intention. S'avançant dans l'église, il se faufila le long du mur de droite, jusqu'au coin sud du chœur, où il voyait la porte de la sacristie. De là, il pourrait attirer l'attention de Noah, quand il sortirait à la suite de Tom.

Un murmure parcourut l'assistance lorsque le prêtre fit son entrée, et les invités se levèrent dans un brouhaha de chaises et de murmures. Revêtu de la chasuble et de l'étole blanc et or, Tommy s'avança devant l'autel, face aux fidèles, au sommet des trois marches de marbre. Il joignit les mains et fit discrètement signe au pianiste qui plaqua son premier accord.

Toutes les têtes se tournèrent aussitôt vers les grandes portes, pour tâcher d'avoir le meilleur point de vue possible lorsque la mariée ferait son apparition.

Noah était entré dans le sillage de Tommy, mais il s'était discrètement posté en arrière, près de la porte de la sacristie, les bras croisés sur la poitrine, les mains enfouies dans les manches de sa soutane. La droite s'était refermée sur la crosse de son Glock et son attention restait concentrée sur la foule.

Nick lui fit signe. La première demoiselle d'honneur commençait à descendre la nef lorsque Noah se glissa le long des marches, en direction de l'allée latérale où l'attendait son ami. Il le rejoignit au moment où la deuxième demoiselle d'honneur s'engageait à son tour dans la nef.

« On m'a chargé de faire une course, lui expliqua Nick. Je partirai dès que Laurant arrivera près de l'autel. Je n'en ai que pour quelques minutes, mais je préfère que tu les couvres, elle et Tommy, en mon absence.

— Pas de problème, fit Noah. Je veillerai sur eux comme sur la prunelle de mes yeux. »

Nick lâcha un soupir de soulagement. « Tu dois me trouver un peu lent à la détente, mais...

— T'inquiète, et fais comme tu le sens, murmura Noah. Personnellement, je me fie plus à ton flair qu'à n'importe laquelle des preuves que pourrait nous sortir Wesson !

— Je reviens dans cinq minutes, vieux – dix maximum.

417

« — Tiens, voilà Laurant…, fit Noah avec un signe du menton. Seigneur ! vise-moi ce canon !

— Tu oublies qu'on est dans une église !

— Peut-être – mais… quelle apparition ! »

Nick ne lui jeta qu'un coup d'œil hâtif avant de se frayer un chemin vers la sortie, tout en promenant son regard dans la foule.

Willie et Mark étaient dans les premiers rangs. Ni l'un ni l'autre n'avait eu le temps de se raser, mais ils avaient mis leur chemise blanche et leur cravate du dimanche. Eux aussi semblaient n'avoir d'yeux que pour Laurant.

Dès qu'elle arriva devant l'autel, elle pivota pour aller rejoindre les autres demoiselles d'honneur, et Nick sortit par la porte latérale. Il courut à sa voiture et poussa une bordée de jurons bien sentis en découvrant l'enchevêtrement dont il allait devoir extraire l'Explorer. Il se mit au volant, démarra et se résigna à rouler sur la pelouse.

Il roula au pas jusqu'à ce qu'il ait rejoint la grande allée, puis il accéléra et descendit la rue à tombeau ouvert. Il s'efforçait de tenir en respect la panique sourde qu'il sentait monter en lui. Son instinct lui soufflait de faire immédiatement demi-tour et de revenir vers l'église, mais Laurant et Tommy n'étaient-ils pas sous la garde vigilante de Noah ? Que pouvait-il advenir, tant qu'ils seraient dans l'église ?… Et la cérémonie durerait une bonne heure, au bas mot – selon la longueur du sermon. Même s'il était retenu par Dieu sait quel contretemps, tout se passerait sans accroc.

Il aurait respiré plus librement s'il avait eu les résultats de ces satanés tests. Pourquoi le labo tardait-il tant ? Il avait été plusieurs fois tenté de rappeler Pete, mais à quoi bon ? Son chef lui transmettrait ces informations dès qu'il en aurait lui-même connaissance.

Il débla dans la rue des sœurs Vanderman à cent kilomètres à l'heure et dut freiner en catastrophe en faisant crisser ses pneus pour s'arrêter devant elles. La voiture vibrait encore quand il en surgit pour tenir la portière aux deux sœurs qui l'attendaient patiemment sur le trottoir. Viola était chargée d'une grande boîte de plastique, mais il ne prit pas le temps de s'informer de son contenu. Quant à Bessie Jean, elle lui lançait des regards incendiaires. « J'ai horreur d'être en retard, quelle que soit l'occasion, ne fût-ce que pour...

— Un cas de force majeure ! répliqua aussitôt Nick, coupant court à ses récriminations. En voiture, mesdames !

— De toute façon, à l'heure qu'il est, nous avons déjà manqué l'arrivée de la mariée, fit Viola. Autant prendre notre temps !

— Bien sûr, ma chère, déclara Bessie Jean. La cérémonie devait débuter à sept heures, et il est sept heures passées !

— Dépêchez-vous, mesdames, je vous en prie... Nous serions déjà à mi-chemin », insista Nick, en se cramponnant à ce qui lui restait de patience.

Mais Viola l'entendait d'une autre oreille : « Mon cher Nicholas, auriez-vous l'obligeance d'aller porter ce gâteau dans la maison d'en face ? Vous le laisserez dans la cuisine – les garçons ne sont pas chez eux.

— Bien sûr qu'ils ne sont pas chez eux, puisqu'ils sont déjà au mariage, eux... comme tout le monde ! persifla Bessie Jean. Il ne me semble pas qu'il y ait le feu au lac !

— J'ai préparé ce gâteau pour Justin. C'était si aimable à lui, de m'aider à arranger mon parterre !

— Et ça ne pouvait pas attendre demain ? tonna Nick, sur le point d'exploser.

— Absolument pas, mon cher Nicholas ! Demain, il sera rassis. Je l'aurais bien déposé moi-même, mais voyez-vous, je porte ces chaussures neuves, qui me font un mal de chien. Allez... Soyez gentil ! Cela ne vous prendra qu'une minute », fit-elle, en lui fourrant d'autorité le gâteau entre les mains.

Il songea qu'il perdrait moins de temps à s'exécuter qu'en restant là, planté sur le trottoir, à palabrer avec elles. Il prit donc la boîte et s'élança vers la maison d'en face.

« Je t'avais bien dit de mettre des chaussures convenables ! » s'exclama derrière lui Bessie Jean.

Nick traversa la cour et franchit d'un bond les marches de pierre. Il aurait bien laissé la boîte sur le perron, mais il sentait dans son dos le regard impérieux de Viola, et se résigna à appliquer les instructions à la lettre.

Comme si j'avais besoin de ça ! pesta-t-il en ouvrant la porte et en pénétrant dans la maison. Une pénombre fraîche y régnait, mais en traversant le living il repéra des tas de vieux journaux, de cartons à pizza et de boîtes de bière vides qui s'amoncelaient dans tous les coins. Sur une pile de magazines trônait un grand coquillage dont la destination initiale avait dû être décorative, mais qui débordait à présent de cendres et de vieux mégots. Des relents de renfermé et de tabac froid flottaient dans la pièce. C'était un vrai capharnaüm. La table, recouverte d'une bâche tachée, était chargée de pots de peinture. Comme chez Laurant, la cuisine communiquait avec le coin-repas par une porte à double battant que Nick poussa.

La première chose qui le frappa, lorsqu'il pénétra dans cette pièce, ce fut l'odeur. Une odeur forte et âcre, étrangement familière, qui le prit à la gorge et lui fit monter les larmes aux yeux.

À la différence du reste de la maison, la cuisine était dans un état de propreté immaculée. Pas un objet sur le plan de travail. Tout reluisait, comme dans une autre cuisine dont le souvenir lui revint aussitôt. Et cette odeur : vinaigre et ammoniaque... Tandis qu'il explorait les lieux du regard, la vérité le heurta de plein fouet, comme un direct à l'estomac. Chaque élément du puzzle trouvait soudain sa place. Il posa le gâteau et, d'instinct, porta la main à son arme en se retournant vers la table. Avant même d'y jeter les yeux, il savait ce qu'il allait y voir. Les moulins à sel et à poivre, le grand bocal de plastique transparent plein de comprimés roses... exactement du même rose que dans son souvenir – et, juste à côté, la bouteille de sauce piquante. Ne manquait plus que le petit cocker noir pelotonné dans son coin.

« Laurant ! » s'écria-t-il, et il se rua vers la porte, renversant au passage une petite table, tandis qu'il traversait le living en sens inverse. Vite, à l'église ! Le fumier... il allait tenter de l'enlever à la sortie de la messe. Il rengaina son arme et se hâta de rejoindre sa voiture et son téléphone.

Mais il ne pouvait perdre ces précieuses minutes à alerter lui-même les autorités locales. « Rentrez chez vous, mesdames ! cria-t-il à Bessie Jean, avant même d'avoir atteint la voiture. Vite ! téléphonez au shérif de Nugent. Dites-lui de venir immédiatement à l'abbaye, avec tous les hommes qu'il pourra rassembler ! »

Il plongea littéralement dans la voiture et, sans prendre le temps de refermer sa portière, sortit son Glock et un autre chargeur de la boîte à gants. Puis il empoigna son téléphone, tout en continuant à hurler ses ordres aux deux sœurs qui le lorgnaient, abasourdies, les yeux écarquillés : « Faites vite ! Et surtout, dites-leur de venir armés ! »

Il passa la première et mit les gaz. Les portières claquèrent sous la seule force de l'accélération. Il enfonça la touche de la ligne directe qui le reliait à Morganstern. Pete avait toujours son portable sur lui… Il ne l'éteignait que lorsqu'il était en vacances ou en avion.

Il y eut une sonnerie, puis le répondeur prit la ligne. Nick poussa un juron tonitruant et raccrocha avant d'essayer le numéro personnel de Pete.

« Décroche, décroche, décroche ! » chantonna-t-il, tandis que la voiture gravissait la colline en direction de l'église.

Première sonnerie, deuxième… À la troisième, Pete décrocha.

« Ça n'est pas Brenner ! hoqueta Nick dans son combiné. C'est Stark ! Il se sert de Laurant pour se venger de moi. Il a tout manigancé depuis le début. Il s'apprête à les descendre, elle et Tom. Vite ! Envoyez-nous des renforts, Pete. Il nous tient tous en joue ! »

36

Donald Stark, mieux connu des habitants de Holy Oaks sous le nom de Justin Brady, cet ouvrier saisonnier si correct et si serviable, s'était posté derrière la rambarde de la tribune du chœur, où il attendait son heure. Il avait tant et tant espéré cet instant… L'apothéose approchait inexorablement. Le clou de la fête ! Ce serait son heure de gloire – et, pour Nicholas Buchanan, celle de l'expiation.

Son enthousiasme était cependant mis à rude épreuve par l'opiniâtreté du mulet. Buchanan ne cessait de trouver de nouveaux bâtons à lui jeter dans les roues et il lui faisait perdre de précieuses minutes, qui mettaient en danger son chef-d'œuvre.

Une fois de plus, sa tête émergea imperceptiblement du garde-corps, le temps de survoler d'un coup d'œil la foule massée dans la grande nef. En lui, les grondements de la rage se faisaient de plus en plus impérieux, et il dut rassembler ses énergies pour la contenir. Chaque chose en son temps…, se promit-il. Il regarda de nouveau en bas. Où était donc passé le mulet ? Un troisième coup d'œil le lui confirma : Buchanan avait quitté l'église – mais où avait-il pu aller ? Peut-être était-il tout simplement venu se placer à l'arrière, sous la tribune, hors de sa vue…

Or il devait s'en assurer. Il décida de se risquer à descendre, le temps d'en avoir le cœur net. Il le fallait. Rien de tout cela n'avait le moindre intérêt, si l'invité d'honneur manquait à la fête !

Toujours accroupi, il s'approcha du banc où il avait posé la clé de la tribune. Il allait la prendre quand il entendit grincer des pneus à l'extérieur. Se précipitant vers une fenêtre, il aperçut l'Explorer verte qui remontait en trombe l'allée menant au grand portail.

Tout vient en son temps à qui sait attendre, songea-t-il avec un sourire. Quelle merveilleuse coïncidence ! D'une seconde à l'autre, l'invité d'honneur allait faire son entrée dans l'église...

Il empoigna son fusil, ajusta la lunette télescopique et se mit en position, agenouillé près du trépied.

La caméra vidéo était braquée sur l'autel. Il enclencha la touche d'enregistrement. Le timing était un élément clé. Quel intérêt de descendre le petit curé et sa sœur, si le mulet n'assistait pas à la scène ? Pas le moindre ! Et il fallait surtout que le film en fasse foi, sinon comment pourrait-il se targuer d'avoir coiffé le FBI au poteau, sans ce document qui attesterait leur incompétence crasse ? Il savait depuis longtemps qu'il était infiniment plus brillant que toute cette flicaille réunie, mais, grâce à ce film, il le ferait constater de visu au monde entier. Ce serait une gifle monumentale, la preuve définitive de leur ineptie. Il allait les humilier, tout comme il l'avait été, lui, par Buchanan.

« Cette fois, tu t'es attaqué à trop forte partie ! » grommela-t-il dans un souffle que la haine faisait trembler. Ses doigts s'étaient déjà repliés sur le métal lustré de la détente et, sous la caresse de son index, il sentait la puissance du fusil prête à se réveiller.

Il attendit patiemment que le curé ait mené à son terme le rite du mariage, qu'il soit retourné derrière l'autel et qu'il ait commencé à dire la messe. Stark avait parfaitement préparé son plan. Il savait précisément où se trouverait chaque protagoniste. Il avait fait mine de s'affairer autour de la tribune pendant la répétition de la cérémonie, et il avait repéré la place des mariés et des principaux membres de leur suite : le garçon et la demoiselle d'honneur devaient aller s'asseoir en compagnie des jeunes époux et du prêtre, derrière l'autel, et s'installer ensuite à droite, sur des fauteuils, le long du mur sud. Ainsi, le curé et sa sœur seraient parfaitement centrés dans l'image.

La scène serait un pur chef-d'œuvre. Il s'occuperait d'abord du petit curé – une balle en plein front, quoi de plus spectaculaire dans un film ? Et, tandis que Buchanan resterait pétrifié d'horreur après avoir vu son meilleur ami s'écrouler sous ses yeux, il lui suffirait de faire pivoter son canon de quelques millimètres vers la droite en direction de Laurant. Ainsi, la caméra capterait aussi la réaction de la belle devant la mort de son frère. Stark se représenta avec délectation la lueur de folie qui lui traverserait le regard, à la seconde où il la tuerait. Un régal…, se dit-il, et un sourire lui courut sur les lèvres. Bam, Bam ! Bonne nuit, madame ! Il les descendrait tous deux avant que la foule ait compris ce qui se passait. Puis les invités bondiraient de leurs bancs, pour se précipiter vers les portes comme un troupeau affolé. Ce moment de chaos général lui laisserait tout loisir de descendre par la trappe qu'il avait ménagée dans le plancher de la tribune, derrière l'orgue. Il atterrirait dans le cagibi du vestibule et sortirait par la grande porte, masqué par le flot des ouailles hystériques. Et, pour ajouter au naturel de la scène, il se ferait un devoir – et un plaisir – de joindre sa voix à celles des brebis effarées !

Pas une seconde de battement, marmonna-t-il. Il avait tant à faire… Car, juste avant que la foule s'ébranle, pendant ces trois ou quatre premières secondes si précieuses, il se promettait aussi d'abattre Mark et Willie, installés au sixième rang, près de l'allée centrale. Peut-être était-ce pousser un peu loin ses ambitions, mais tant pis. Il se devait de débarrasser le monde de ces deux ignobles porcs. Pendant les quelques semaines où ils avaient cohabité, il en avait caressé le projet presque chaque soir. Deux ignobles larves, répugnantes et veules. Il les supprimerait, quitte à revenir, s'il ne pouvait s'occuper d'eux ce jour-là. Mais il ne se donnerait pas la peine de filmer leur mort. Ces deux porcs n'étaient pas dignes de passer à la postérité – pas plus que la petite grue de l'autoroute...

Il étouffa un gloussement en songeant au système d'ouverture de la porte du garage qu'il avait si astucieusement trafiqué. Il était relié à la télécommande du rétroviseur de son van. Personne ne soupçonnerait la supercherie. Bien sûr, le système n'ouvrait la porte d'aucun garage. Ça non, mon pote ! Une simple pression sur le bouton et bam ! Journal télévisé à onze heures !

Sacrée soirée en perspective... !

L'appareillage de Michelle lui interdisait de s'agenouiller long-temps. C'est ce qui avait décidé Tommy à marier le jeune couple dès le début de la cérémonie au lieu de le faire au milieu de la messe, comme de coutume. Tom plaçait de grands espoirs en ce jeune ménage. Christopher était un type bien, honnête et plein d'enthousiasme. Il avait foi dans les valeurs du mariage et de l'engagement, tout comme sa charmante épouse. Par le passé, ils avaient tous deux affronté de rudes épreuves qu'ils avaient su surmonter avec grâce et dignité. Tommy leur faisait confiance. Ils ne capituleraient pas devant les écueils de la vie à deux et tiendraient leurs engagements.

Il était fier et heureux de bénir leur union. Un sourire lui illumina le visage lorsque Christopher glissa l'anneau au doigt de Michelle, qui tremblait d'émotion. Christopher, lui, semblait calme et solide comme un roc – mais il dut tout de même s'y reprendre à deux fois.

Tommy leur donna sa bénédiction, puis il gravit les marches en direction de l'autel tandis que le chœur entonnait l'hymne *Ô trésor d'amour*. Ensuite les mariés, flanqués du garçon et de la demoiselle d'honneur, le suivirent derrière l'autel avant de se diriger vers leurs fauteuils, disposés le long du mur. Laurant se chargea de déployer à ses pieds la longue traîne de la mariée et prit place à côté d'elle. Ils ne se relèveraient plus avant la communion. Les deux enfants de chœur allèrent s'asseoir à gauche, de l'autre côté de l'autel, près de la porte de la sacristie.

Noah s'était posté près d'eux. Comme Tommy contournait l'autel, il remarqua que Noah s'était accroupi contre le mur. Il lui lança un regard noir et lui fit discrètement signe de se lever. Noah s'exécuta aussitôt.

Tommy se tourna vers les fidèles et, inclinant la tête, joignit les mains sur l'autel et fit une génuflexion.

C'est alors qu'il remarqua les fleurs. Une magnifique gerbe de lis, dans un vase de cristal oublié sous l'autel. Les fleuristes avaient dû le ranger là pour le mettre à l'abri pendant les préparatifs et, par la suite, celui ou celle qui avait arrangé la nappe de lin brodé sur l'autel avait dû oublier de remettre les fleurs en place. Presque machinalement, Tommy avança la main vers le vase, mais à peine l'eut-il soulevé qu'il aperçut, au-dessus, un minuscule voyant rouge qui clignotait dans sa direction.

Intrigué, il approcha la tête pour y regarder de plus près et découvrit un bloc oblong, fixé sous le plateau de marbre. On aurait dit une petite brique grise, emmaillotée de chatterton. Un faisceau de fils rouges, bleus et blancs émergeait du sparadrap et, juste au centre, clignotait l'inquiétant petit voyant.

Inutile d'y regarder à deux fois. C'était un pain de plastic. Vu sa taille, il devait y avoir là de quoi faire sauter toute l'église, et le compte à rebours était enclenché.

« Seigneur Dieu », murmura-t-il, paralysé d'horreur. Son cœur manqua un battement. Le premier choc passé, sa réaction fut de bondir sur ses pieds en hurlant « Sauve qui peut ! », mais il se reprit à temps. Pas de panique, se dit-il. Surtout pas... ! Ses mains étaient agitées d'un incoercible tremblement et il faillit renverser le vase, mais il le rattrapa in extremis.

Que faire ? Que faire... ! Toujours agenouillé, il se tourna vers Noah et lui fit signe d'approcher.

Noah se précipita vers lui. Sa première impression fut que Tommy se trouvait mal, ce que semblait corroborer son teint, d'un gris plus pâle que celui du marbre de l'autel.

Tommy dut s'y cramponner pour se hisser sur ses pieds. Comment faire sortir la foule sans mettre l'église sens dessus dessous ? Il n'était resté agenouillé que cinq ou six secondes, mais les fidèles commençaient déjà à s'agiter sur leurs bancs, en se demandant ce qui lui arrivait. Il s'appuya d'une main à l'autel et, de l'autre, souleva le vase tout en se relevant. Noah arriva près de lui au moment où il posait le bouquet de lis sur l'autel. Tom parvint à afficher un semblant de sourire, puis recula de quelques mètres pour pouvoir parler à Noah hors de portée du micro.

Noah vint se placer entre lui et l'assistance, le dos tourné au public. « Un problème ? » chuchota-t-il.

Tommy se pencha vers lui : « Il y a une bombe sous l'autel.

— J'y jette un œil », répliqua Noah en hochant la tête. Pas un muscle de son visage n'avait frémi.

Il fit face à l'assistance et, après s'être fendu d'une génuflexion et d'un signe de croix, conformément aux directives de Tommy, il s'agenouilla le plus naturellement du monde, comme s'il s'agissait du déroulement normal de la cérémonie. Baissant la tête, il lorgna sous le plateau de marbre. « Bon Dieu ! » souffla-t-il, et il tâcha de voir de quoi il retournait. Avec un peu de chance, il aurait pu avoir affaire à un système bricolé, relativement simple à désamorcer. Mais, d'un coup d'œil, il vit que c'était loin d'être le cas. Ce truc était beaucoup trop sophistiqué pour qu'il puisse prendre le risque de le bidouiller. Il leur fallait un véritable expert en déminage, qui saurait à coup sûr quel fil sectionner... Mais où dénicher une telle perle, dans ce patelin ?

Il se recula un peu, et son regard croisa celui de Tommy. « Je ne sais pas la désamorcer... »

Comme il se relevait, Tommy lui murmura : « OK. Nous allons les faire sortir. Je vais voir avec Christopher... Vous, occupez-vous des enfants de chœur. »

Tommy mit le cap sur le marié puis, s'arrêtant à mi-chemin, lui fit signe d'approcher. Il ne fallait pas que Michelle entende ce qu'il allait lui dire. Elle avait fixé sur lui un regard perplexe, puis s'était penchée pour murmurer quelque chose à l'oreille de Laurant, laquelle fit discrètement non de la tête – sans doute pour lui signifier qu'elle n'était au courant de rien.

Tommy avait pris Christopher à part : « Nous avons un

problème. Il faut faire évacuer l'église. Il y a une bombe sous l'autel. Tâchons avant tout de ne pas semer la panique, ajouta-t-il, en entendant le hoquet de surprise qui avait échappé au jeune homme. Voici ce que nous allons faire : trouvons un prétexte pour les faire sortir en bon ordre derrière vous et Michelle. Les invités vous suivront sans trop s'affoler.

— D'accord..., répondit Christopher, en réfléchissant à toute vitesse. La grotte... dites-leur de nous y accompagner. Sous prétexte d'une surprise que j'aurais préparée pour Michelle, par exemple...

— Parfait », souffla Tommy. Puis, se retournant vers l'autel, il empoigna le micro et dit : « Mes chers amis, Christopher vous invite à assister à une petite surprise qu'il a préparée pour la mariée. Si vous voulez bien vous lever, et suivre les deux époux jusqu'à la grotte au pied de la colline... »

Michelle avait quitté son fauteuil. Christopher la prit dans ses bras et l'entraîna vers la sortie.

« Mais qu'est-ce qui se passe ? s'enquit-elle, alarmée.

— Gardons le sourire, chérie... Nous devons faire évacuer l'église... »

Michelle passa son bras sous le sien avec un grand sourire et joua le jeu : « Tu crois qu'elle va me plaire, cette surprise ? » demanda-t-elle.

En guise de réponse, Christopher l'entraîna jusqu'au milieu du chœur et lui fit descendre les marches de l'autel, puis l'allée centrale.

« Quel enthousiasme ! » songea Laurant avec un sourire ému, en regardant Christopher qui se hâtait à présent vers les grandes portes et les franchissait presque au pas de course. Avec David, le garçon d'honneur, elle attendit la fin de l'annonce faite par Tommy pour emboîter le pas aux jeunes époux, à une cadence plus posée.

Le murmure qui avait parcouru la foule se mua progressivement en un brouhaha, puis en un fracas de piétinements et de pieds de chaise raclant le sol. Tous les invités s'étaient levés et convergeaient vers les allées pour sortir de l'église.

Perché sur sa tribune, Stark écumait. L'église se vidait sous ses yeux. Non ! hurla-t-il mentalement. Ce n'était tout simplement pas possible ! Ils ne pouvaient pas s'en aller ! Qu'est-ce que c'était donc cette surprise ? Qu'allaient-ils faire dans cette grotte ? Un détail avait dû lui échapper.

Son esprit s'emballait. Pas possible ! Intolérable ! Et Laurant qui quittait l'église avec les autres. Non, non, non ! Elle passait devant l'autel, s'apprêtait à remonter la nef... Tom, d'abord, puis elle... conformément au programme. Mais ce flic, cette charogne de flic qui était censé tout voir...

Le prêtre se penchait à nouveau vers le micro « J'engage ceux qui se trouvent près des portes latérales à emprunter ce chemin, pour gagner du temps... »

Stark en tremblait de rage. Il sentait fondre à vue d'œil le peu de contrôle qui lui restait encore, mais tout à coup, comme il s'apprêtait à bondir sur ses pieds pour tirer à l'aveuglette dans la foule, il vit s'ouvrir la porte latérale et il le reconnut : Nicholas Buchanan. Il venait de l'extérieur et tentait de se frayer un chemin en remontant le flot de la foule qui piétinait. « Tiens, tiens ! fit-il entre ses dents. Comme tout s'arrange ! » Il en aurait hurlé de joie. Il s'en fallut de très peu qu'il n'agite les bras pour l'accueillir. Nicholas, mon ami ! Quel plaisir de te voir enfin de retour !

Tout restait donc possible. En réagissant vite et bien, il pouvait encore rattraper le temps perdu. Il fit pivoter son fusil vers sa première cible. « On ne rigole pas, on ne rigole pas ! » se morigéna-t-il, mais il était en proie à une telle exaltation qu'il ne se contrôlait plus qu'à grand-peine. Il ajusta son viseur, l'index posé sur la détente. « Voilà, voilà... encore un peu de patience. »

Noah avait fait sortir les enfants de chœur. Il se retourna pour intercepter Laurant avant qu'elle s'engage dans la nef. Pas question de la laisser sortir de son champ de vision. Il les escorterait vers la sortie, elle et Tom.

Il se trouvait à trois ou quatre mètres derrière elle, quand il repéra le point lumineux qui dansait sur le mur derrière lui. Sa réaction fut instantanée. « Un fusil à lunette sur la tribune ! » cria-t-il, et, tirant son Glock de sa manche, il se rua sur Tommy.

Nick aussi avait vu le rayon laser longer l'autel en direction de Tommy, lorsque Noah avait lancé sa mise en garde. « Tout le monde à terre ! » cria-t-il en jouant des coudes parmi la foule.

Tommy n'eut pas le temps de se poser la moindre question. Il entendit une sorte de crachotement, tandis qu'un coin de l'autel volait en éclats. Noah avait crié quelque chose. L'instant d'après, il fit feu en direction de la tribune, tout en plongeant sur lui pour le plaquer au sol. Dans leur chute, la tête de Tommy heurta le plateau de marbre de l'autel et il s'affala, avec la sensation de sentir une masse inerte s'écrouler sur lui : c'était Noah, qui avait perdu connaissance. Tommy se dégagea tant bien que mal et entreprit de le tirer à couvert. Comme il s'efforçait de le retourner, il découvrit le flot de sang qui s'échappait de l'épaule gauche du policier.

Les cris des fidèles résonnaient dans toute l'église. Les allées étaient envahies par une foule hystérique. Nick avait dégainé son Sig Sauer et, tout en se frayant un chemin dans la cohue, avait empoigné de la main gauche le Glock chargé qu'il portait à la ceinture. Il sauta sur un banc et fit feu. Il tirait successivement de ses deux armes, pour tenter de tenir le tueur en respect.

Stark restait tapi derrière la balustrade. Que se passait-il ? Ce curé à la tignasse blonde qui avait soudain sorti un revolver et s'était mis à le canarder... Mais il n'avait pu tirer que quelques balles. Puis il avait vu Tom s'écrouler, ainsi que l'autre prêtre. Il avait la quasi-certitude de les avoir touchés l'un et l'autre...

À Laurant, maintenant... Stark releva de quelques millimètres le canon de son fusil et le braqua sur elle. Elle restait agenouillée au pied des marches de l'autel et s'efforçait de se relever, quand il tira. Elle repiqua du nez, mais il n'aurait su dire au juste où il l'avait touchée, s'il l'avait touchée. Les balles lui sifflaient aux oreilles. Il déposa son fusil et, se couchant à plat ventre, entreprit de crapahuter en direction de la trappe. La cassette... il fallait la récupérer. Les coups de feu continuaient à pleuvoir. L'un d'eux le manqua de peu, comme il avançait la main vers la caméra. Il ne pouvait pas se risquer à découvert pour l'atteindre, mais il ne pouvait davantage partir sans la bande. Il rampa vers la prise électrique située derrière l'orgue et tira sur le câble. Les cris et le sifflement des balles lui vrillaient les oreilles. La caméra s'écroula et s'abattit sur le sol dans un fracas de métal et de verre brisé. Il la ramena vers lui en tirant sur le câble. Une seconde plus tard, il s'emparait de la cassette et la fourrait dans la poche de son coupe-vent, dont il referma la fermeture Éclair. Puis il rampa derrière l'orgue et souleva la trappe. Il y passa d'abord les pieds et se laissa glisser jusqu'à la petite plate-forme qu'il avait aménagée dans le plafond, au-dessous de lui. Après quoi, levant la main, il rabattit la trappe et fit glisser le verrou qui la maintenait.

Dans le vacarme ambiant, il était hautement improbable que quiconque remarque le bruit de sa chute. Il atterrit dans le placard du vestibule, dont il entrouvrit la porte pour glisser un œil à l'extérieur. Le vestibule était désert, mais il entendait la rumeur de la foule qui se déversait par la grande porte. Il traversa le vestibule, sortit et se glissa dans la bousculade, jouant des coudes pour se frayer un chemin. Une vieille dame se pendit à son bras pour ne pas perdre l'équilibre et, en vrai gentleman, il la prit sous son aile et l'aida à franchir le bouchon.

Il jeta un coup d'œil par-dessus son épaule et dut lutter contre une furieuse envie de rire. Nick devait être toujours à l'arrière, luttant pied à pied pour arriver à la grille de la tribune. Il finirait bien par atteindre l'escalier... mais découvrirait-il la trappe ? C'était peu probable. Elle était trop habilement dissimulée. Il se représentait la scène – le mulet se grattant le crâne d'un air perplexe. Où était donc passé ce bon petit Justin Brady ? – car c'est Justin que le mulet chercherait... Mais quand Nick le croiserait à nouveau, Stark savait que l'agent fédéral ne reconnaîtrait pas le jeune fermier modèle. Plus de barbe, les cheveux plus longs et d'une autre couleur, coupés et coiffés très différemment. Il changerait aussi la couleur de ses yeux – plus verts peut-être, ou plus bleus. Il avait à sa disposition toutes les couleurs de l'arc-en-ciel...

Stark aimait à se voir comme un virtuose du travestissement. Quelques petits changements très subtils, c'était la clé du succès en la matière. Jamais rien de trop appuyé – un soupçon de ceci, un rien de cela... Ce jour-là, sa propre mère ne l'aurait pas reconnu ! Bien sûr, là où elle était – au fond de sa cour, sous ses pétunias qu'elle aimait tant –, cette bonne Millicent n'y voyait plus grand-chose. Mais si elle avait pu l'admirer dans son accoutrement de fermier du Nebraska, elle l'aurait sûrement trouvé irrésistible !

Une fois dehors, il ne laissa pas partir la vieille ; il l'entraîna dans son sillage jusqu'au coin du bâtiment. Puis il longea le pied du mur pour que le mulet ne puisse le voir, s'il avait réussi à grimper sur la tribune et s'il songeait à regarder par la fenêtre.

La vieille pleurnichait, à présent. Comme ils arrivaient à la porte latérale, d'où la foule sortait toujours, elle se débattit et tenta de lui échapper : « Laissez-moi, voyons ! Laissez-moi partir ! Je dois retrouver mon mari ! »

Il la repoussa sans ménagement et l'envoya s'affaler dans les buissons. Puis il s'élança à travers la foule après avoir jeté un dernier regard derrière lui.

Il étouffa un petit gémissement de frustration. Le prêtre sortait à son tour. Les fidèles s'écartèrent sur son passage. Il portait l'autre, le blond. Sa chasuble blanc et or était souillée de sang, mais lui-même semblait sain et sauf. Puis il vit Laurant... Dieu tout-puissant ! Elle venait de franchir la porte sur les pas de son frère...

Il fut si abasourdi de les voir tous deux vivants qu'il faillit laisser libre cours à sa rage. Il battit en retraite contre le mur, l'épaule appuyée à la pierre fraîche. Que faire ? Il n'avait guère le temps d'échafauder un plan – maintenant, chaque seconde comptait... et il devait à tout prix saisir cette occasion qui se présentait de façon aussi inespérée.

Tom était à présent environné par la foule. Du point où il se trouvait, Stark le vit se décharger de son fardeau, allonger délicatement le blessé sur l'herbe, puis s'agenouiller – sans doute pour

432

lui murmurer des prières à l'oreille... Comme s'il avait suffi d'une prière pour infléchir le cours des choses !

À ceci près que ce type n'était pas un prêtre... Il avait caché un flingue sous sa soutane. C'était donc un flic... Un flic travesti. Comment osaient-ils le manipuler aussi grossièrement... ? Oui, c'était bien un flic. Et il n'en avait plus pour longtemps.

Stark se serait damné pour pouvoir abattre Tom sur-le-champ, mais, pour l'instant, il n'aurait pu ajuster convenablement son tir : le prêtre était entouré de trop de gens qui grouillaient en tous sens, comme une bande de poulets décérébrés. Le regard de Stark tomba alors sur Laurant. Pas d'hésitation..., se dit-il. Elle restait prostrée près de la porte, appuyée contre le mur, hors du passage. De temps à autre, elle se retournait et se hissait sur la pointe des pieds, pour tenter de voir à l'intérieur. Une dizaine de mètres à peine le séparaient d'elle. Il s'avança à pas comptés, toujours en rasant le mur. Elle semblait totalement désemparée – ce qui était pour lui un atout. Il sortit son revolver de sa poche et le dissimula sous sa veste.

« Laurant... », gémit-il, d'une voix qui se voulait plaintive. Il marchait plié en deux, baissant la tête, mais il la relevait de temps à autre, pour jeter un coup d'œil vers elle en appelant à nouveau.

« Laurant ! Au secours... ! J'ai reçu une balle... Vite, venez m'aider ! » Il s'approchait en titubant.

Laurant avait reconnu la voix de Justin Brady, et elle s'élança aussitôt vers lui.

Il fit mine de s'effondrer avec un grognement de douleur. Il était criant de vérité dans son rôle. Il se serait volontiers décerné un oscar !

Comme Laurant se précipitait vers Justin, elle sentit une douleur fulgurante lui transpercer le mollet droit. Elle avait dû se blesser dans la mêlée, lorsqu'elle avait été bousculée par les gens qui se battaient pour atteindre la sortie... Un filet de sang ruisselait sur sa cheville.

Elle boitait un peu, mais cela ne l'empêcha pas d'accourir... quand soudain, au bout de quelques pas, elle s'arrêta net.

Quelque chose ne cadrait pas. La voix de Nick lui résonnait encore aux oreilles : « Ne croyez personne sur parole... » Et son regard avait capté un détail étrangement discordant.

Justin la vit hésiter, puis reculer. Il gardait sa main droite cachée sous sa veste, maintenant son arme à son côté, et continuait d'avancer, plié en deux, tombant à genoux et se relevant, comme tenaillé par la douleur.

Mais elle n'y croyait visiblement plus. Pourquoi... ? Que regardait-elle ? Sa main. Ses yeux restaient fixés sur sa main. D'un coup d'œil, Stark comprit : il avait oublié d'ôter son gant de latex. Exaspéré par sa propre négligence, il bondit sur elle comme un fauve. Elle allait faire demi-tour, et hurler pour alerter Nick, lorsqu'il lui imposa silence d'un coup de crosse à la base du crâne.

Vite, vite ! se répéta-t-il mentalement. Emmène-la. Emmène-la. Elle avait perdu connaissance et s'effondrait à terre, mais il lui passa un bras autour de la taille et la retint avant qu'elle touche le sol. Il la tira en arrière et lui fit franchir le coin de l'église. Les portes laissaient passer les derniers fidèles, à présent, et les gens s'attroupaient sur le parking, mais personne ne lui prêta la moindre attention. Personne ne voyait le canon de son arme, appuyé sous le sein de Laurant et dirigé vers son menton. Si quiconque s'était avisé de se mettre en travers de son chemin, il n'aurait pas hésité une seconde à faire sauter cette charmante petite cervelle...

Mais il ne voulait pas la tuer – pas pour l'instant, du moins. Il lui restait encore quelques détails à régler. Il avait de grands projets pour elle. Il l'enfermerait dans le coffre de sa deuxième voiture – une vieille Buick au moteur trafiqué dont les mulets ignoraient l'existence –, puis il l'emmènerait dans un endroit sûr. Les bois étaient semés de cabanes abandonnées. Il n'aurait aucun mal à trouver l'endroit adéquat. Il la laisserait là, bâillonnée et ficelée comme un rôti, pour pouvoir aller faire ses emplettes. Il lui fallait un autre Camescope. Ce qui se faisait de mieux, bien sûr. Pour un tel chef-d'œuvre, pas question de se contenter du tout-venant... Ainsi qu'une douzaine de bandes vierges. Puis il reviendrait filmer la mort de sa merveille des merveilles, en différant le plus longtemps possible l'inévitable, pour repousser autant que possible les limites du plaisir... Et enfin, lorsque la dernière étincelle de vie aurait quitté ses yeux, il n'aurait plus qu'à rembobiner les bandes, pour pouvoir revivre pas à pas cette glorieuse immolation. Il savait d'expérience qu'il en tirerait des heures et des heures de volupté, qu'il regarderait les cassettes encore et encore, jusqu'à ce qu'il en ait gravé en lui le moindre détail, le moindre sursaut de peur et de douleur, le moindre cri... Il ne trouverait le repos que lorsqu'il serait complètement rassasié.

Puis il se débarrasserait du corps dans les bois et, une fois rentré chez lui, il dupliquerait les bandes en autant d'exemplaires qu'il avait de gens à impressionner. Nick le premier, bien sûr. Ce minable qui avait eu la prétention de se mesurer au maître... Il recevrait ce petit souvenir, cette preuve accablante de son inefficacité et de son impuissance. Il réservait une autre bande aux sommités du FBI, qui y verraient peut-être un bon instrument d'entraînement pour la formation de leurs futures recrues. Il en garderait quelques-unes pour son usage personnel car, à la longue, même les meilleures cassettes finissent par s'user. Quant à la dernière, il la mettrait aux enchères sur Internet. Bien qu'on ne puisse le compter parmi les esclaves du tout-puissant dollar et que le fric n'ait jamais été pour lui qu'une gratification très secondaire, une confortable petite cagnotte lui assurerait la marge de manœuvre nécessaire pour la recherche de sa prochaine partenaire – et cette bande pouvait lui rapporter une petite fortune. Il ne manquait pas d'acheteurs fortunés surfant sur Internet et prêts à tout pour satisfaire leurs penchants les plus inavouables.

Il laissa Laurant glisser à terre, tandis qu'il cherchait les clés du van. Tels qu'ils étaient placés, entre deux véhicules, personne ne les voyait. Il déverrouilla la portière latérale, la fit coulisser et souleva Laurant pour la hisser à l'intérieur. Comme il refermait la portière, un pan de soie pêche y resta pris, mais il était trop pressé... il renonça à la rouvrir. Il en prit mentalement note et fut un instant mortifié de sa propre négligence, mais bon… tant pis ! Tout pouvait basculer d'un instant à l'autre. Chaque seconde comptait, dans ce tourbillon d'événements – n'avait-il pas omis d'ôter son gant, quelques minutes auparavant ? Il contourna précipitamment le capot du van, et il s'apprêtait à s'installer au volant, quand il aperçut l'ambulance qui remontait laborieusement l'allée encombrée par la foule et les autres véhicules, en faisant hurler ses sirènes.

Il comprit aussitôt qu'il lui fallait renoncer à emprunter cette voie, qui était pourtant la seule vers le grand portail de l'enceinte. « Pas l'ombre d'un problème ! » grinça-t-il entre ses dents. Il mit le contact et fit grimper ses roues sur le trottoir, puis il accéléra à fond. Le véhicule fut brusquement propulsé en avant et plongea dans un parterre de rosiers. Comme une branche hérissée d'épines fouettait le pare-brise au passage, Stark baissa la tête pour l'esquiver, comme si elle avait pu le gifler à travers la vitre. Il appuyait à fond sur l'accélérateur. Le van était lancé à toute allure, à présent. Il dégringolait la colline, bringuebalant et rebondissant sur chaque bosse du terrain. Stark se sentait des ailes.

Il jeta un coup d'œil à son rétroviseur et partit d'un grand éclat de rire. Personne ne le suivait. Il s'en était sorti comme une fleur !

Peut-être le moment était-il bien choisi… S'il les envoyait tous *ad patres*… ? Le détonateur était juste au-dessus de lui, fixé à son rétroviseur comme la télécommande d'une porte automatique.

Non… Mieux valait s'en tenir au plan initial, que Laurant puisse profiter du spectacle. Il ferait sauter l'abbaye au moment de quitter la ville. Il avait déjà choisi son point de vue. La meilleure place, au premier balcon, autant dire : au sommet d'une colline, à bonne distance de l'agglomération. Quel feu d'artifice en perspective ! De leur point de vue, ils verraient chaque brique voler en éclats. Seigneur… ça aussi, il faudrait le filmer et envoyer la bande à toutes les chaînes nationales, pour le JT de onze heures – ouais, mon pote !

« *Nous n'irons plus au bois, les lauriers sont coupés...*
Réveillez-vous, la belle, venez les ramasser...
Laurant... Debout, c'est l'heure !* »

Consultant sa montre, il s'avisa que tout cela ne lui avait guère pris plus que quelques minutes... quand un hurlement de pneus lui fit relever la tête. Dans son rétroviseur, il reconnut l'Explorer verte qui s'engageait à sa poursuite. Le monospace arrivait en vrombissant. Stark avait peine à en croire ses yeux. La rage le submergea. « Ça, pas question ! » cria-t-il en tapant du poing sur son volant.

Stark bifurqua dans la grand-rue sur les chapeaux de roues, écorchant au passage une voiture en stationnement, et fit une violente embardée avant de repartir de plus belle pour virer en trombe au coin suivant. Il avait pris la direction du parc. Le van faillit verser à l'intersection suivante, qu'il franchit sur deux roues, mais Stark contre-braqua et parvint à rétablir son véhicule. Un dernier virage, négocié à toute allure, l'amena en vue de l'entrée du parc, celle de derrière, qui donnait sur la réserve du parc naturel.

L'Explorer restait invisible. Semé, le mulet ! Stark s'esclaffa. Il dut ralentir pour emprunter l'allée piétonne, ordinairement réservée aux amateurs de jogging. Le van tressautait sur l'étroit ruban d'asphalte. Ses roues gauches dérapaient sur le bas-côté rocailleux.

Il crut entendre un grognement du côté de sa passagère, et dut se retenir de franchir d'un bond le dossier de son siège pour se précipiter sur elle et l'écorcher vive à mains nues. Sa rage l'aveuglait davantage de minute en minute. Les idées bouillonnaient dans sa tête à une cadence telle que toute concentration lui devenait impossible ou presque. Il ajusta son rétroviseur pour garder un œil sur elle. Elle gisait sur le côté, recroquevillée, inerte. D'elle il ne voyait que son dos. Son imagination avait dû lui jouer un tour, se dit-il.

Il était tellement absorbé dans son observation qu'il faillit précipiter le van dans le lac et dut braquer au dernier moment pour le ramener sur l'allée. Puis il remit le rétroviseur en position normale pour surveiller la route derrière lui. À cet endroit, l'allée décrivait une courbe qui le contraignit à ralentir encore. Mais ses pensées, rien ne pouvait les empêcher de s'emballer... Il jeta un coup d'œil par-dessus son épaule... mais ne vit plus Laurant, à l'arrière. Non... c'était Tiffany. La petite grue de l'autoroute. Il secoua la tête, s'efforçant de reprendre pied dans la réalité – et, tout à coup, Laurant fut là à nouveau.

Il aurait voulu pouvoir faire halte un instant. Fermer les yeux. S'éclaircir les idées. S'organiser, surtout. Et de toute urgence. C'était son rempart : tout prévoir, tout planifier, jusqu'au détail le plus infime. Il détestait les surprises. C'était précisément ce qui l'avait tant déstabilisé, ce jour-là..., songea-t-il.

Ce chapelet de mauvaises surprises. À commencer par ce prétendu curé qui avait bondi devant Tom pour riposter à ses coups de feu. Ce curé qui n'était pas plus curé que lui ! Ce petit fumier de mulet qui avait réussi à le prendre en défaut. L'idée même lui était inconcevable.

Oui. C'était ce qui l'avait déstabilisé. Ils l'avaient poussé à l'erreur. Il se vidangea vigoureusement les poumons. Il reprenait possession de lui-même. Sa concentration lui revenait... Ses idées ne s'entrechoquaient plus dans sa tête. Le parfait contrôle – c'était la condition de base. Il fallait le reprendre à tout prix.

« Nous arrivons, ma jolie ! » chantonna-t-il pour Laurant. Il ralentit afin de se frayer un chemin entre les pins qui le séparaient du chemin principal, zigzaguant autour du lac. Une fois arrivé dessus, il put à nouveau accélérer. Il avait laissé sa Buick à deux cents mètres de là, dans le sous-bois, derrière une cabane abandonnée. La masure n'était pas encore en vue, mais elle était là, quelque part... Elle l'attendait.

« Nous y sommes presque... », répéta-t-il. Ils approchaient de l'entrée principale du parc. Il lui suffirait de la dépasser, puis de suivre la grande courbe que décrivait l'allée. Il cacherait le van dans la verdure.

Il allait dépasser un chemin qui menait à un bungalow, lorsqu'il aperçut à nouveau l'Explorer. Elle franchit en trombe l'entrée principale, et dut ensuite ralentir dans le virage.

« Pas de ça ! » Stark freina brutalement. Il n'avait plus le temps. Plus question de faire demi-tour, pour tenter de semer le mulet. Diable... ! Que faire... Que faire ! « Non, non, non, non ! » chantonna-t-il, en s'engageant sur le sentier qui menait au bungalow.

Cinquante mètres plus loin, il s'arrêta, empoigna son arme et sauta à terre. Ayant démonté les poignées intérieures, à l'arrière du van, pour que ses petites amies ne puissent s'échapper pendant qu'il était au volant, il dut contourner le véhicule au pas de course pour ouvrir de l'extérieur.

Glissant son revolver dans sa veste, il prit Laurant à bras-le-corps. Il avait un nouveau plan. Oui... Tout était encore possible. Il la transporterait jusqu'à la pénombre protectrice du bungalow et la besognerait sur place, toutes portes verrouillées. Le mulet serait coincé à l'extérieur et essaierait d'entrer. Il entendrait les cris de la belle, impuissant... et là, il finirait par commettre une erreur. La dernière...

Laurant revint brusquement à elle, sans torpeur. Elle émergea instantanément du brouillard et se mordit les lèvres pour ne pas hurler. Un affreux goût de bile lui brûlait l'arrière-gorge.

Elle était dans sa fourgonnette ! Ses pieds et ses mains n'étaient pas entravés, mais elle se garda bien de bouger d'un cheveu. Il aurait pu la voir dans son rétroviseur, ou l'entendre remuer. Elle risqua un rapide coup d'œil et repéra une boîte à outils, contre la portière arrière. Mais il lui fallait bouger pour l'atteindre. Pouvait-elle sortir de ce côté ? Ouvrir la portière, sauter ? Seigneur... où était la poignée ? Clignant les yeux dans la pénombre, elle finit par distinguer le trou béant qui en tenait lieu. Le dément l'avait dévissée. Pourquoi... ? Elle n'osait pas bouger suffisamment pour voir ce qu'il en était de celles des portes latérales, mais elle commençait à soupçonner qu'elles aussi avaient disparu.

Elle s'efforça de réprimer les tremblements qui l'agitaient et risquaient de la trahir. Une embardée plus forte que les autres la propulsa contre le dossier du siège avant, avant qu'une autre secousse la ramène vers l'arrière. Elle sentit contre son côté le contact d'un objet métallique... l'épingle à nourrice... Elle parvint à l'attraper, tenta de l'ouvrir... Ses doigts fébriles s'acharnaient dessus sans succès. Enfin, le fermoir céda. Elle étouffa de justesse le grognement sourd qui lui avait échappé. Elle détendit l'épingle, la travailla pour la dérouler, sans savoir au juste à quoi cela pourrait lui servir – mais c'était désormais sa seule arme. Peut-être pourrait-elle espérer l'atteindre à la gorge ou au visage ? Des larmes lui piquaient les yeux. Sa tête l'élançait douloureusement, et la moindre pensée exigeait d'elle un effort surhumain. Que faisait-il ? La surveillait-il ? Avait-il une arme ? Peut-être pourrait-elle le prendre par surprise... Bondir sur lui par-derrière ? Millimètre par millimètre, elle tâcha de ramener ses jambes sous elle, dans l'espoir de se retourner et de sauter sur ses pieds. Ensuite, le saisir à la gorge, lui précipiter la tête sur le volant... Mais quelque chose la retenait – sa robe ! Le tissu s'était pris quelque part.

Tout à coup, le véhicule s'immobilisa. Elle reprit l'épingle, qu'elle avait laissée tomber à terre. Elle entendit s'ouvrir la portière avant. Où allait-il ? Que voulait-il faire ?

Bon Dieu... Il vient me chercher !

Elle se prépara mentalement. Elle se cala l'épingle entre l'index et le majeur, juste au-dessous de l'articulation. Le petit fermoir métallique lui blessa la paume tandis qu'elle le repliait en un petit crochet qui viendrait s'ancrer solidement autour de son doigt, n'en laissant dépasser que l'extrémité acérée. Elle dissimula le tout sous son autre main.

Seigneur, faites qu'il n'ait pas son arme au poing. Seigneur... faites qu'il ne l'ait pas ! S'il était armé, elle ne pourrait rien faire. Il la tuerait avant même qu'elle puisse l'atteindre. *S'il est armé, j'attends. Peut-être me chargera-t-il sur son épaule... En ce cas, il devra ranger son arme.*

Lorsque la portière latérale s'ouvrit, elle sentit le véhicule trembler sous elle. Elle avait fermé les yeux, paupières serrées, et priait en silence en ravalant ses larmes.

Mon Dieu, aidez-moi... Aidez-moi !

Elle entendit son souffle hargneux. Il lui empoigna les cheveux et l'attira à lui. Lorsqu'il se pencha pour la sortir du véhicule, elle eut le temps d'entrouvrir les yeux et de localiser le revolver. Il la hissa sans grand effort sur son épaule gauche.

Il était d'une vigueur peu commune, effrayante. Il partit au pas de course en la portant sur l'épaule, comme si elle n'avait pesé guère plus qu'une pellicule sur son col de veste. Elle avait ouvert les yeux, mais n'osait toujours pas lever ou tourner la tête, de peur qu'il ne sente son mouvement. Tant qu'il la croirait évanouie, il ne la surveillerait que d'un œil... Elle reconnut les lieux : ils étaient sur le chemin menant au bungalow du prieur.

Elle distingua le bruit d'un moteur qui approchait. Le dément lâcha une bordée d'injures et gravit d'un bond les marches de bois. Arrivé devant la porte, il s'arrêta net.

Il dut tenter de tourner la poignée, mais la porte était fermée à double tour. Un instant plus tard, un coup de feu partit à quelques centimètres de son visage. La crispation qui l'avait parcourue n'avait pas dû échapper à Stark.

Dans sa hâte, il envoya un violent coup de pied dans la porte qui sortit de ses gonds. Il actionna l'interrupteur mural qui commandait deux lampes – l'une sur une console près de l'entrée, et l'autre sur une table installée là-haut, sur la mezzanine. Sans se décharger de son fardeau, il courut à travers la pièce principale en direction de la cuisine. Là, il posa son revolver sur l'un des plans de travail et ouvrit les tiroirs à la volée, répandant leur contenu.

« Ah ! Nous y voilà ! » exulta-t-il en ouvrant le tiroir des couteaux. Il s'empara du plus imposant d'entre eux. Un long couteau à découper, dont la lame semblait passablement émoussée – mais quelle importance ! Cette fois, il n'avait pas l'intention de se lancer dans un travail d'orfèvre. Il était pris de court et cet instrument conviendrait parfaitement pour ce qu'il avait à faire...

Attrapant son arme au passage, il fit demi-tour et revint dans le living en dégageant le chemin à coups de pied dans les meubles et les tiroirs renversés. Il laissa choir son fardeau au beau milieu de la pièce. Laurant s'écroula sur une table basse, s'écorchant le côté gauche.

Il attendit qu'elle soit affalée, puis, l'attrapant par les cheveux, la força à se mettre à genoux.

« Ouvre les yeux, salope ! Regarde cette porte... Regarde ce qui va arriver à ton mulet, quand il la franchira pour venir à ton secours ! »

Tout en parlant, Stark s'avisa qu'il tenait dans la même main le couteau et la crosse de son arme, et fit passer le couteau dans sa main gauche. « Allons bon... ! fit-il. À quoi je pense ? Comme si on pouvait jouer à la fois du flingue et du couteau ! Regarde par ici, ma jolie. Tu vois ce que je te prépare ? »

Elle était toujours agenouillée. Il s'accroupit derrière elle. Elle lui ferait un rempart de son corps. Il lui brandit le couteau sous le nez. « Alors... qu'est-ce que tu en penses ? Qu'est-ce que je vais faire de ça, à ton avis ? »

Il ne s'attendait certes pas à l'entendre répondre, mais il fut néanmoins déçu par sa totale absence de réaction à la vue de la lame. Pas un cri. Pas une larme. Mais tout ça viendrait en son temps... Oh, que oui ! Il savait comment parvenir à ses fins. Il était toujours le maître. Il lui entailla le bras gauche et eut un gloussement de satisfaction en entendant son cri. Le filet de sang qui ruisselait le long du bras de Laurant parut l'émoustiller, car il frappa de nouveau. « Bien, ma petite. Bien, très bien ! Encore ! Continue ! l'encouragea-t-il d'une voix de dément que l'excitation faisait grimper dans le suraigu. Je veux que Buchanan t'entende. »

Il laissa s'écouler quelques secondes, toujours accroupi derrière elle. Il avait passé le bras autour de ses épaules et la maintenait contre lui, son arme à présent braquée vers la porte ouverte. La tête baissée, il glissait un œil de temps à autre vers la porte. Il lui entailla la peau une fois de plus, pour le plaisir. Mais elle garda le silence. Il posa alors la pointe de la lame sanglante contre sa carotide.

« On fait du zèle, Mlle Iceberg ? Quand je voudrai te faire crier, tu crieras, nom de Dieu ! »

442

Elle ne put réprimer un gémissement, qui lui arracha un sourire. « Ne t'en fais pas. Je ne vais pas le tuer tout de suite, ton cher mulet ! Je veux d'abord qu'il assiste à ta mise à mort. Œil pour œil..., chantonna-t-il. Mais qu'est-ce qu'il fabrique ? Qu'est-ce qu'il a derrière la tête ? Tu crois qu'il essaie de rentrer par la porte de la cuisine ? Mais non ! Il n'y a pas de porte, là, derrière – ça serait difficile, pas vrai ? »

Sa propre voix lui avait masqué un léger craquement provenant de la mezzanine. Nick était entré par la fenêtre de la chambre, au premier. La branche grâce à laquelle il s'était hissé jusque-là avait cédé juste au moment où il prenait pied sur le rebord de la fenêtre, mais le vacarme qui régnait au rez-de-chaussée avait couvert le bruit de sa chute.

La porte de la chambre était ouverte. Nick se coula dans l'entrebâillement. De là, il apercevait Laurant et Stark au centre de la pièce principale, face à la porte d'entrée. Nick avait son revolver à la main et son Glock passé dans la ceinture, à l'arrière. Il ne pouvait malheureusement pas tirer sur Stark sans risquer d'atteindre Laurant. Il ne pouvait pas davantage les rejoindre en empruntant l'escalier. Que faire ?

Levant la tête, Laurant vit sur le plafond une ombre qui se mouvait avec une infinie lenteur. Nick était là-haut – mais, d'un instant à l'autre, Stark aussi allait remarquer l'ombre.

« Pourquoi faites-vous tout ça, Justin ?

— Ta gueule. J'ai besoin d'écouter ce qui se passe dehors. Je veux savoir quand le mulet va se décider à faire son entrée.

— Vous êtes allé trop vite pour lui. Il n'a pas dû voir votre van prendre le chemin du bungalow et a continué vers le nord... Il doit être de l'autre côté du lac, à l'heure qu'il est. »

Stark tendit un instant l'oreille, dans l'espoir d'entendre un bruit de pas sur les graviers. Il se fendit d'un grand sourire : « Un peu que j'ai fait vite ! C'est pas un petit con de mulet qui pourrait m'en remontrer sur ce terrain !

— Les mulets, pour vous, c'est le FBI ?

— Oui, gloussa-t-il. Vous êtes futée, vous, hein ? »

Il fallait à tout prix continuer à alimenter la conversation. Le faire parler. Détourner son attention de la mezzanine. « Pas autant que vous, Justin. Mais pourquoi m'avoir choisie ? Pourquoi me détestez-vous à ce point ? »

Il promena sur sa joue son pouce ganté de latex : « Taisez-vous, fit-il. Je ne vous hais pas. Au contraire, je vous aime…, roucoula-t-il. Mais le Tombeur est un bourreau des cœurs ! Il aime les briser.

— Pourquoi moi ? » insista-t-elle. Elle baissait la tête, mais ses yeux restaient levés vers l'ombre qui approchait en silence, centimètre par centimètre.

« Au départ, ça n'avait rien à voir avec vous, répondit-il. C'était le mulet… Il a tué ma femme et s'en est vanté dans la presse. Il n'a rien trouvé de mieux à faire… Tout ce temps, toute cette énergie que j'avais investis dans sa formation… envolés, perdus, irrémédiablement ! En elle et à travers elle, j'avais visé la perfection et elle allait l'atteindre. Mais Buchanan l'a tuée, et ils l'ont salué comme un héros. Il a brisé ma vie et ils ont crié à l'exploit ! Il avait fait preuve d'une telle perspicacité, disaient les journalistes. D'un tel flair… Comment aurais-je supporté cet affront ! Je me devais de leur démontrer qui est le véritable maître du jeu ! »

La cruauté haineuse qui avait vibré dans sa voix la fit grimacer. Inutile de lui poser d'autres questions. Il semblait avoir décidé de faire d'elle sa confidente et le flot de ses paroles se déversait de lui-même, à présent, et de plus en plus vite, comme s'il avait tenu à lui en raconter le plus possible, pour se vanter de la manière dont il avait berné le FBI.

« Quand j'ai lu cet article décrivant en détail l'exécuteur de ma femme, j'ai compris que je n'avais plus le choix. Je devais la venger. L'article parlait de votre frère, de leur enfance commune, à lui et à Nicholas. J'ai d'abord songé à tuer Tom et à m'occuper ensuite de la famille du mulet, mais, à la réflexion, pourquoi me risquer sur le terrain de l'adversaire, alors que Holy Oaks était l'endroit rêvé pour la mise en œuvre de mon plan ? Un si joli petit patelin, si commodément isolé du reste du monde ! J'ai mené mon enquête, rassemblé toutes les informations nécessaires sur Tommy – imaginez ma joie, le jour où j'ai découvert votre existence !

» Mais depuis le tout début, c'était Nick que je visais, ricana-t-il. Jusqu'à ce que je vous rencontre. Là, vous m'avez aussitôt conquis. La première fois que j'ai rencontré ma femme, j'ai été frappé par ce je-ne-sais-quoi en elle qui m'évoquait ma mère. Avec vous, c'est pareil, Laurant. Je sens en vous cette ressemblance, cette aura de perfection. Dans d'autres circonstances, je vous aurais prise comme disciple. Je vous aurais formée, vous aussi... Mère s'en est allée, à présent. Plus rien ne justifiait de la garder en vie. Elle était la perfection même, et il fallait agir vite...

— Qui était Millicent ? enchaîna-t-elle aussitôt. A-t-elle réellement existé ?

— Vous, vous avez écouté la bande, on dirait ! »

Elle sentit son mouvement de tête affirmatif contre son épaule et capta une bouffée d'eau de toilette sucrée, mêlée aux relents aigrelets de son haleine.

« A-t-elle réellement existé ? répéta-t-il. Peut-être...

— Combien de femmes avez-vous déjà tuées ?

— Aucune, répondit-il. Mère ne compte pas – peut-on tuer la perfection ? Et les catins non plus, ça ne compte pas. Alors, voyez-vous... vous serez la première. »

Il avait repéré l'ombre. Il sursauta, s'agrippa plus fort à Laurant, la faisant passer d'un côté à l'autre de son corps et cria : « Je vais la buter, je vais la buter ! Jette ton arme, Buchanan ! Tout de suite. Tout de suite... Tout de suite ! »

Nick apparut au centre de la balustrade de la mezzanine. Il leva les mains sans lâcher son arme. La table de la salle à manger était juste en dessous... Si seulement il pouvait enjamber la balustrade...

Stark restait accroupi derrière Laurant, il s'efforçait de la faire pivoter avec lui afin de pouvoir faire face à l'escalier tout en restant à couvert.

« Lâche ton flingue, cria-t-il encore Et descends ! Viens te joindre à notre petite sauterie !

— Tu ne t'en sortiras pas, cette fois ! » grinça Nick. Il lisait dans les yeux de Laurant une douleur immense, mêlée de terreur. Si seulement il arrivait à éloigner Stark d'elle, ne fût-ce qu'une fraction de seconde, il pourrait tirer avant d'être lui-même atteint.

« Oh, que si, je m'en sortirai ! Sans problème. Je vous tue, la belle et toi, et je tire ma révérence ! Tes crétins de collègues seront sur la piste d'un certain Justin Brady, fermier dans le Nebraska. Jette ton arme ou je lui tranche la gorge ! »

Nick obéit. Son Sig Sauer tomba presque sans bruit, à ses pieds, sur le tapis de la mezzanine. « Plus loin ! hurla Stark en agitant son arme. Éloigne-la d'un coup de pied ! »

Nick obéit encore, mais abaissa imperceptiblement les mains à hauteur d'épaules. Chaque instant compterait. Il voulait avoir les mains le plus près possible de la balustrade, pour pouvoir l'enjamber à la première occasion.

« Je te tiens, mon vieux mulet ! s'exclama Stark. Qui est le maître, à présent, hein ? Où est-il, notre héros ? Ils ne me retrouveront jamais. Jamais ! Ils ne savent même pas qui je suis !

— Bien sûr que si. Nous étions au courant de tout depuis le début, Donald Stark ! Nous n'ignorons rien de vous. Producteur de films pornos minables, pitoyable réalisateur. Vous engagez des prostituées pour simuler des scènes de mise à mort grotesques. De la soupe d'amateur, bricolée avec les moyens du bord. Vous gagnez à peine de quoi survivre en vendant ces cochonneries sur Internet, et vous croulez sous les réclamations des clients mécontents !

— Mécontents ? » rugit-il.

Nick eut un haussement d'épaules. « Vous êtes d'une nullité pathétique, Stark. Vous devriez changer de boulot. Peut-être aurez-vous l'occasion d'apprendre un vrai métier, en prison ? »

Les yeux de Stark restaient désormais rivés à la mezzanine. Il ne prêtait pratiquement plus attention à Laurant, ni au couteau de cuisine dont la lame déviait insensiblement. Elle n'était désormais plus pointée vers sa gorge, mais vers la porte d'entrée.

« Tu mens ! Personne ne sait. Tu as entendu ce que je viens de dire. Auparavant, tu n'étais au courant de rien !

— De tout, et depuis le début, Stark ! Cet article n'a été publié que pour vous faire sortir de votre trou. Tout le monde était dans le coup, Tom y compris. Nous vous attendions. Nous avions tout prévu et tout arrangé, jusqu'au moindre détail. »

Stark mordait à l'hameçon. Il avait les joues en feu, le teint plombé. Ses yeux semblaient sur le point de lui jaillir du crâne. Nick croisa mentalement les doigts pour que la rage lui fasse commettre un faux pas. Une seconde lui suffirait...

Allez, viens... Viens ! Laisse-la et viens par ici...

Du coin de l'œil, Laurant vit s'élever le canon de l'arme de Stark et sentit le dément se raidir contre elle. Il tentait de l'entraîner avec lui, sans cesser de tenir Nick en joue, lorsque des pneus firent crisser les graviers de l'allée devant le bungalow. Tommy ? Seigneur, non ! Quiconque passerait cette porte était un homme mort...

« Non ! » hurla-t-elle et, pivotant entre les bras du dément, elle se cabra comme une furie. Son épaule heurta la main qui tenait le pistolet. Stark tira à l'aveuglette, faisant voler en éclats la grande baie vitrée. Le coup de feu était parti si près de son visage qu'elle en sentit le souffle chaud. Elle se débattit de plus belle, jouant des coudes et des ongles, mais il était trop fort pour elle. Elle ne le ferait pas céder.

L'arme de Stark s'élevait à nouveau lorsque Jules Wesson vint s'encadrer dans l'embrasure de la porte. Il s'accroupit en position de tir, l'arme à bout de bras, attendant l'occasion de faire feu sans risquer d'atteindre Laurant.

Elle se débattit encore, avec l'énergie du désespoir, et se retourna de nouveau pour faire face à son agresseur. Et elle attaqua. De la main gauche, elle lui saisit le poignet, lui enfonçant les ongles dans la peau pour l'empêcher de viser. Il relâcha alors sa prise autour d'elle pour la frapper avec le couteau, et elle profita de cette milliseconde de liberté pour dégager sa main droite et lui enfoncer l'épingle dans l'œil.

Stark lâcha un cri de bête blessée. Il laissa choir son couteau et porta la main à son œil.

À la seconde, Nick franchit d'un bond la rambarde de la mezzanine et atterrit à deux mètres d'eux. « À terre ! » hurla-t-il pour Laurant et, sortant le Glock de sa ceinture, il ouvrit aussitôt le feu, avant même d'avoir touché le sol.

Stark se hissa sur ses pieds, en tirant à tort et à travers. Une balle évita de peu Wesson, qui se mit à plat ventre avant de répliquer.

Nick se releva, en appui sur la table, sans cesser de tirer. Sa première balle avait touché Stark en pleine poitrine. Une balle de Wesson lui arracha son arme de la main, et la deuxième balle de Nick l'atteignit à la tête, alors qu'il tentait de fuir. Sa troisième balle lui faucha la jambe.

Stark s'affala sur le dos, les yeux grands ouverts, une jambe tordue sous lui. Nick resta un long moment immobile au-dessus de lui, s'efforçant de chasser au loin tout ce bruit et cette fureur.

Puis il entendit un sanglot dans son dos. Laurant s'était recroquevillée par terre, la tête dans les mains. Wesson accourut, tandis que Nick s'agenouillait près d'elle. Il avança une main tremblante, mais renonça à la toucher. Il ne voulait surtout pas aggraver les choses.

« Je suis navré, Laurant... Navré ! répéta-t-il. Bon Dieu... Tout ça est ma faute. C'est moi qui ai attiré le malheur sur vous tous. Tout est ma faute. »

Elle se jeta dans ses bras. « Il est mort ? C'est fini ? »

Ses bras se refermèrent sur elle et la serrèrent passionnément. « Oui, fit-il, paupières closes. Oui, mon amour... c'est fini. »

37

Lorsque Nick amena Laurant aux urgences de l'hôpital, Noah était déjà sur la table d'opération. Tommy, toujours revêtu de sa chasuble blanche tachée de sang, accourut dans le service dès qu'il apprit que sa sœur était arrivée saine et sauve.

Mais son angoisse ne se calma qu'en retrouvant Laurant. Elle avait la mine d'une rescapée de l'enfer, mais elle était bien vivante. Elle trouva même l'énergie de lui sourire. Nick s'était assis près d'elle sur la table d'examen, le bras autour de sa taille. Tommy lui trouva l'air encore plus défait qu'à sa sœur, ce qui n'était pas peu dire. Son teint avait pris une couleur terreuse et son regard flamboyait d'une terreur incandescente, proche de la démence.

« Et Noah ? demanda-t-il. Comment va Noah ?

— On s'occupe de lui, fit Tommy. Le chirurgien m'a dit qu'il avait perdu beaucoup de sang, mais que la balle n'avait touché aucun organe vital. Il lui faudra quelques mois pour retrouver son allant, mais il est hors de danger.

— Depuis combien de temps est-il au bloc opératoire ?

— Vingt minutes. Ne t'inquiète pas ; ça va aller... Tu connais l'ami Noah ! Plus coriace qu'un vieux clou rouillé ! »

Laurant se laissa aller contre Nick, la tête sur son épaule. Sa main s'était posée sur son genou et il la serrait dans la sienne. Elle souffrait de partout et n'aurait su dire ce qui lui faisait le plus mal. Sa tête, son bras, sa jambe... Elle aurait voulu dormir un peu, mais, dès qu'elle fermait les yeux, tout se mettait à tourner et elle se sentait prise d'un affreux mal de mer.

— Que fait le docteur ? s'impatienta Nick.

— On l'a bipé, il va arriver », fit Tommy. Il s'approcha d'elle et écarta affectueusement les mèches qui lui balayaient le front. « Ça va aller... », dit-il, d'un ton qui se voulait assuré et rassurant, mais malgré lui, sa phrase sonna comme une question.

« Oui, je vais bien. J'ai simplement besoin d'un peu de repos.

— Tu peux me raconter... ? Tu étais juste derrière moi au moment où je suis sorti avec Noah.

— Il était là... Il m'a appelée à l'aide. Il faisait semblant d'être blessé.

— Qui, "il" ?

— Justin Brady – mais c'était un pseudo. » Elle lança un coup d'œil vers Nick. « J'ai fait quelques pas vers lui et j'ai soudain entendu ta voix, quelque part dans ma tête.

— Ma voix ? Que disait-elle ?

— "Ne croyez personne sur parole..." J'ai eu l'impression que quelque chose ne collait pas et mes yeux sont tombés sur l'une de ses mains. Il portait un gant de chirurgien. J'ai aussitôt tenté de fuir, poursuivit-elle, en se tournant vers Tommy. Mais il s'est élancé derrière moi et là, j'ai dû perdre connaissance. À mon réveil, j'étais dans son van. Il avait démonté les poignées des portières. Impossible de sortir... Tommy... Il nous avait pourtant montré une photo de sa femme. Tu te souviens, au pique-nique. Il me l'avait montrée, cette photo. Je me demande où il a bien pu la voler...

— Nous verrons ça plus tard, fit Tommy en prenant la mesure de son désarroi. Oublie tout cela, pour l'instant.

— Tommy ! si tu allais activer ce satané toubib ! » grommela Nick.

Le Dr Benchley, un type d'âge mûr plutôt bourru, écarta le rideau à la seconde même où Tom partait à sa recherche. Il soumit Laurant à un examen rapide et, avec la courtoisie d'un doberman, enjoignit aux deux hommes de quitter la pièce.

Il poussa un bon coup de gueule pour appeler une infirmière et, comme Nick n'avait pas bougé d'un pouce, il le fusilla du regard en lui réitérant son injonction : « Vous, je croyais vous avoir demandé de sortir ! » aboya-t-il.

Nick refusa de quitter Laurant et ne fit guère preuve de plus de tact que le médecin. L'angoisse le rendait mauvais, mais ce qu'il ignorait, c'est qu'il avait affaire à quelqu'un qui aurait pu lui en remontrer sur son propre terrain. Le Dr Benchley avait travaillé douze ans dans un service d'urgences de Los Angeles où il en avait vu de toutes les couleurs, et ce n'était pas un vulgaire flic qui allait l'intimider – même armé jusqu'aux dents, et à deux doigts de la crise de nerfs !

Tommy dut s'interposer et entraîner de force son ami, avant que l'altercation ne dégénère en bagarre rangée.

« Laisse-le l'ausculter. C'est un excellent médecin. Viens, allons nous asseoir dans la salle d'attente. Tu prendras un siège près de la porte, pour pouvoir surveiller le rideau.

— D'accord, d'accord ! » fit Nick – mais il ne put se résoudre à s'asseoir et resta dans le couloir à faire les cent pas.

« Si tu allais plutôt attendre près du bloc opératoire, suggéra-t-il à Tommy. Tu demanderas à l'infirmière de me biper, quand ils en auront terminé avec Noah. J'aimerais parler au chirurgien.

— J'irai aux nouvelles dès que Benchley aura fini d'examiner Laurant. Elle n'a sûrement rien de grave, ajouta-t-il pour rassurer son ami. Elle a une petite mine, mais elle va bien.

— Et si c'était plus grave qu'il n'y paraît ? Tommy… Il s'en est fallu d'un cheveu. Ce salaud l'avait immobilisée et lui pointait un couteau sous la gorge. Jamais je n'ai eu si peur de ma vie. En un clin d'œil il aurait pu lui sectionner une artère. Et tout était ma faute… Je n'avais pas prévu…

— Prévu quoi ? »

Nick garda un moment le silence. Il revivait mentalement cette affreuse minute où il avait découvert Laurant du haut de la mezzanine.

« J'aurais dû y penser avant même qu'il ait eu l'occasion de s'emparer d'elle. Jamais je n'aurais dû lui laisser la moindre chance ! C'est à cause de mon imprévoyance qu'elle a frôlé la mort et que Noah s'est pris cette balle ! »

Tommy ne l'avait jamais vu en proie à une telle détresse. « Cesse de te torturer. Explique-moi plutôt ce qui s'est passé. Qu'est-ce que tu aurais dû prévoir ? »

Nick se passa la main sur le front et s'adossa au mur, le regard fixé sur le rideau du box. Il lui raconta toute l'histoire et, lorsqu'il se tut, Tommy dut aller se chercher un siège.

« Eh bien ! Vous avez vu la mort de très près, tous les deux ! » Il poussa un long soupir et se releva. « Tu sais... si je pensais que tu avais commis une faute, je n'hésiterais pas à te le dire.

— Peut-être...

— Fais-moi confiance. Tu n'as rien à te reprocher. Pete non plus n'avait rien vu venir, lui fit-il remarquer. Tu as fait ton boulot. Tu as assuré la sécurité de ma sœur, et tu lui as sauvé la vie.

— Pour ça, c'est plutôt elle qu'il faut féliciter ! J'étais là, à quelques mètres à peine, armé jusqu'aux dents, et c'est elle qui l'a eu, ce fumier. Elle l'a littéralement aveuglé, en lui enfonçant une épingle à nourrice dans l'œil ! »

Tommy grimaça. « De quoi vous filer des cauchemars. » Une infirmière vint chercher Nick – un appel urgent de l'agent Wesson, l'informa-t-elle. Resté seul dans la salle d'attente, Tommy s'avisa qu'il portait toujours sa chasuble blanche, tachée du sang du blessé.

« Wesson a trouvé le détonateur, lui annonça Nick à son retour. Il était dissimulé dans un système d'ouverture de porte automatique.

— Et la bombe ?

— L'abbaye a été évacuée d'urgence. Nous attendons la brigade de déminage, qui arrive par hélico.

— Nous pouvons remercier le Seigneur de nous en tirer à si bon compte, murmura Tommy. Personne d'autre n'a été blessé. » Il s'efforçait d'alimenter la conversation. Il sentait que la patience de Nick menaçait d'atteindre ses limites d'une seconde à l'autre et voulait à tout prix l'empêcher de faire irruption dans le box de Laurant en pleine consultation.

« Ah ! Qu'est-ce qu'il fabrique, ce médecin... ?

— Il prend son temps. Il a raison.

— Dis donc, toi... Je te trouve drôlement calme !

— Je dois l'être pour deux.

— Mais c'est ta sœur, non ? Tu as vu la tête qu'elle a ! À ta place, je serais mort de trouille !

— Laurant est une fille pleine de ressource.

— Peut-être, mais sa résistance a des limites ! »

Le rideau s'écarta sur le passage de l'infirmière qui regagna son bureau et décrocha son téléphone.

Resté seul avec Laurant, Benchley avait recouvré son calme et était redevenu un médecin attentif, courtois et aimable. Il lui anesthésia le bras, nettoya la plaie, et la protégea à l'aide d'un tampon de gaze en attendant l'arrivée du chirurgien qui allait la lui recoudre. Il lui palpa minutieusement le crâne et l'arcade sourcilière gauche. Ses doigts se firent plus légers quand elle grimaça. « Félicitations, Mlle Madden ! Vous nous couvez le coquard de l'année, là... ! »

Il tenait à lui faire passer des radios. Le coup qu'elle avait reçu à la base du crâne avait provoqué une énorme bosse, et il fallait écarter tout risque de fracture.

« Nous allons vous garder cette nuit en observation. » Il posa une seconde bande de sparadrap sur la compresse. « J'ai appris ce qui s'était passé à l'église. Enfin... Par bribes, en tout cas. Vous pouvez vous vanter d'avoir eu de la chance ! »

Elle se sentait estourbie et désorientée, incapable de concentrer son attention sur quoi que ce fût. Il lui avait semblé comprendre que le docteur lui posait une question, mais elle n'aurait pu le jurer et ne se sentait pas la force de la lui faire répéter.

« L'infirmière vous apportera une chemise de nuit. »

Où était Nick ? Avait-il quitté l'hôpital ? Elle aurait voulu sentir ses bras autour d'elle. Elle tenta de bouger le genou, mais la douleur lui fit monter les larmes aux yeux. Elle dut se mordre la lèvre. Sa jambe lui faisait un mal de chien.

Le médecin s'apprêtait à partir lorsqu'il l'entendit murmurer : « Je crois que ma jambe saigne toujours... Vous pourriez me mettre une compresse ? »

Benchley fit demi-tour. « Il va falloir suturer la plaie, dit-il. Patience. Le chirurgien arrive... »

Il lui parlait comme à une enfant malade. Il leva deux doigts et lui demanda combien elle en voyait.

« Deux..., répondit-elle en clignant les yeux, tandis qu'il lui examinait le fond de l'œil. Je parlais de ma jambe..., répéta-t-elle. J'ai dû tomber... Je saigne. »

Elle se sentait de plus en plus vaseuse et fatiguée, et les profondes inspirations qu'elle s'efforçait de prendre ne lui étaient pas d'un grand secours.

Benchley y regarda de plus près et vit la grosse tache de sang qui s'était formée sur son collant. « Tiens ! Qu'est-ce qui se passe ici ? » fit-il pour lui-même, en abaissant l'élastique du collant pour lui dégager le genou. Il lui souleva la jambe et entreprit d'examiner la plaie.

Elle ne voyait rien. Les plis de sa jupe lui masquaient la blessure. « Ce n'est pas très grave... Mettez-moi juste un pansement, dit-elle.

— C'est bien ce que nous allons faire, confirma le docteur. Après avoir extrait cette balle ! »

La soirée avait été chargée, dans le service de chirurgie. Le docteur ôta son calot et il se rendit dans la salle d'attente pour annoncer à Nick et Tom que Noah était hors de danger. Il les assura qu'il n'y avait à craindre ni mauvaises surprises, ni complications, et que tout rentrerait rapidement dans l'ordre. Puis il tourna les talons pour aller s'occuper de Laurant. Pendant qu'il extrairait la balle de sa jambe, son collègue recoudrait la plaie de son bras.

Une infirmière vint apporter la montre et la bague de Laurant.

Elle les tendit à Tom, qui les remit à Nick sans la moindre arrière-pensée.

Laurant ne fit qu'un bref séjour dans le bloc opératoire. On la laissa ensuite quelques heures en salle de réanimation, près de Noah, avant de l'installer dans une chambre individuelle. Elle n'était toujours pas revenue à elle.

Après avoir pris des nouvelles de Noah, Nick vint s'asseoir au chevet de Laurant et y passa la nuit. Tommy, lui, se rendit à l'abbaye pour se changer puis revint veiller Noah.

Le Dr Morganstern arriva vers les deux heures du matin. Il alla d'abord au chevet de Noah. Tommy s'était endormi dans son fauteuil, mais il se réveilla en entendant entrer Pete. Ils quittèrent la chambre pour pouvoir parler plus à l'aise, et Tommy indiqua au docteur le chemin de la chambre de Laurant.

Elle dormait toujours, d'un sommeil entrecoupé. De temps à autre, dès qu'elle émergeait, elle appelait Nick. Les effets de l'anesthésie mirent plusieurs heures à se dissiper. Elle ne pouvait toujours pas ouvrir les yeux, mais le simple contact de sa main sur la sienne suffisait à la rassurer, et elle se rendormait, bercée par sa voix apaisante.

« Nick ?

— Je suis là.

— Je crains d'avoir un peu... vomi sur le docteur Benchley...

— Tu m'en vois ravi – félicitations ! »

Il s'écoula encore une heure.

« Nick ?

— Je suis là, Laurant. »

Elle sentit la pression de sa main sur la sienne. « Est-ce que.. tu as dit à Tommy... que nous avions fait l'amour ensemble ? »

Il y eut un toussotement, puis la voix de Nick : « Non, mais tu viens de le lui apprendre. Il est là, près de moi. »

Elle se rendormit, cette fois d'un sommeil plus calme, sans rêves ni cauchemars.

En entrant dans la chambre de Laurant, Pete trouva Nick penché sur son lit. Il s'immobilisa sur le seuil et le regarda tandis qu'il lui prenait le poignet, pour lui remettre sa montre et lui passer au doigt la bague de fiançailles.

« Comment va-t-elle ? demanda-t-il dans un chuchotement, pour ne pas la réveiller.

— Bien. Elle s'en remettra.

— Et vous ?

— Oh, moi... je m'en tire sans une égratignure.

— Ce n'est pas ce que je vous demande... »

Ils sortirent parler dans le couloir. Pete lui proposa de venir boire un verre à la cafétéria, mais Nick hésitait à s'éloigner de Laurant. Il tenait à rester à son chevet, au cas où elle se réveillerait de nouveau.

Ils s'installèrent dans le couloir, sur des chaises que Pete avait trouvées dans le bureau des infirmières.

« Je suis ici pour deux raisons. D'abord parce que je voulais voir Noah, évidemment.

— Et ensuite ?

— Et ensuite, pour vous présenter mes excuses.

— Inutile, Pete. C'est moi qui ai foiré.

— C'est absolument faux, répliqua Morganstern. J'ai refusé de vous croire. Vous m'aviez dit et répété que l'arrestation de Brenner ne vous satisfaisait pas et que vous restiez sur vos gardes. Et vous vous souvenez de ma réaction ? J'ai délibérément enfreint toutes les règles de conduite que je vous ai enseignées. J'étais persuadé qu'il s'agissait d'un parti pris de votre part, et que vos implications personnelles vous aveuglaient au point de vous masquer l'évidence. Je n'ai pas tenu compte de votre intuition, une grave erreur, que je ne commettrai plus de sitôt. Quand je pense à la catastrophe que nous venons d'éviter ! »

Nick hocha la tête. Il s'adossa au mur, les jambes tendues. « Si cette bombe avait explosé, elle aurait fait un véritable massacre. »

Pete soumit Nick à un interrogatoire en règle, et ne s'estima satisfait que lorsqu'il eut pris connaissance de l'enchaînement des faits dans leurs moindres détails.

« Ce serait donc cet article qui aurait tout déclenché ?

— Je le crains.

— Sa femme était sur le point d'atteindre la perfection, a-t-il dit... ? C'est ce que vous l'avez entendu confier à Laurant ?

— Oui. La femme de Stark devait soupçonner ce qui l'attendait, lorsqu'il estimerait qu'elle aurait atteint un degré de perversité qu'elle ne pourrait plus surpasser. Il l'aurait supprimée, tout comme il avait supprimé sa propre mère. Maintenant que je détiens toutes les pièces du puzzle, j'en viens à me demander si elle n'avait pas effectivement pété les plombs – ce qui expliquerait qu'elle ait enlevé cet enfant.

— Allez savoir quelles étaient ses motivations profondes ! fit Pete. Elle a emporté la clé du mystère dans la tombe. On pourrait même imaginer qu'elle espérait qu'une vie plus calme, plus familiale lui remettrait les pieds sur terre.

— Et elle aurait tenté d'en appeler à ses instincts paternels ?

— Par exemple.

— Je crois plutôt qu'elle a décidé de tirer l'échelle. Elle préférait finir sous nos balles qu'entre les mains de Stark. »

Pete hocha la tête. « Vous devez être dans le vrai, une fois de plus. Et Laurant ?

— Les médecins sont optimistes.

— Vous comptez rester auprès d'elle ? »

Nick vit immédiatement où son chef voulait en venir. « Assez longtemps pour lui exprimer mes regrets de l'avoir entraînée dans cette sale affaire.

— Et ensuite ?

— Ensuite, je lève l'ancre. »

Sa décision était prise.

« Je vois. »

Nick jeta un coup d'œil vers Pete. « Fichtre ! J'ai horreur de la manière dont vous dites ça. J'ai vraiment l'impression d'être face à un psy !

— Vous ne pourrez éternellement vous blinder le cœur, Nick. Dans votre cas, la fuite n'est pas une solution.

— Je sens que vous allez m'expliquer quel est mon problème...

— Mais avec plaisir ! Cet attachement qu'elle vous inspire vous rend humain – trop humain ! Voilà ce qui vous terrorise. C'est aussi simple que ça.

— Ça n'a rien d'une capitulation. Tôt ou tard, il faudra bien que je me remette au boulot. Et Laurant mérite une vie paisible et heureuse, que je ne pourrai jamais lui garantir. Stark s'est servi d'elle et de son frère pour se venger de moi, et ça pourrait se reproduire n'importe quand. Dieu sait que je me suis fait des ennemis peu fréquentables depuis que je travaille pour vous, Pete... Imaginez que d'autres tordus s'attaquent à elle ? Non... plus jamais ça ! Je refuse de prendre un tel risque.

— Vous préférez vous isoler davantage, et de plus en plus... ? »

Nick eut un haussement d'épaules.

« Votre décision est irrévocable ?

— Irrévocable, comme vous dites. »

Pete sentit qu'il ne lui servirait à rien de persister dans cette voie, mais il ne put s'empêcher d'enfoncer un peu le clou : « Les psychiatres ont l'œil exercé, vous savez. Nous sommes sensibles à certains détails.

— Tels que ?

— En arrivant dans la chambre, je vous ai vu lui passer cette bague au doigt. Vous conviendrez que c'est une attitude pour le moins curieuse, pour un type qui s'apprête à lui tirer définitivement sa révérence... »

Nick eut quelque peine à expliquer son geste : « Je me suis dit qu'elle craindrait de l'avoir perdue, si elle ne la voyait plus à son doigt, à son réveil. Elle doit la ramener à la bijouterie pour se faire rembourser. N'y voyez rien d'autre. Le sujet est clos.

— Une dernière petite question, et je vous fiche la paix, promis !

— Oui, quoi ? soupira Nick d'un air accablé.

— Où comptez-vous trouver la force de la quitter ? »

38

Une semaine s'était écoulée. Noah était en convalescence à l'abbaye, mais il n'avait pas le temps de s'ennuyer, entre les festivités du centenaire et le constant défilé de ses visiteurs – des visiteuses, pour la plupart – qui arrivaient chargés de victuailles et de cadeaux. Le prieur était aux anges. Ils avaient de quoi soutenir un siège !

Tommy venait de raccompagner une jeune paroissienne, qu'il avait chaleureusement remerciée pour son excellente terrine de lapin... De retour dans son bureau, il y retrouva Noah, mollement étendu sur un canapé. Tommy se laissa choir dans son fauteuil, les pieds calés sur l'ottomane. Il avait entrepris de mettre Noah au courant des derniers développements de l'affaire, lorsque l'arrivée de leur visiteuse les avait interrompus.

« Bien – où en étais-je ?

— Vous me racontiez ce qui s'est passé à l'hôpital pendant que j'étais dans le cirage...

— Ah oui... j'y suis ! Ni Nick ni moi n'avions remarqué que ma sœur avait une balle dans la jambe. Le docteur arrive, et il nous apprend qu'elle est blessée. Nick a poussé un hurlement...

— Ah ! L'amour... !

459

— Je suppose, opina Tommy. Jusque-là, j'avais déjà du mal à le tenir, mais ça, ç'a été la goutte d'eau. Il est devenu fou à lier.

— Sans blague ? fit Noah avec un sourire. J'aurais donné cher pour y être ! Et ensuite ?

— Il s'en est pris au médecin : "Qu'est-ce que c'est que cette histoire de fous ! Une balle dans la jambe ? C'est quoi, cette boîte – un asile d'aliénés ?" »

Noah éclata de rire. « Il a vraiment sorti ça au toubib... ? Incroyable !

— Mais Benchley a aussitôt répliqué sur le même ton : "Dites donc, vous ! Bouclez-la un peu. C'est tout de même pas moi qui lui ai tiré dessus !" Et Nick était tellement hors de lui que j'ai vu arriver le moment où ils allaient en venir aux mains.

— Et ensuite ?

— Ensuite, il est resté rivé au chevet de Laurant. Il l'a veillée toute la nuit, mais il nous a annoncé, à moi et à Pete, qu'il la quitterait dès qu'elle ouvrirait les yeux. Et c'est exactement ce qu'il a fait. Il lui a serré la main, et adieu ! »

Noah éclata de rire. « Et elle ? Qu'est-ce qu'elle a fait ?

— Elle a déclaré qu'il en tenait une sacrée couche et s'est aussitôt rendormie.

— Vous savez, je la trouve craquante, votre sœur, Tommy !

— Mais Nick était décidé. Il avait tout un tas de paperasses à remplir, et ça l'a retenu plusieurs jours à Nugent. Ils ont retrouvé Lonnie planqué dans un motel près d'Omaha. Ils l'ont inculpé d'incendie volontaire.

— Et Brenner ? Est-ce qu'on a retrouvé le compte clandestin dont le shérif nous a parlé ?

— Oui. Brenner avait trafiqué sa comptabilité et détourné des fonds aux dépens du promoteur. Il va rester un bout de temps sous les verrous. Et vous savez ce qu'a fait Christopher ?

— Le jeune marié ?

— Oui... Pendant sa lune de miel avec Michelle, à Hawaii, il a passé des heures au téléphone et a fini par conclure un accord avec le cabinet Griffen. Il les a persuadés d'acheter un autre terrain appartenant à la commune, et de renoncer à leurs projets sur le centre-ville. Il a négocié avec la municipalité pour qu'une partie des bénéfices aille à la rénovation du quartier et au développement de nouvelles boutiques. Son intervention profitera à tous. Dès son retour, il va installer son propre cabinet à quelques mètres du magasin de Laurant, et quand la boutique ouvrira, c'est Michelle qui prendra l'affaire en main.

— Et Laurant ?

— Elle veut se consacrer à la peinture.

— Excellent ! fit Noah, tout sourire.

— Il me semble que c'est l'heure de vos antibiotiques, mon vieux !

— Avec une petite bière, pour les faire descendre...

— À dix heures du matin ? J'aimerais bien voir ça !

— Ah ! Toujours aussi intraitable, mon cher petit curé !

— Eh ! Faut bien ! fit Tommy en lui tendant un Pepsi. J'ai entendu dire que Wesson songeait à donner sa démission.

— S'il avait pu y songer plus tôt ! » Noah ne souriait plus.

« Nous lui devons pourtant une fière chandelle, dit Tommy. Nick m'a raconté qu'il s'était délibérément exposé aux balles de Stark, dans le bungalow, pour détourner son attention et permettre à Nick de mieux ajuster son tir.

— Un peu mince, comme compensation – et surtout, un peu tardive ! Mais changeons de sujet. Pete m'a déjà raconté la scène. Dites-moi plutôt si Nick a vraiment réussi à quitter votre sœur.

— Non. C'est elle qui est partie.

— Vous rigolez ! Pour aller où ?

— À Paris. Elle a gagné son procès, ajouta Tom, radieux. Elle a récupéré tout notre patrimoine jusqu'au dernier *cent* – sans compter un joli petit bonus de dommages et intérêts. Elle a dû prendre l'avion pour aller signer les papiers.

— Tout est bien qui finit bien.

— Mais je me suis bien gardé de dévoiler à Nick les vraies raisons de son départ .. »

Noah leva le sourcil. « Qu'est-ce que vous lui avez raconté ?

— Qu'elle était partie à Paris, sans autre précision !

461

— En lui laissant entendre que son départ était définitif ?

— À peu près, oui.

— Jamais il ne se décidera à la rejoindre. Un vol transatlantique ! Jamais de la vie. Pas une chance sur un million... »

Tommy jeta un coup d'œil à sa montre. « Eh bien... figurez-vous qu'à l'heure où je vous parle... il va atterrir à Charles-de-Gaulle d'une minute à l'autre ! »

Noah éclata de rire. « L'animal ! Il pourrait supporter l'idée de la quitter, à la rigueur, mais que ce soit elle qui le quitte... ça, c'est vraiment au-dessus de ses forces !

— En fait, il n'est jamais allé plus loin que Des Moines. Là, il a fait demi-tour, pour revenir ventre à terre. Et vlan ! Je lui ai annoncé qu'elle venait de partir !

— Sans espoir de retour ? »

Tommy confirma d'un signe de tête. « Aux grands maux les grands remèdes, non ? plaida-t-il. J'aime Nick comme un frère, mais il fallait trancher dans le vif !

— Vous lui avez donc menti.

— Oui.

— Eh ! Le diable m'emporte ! Le mensonge est un vilain péché, collègue ! Mais si vous voulez, je peux vous donner l'absolution... ! »

Laurant était à bout. Elle avait pleuré pendant une bonne partie du trajet jusqu'à Paris et, dans les rares moments de répit que lui laissait son chagrin, elle se maudissait d'être tombée amoureuse de cet idiot. Elle n'avait pas fermé l'œil de la nuit. À peine arrivée sur le sol français, elle s'était rendue chez son avocat pour signer les papiers du procès.

Mais elle n'avait qu'une idée en tête : retourner à Boston, retrouver Nick. Pour lui dire quoi, au juste ? Eh bien, rien ! Un baiser devrait suffire à lui exposer son point de vue, non ? Mais la seconde d'après, elle se ravisait. Il méritait tout de même de passer un mauvais quart d'heure ! Et un instant plus tard, elle ne savait déjà plus qu'en penser. Jusqu'à ces dernières semaines, elle se voyait plutôt comme une jeune femme énergique, bien ancrée dans la réalité, et elle ne se reconnaissait plus en cette boule d'émotions contradictoires que Nick avait faite d'elle... Incapable de manger et de dormir, elle ne savait plus que pleurer.

Elle se fit déposer à son hôtel et prit une longue douche. Elle avait emporté une chemise de nuit dans ses bagages, mais elle préféra se mettre au lit dans ce ridicule tee-shirt rouge qu'il lui avait offert.

Comment avait-il eu le cœur de la quitter ? Elle fondit de nouveau en larmes, et cela lui fit monter la moutarde au nez. Elle se rappela cette réaction qu'il avait eue, quand elle lui avait avoué qu'elle l'aimait. Il avait semblé horrifié. Elle s'était figuré qu'il avait reculé devant les risques et les responsabilités que ça impliquait pour lui, mais à présent, il fallait cesser de se bercer d'illusions. Et voir enfin la réalité en face : il ne l'aimait pas. Rideau !

Elle attrapa un Kleenex sur sa table de nuit et composa le numéro de Michelle. Son amie décrocha à la première sonnerie et répondit d'une voix ensommeillée : « Si tu appelles pour t'excuser à nouveau de ce qui s'est passé au mariage, je te réponds ce que je t'ai répondu les trois dernières fois où tu m'as appelée à Hawaii : que tu es toute pardonnée. Tu n'y étais pour rien. Ça n'était pas ta faute – OK ? Ma mère te pardonne. Je te pardonne, tout comme mon père et Christopher...

— Il est parti, Michelle... »

Au bout du fil, son amie parut émerger brusquement de la brume.

« Parti ? Qui ça... Nick ? Mais d'où m'appelles-tu ?

— De Paris, répondit-elle en reniflant.

— Mais tu pleures ! Tu as perdu ton procès... ? Oh... j'en suis vraiment navrée pour toi.

— Non, Michelle... Non.

— Alors, te voilà de nouveau riche ?

— Je crois, oui.

— Mais ça n'a pas l'air de te faire bondir de joie !

— Tu as entendu ce que je viens de te dire ? Il est parti. Je ne te l'avais pas dit, la dernière fois que j'ai appelé... mais il m'a quittée dès le lendemain de ton mariage. On a échangé une poignée de main, à l'hôpital.. et il a fichu le camp. Il ne m'aime pas.

— Une poignée de main ? » Michelle éclata de rire.

« Écoute, ça n'est pas drôle et le téléphone coûte cher. Alors, si tu pouvais ne pas trop t'étendre, et compatir un peu !

— OK, fit Michelle. Allez, allez, ma chérie... T'inquiète pas... tout va finir par s'arranger !

— Là, tu te fiches de moi !

— Désolée, fit Michelle. Mais qu'est-ce que tu vas faire ?

— Que veux-tu que je fasse...

— J'ai pourtant remarqué ces regards qu'il te lançait, pendant que vous dansiez, au pique-nique. Exactement les mêmes que Christopher, quand certaines idées lui trottent dans la tête... je ne te fais pas un dessin.

— Ça, c'est du désir, ma vieille – pas de l'amour. Et voilà... je l'ai fait fuir, lui aussi.

— Oh là là ! C'est vrai que tu es sans rivale, dans cette discipline... Eh bien, il ne te reste plus qu'un truc à faire... Lui courir après. Grouille-toi de remonter sa piste, tant qu'elle est encore fraîche ! »

Laurant poussa un soupir. « Tu ne m'aides pas beaucoup, Michelle. Je suis malheureuse comme une pierre. Quelle plaie que d'être amoureuse !

— Rattrape-le donc ! répéta Michelle.

— Et après ? Je ne peux tout de même pas le forcer à m'aimer ! J'ai horreur d'être dans cet état. Si c'est vraiment ça, l'amour, très peu pour moi ! Tu sais ce que je vais faire ? Tourner la page et l'oublier. Je ne vois rien de mieux.

— OK, fit Michelle, et Laurant discerna l'ombre d'un sourire dans sa voix. Oublie-le. Mais là, petit problème : comment comptes-tu t'y prendre ?

— Je me suis entichée de lui du jour au lendemain, ou presque. Il ne devrait pas me falloir beaucoup plus de temps pour passer l'éponge... si ?

— Je t'en prie ! Tu t'entends, quand tu dis ce genre

d'ânerie ? Au fond de toi, tu sais que tu te racontes des bobards. Moi aussi, je suis tombée amoureuse de Christopher dès notre premier rendez-vous. Ça arrive, ces choses-là. J'ai décidé en un clin d'œil que je passerais ma vie à ses côtés. Rattrape-le vite, ton Nick, ma petite vieille. Ne te laisse pas berner par cet orgueil stupide !

— Rien à voir avec de l'orgueil. S'il m'avait aimée, il ne serait pas parti. C'est fini, et bien fini. Autant voir les choses en face... »

Laurant sentit de nouveau son cœur se briser. Michelle lui parla encore quelque temps, mais elle ne l'écoutait plus que d'une oreille. Elle l'interrompit pour lui dire au revoir. Elle aurait voulu pouvoir rentrer chez elle, à supposer qu'elle eût encore un endroit qu'elle pouvait appeler son chez-soi...

Elle téléphona au service d'étage pour se commander un thé chaud.

« Son échappatoire préférée », aurait dit Nick. Une bonne petite tasse de thé, pour faire passer cette pilule si amère...

Elle fut prise d'un impérieux désir de fuir Paris. Elle appela la compagnie aérienne et fit avancer la date et l'heure de son départ. Elle pourrait toujours dormir dans l'avion... Elle s'extirpa du lit et entreprit de refaire ses bagages. Elle venait de fermer son premier sac quand on frappa un coup à sa porte. Le thé, se dit-elle. Elle alla ouvrir, attrapant un Kleenex au passage. « Vous me le mettr... »

Nick était sur le seuil, les yeux brillants. Elle en resta bouche bée.

Il n'avait pas l'air en grande forme, avec ses cheveux en bataille, son regard fiévreux, ses vêtements fatigués et froissés. Mais elle le trouva superbe.

« Tu ouvres vraiment à n'importe qui – et tu n'avais pas mis la chaîne sur ta porte ! Je ne t'ai même pas entendu tourner le verrou ! »

Elle ne répondit pas. Elle restait plantée là, les bras ballants, les yeux agrandis de surprise. Du premier coup d'œil, il vit qu'elle avait pleuré. Il dut l'entraîner dans la chambre pour pouvoir refermer la porte sur eux.

« Voilà comment on ferme une porte d'hôtel », fit-il en mettant le verrou.

Enfin, il la tenait ! Il s'adossa à la porte pour qu'elle ne puisse plus lui échapper. Il prit une profonde inspiration et toutes ses angoisses s'envolèrent d'un coup. Elle était là. Seuls quelques centimètres les séparaient encore

« Comment m'as-tu retrouvée ?

— Eh ! Je suis du FBI, non ? C'est mon job, de remonter la piste des fugitifs. Laurant, pourquoi m'avoir quitté ainsi, sans un mot ? Faire ta valise, déménager à Paris... As-tu seulement une idée de ce que j'ai pu endurer ? Qu'est-ce qui t'est passé par la tête ? Tu crois qu'on peut jurer à quelqu'un qu'on l'aime, la main sur le cœur, et mettre aussitôt les voiles... ? C'est d'une cruauté inouïe ! »

Elle tentait de s'y retrouver dans sa tirade, mais il l'avait débitée si vite et avec une telle véhémence qu'elle avait du mal à suivre. Pourquoi parlait-il de déménager à Paris... Et pourquoi lui reprochait-il de l'avoir fui ?

Elle comptait bien lui demander quelques éclaircissements – dès qu'elle se serait faite à l'idée qu'il était là, ce bougre d'âne. Cet irrésistible idiot.

« Je vais donner ma démission – et il ponctua cette déclaration d'un hochement de tête résolu. Si je dois en passer par là pour te convaincre de m'épouser, c'est décidé. Je donne ma démission ! »

Il s'avisa alors qu'elle portait le grand tee-shirt qu'il lui avait acheté au motel, et il lui revint une foule de bons souvenirs. Il fit pleuvoir sur elle un de ces merveilleux sourires qui la faisaient fondre sur place et lui dit : « Tu m'aimes. »

Il fit un pas vers elle, mais elle recula : « Tu ne peux pas donner ta démission.

— Oh, que si, je peux ! Je ferai ce qu'il faudra pour assurer ta sécurité, mais il va falloir renoncer à me semer. Où que tu

466

ailles, je te suivrai à la trace. Bon Dieu, Laurant... Jamais plus je ne te laisserai partir ! »

Elle avança la main pour le tenir à distance. « Ce n'est pas moi qui t'ai fui. C'est toi qui es parti – tu as oublié ce détail ?

— Oui, oui... Mais j'ai rebroussé chemin, pour découvrir que tu avais filé. Tu n'avais pas perdu de temps ! Tom refusait de me dire où tu étais, mais j'ai réussi à lui faire cracher le morceau ! »

Elle commençait à y voir plus clair. Ce cher vieux Tom... Il avait joué les entremetteuses ! « Qu'est-ce qu'il t'a dit, plus exactement ?

— Que tu allais t'installer à Paris, et j'ai vu rouge à l'idée de te savoir si loin de moi. J'ai besoin de t'avoir dans ma vie. Je veux te retrouver chaque soir. Je veux que nous vieillissions ensemble. J'ai besoin de toi, Laurant. »

Elle se remit à pleurer. Mais cette fois, il ne la laisserait pas lui glisser entre les doigts. Il l'attira à lui et la serra très fort. « Veux-tu m'épouser ? lui demanda-t-il, en lui posant un baiser sur le front.

— Moi, épouser un instable comme toi, incapable de garder son emploi ?

— Bien. En ce cas, je vais accepter le poste de coordinateur qu'on me propose.

— Non. Au contraire, promets-moi de continuer. Ce que tu fais est trop important...

— Tu es sincère ?

— Je t'aime, Nick.

— OK. Je ne démissionnerai pas. »

Il lui prit le menton et se pencha sur elle pour l'embrasser avec une ferveur passionnée. « Laurant... Sors-moi de ce pétrin. Épouse-moi ! »

Elle rejeta la tête en arrière pour le regarder, à nouveau ébahie. « Dis-moi... Comment es-tu venu ici ? »

Mais il ne la laissa pas s'en tirer à si bon compte. « Épouse-moi », répéta-t-il.

Elle sourit. « Tu as oublié... Je veux des enfants !

— Moi aussi, fit-il. Je veux ce que tu veux. Je serai sûrement un père abusif, et je me rongerai les sangs pour eux… mais avec toi pour mère, ils devraient s'en sortir. Avec toi à mes côtés, je suis capable de tout. Je t'aime, trésor ! »

Elle l'embrassa dans le cou avec fougue. « Bien sûr, que tu m'aimes… Je l'ai toujours su !

— Sans blague ? Depuis quand ? »

Elle forma mentalement des vœux pour que leurs enfants aient les yeux de leur père : ils étaient si beaux ! « Depuis que je t'ai vu, là, sur le seuil de ma porte. Tu as pris l'avion pour moi !

— La perspective de traverser l'Atlantique me terrifiait infiniment moins que celle de te perdre. Et, comme tu vois, j'ai survécu !

— Dois-je comprendre que tu as définitivement surmonté ta phobie ?

— Euh… presque », hoqueta-t-il.

Elle sourit et l'embrassa tendrement. « Pour rentrer, nous prendrons le bateau… », murmura-t-elle.

Impression réalisée sur CAMERON par

BUSSIÈRE CAMEDAN IMPRIMERIES
GROUPE CPI
à Saint-Amand-Montrond (Cher)
en mai 2004
pour les Éditions Belfond
12, avenue d'Italie
75013 Paris

Composition : Facompo, Lisieux

N° d'édition : 3805. — N° d'impression : 040234/1.
Dépôt légal : mai 2004.

Imprimé en France